Invitation au français deux

NOTRE MONDE

CONSULTANTS

Jean Carbonnet

SERVICES CULTURELS
AMBASSADE DE FRANCE

Robert Ludwig

MOUNT PLEASANT HIGH SCHOOL
SCHENECTADY, N.Y.

Frances Lutz

LYONS TOWNSHIP HIGH SCHOOL
LA GRANGE, ILLINOIS

Sharon Moore

IRVINGTON-ON-HUDSON, N.Y.

Mary Robb

SPECIALIST, FOREIGN LANGUAGES
BALTIMORE CITY PUBLIC SCHOOLS

Invitation au français   deux

NOTRE MONDE

Remunda Cadoux

Assisted by
DOROTHY L. REID

The Macmillan Company
New York, New York

Collier-Macmillan Limited, London

ACKNOWLEDGMENTS

All photographs courtesy of Rapho Guillumette Pictures.
Pierre Belzeaux, p. 240, 290 left; Marc & Evelyne Bernheim, p. 89, 123, 298 right & left, 299 top right & left, middle right & left, bottom right & left, 312, 314, 317, 338, 339, 341, 363, 366, 368; Dominique Berretty, p. 290 right; Bibliothèque Nationale, p. 150 bottom right; Bourely, p. 411 left; Dennis Brihat, p. 151 top left; Laurence Brun, p. 145; Ciccione, p. 82, 151 top right, 263, 264, 455, 457; Danièle Dailloux, p. 434 bottom; Serge De Sazo, p. 150 bottom left, 241; Fournier, p. 291; Marc Garanger, p. 144; Halin, p. 107; Louis Henri, p. 59; Lambert, p. 150 middle left; J. H. Lartigue, p. 166; Kay Lawson, p. 163; Laurence Lowrey, p. 389, 392; Jean Mainbourg, p. 96; Mulhouse, p. 213; Janine Niepce, p. 66, 67, 81, 95, 434 top; Obernai, p. 213; Paulovsky, p. 151 bottom left; Monroe Pinckard, p. 189, 190; Serraillier, p. 108; Bernard G. Silberstein, p. 150 top; Spirale, p. 151 bottom right; Maurice Zalewski, p. 411 right.

The Macmillan Company
866 Third Avenue, New York, New York 10022

Collier-Macmillan, Ltd., Toronto, Ontario

PRINTED IN THE UNITED STATES OF AMERICA

Illustrated by Marie Michal

En hommage à ma chère mère française
dont l'amour universel
ne connaissait aucune frontière

Table des Matières

Leçons de Révision

I ENCHANTÉ!

Enchanté de faire votre connaissance!
(Delighted to make your acquaintance!)

A. Présentons-nous! (Let's introduce ourselves!)

Je m'appelle . . .   Comment t'appelles-tu?
Comment vous appelez-vous?

1. Bonjour! Comment vous appelez-vous?
2. Avez-vous un(e) ami(e) dans la classe de français? Comment s'appelle-t-il (elle)?   .
3. Comment s'appelle votre professeur de mathématiques? votre professeur d'histoire? votre professeur d'anglais?
4. Demandez à la personne derrière vous comment il (elle) s'appelle.
5. Demandez à la personne devant vous comment il s'appelle.
6. Posez la question à l'élève à votre gauche (à votre droite).
7. Avez-vous un frère (une sœur)? Comment s'appelle-t-il (elle)?

B. Un peu de politesse, s.v.p.![1]

Selon les règles de la politesse, on présente un monsieur à une dame, une jeune personne à un(e) adulte, un élève à un professeur, etc.

Voici quelques présentations typiques:

—Madame Guérin, permettez-moi de vous présenter Monsieur Dubois.
—Enchantée de faire votre connaissance, Monsieur.
—Mes hommages, Madame.

—Monsieur Fauchon, je voudrais vous présenter Jean-Pierre Chantal.
—Enchanté de faire votre connaissance, Jean-Pierre.
—Moi de même, Monsieur.

[1] s.v.p. is the abbreviation for *s'il vous plaît.*

Notez bien: The above introductions are quite formal. Among classmates or young people of the same age, you can say:

—Janine, je te présente mon ami André.
—Enchantée! (or more informally: *Bonjour, André.*)
—Enchanté! (or more informally: *Bonjour, Janine.*)

À faire!

a. Présentez un élève à un professeur.
b. Présentez votre mère au directeur de votre école.
c. Présentez une camarade à un de vos camarades.

C. Révision de Structure

1. Le présent des verbes du Premier Groupe

(Reminder: The infinitive always ends in –er!)

donner   to give

Affirmative	Negative	Interrogative (inversion)
je donne	je **ne** donne **pas**	**est-ce que je** donne?
tu donnes	tu **ne** donnes **pas**	donnes-**tu?**
il donne	il **ne** donne **pas**	donne-**t-il?**
elle donne	elle **ne** donne **pas**	donne-**t-elle?**
on donne	on **ne** donne **pas**	donne-**t-on?**
nous donn**ons**	nous **ne** donnons **pas**	donnons-**nous?**
vous donn**ez**	vous **ne** donnez **pas**	donnez-**vous?**
ils donn**ent**	ils **ne** donnent **pas**	donnent-**ils?**
elles donn**ent**	elles **ne** donnent **pas**	donnent-**elles?**

Notez bien: If the verb begins with a vowel sound, there is *élision*: **j'aide**; **j'invite**; **j'habite**. In the plural, there is *liaison*: nous‿aidons; vous‿aidez; ils‿aident; elles‿aident.

2. Emploi du présent

The present tense describes an action that is happening now or that happens as a general rule. It can be translated in three ways in English:

	He plays well.
Il joue bien.	He is playing well.
	He does play well.

Don't be misled by the fact that English needs a helping verb in a question (Do you . . . ?) and in the negative (We do not . . . .). In French, a helping verb is never used in the present tense.

3. Les questions

Questions can be formed in four ways in French, by:

1. *Intonation:* Vous étudiez le français?
   Just raise the pitch of the voice at the end of a statement!
2. *N'est-ce pas?* Paul danse bien, **n'est-ce pas?**
   When you add *n'est-ce pas* to a statement, you ask your listener to agree with you!
3. *Est-ce que:* **Est-ce que** nous écoutons le professeur?
   Just place *Est-ce que* before a statement!
4. *Inversion:* **Cherchez-vous** des disques? Colette **parle-t-elle** bien?
   Invert the position of the subject pronoun and the verb! If the subject is a *noun*, place the noun *first* and then include the subject pronoun *after* the verb.

Lisez à haute voix:

—Est-ce que tu habites près d'ici?　Do you live near here?
—Non, je n'habite pas près d'ici.　No, I don't live near here.

—Vos amis aident-ils le professeur?　Do your friends help the teacher?
—Oui, ils aident le professeur.　Yes, they help the teacher.

EXERCICE

Complétez les phrases suivantes en employant les verbes (entre parenthèses) au présent.

1. (arriver)　On _____ au lycée à huit heures et demie.
2. (travailler)　Je _____ dur au lycée.
3. (étudier)　_____-vous beaucoup après les cours?
4. (chercher)　Nous _____ des disques pour la surprise-partie.
5. (passer)　Mimi et toi vous _____ toujours les disques.
6. (danser)　André et Hélène _____ bien ensemble.
7. (jouer)　Ma sœur _____ souvent de la guitare.
8. (habiter)　Est-ce que votre cousin _____ la campagne?
9. (retrouver)　Jacques et moi nous _____ nos amis devant le lycée.
10. (téléphoner)　_____-tu souvent à tes amis?
11. (écouter)　Mes parents _____ toujours la musique classique.
12. (donner)　Janine _____-elle son numéro de téléphone à tout le monde?

D.　Quel est votre numéro de téléphone?

Mon numéro de téléphone est quatre cent soixante-huit, quatre-vingt-deux, vingt-trois. Comment? Vous ne comprenez pas? Etudiez les nombres français!

3

Révision des nombres cardinaux

1–20

0	zéro						
1	un	6	six	11	onze	16	seize
2	deux	7	sept	12	douze	17	dix-sept
3	trois	8	huit	13	treize	18	dix-huit
4	quatre	9	neuf	14	quatorze	19	dix-neuf
5	cinq	10	dix	15	quinze	20	vingt

21–99

21	vingt et un	50	cinquante	80	quatre-vingts
22	vingt-deux	51	cinquante et un	81	quatre-vingt-un
30	trente	55	cinquante-cinq	88	quatre-vingt-huit
31	trente et un	60	soixante	89	quatre-vingt-neuf
33	trente-trois	61	soixante et un	90	quatre-vingt-dix
40	quarante	66	soixante-six	91	quatre-vingt-onze
41	quarante et un	70	soixante-dix	98	quatre-vingt-dix-huit
44	quarante-quatre	71	soixante-onze	99	quatre-vingt-dix-neuf

100–1000

100	cent	300	trois cents	800	huit cents
101	cent un	400	quatre cents	801	huit cent un
102	cent deux	500	cinq cents	808	huit cent huit
200	deux cents	600	six cents	900	neuf cents
201	deux cent un	700	sept cents	1000	mille

E.   Conversation au téléphone: Le faux numéro!

—Allô, allô? C'est Grévin 39-56   (*trente-neuf, cinquante-six*)?

—Non, madame. C'est ici 442-64-75   (*quatre cent quarante-deux, soixante-quatre, soixante-quinze*).

—Oh, pardon, monsieur! C'est un faux numéro!

Maintenant, répondez:

1. Quel est votre numéro de téléphone?
2. Quel est le numéro de téléphone de votre copain?
3. Demandez à un camarade son numéro de téléphone. Répondez.
4. Demandez à un autre camarade le numéro de sa maison. Répondez.
5. Demandez-moi mon numéro de téléphone. Voilà mon numéro: écrivez-le!

II PARLONS DE VOUS!

Aujourd'hui nous allons parler de vous, de vos cours, vos préférences, et de votre vie (life) personnelle!

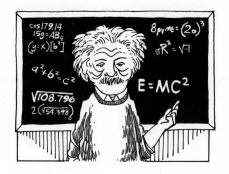

A. Etudiez-vous . . . ? Travaillez-vous . . . ?

1. Etudiez-vous les mathématiques? l'histoire? l'anglais? Quelles matières étudiez-vous maintenant?
2. Aimez-vous le cours d'anglais? le cours de dessin?
3. Qu'est-ce que vous aimez mieux, les sciences ou les langues?
4. Combien de langues parlez-vous?
5. Où demeurez-vous? Est-ce loin d'ici ou près d'ici?
6. Travaillez-vous après les cours? pendant les vacances?
7. Gagnez-vous (Do you earn) de l'argent?
8. Aidez-vous toujours votre mère?
9. Aimez-vous préparer les repas à la maison?
10. Jouez-vous de la guitare? du piano? de l'accordéon?
11. Rangez-vous toujours vos affaires?
12. Aimez-vous tous vos professeurs?

De quoi joue-t-elle?

De quoi joue-t-il?

B. Etudies-tu . . . ? Travailles-tu . . . ?

Parlons maintenant en employant «tu», comme des amis intimes ou des membres de la famille.

1. Est-ce que tu regardes beaucoup la télévision?
2. Est-ce que tu écoutes souvent la radio?
3. Qu'est-ce que tu écoutes, la musique classique ou la musique populaire?

4. Etudies-tu les mathématiques avec plaisir?
5. Travailles-tu bien en classe?
6. Danses-tu souvent le «jerk»?
7. Prêtes-tu des disques à tes amis?
8. Est-ce que tu aimes la natation? la gymnastique? les sports?
9. Joues-tu au tennis? au football? au basket? au base-ball?

C. Maintenant, parlons de nous tous!

1. Quelle langue parlons-nous en classe?
2. A quelle heure arrivons-nous au lycée?
3. Aimons-nous les examens?
4. Y a-t-il des professeurs sympathiques au lycée?
5. Travaillons-nous dur?
6. Oublions-nous parfois le vocabulaire?
7. Est-ce que nous pleurons souvent en classe?
8. Dansons-nous dans la salle de classe?
9. Passons-nous la soirée devant la télé?
10. Fêtons-nous l'anniversaire de nos amis?

À faire!

Complétez le dialogue selon les indications.

—Bonjour, Michel. Comment ça va?

—_____. (Il dit que ça ne va pas bien.)

—Pourquoi?

—_____. (Il dit qu'il oublie toujours les verbes.)

—Comment! Tu n'étudies pas après les cours?

—_____. (Il dit qu'il passe des disques et il joue au volley.)

—Eh bien, mon vieux! Voilà la raison!

D. Révision de Structure

1. Les verbes irréguliers **avoir** et **être**, au présent

Sujet	**avoir** to have	**être** to be
je (j')	ai	suis
tu	as	es
il, elle, on	a	est
nous	avons	sommes
vous	avez	êtes
ils, elles	ont	sont

Si vous ne savez pas les formes de ces verbes, apprenez-les tout de suite!

6

Notez bien ces formes à la forme interrogative avec inversion:

| a-t-il | a-t-elle | a-t-on | *but* | ont-ils | ont-elles |
| est-il | est-elle | est-on | and | sont-ils | sont-elles |

2. Les adjectifs possessifs (noun markers)

Before a singular noun

Before a noun beginning with a consonant		Before any noun beginning with a vowel sound
	Before a masc. noun	Before a fem. noun	

	Before a masc. noun	Before a fem. noun	Before any noun beginning with a vowel sound
my	**mon** disque	**ma** voiture	**mon** ami, **mon** amie
your	**ton** disque	**ta** voiture	**ton** école (fem.)
his or *her*	**son** disque	**sa** voiture	**son** appartement (masc.)
our	**notre** disque	**notre** voiture	**notre** avocat(e)
your	**votre** disque	**votre** voiture	**votre** ensemble (masc.)
their	**leur** disque	**leur** voiture	**leur** église (fem.)

Before any plural noun

mes professeurs	**nos** leçons
tes devoirs	**vos** livres
ses habitudes	**leurs** affaires

À faire!

Complétez les dialogues suivants.

a. (my)
— J'aime beaucoup _____ professeur de gymnastique.
— Et tes autres professeurs?
— _____ autres professeurs sont comme _____ tante Hélène: pas très aimables!

b. (your, *fam.*)
— Tu invites _____ amis samedi?
— Oui, et aussi _____ amie Gigi.
— C'est _____ fête, n'est-ce pas?
— Oui. Quelle est la date de _____ anniversaire?

c. (her)
— Où est _____ frère Victor?
— _____ sœur est au match, et _____ parents sont à la campagne!
— Oh, là là! Elle est seule!

d. (his)
— Où est _____ stylo?
— Il a _____ crayons!
— Et _____ règle, où est-elle?

(*Tournez s'il vous plaît*)

e. (our)	f. (your, *pol. and pl.*)
—Voilà _____ lycée.	—Avez-vous _____ livre?
—Très joli. Où sont les professeurs?	—Bien sûr!
—_____ professeurs sont en vacances!	—Où sont _____ devoirs?

g. (their)	h. (his *or* her)
—Je n'aime pas _____ amis!	—Paul cherche _____ ami.
—Aimez-vous _____ chien?	—Anne cherche _____ amie aussi.

EXERCICE

Ecrivez une lettre à un(e) ami(e) en employant les indications données.

1. Ecrivez la date. Ensuite, écrivez Cher (Chère) et son prénom (first name).
2. Dites que:
    a. vous avez des professeurs très sympathiques et vous êtes très heureux (heureuse).
    b. vos professeurs sont jeunes et vos cours ne sont pas trop difficiles.
    c. votre professeur d'histoire est le plus aimable, et il aime bien ses élèves.
    d. vous (pluriel) avez un joli livre d'histoire (*Nous . . .*)
    e. vous (pluriel) êtes très contents en classe.
3. Demande à ton ami(e) si:
    a. il (elle) a des professeurs aimables.
    b. il (elle) est content(e) au lycée.
    c. ses parents aiment bien ses camarades.
4. Terminez la lettre en écrivant «Ton ami(e)» et votre prénom.

III VOTRE FAMILLE ET VOS AMIS!

A. Parlons d'abord de votre famille!

1. Aimez-vous beaucoup votre famille?
2. Combien de personnes y a-t-il dans votre famille?
3. Est-ce que vos parents sont sympathiques? Etes-vous sympathique aussi?
4. Comment s'appelle votre frère? Est-il étudiant? Range-t-il ses affaires à la maison?
5. Comment s'appelle votre sœur? Est-elle étudiante?
6. Ont-ils des amis? Leurs amis sont-ils sociables?
7. Avez-vous des oncles et des tantes? Ont-ils des enfants? Aimez-vous bien vos cousins et vos cousines?
8. Votre père est-il avocat? ingénieur? médecin? homme d'affaires (businessman)? A-t-il une voiture?
9. Votre mère travaille-t-elle? Est-elle secrétaire? professeur? vendeuse? A-t-elle un téléviseur?
10. Vous et votre frère (sœur) avez-vous un électrophone? (Répondez *Nous . . .*) Etes-vous aimables?

B.   Parlons encore de votre famille!

1. Votre mère est-elle charmante? Est-elle blonde ou brune? Est-elle mince?
2. Votre père est-il charmant? Est-il dynamique? sévère? Est-il blond? brun? bronzé?
3. Votre frère est-il grand ou petit? Votre petit frère est-ce un petit monstre? Votre grand frère est un chic type, n'est-ce pas?
4. Votre sœur est-elle belle? A-t-elle les cheveux blonds? les cheveux noirs? les cheveux bruns?
5. Et vous, êtes-vous grand(e) ou petit(e)? blond(e) ou brun(e)? Avez-vous les yeux noirs? les yeux bruns? les yeux gris? les yeux bleus?

C.   Maintenant, parlons de vos amis!

1. Avez-vous un ami préféré (favorite)? Comment est-il? (*Il est dynamique, sympathique, sociable, drôle, charmant, beau, intelligent.*)
2. Avez-vous une amie préférée? Comment est-elle? (*Elle est jeune, jolie, belle, grande, petite, mince, adorable.*)
3. Avez-vous un professeur préféré? Comment est-il (elle)?
4. Est-il (elle) Américain(e) ou Français(e)?
5. Pourquoi est-ce votre professeur préféré? [*Il est* or *Elle est charmant(e), intelligent(e)*, etc.]

À faire!

Complétez. (Verbes et adjectifs)

a. (être) Nous _____ content_____ en classe.
b. (avoir) Nous _____ des professeurs aimable_____ et une école excellent_____.   *T.S.V.P.*

9

c. (our) _____ copains sont intelligent_____ et (our) _____ directeur est un chic type.
d. (travailler) Les élèves _____ bien et généralement ils font tous (their) _____ devoirs.

D. Révision de Structure — les adjectifs

Adjectives must agree with the nouns they describe in gender (masculine or feminine) and in number (singular or plural).

1. Formation of "regular" adjectives

   a. Adjectives which end in –e (without an accent) in the masculine singular do not change to form the feminine, but add –s to form the plural.

Masculine and feminine forms

Singular	Plural	Singular	Plural
facile	faciles	jeune	jeunes
sympathique	sympathiques	mince	minces

À faire!

Etudiez et complétez.

e.
—Son père est *aimable*?   Is his father friendly?
—Sa mère est plus _____.   His mother is more friendly.

f.
—Sont-ils *sociables*?   Are they sociable?
—Sa tante est très _____.   His aunt is very sociable.

   b. Other adjectives which are "regular" add –e to form the feminine and –s to form the plural (in writing, of course!)

Singular		Plural	
Masc.	*Fem.*	*Masc.*	*Fem.*
bleu	bleue	bleus	bleues
blond	blonde	blonds	blondes
grand	grande	grands	grandes
charmant	charmante	charmants	charmantes

À faire!

g.
—Roger est très *grand*.   Roger is very tall.
—Sa sœur est _____ aussi.   His sister is tall, too.

h.
—Il est *intelligent*?   Is he intelligent?
—Elles sont très _____ !   They are very intelligent!

10

2. Formation of "irregular" adjectives

Some adjectives form their feminine and plurals without following any rules. You must memorize each form.

	Singular		Plural	
Masc.	*Fem.*	*Masc.*	*Fem.*
bon	bonne	bons	bonnes
beau	belle	beaux	belles
nouveau	nouvelle	nouveaux	nouvelles
vieux	vieille	vieux	vieilles

3. Position of adjectives

Adjectives generally come *after* the nouns they describe: un professeur **excellent**; une mère **intelligente**; un ami **aimable**.

Some adjectives come *before* the noun. Among them:

grand / petit	bon / mauvais	beau	ancien (former)
jeune / vieux	nouveau / vieux	joli	autre
		seul	vrai

Hint: It helps to remember them by pairing them with their opposites when you can!

À faire!

i.
—J'ai un *bon* professeur.   I have a good teacher.
—Et moi, j'ai une _____ camarade.   And I have a good pal.

j.
—Guy a une très *belle* sœur.   Guy has a very beautiful sister.
—Et moi, un très _____ frère!   And I, a very handsome brother!

4. Spelling notes about plurals

Adjectives which already end in –s or –x in the masculine singular *stay the same* in the masculine plural.

Masculine		Feminine	
Singular	*Plural*	*Singular*	*Plural*
français	français	française	françaises
gris	gris	grise	grise
vieux	vieux	vieille	vieilles

Adjectives which end in **–eau** in the masculine singular add –x (not –s) to form the masculine plural.

Masculine singular	*Masculine plural*
beau	beaux
nouveau	nouveaux

11

À faire!

k.
—A-t-il un oncle *français*?
Has he a French uncle?

—Non, il a des cousins _____.
No, he has French cousins (masc.).

l.
—Tu portes ton chapeau *gris*?
Are you wearing your gray hat?

—Oui, avec mes gants _____.
Yes, with my gray gloves.

m.
—J'ai un *beau* livre!
I have a beautiful book!

—Et moi, deux _____ disques.
And I, two beautiful records.

5. Comparisons and superlatives

In comparisons, use **aussi, plus** or **moins** + adjective + **que**:

aussi intelligent **que** Paul	*as* intelligent *as* Paul
plus jeune **que** moi	young*er than* I
moins jolie **que** Mimi	not as pretty *as* Mimi
	(*less* pretty *than* Mimi)

In superlatives, use the definite article **le, la,** or **les** before the comparative:

Masculine		*Feminine*	
plus charmant	more charming	plus jolie	prettier
le plus charmant	} most charming	la plus jolie	} prettiest
les plus charmants		les plus jolies	

After a superlative, use **de** to mean *in*:

le plus jeune **de** la famille
the youngest *in* the family

les plus drôles **de** la classe
the funniest *in* the class

Répondez:

1. Qui est plus grand que Richard?
2. Qui est moins grand que Philippe mais plus grand que Colette?
3. Qui est plus petit que Philippe?
4. Comment s'appelle la plus petite des trois?

12

EXERCICE

1. Quel élève est le plus intelligent de la classe?
2. Etes-vous le (la) plus intelligent(e) de votre famille?
3. Quel professeur est le plus sympathique du lycée?
4. Complétez:
   a. Mon père est le plus (le moins) _____ de la famille.
   b. Ma mère est la plus (la moins) _____ de la famille.
   c. Je suis plus (moins) _____ que mon petit frère (ou ma petite sœur).
   d. Ma sœur (Mon frère) est plus (moins) _____ que moi.

IV TOUT LE MONDE AIME MANGER!

A. Qu'est-ce que vous aimez manger?

1. Etes-vous mince? Etes-vous plus mince que votre camarade?
2. Etes-vous plus mince que moi ou moins mince que moi?
3. Quel élève (Quelle élève) est le (la) plus mince de la classe?
4. Qui est le (la) plus mince de votre famille?
5. Mange-t-il (elle) beaucoup?
6. Aux Etats-Unis tout le monde mange beaucoup, n'est-ce pas?
7. Mangeons-nous des hot-dogs? des hamburgers? des sandwichs?

8. Aimez-vous le pain? Mangez-vous du pain?
9. Aimez-vous le . . .? Mangez-vous du . . .?

  le potage

 l'omelette

 la salade

 la viande

 la tarte

 les légumes

 les pommes de terre frites

les hors-d'oeuvre

10. Aimez-vous le . . .? Prenez-vous du (Do you drink) . . .? (*Je prends . . .*)

11. Aimez-vous les fruits? Quels fruits aimez-vous?

B. Révision de Structure I

1. Le verbe irrégulier **prendre**, au présent

prendre   to take, to drink

je prends	tu prends	il prend
nous prenons	vous prenez	ils prennent

Notez bien: The verb **boire** also means *to drink*, but we haven't yet learned all its forms!

2. Les contractions: **de** + l'article défini (of the, from the)

Contractions	*Pas de contraction*
de + le = **du**	de + la = **de la**
de + les = **des**	de + l' = **de l'**

3. L'article partitif

du, de la, de l' and **des** (of the) are also *partitive articles* which mean *some* or *any*. (Notice that the verb is in the affirmative.)

Lisez:

—Mangez-vous **du** bifteck?	Do you eat (any) steak?
—Oui, je mange **du** bifteck.	Yes, I eat (some) steak.

14

—Voulez-vous **des** bonbons? Do you want (some) candy?
—Oui, je voudrais **des** bonbons. Yes, I'd like (some) candy.

In English, we often leave out the word *some* or *any*. In French, you must *always* include it if you mean it.

Maintenant comparez la forme affirmative et la forme négative:

—Vous prenez **du** vin? Do you drink (any) wine?
—Non, merci. Je **ne** prends **pas de** No, I don't drink (any) wine.
vin.

When the verb is in the affirmative, *some* or *any* = **du, de la, de l'**, or **des**. When the verb is in the negative, *some* or *any* = **de**. (Remember: **pas de!**)

Complétez:

1. Le matin
Pour le petit déjeuner (breakfast), je prends _____ et je mange _____.
Mon père prend _____ et il mange _____. Nous ne prenons pas _____.

2. A midi
Pour le déjeuner (lunch), on ne mange pas beaucoup. Je mange seulement _____ et je prends _____. Mes amis mangent _____ et ils prennent _____.

3. L'après-midi
Pour le goûter, nous mangeons _____ et nous prenons _____.

4. Le soir
Pour le dîner, nous mangeons beaucoup. On mange _____, _____ et _____. Nous prenons _____ avec le repas.

5. Quand je me couche, j'aime manger (prendre) _____.

4. La quantité

Adverbs of quantity are **combien, beaucoup, trop, assez, peu, tant,** etc. *Nouns* of quantity are **un verre, une bouteille, un sac,** etc. Words of quantity like these are always followed by **de** when a noun follows.

—**Combien de** vin prend-il? *How much* wine does he drink?
—Très **peu de** vin avec **beaucoup** Very *little* wine, with *a lot of* water!
d'eau!
—Mange-t-il **assez de** fruits? Does he eat *enough* fruit?
—Il mange **trop de** fruits! He eats *too much* fruit!

À faire!

Complétez, en indiquant *la quantité*.

a. Mon père mange _____ viande mais _____ pain.
b. Ma mère, au contraire, prend _____ café et _____ salade.
c. Ma grand-mère prend _____ thé et mon grand-père un _____ lait
trois fois par jour. *T.S.V.P.*

15

d. Ma sœur mange _____ légumes, mais elle ne mange pas _____ fruits.
e. Tous les jours j'achète une _____ coca-cola et un _____ lait.
f. Chez moi, tout le monde est différent, mais nous mangeons tous _____ bifteck et nous prenons _____ eau.

C. Révision de Structure II

1. Le pronom objet en (some, any)

Lisez et étudiez:

—Prenez-vous **du** café?	Do you drink (*any*) coffee?
—Oui, j'**en** prends le matin.	Yes, I drink *some* in the morning.
—Prenez-vous **de** l'eau minérale?	Do you drink (*any*) mineral water?
—Non, je n'**en** prends pas.	No, I don't drink *any*.
—Mangez-vous **des** légumes?	Do you eat (*any*) vegetables?
—Oui, j'**en** mange souvent.	Yes, I eat *some* often.
—Mangez-**en** maintenant! N'**en** mangez pas après le dessert!	Eat *some* now! Don't eat *any* after the dessert!

The object pronoun **en** means *some* or *any*. Like all object pronouns, it precedes the verb except in the affirmative command, when it follows the verb and is attached to it by a hyphen.

À faire!

Complétez en employant **en**. (Place **en** where it belongs, before or after the verb!)

g.
—Mangez-vous de la viande?
—Oui, nous _____ mangeons _____.

h.
—Prend-il du vin?
—Non, il n'_____ prend _____ pas.

i.
—Avez-vous des cerises?
—Les voilà! _____ Prenez _____!

j.
—Les figues ne sont pas belles!
—Alors, n'_____ prenez _____ pas!

2. Le pronom objet en (of it, of them)

Lisez et étudiez:

—Combien de livres avez-vous?	How many books have you?
—J'**en** ai dix. Combien **en** avez-vous?	I have six *of them.* How many *of them* have you?
—Il prend beaucoup de lait?	Does he drink a lot of milk?
—Il **en** prend peu. Combien **en** prenez-vous?	He drinks little *of it.* How much *of it* do you drink?

The object pronoun **en** also means *of it, of them.* In French, when you mean *of it* or *of them,* you must always include **en**, even though we often omit *of it* or *of them* in English.

16

À faire!

Complétez en employant **en**.

k.
—J'ai cinquante disques. Combien _____ avez-vous?
—J'_____ ai soixante-quinze.

l.
—Mangez-vous beaucoup de fromage?
—Nous _____ mangeons trop chez nous!

Chez Georgette
Le Restaurant des Artistes

Déjeuner 10,50 F.

Hors-d'oeuvre variés   Un oeuf dur[1]
          Potage à la crème

Viande:
     Bifteck à la Georgette
Poulet[2] rôti   Jambon[3] américain

Légumes:
Pommes frites   Petits pois[4]
     carottes au beurre

Salade:
     Salade de tomate

Fromages:
     Camembert   Brie   Roquefort

Dessert:
Glace   Tarte   Gâteau
Fruits: Pêche   Poire   Figues

Un verre de vin blanc ou rouge
1/2 bouteille d'eau minérale

Café express ou café filtre 1 F.

[1]hard-boiled egg   [2]chicken   [3]ham   [4]peas

EXERCICE

Etudiez bien le menu ci-dessus. Ensuite, complétez le dialogue suivant.

Garçon (Waiter) = G   Vous = V

G: Vous désirez pour commencer?
V: _____ s'il vous plaît.
G: Et comme viande?
V: _____.
G: Quels légumes désirez-vous?   *T.S.V.P.*
V: _____.

17

G: Et une salade?

V: _____.

G: Et du fromage aussi? Quel fromage désirez-vous?

V: _____.

G: Et comme dessert?

V: _____.

G: Du vin ou de l'eau minérale?

V: _____.

G: Tout de suite, monsieur (mademoiselle).

V   LES DISTRACTIONS

A.   Le beau temps!

1. Quel temps fait-il aujourd'hui? Fait-il froid? Avez-vous froid?
2. Fait-il chaud? Avez-vous chaud?
3. Avez-vous faim quand il fait chaud?
4. En quelle saison fait-il chaud, en hiver ou en été?
5. Avez-vous soif (Are you thirsty) quand il fait chaud?

6. Avez-vous faim quand il fait très froid?
7. En quelle saison fait-il souvent mauvais, au printemps ou en automne?
8. En quelle saison pleut-il beaucoup, en été ou au printemps?

9. Est-ce qu'il neige beaucoup ici en hiver?
10. Qu'est-ce que vous aimez boire en été, du coca-cola ou du thé chaud?
11. Qu'est-ce que vous aimez boire en hiver, de la limonade ou du lait chaud?
12. Quelle est votre saison préférée (favorite)? le printemps? l'automne?

18

B. Révision de Structure I

1. Les contractions: à + l'article défini (to the, at the)

Contractions	*Pas de contraction*
à + le = **au**	à + la = **à la**
a + les = **aux**	a + l' = **à l'**

Lisez à haute voix:

—Vas-tu **au** cinéma?
—Non, je vais **à la** piscine.
—Bon! Dis «Au revoir» **aux** amis de maman!

Are you going to the movies?
No, I'm going to the pool.
Good! Say good-bye to mother's friends.

2. Les verbes irréguliers aller et faire, au présent

aller	je vais	tu vas	il va
(to go)	nous allons	vous allez	ils vont

faire	je fais	tu fais	il fait
(to do, to make)	nous faisons	vous faites	ils font

Lisez le dialogue:

—Qu'est-ce que tu as, ma chérie?
—J'ai faim, j'ai soif, j'ai froid, j'ai chaud, et j'ai toujours raison!
—Tu as besoin d'un baiser!

What's the matter, darling?
I'm hungry, I'm thirsty, I'm cold, I'm warm, and I'm always right!
You need a kiss!

À faire!

Complétez.

a.
—Pourquoi manges-tu tant de sand-wichs?
—Parce que j'_____!

b.
—Ton camarade prend toujours beaucoup d'eau!
—Il _____ toujours _____!

c.
—Pourquoi cherchez-vous votre pull-over?
—Parce que j'_____.

d.
—Vous ne portez pas de manteau?
—Non. Nous n'_____ pas _____.

Lisez:

—Qu'est-ce qu'on fait au camp?
—Le lundi on fait les valises, et le mardi on fait une excursion!

—Et le mercredi?

What do you do at camp?
On Mondays we pack our valises and on Tuesdays we go on an excursion.

And on Wednesdays?   *T.S.V.P.*

—Le mercredi on fait une prome-nade; le jeudi et le vendredi on fait du camping dans le bois.	On Wednesdays, we take a walk; on Thursdays and Fridays, we go camping in the woods.
—Et le samedi?	And on Saturdays?
—Le samedi et le dimanche on fait un petit voyage!	On Saturdays and Sundays we take a little trip!
—Ce n'est pas possible!	Impossible!

À faire!

Complétez.

e.
—Faites-vous un pique-nique cet après-midi?
—Non, nous _____ une promenade avec papa et maman.

f.
—Jean fait souvent du camping, n'est-ce pas?
—Au contraire, il _____ souvent des excursions en voiture!

g.
—_____-elle ses valises?
—Oui. Elle _____ un voyage.

h.
—_____-ils leurs devoirs?
—Non. Ils _____ une promenade.

3.   **Aller** + infinitive

Lisez:

—Allez-vous faire un voyage?	Are you going to take a trip?
—Non, nous allons rester chez nous.	No, we're going to stay at home.
—Tu vas travailler?	Are you going to work?
—Non. Je vais jouer au golf.	No, I'm going to play golf.

To express an action which will take place in the immediate future, use the correct form of **aller** (to go) plus the infinitive, as you do in English.

C.   Parlons maintenant de vos distractions!

la campagne

la plage

la piscine

l'église

le cinéma

le match de football

le jardin public

le zoo

20

1. Allez-vous souvent au cinéma? à la campagne?
2. Quel jour allez-vous au musée, le samedi ou le dimanche?
3. Aimez-vous aller au match de football? au jardin public?
4. Vos parents vont-ils souvent chez des amis?
5. Faites-vous souvent des promenades? Avec qui?
6. Allez-vous faire une promenade aujourd'hui après les cours?
7. Où allez-vous? Avec qui?
8. Allez-vous parfois au jardin public? au zoo?
9. Faites-vous des pique-niques avec des copains?
10. Joue-t-on de la guitare pendant un pique-nique?
11. Vos amis font-ils du camping en été?
12. Jouez-vous au tennis? au base-ball? au basket?
13. Quel jour allez-vous à l'église?
14. Aimez-vous la natation? Aimez-vous la mer? Aimez-vous aller au bord de la mer?

D. Révision de Structure II

1. Le pronom y (there, to it, in it, at it)

Lisez et étudiez:

—Etes-vous à la campagne?	Are you in the country?
—Non. J'y vais demain.	No. I'm going *there* tomorrow.
—Etes-vous maintenant à la piscine?	Are you now at the pool?
—Non, je n'y suis pas, mais j'aime beaucoup la natation.	No, I'm not *there*, but I like swimming a lot.
—Allez-y demain!	Go *there* tomorrow!
—N'y allez pas demain! Nous allons au match demain!	Don't go *there* tomorrow. We're going to the game tomorrow!

The little pronoun y is a pronoun of *place*. It takes the *place* of a *place*. Like all object pronouns, it precedes the verb except in the *affirmative* command.

À faire!

Complétez en employant le pronom y. (Place y in its proper place, before or after the verb.)

i.
—Va-t-il souvent au musée?
—Oui, il _____ va _____ très souvent.

j.
—Les enfants sont chez eux?
—Non, ils n'_____ sont _____ pas.

k.
—Je voudrais rester chez Marc.
—Eh bien, _____ restez _____!

l.
—Je vais à la plage.
—N'_____ va _____ pas! Il fait mauvais!

21

EXERCICES

1. Ecrivez un petit dialogue pour chaque situation.
   a. Un camarade demande si vous allez à la plage. Vous dites que vous faites une promenade cet après-midi avec vos parents.
   b. Il y a une nouvelle élève dans la classe de biologie. Elle est très jolie. Elle s'appelle Marianne et c'est votre cousine. Un camarade désire faire sa connaissance.
2. Jean-Pierre va faire un grand voyage.
   a. Demandez-lui: (Employez *tu*.)
      s'il fait le voyage seul ou avec ses parents.
      s'il va faire ses valises demain.
      s'il va prendre l'avion ou le train.
   b. Dites-lui que: (Employez *Nous*.)
      vous n'allez pas à la campagne cet été.
      vous allez faire de belles promenades avec vos cousins.
      vous allez nager dans la piscine et regarder la télé.

VI AH! LES BEAUX VOYAGES!

A. Comment allez-vous voyager? (How are you going to travel?)

1. Aimez-vous les voyages?
2. Allez-vous faire un voyage bientôt?
3. Comment allez-vous faire le voyage?

en autobus (city bus)

en voiture

en métro

en autocar   (interurban bus)

par le train

à pied

en avion

en bateau

4. Comment aimez-vous faire un voyage?
5. Comment allez-vous au lycée, en autobus ou à pied?
6. Comment rentrez-vous?
7. Comment vas-tu à la campagne, en autocar ou en voiture?
8. Comment faites-vous des promenades, à pied ou en voiture?
9. Comment faut-il voyager dans une grande ville, en métro ou en voiture? en autocar ou en autobus?
10. Comment aimez-vous traverser la mer, en avion ou en bateau?

B. Révision de Structure

1. Les verbes qui changent d'orthographe, au présent

acheter (to buy)	j'achète nous achetons	tu achètes vous achetez	il achète	ils achètent
emmener (to take along)	j'emmène nous emmenons	tu emmènes vous emmenez	il emmène	ils emmènent
lever (to raise)	je lève nous levons	tu lèves vous levez	il lève	ils lèvent

Certain verbs of the First Group add a *grave accent* on the e of the stem in all the singular forms and in the third person plural. The **nous** and **vous** forms have *no accent*.

Maintenant, étudiez:

manger (to eat)	je mange nous mangeons	tu manges vous mangez	il mange ils mangent
commencer (to begin)	je commence nous commençons	tu commences vous commencez	il commence ils commencent

Verbs whose infinitive ends in **–ger** add an **e** before **–ons**. Verbs whose infinitive ends in **–cer** add a cedilla under the **c** before the ending **–ons**.

À faire!

Complétez en employant la forme appropriée du verbe *en italique*.

a.
—Quand tu fais un voyage, *achètes-* tu·des souvenirs?
—J'_____ beaucoup de souvenirs!

b.
—Vous *emmenez* votre frère en France?
—Non. J'_____ ma sœur.

c.
—A quelle heure *commencez*-vous votre travail?
—Nous _____ à sept heures.

d.
—*Voyagez*-vous beaucoup?
—Nous _____ toujours en été.

23

2. L'impératif des verbes du Premier Groupe

Etudiez:

jouer	~~tu~~ joue~~s~~	v~~ous~~ jouez	~~nous~~ jouons
(to play)	Joue!	Jouez	Jouons!
	(Play!)	(Play!)	(Let's play!)
regarder	tu regardes	vous regardez	nous regardons
[to look (at)]	Regarde!	Regardez!	Regardons!
aller	tu vas	vous allez	nous allons
(to go)	Va!	Allez!	Allons!
acheter	tu achètes	vous achetez	nous achetons
(to buy)	Achète!	Achetez!	Achetons!

To form the imperative of verbs of the First Group and of **aller** drop the subject pronoun. In the **tu** form, drop the final **s**.

À faire!

Complétez les dialogues en employant l'impératif des verbes entre parenthèses.

e.
—Qu'est-ce que le professeur dit toujours aux élèves?
—(lever) _____ la main!

f.
—Qu'est-ce que vos amis disent quand ils vont au match?
—(emmener) _____ les copains!

g.
—Qu'est-ce que maman dit quand tu rentres après les cours?
—(aller) _____ au magasin!

h.
—Qu'est-ce que ton copain dit quand il passe un bon disque?
—(écouter) _____ cette musique!

3. Stress pronouns after prepositions

Lisez à haute voix:

—Tu vas avec **moi**? (me)
—Oui, je vais avec **toi**. (you)

—Va pour **lui**. (him)
—Je ne vais pas pour **elle**! (her)

—Vous allez sans **nous**? (us)
—Nous allons sans **vous**. (you)

—Allons chez **eux**. (them, masc.)
—Non! Allons chez **elles**. (them, fem.)

À faire!

Complétez les dialogues en remplaçant le mot *en italique* par la forme appropriée du pronom **moi, toi, lui,** etc.

i.
—Voyagez-vous avec *Louise*?
—Oui. Nous voyageons avec _____.

j.
—Vas-tu au magasin pour *papa*?
—Oui, j'y vais souvent pour _____.

24

k.
—Tu joues sans *tes copains?*
—Je ne joue jamais sans _____.

l.
—Vous êtes chez *tes cousines?*
—Oui, nous sommes chez _____.

C. Continuons à parler des voyages!

1. Emmenez-vous vos amis quand vous faites un voyage?
2. Achetez-vous des valises avant le voyage?
3. Faites-vous vos valises avant le départ?
4. Arrivez-vous à l'heure à la gare?

5. Arrivez-vous parfois en retard? en avance?
6. Aimez-vous aller à l'aéroport pour voir les avions?
7. Est-ce que votre petit frère dit toujours, «Regardons les avions!»? Dit-il toujours, «Mangeons!»?
8. Est-ce que votre maman dit, «Reste avec moi!»?
9. Est-ce que votre père dit souvent, «Achète un journal!»?
10. Rentrez-vous en voiture ou par le train? (*Nous . . .*)

EXERCICE

Ecrivez une composition! Write a composition of six sentences by combining the elements in each of the six groups below.

1. (Je) (aime) (faire) (un long voyage)
2. (On) (voyager) (avion) (bateau) (autocar) (voiture)
3. (Dans les grandes villes) (nous) (voyager) (métro) (autobus)
4. (Mes parents) (acheter) (beaucoup) (souvenirs)
5. (Ils) (emmener) (tous les enfants)
6. (Nous) (aller) (voyager) (avec eux) (l'été prochain)

VII DES VÊTEMENTS CONVENABLES?!

A. Parlons d'abord aux garçons!

1. Aimez-vous porter des vêtements convenables?
2. Qu'est-ce que vous portez aujourd'hui? [*Je porte un(e), des . . .*]

3. Portez-vous un pantalon bleu? noir? beige? gris?
4. De quelle couleur est votre chemise? Et vos chaussettes?
5. Portez-vous parfois une chemise blanche? un pull-over blanc? une cravate verte? un complet vert?

B. Maintenant, les jeunes filles!

1. Qu'est-ce que vous portez aujourd'hui? [*Je porte un(e), des . . .*]

2. De quelle couleur est votre robe? votre jupe? votre blouse?
3. En quelle saison portez-vous une robe blanche?
4. Portez-vous parfois une jupe grise? un sac gris?

26

5. Portez-vous parfois une blouse brune? un manteau brun?
6. Portez-vous des bas beiges ou des bas blancs?
7. Quand portez-vous un chapeau?

C. Maintenant, les garçons et les jeunes filles!

1. Portez-vous souvent un pull-over? De quelle couleur?
2. Portez-vous des chaussures ou des sandales? De quelle couleur sont vos chaussures, blanches, brunes, ou noires?
3. De quelle couleur sont les chaussures de Carole?
4. Portez-vous des gants? (Remember: **pas de** . . .)
5. Vos vêtements sont-ils toujours convenables? (Cela dépend, n'est-ce pas?)
6. Aimez-vous porter des vêtements convenables?

D. Révision de Structure

1. Les adjectifs irréguliers (encore une fois!)

Singulier		Pluriel	
Masculin	*Féminin*	*Masculin*	*Féminin*
beau (bel)	belle	beaux	belles
bon	bonne	bons	bonnes
blanc	blanche	blancs	blanches
nouveau (nouvel)	nouvelle	nouveaux	nouvelles
vieux (vieil)	vieille	vieux	vieilles

The above irregular adjectives generally precede the noun except for the adjective **blanc, blanche. Beau, nouveau,** and **vieux** have each a special form: **bel, nouvel** and **vieil** which precede a masculine singular noun beginning with a vowel sound.

Etudiez:

—Tu ne portes pas ton **nouveau** pull-over?	Aren't you wearing your *new* (pull-over) sweater?
—J'aime mieux mon **vieux** pull-over.	I like my *old* sweater better!
—Tu ne vas porter ton **nouvel** ensemble?	Aren't you going to wear your *new* ensemble?
—Yvette porte un **vieil** ensemble, et moi aussi!	Yvette is wearing an *old* outfit, and so am I!

À faire!

Complétez les petits dialogues en employant la forme appropriée de l'adjectif entre parenthèses.

a. (beau)
—Tu portes un _____ ensemble!
—Est-ce vraiment un _____ chapeau?

b. (vieux)
—Regardez le hippie!
—Quel _____ pantalon et quelle _____ chemise! *T.S.V.P.*

27

c. (nouveau)
—C'est un _____ avion!
—Et un _____ aéroport! Voilà les
_____ pilotes! (masc.)

d. (bon)
—Monsieur Dufort est un _____
professeur!
—Il a de _____ habitudes. (fem.)

2. Les verbes du Deuxième Groupe

finir to finish

| sing.: | je finis | tu finis | il finit |
| pl.: | nous finissons | vous finissez | ils finissent |

choisir to choose

| sing.: | je choisis | tu choisis | il choisit |
| pl.: | nous choisissons | vous choisissez | ils choisissent |

punir to punish

| sing.: | je punis | tu punis | il punit |
| pl.: | nous punissons | vous punissez | ils punissent |

The infinitive of verbs of the Second Group ends in –ir. The plural adds
–iss– to the singular stem.

Etudiez et lisez à haute voix:

—Je finis mes devoirs. Et vous?   I'm finishing my homework. How about you?

—Nous finissons nos devoirs aussi.   We're finishing our homework too.

À faire!

Complétez les dialogues en employant le verbe *en italique.*

e.
—*Choisissez*-vous vos vêtements?
—Je _____ mes vêtements avec maman.

f.
—Le professeur dit toujours «*Finissez* la leçon!»
—_____-vous toujours la leçon?

g.
—Chez nous on ne *punit* pas le chien. Et chez vous?
—Nous ne _____ jamais notre chien.

h.
—*Choisis*-tu tes professeurs?
—Le directeur _____ mes professeurs.

3. Les adjectifs démonstratifs (more noun markers!)

When there is only *one* or *one group* to point out, use **ce, cet, cette** or **ces**:

| *Masculine singular*
(this or that) | | *Feminine singular*
(this or that) | | *All plurals*
(these or those) |
| ce sac | cet avion | cette école | cette dame | ces élèves |

28

To distinguish between two or among several, add **–ci** or **–là** to the noun:

Masculine singular

ce sac-**ci**	*this* bag	
ce sac-**là**	*that* bag	
cet ensemble-**ci**	*this* outfit	
cet ensemble-**là**	*that* outfit	

Feminine singular

cette robe-**ci**	*this* dress
cette robe-**là**	*that* dress
cette église-**ci**	*this* church
cette église-**là**	*that* church

All plurals

ces manteaux-**ci**	*these* coats
ces manteaux-**là**	*those* coats

ce livre-ci   ce livre-là

Lisez à haute voix:

—Aimez-vous cette veste-**ci**?   Do you like *this* jacket?
—Non. J'aime cette veste-là.   No, I like *that* jacket.

—Je vais choisir ces gants-**ci**.   I'm going to choose *these* gloves.
—Oh, non! Choisissez ces gants-là!   Oh, no! Choose *those* gloves!

À faire!

Vous achetez des vêtements dans un grand magasin. Complétez les dialogues suivants. (Employez le *contraire* de l'expression *en italique*.)

i.

—Voulez-vous *ces gants-ci*?
—Non, merci. Donnez-moi _____ .

j.

—Aimez-vous *cette veste-là*?
—Non. J'aime mieux _____ .

k.

—Montrez-moi *cet ensemble-là*!
—Mais _____ est très cher!

l.

—Tu choisis *ce complet-ci*?
—Non. J'achète _____ .

D.   Parlons maintenant des achats!

1.   Aimez-vous acheter des vêtements?
2.   Faites-vous des achats le samedi ou le dimanche?

3. Allez-vous au magasin avec votre mère?
4. Choisissez-vous toujours vos vêtements?
5. Choisissez-vous des vêtements chers ou bon marché?
6. Finissez-vous vos achats le samedi?
7. Aimez-vous porter vos vieux vêtements?
8. Vous n'aimez pas porter des vêtements neufs? Pourquoi?

EXERCICE

Complétez le dialogue! Vous êtes le client ou la cliente. Vous désirez acheter plusieurs choses. (Note: Substitute your own choice for the article of clothing in italics.)

La scène: Un grand magasin.
Les personnages: C = Client(e); V = Vendeuse.

V: (Monsieur) (Mademoiselle) désire?

C: _____ (Vous désirez un, une, des. . . . Dites la couleur.)

V: Ces *chaussures*-ci sont très jolies.

C: _____ (Your impression of the article.)

V: Aimez-vous ces *chaussures*-là?

C: _____ (Your reaction to the article, and what else you would like to see.)

V: Voici de beaux *pull-overs*! De quelle couleur, s'il vous plaît?

C: _____ (Your choice of color and a remark.)

V: Alors, vous choisissez ce *pull-over*-ci?

C: _____ (Yes, no, or a remark.)

V: Voici votre paquet, (monsieur) (mademoiselle).

C: _____ (Vous dites «Merci».)

V: A votre service, (monsieur) (mademoiselle).

VIII LA VIE SENTIMENTALE

A. Parlons de nos amis . . . !

1. Avez-vous beaucoup d'amis?
2. Avez-vous un ami préféré?
3. Quelles sont ses qualités? (*Il est formidable, sensationnel, sincère, merveilleux, sérieux, attentif, actif, sportif.*)

30

4. Avez-vous une amie préférée? Quelles sont ses qualités? (*Elle est formidable, sincère, sensationnelle, délicieuse, sérieuse, attentive, active, sportive.*)
5. Est-ce un vrai ami? une vraie amie?
6. Est-ce votre seul ami? votre seule amie?
7. Est-il Américain ou Parisien? Est-il Canadien? Est-elle Américaine ou Parisienne? Est-elle Canadienne?
8. Aimez-vous sortir avec lui (elle)? Aimez-vous sortir sans lui (elle)?
9. Aimez-vous partir ensemble pour faire des promenades?
10. Aimez-vous passer les vacances ensemble?

B. Révision de Structure

1. Les verbes du Troisième Groupe

attendre to wait (for)		stem: attend–
j'attends	tu attends	il attend
nous attend**ons**	vous attend**ez**	ils attend**ent**

rendre to return (something)		stem: rend–
je rends	tu rends	il rend
nous rend**ons**	vous rend**ez**	ils rend**ent**

The infinitive of these verbs ends in **–re**. To obtain the forms, drop the ending **–re** and add the endings in heavy type above.

Etudiez et lisez à haute voix:

descendre to get off, descend
—Descendez-vous ici?
—Nous descendons à la gare.

entendre to hear
—Entendez-vous le professeur?
—J'entends des mots!

répondre (à) to reply (to)
—Répond-on à ses lettres?
—Maman répond toujours à ses lettres!

perdre to lose
—Tu perds souvent tes livres?
—Non. Je perds souvent mon argent!

31

À faire!

Complétez en employant la forme appropriée du verbe *en italique*.

a.
—*Descendons*-nous maintenant?
—Oui. Vous _____ ici.

b.
—Tu *réponds* au téléphone?
—Non, je ne _____ jamais!

c.
—*Rend*-il la monnaie à papa?
—Non, il _____ toujours la monnaie à maman!

d.
—*Attendent*-ils chez vous?
—Non. Ils _____ à la gare.

2. Les verbes irréguliers **partir** et **sortir**, au présent

partir   to leave, depart

sing. stem:	par–	je pars	tu pars	il part
pl. stem:	part–	nous part**ons**	vous part**ez**	ils part**ent**

sortir   to go out

sing. stem:	sor–	je sors	tu sors	il sort
pl. stem:	sort–	nous sort**ons**	vous sort**ez**	ils sort**ent**

Sortir and **partir** have two stems, a singular stem and a plural stem. In the *plural* they act like verbs of the Third Group.

À faire!

Complétez en employant la forme appropriée du verbe *en italique*.

e.
—A quelle heure *partez*-vous?
—Nous _____ à huit heures.

f.
—*Sortez*-vous avec Guy?
—Non, nous ne _____ pas avec lui.

g.
—Tu *sors* sans tes amis?
—Je ne _____ jamais sans eux.

h.
—Les enfants *partent*-ils bientôt?
—Oui, ils _____ tout de suite.

3. Les adjectifs, encore!

Masculin	Féminin	Masculin	Féminin
–x ⟶ –se		–f ⟶ –ve	
heureux	heureuse	actif	active
délicieux	délicieuse	sportif	sportive
–el ⟶ –elle		–ien ⟶ –ienne	
quel	quelle	ancien	ancienne
officiel	officielle	parisien	parisienne
sensationnel	sensationnelle	canadien	canadienne
–er ⟶ –ère			
cher	chère		
premier	première		

À faire!

Complétez en employant la forme appropriée de l'adjectif *en italique*.

i.
—Ton fils est-il *malheureux*?
—Non, mais ma fille est _____.

j.
—Paris est *merveilleux*!
—La Provence est _____ aussi!

k.
—*Quel* vocabulaire!
—Et _____ questions!

l.
—Est-ce un lycée *italien*?
—Non, une université _____.

m.
—Je vais écrire «*Cher* Monsieur».
—Et moi, «_____ Mademoiselle»!

n.
—C'est ton *ancien* professeur?
—Oui, et mon _____ école!

4.   Les adjectifs qui précèdent le nom—encore! Etudiez-les!

true	*only*	*former*
mon vrai ami	mon seul oncle	mon ancien ami
ma vraie amie	ma seule tante	mon ancienne amie

C.   **Parlons encore de votre vie sentimentale . . .!**

Employons la forme intime «tu».

1.   Attends-tu ton ami(e) après les cours? avant les cours aussi?
2.   Où attends-tu ton ami(e) le matin, chez vous ou devant le lycée?
3.   Où attends-tu ton ami(e) l'après-midi? Rentrez-vous ensemble?
4.   Est-ce que tu prêtes de l'argent à ton ami(e)?

Tu prêtes . . .?   Sortez-vous ensemble?

5.   Est-ce qu'il (elle) rend toujours l'argent?
6.   Est-ce que tu écris des lettres à ton ami(e) pendant les vacances? Est-ce que tu réponds à ses lettres?
7.   Répond-il (elle) toujours à tes lettres?
8.   Passez-vous des disques ensemble? (*Nous . . .*)
9.   Sortez-vous ensemble?
10. Sors-tu toujours avec lui (avec elle)? Sors-tu parfois sans lui (sans elle)?
11. Partez-vous parfois en voiture? à pied?

EXERCICE

Complétez selon les indications.

1. J'aime beaucoup [*le prénom de votre ami(e)*] _____ parce qu'il (elle) est (*adjectif*) _____.
2. Le matin nous (*attendre*) _____ l'autobus ensemble pour aller au lycée.
3. Nous (*descendre*) _____ près du lycée, et ensuite nous (*faire*) _____ une petite promenade ensemble jusqu'à la salle de classe.
4. A l'heure du déjeuner nous (*sortir*) _____ du lycée ensemble pour prendre un coca-cola et pour manger quelque chose dans un petit café.
5. Après le (*dernier*) _____ cours, nous (*rentrer*) _____ ensemble.
6. Le soir si j'ai des problèmes, je lui (*téléphoner*) _____.
7. Il (Elle) (*répondre*) _____ tout de suite et nous parlons longtemps.
8. Le samedi après-midi, il (elle) ne (*partir*) _____ jamais sans moi pour aller au match.
9. Nous sommes toujours (*heureux*) _____ quand nous sommes ensemble.
10. Maman me dit souvent, «Tu ne (*perdre*) _____ pas tes amis parce que toi, tu es un(e) ami(e) fidèle (faithful)!»
11. Les (*vrai*) _____ amis sont toujours fidèles. Etes-vous fidèle?

IX POURQUOI VA-T-ON À L'ÉCOLE?

A. Parlons encore de vos cours!

1. Aimez-vous l'école?
2. Aimez-vous tous vos cours?
3. Etudiez-vous l'histoire? les mathématiques? les sciences?
4. Quelle matière aimez-vous beaucoup? Quelle(s) matière(s) n'aimez-vous pas?
5. Quels cours n'aimez-vous pas?
6. Avez-vous l'intention d'être étudiant(e) d'université?
7. Voulez-vous devenir médecin? (*Je voudrais . . . Je ne voudrais pas . . .*)

8. Voulez-vous devenir avocat(e)? dentiste? secrétaire?
9. Qu'est-ce que vous voulez devenir? homme d'affaires (businessman)? mère de famille (housewife)?

10. Faut-il travailler dur pour devenir étudiant(e) d'université?
11. Faut-il comprendre les langues? l'histoire? les sciences?
12. Où faut-il apprendre tout cela?

B. Révision de Structure

1. Les verbes irréguliers au présent

apprendre (to learn)	j'apprends nous apprenons	tu apprends vous apprenez	il apprend ils apprennent
comprendre (to understand)	je comprends nous comprenons	tu comprends vous comprenez	il comprend ils comprennent
dire (to say, tell)	je dis nous disons	tu dis vous dites	il dit ils disent
lire (to read)	je lis nous lisons	tu lis vous lisez	il lit ils lisent
écrire (to write)	j'écris nous écrivons	tu écris vous écrivez	il écrit ils écrivent

À faire!

Complétez.

a.
—Tu *apprends* l'espagnol?
—Non, j'_____ le français!

b.
— *Comprenez*-vous l'espagnol?
—Nous _____ l'anglais!

c.
—*Dites*-vous «Bonjour» au prof?
—Oui, et nous lui _____ aussi «Au revoir!»

d.
— *Lisez*-vous l'italien?
—Non, je ne _____ pas l'italien.

e.
—*Dis*-tu toujours «s'il vous plaît»?
—Oui, et je _____ toujours «merci».

f.
—*Ecrivez*-vous l'allemand?
—Non, je n'_____ pas l'allemand.

2. Les pronoms objets le, la, les

Lisez à haute voix:

—Comprenez-vous le français?　　Do you understand French?
—Oui, je **le** comprends un peu.　　Yes, I understand *it* a bit.

—Comprenez-vous le professeur de mathématiques?　　Do you understand the math teacher?
—Non, je ne **le** comprends pas.　　No, I don't understand *him*.

—La biologie? Il **la** comprend!　　Biology? He understands *it*!
—La secrétaire? Il ne **la** comprend pas!　　The secretary? He doesn't understand *her*!

35

—Lisez-vous ces livres?   Do you read these books?
—Nous ne **les** lisons pas.   We don't read *them*.

The object pronouns **le** (him, it), **la** (her, it), and **les** (them) precede the verb. **Le** and **la** become **l'** before a verb beginning with a vowel sound.

À faire!

Complétez en remplaçant le mot *en italique* par **le, la, l'** ou **les**.

g.
—Lisez-vous *ce journal*?
—Je _____ lis tous les jours.

h.
—Apprenez-vous *l'histoire*?
—Je ne _____ apprends pas bien au lycée.

i.
—Ecrivez-vous *la composition*?
—Oui, je _____ écris maintenant.

j.
—Comprends-tu *les langues*?
—Je ne _____ comprends pas très bien.

3. Les pronoms objets **lui, leur**

Lisez et étudiez:

—Ecrivez-vous à Georges?   Do you write to George?
—Oui, je **lui** écris souvent.   Yes, I write *to him* often.
—Et à Janine aussi?   And to Janine too?
—Je ne **lui** écris jamais.   I never write *to her*.
—Ecrivez-vous à vos cousins?   Do you write to your cousins?
—Nous ne **leur** écrivons pas souvent.   We don't write *to them* often.

Notez bien: In an *affirmative* command, the object pronoun follows the verb and is attached to it by a hyphen. Exemples: La phrase? Ecrivez-**la**! Les verbes? Apprenons-**les**!

    In a *negative* command, however, the object pronoun precedes the verb as it does in a statement. Exemple: Ne **lui** donnez pas le livre!

À faire!

Complétez en remplaçant le mot *en italique* par **lui** ou **leur**.

k.
—Tu prêtes tes stylos *à Roger*?
—Oui, je _____ prête mes stylos.

l.
—Rend-on les livres *aux professeurs*?
—Oui, on _____ rend les livres à la fin de l'année.

m.
—Ecris-tu *à tes grands-parents*?
—Je _____ écris souvent.

n.
—Lisez-vous ces histoires *à votre petit frère*?
—Je ne _____ lis pas souvent ces histoires.

4. Les pays

Les pays féminins		Les pays masculins	
le nom	*(in . . .)*	*le nom*	*(in . . .)*
la France	en France	le Canada	au Canada
l'Italie	en Italie	le Mexique	au Mexique
l'Angleterre	en Angleterre	les Etats-Unis	aux Etats-Unis

Lisez:

Le Français dit: «Comme la France est belle! Je suis si heureux en France!»
Le Mexicain dit: «Comme le Mexique est beau! Je suis si heureux au Mexique!»

Use the definite article **le, la, l'** or **les** before the name of a country. When you say *in* a country, use **en** (without the article) for feminine countries, and either **au** or **aux** for masculine countries.

À faire!

Complétez en employant **le, la** ou **les** et **en, au** ou **aux**.

o.
—Votre ami est-il _____ France?
—Oui, il aime beaucoup _____ France.

p.
—J'adore _____ Etats-Unis!
—Tu demeures _____ Etats-Unis, n'est-ce pas?

q.
—Il travaille _____ Angleterre, n'est-ce pas?
—Oui. _____ Angleterre est son pays préféré.

r.
—_____ Canada est très grand!
—On parle français _____ Canada!

5. Les langues

Lisez:

—Tu apprends *le français*?
—Oui. Nous parlons *français* en classe.

—Ce livre est-il écrit *en italien*?
—Non, *en allemand.*

Use the definite article **le** (or **l'**) with the name of a language except when it follows **parler** or **en**. Use a small letter (not a capital) when you write the name of a language!

À faire!

Complétez quand il le faut (when necessary!).

s.
—Vous comprenez _____ français?
—Mais oui! Et je parle _____ français!

t.
—Vous écrivez en _____ anglais?
—Oui. Mes amis apprennent _____ anglais!

C. **Pourquoi apprend-on le français?**

1. Quelle est la première langue du monde moderne, l'anglais ou le français? (en importance, bien entendu!)
2. C'est l'anglais, n'est-ce pas?
3. Quelle est la deuxième langue en importance? C'est le français, probablement, n'est-ce pas?
4. Où parle-t-on français? (En France, bien entendu!) Est-ce qu'on parle français en Belgique? au Canada? en Suisse? en Afrique? en Indo-Chine? en Polynésie?
5. Est-ce que le français est une langue très importante?
6. Les Français écrivent-ils beaucoup de livres importants? (Oui!)
7. Lisent-ils beaucoup de livres? (Oui!)
8. Apprennent-ils des langues au lycée? (Oui!)
9. Comprennent-ils toutes les sciences? (Oui!)
10. Gagnent-ils (Do they win) souvent le Prix Nobel? (Oui!)

D. **Pourquoi apprend-on l'anglais et l'histoire?**

1. Faut-il comprendre l'histoire pour voter (to vote)?
2. Faut-il être intelligent pour habiter dans une démocratie?
3. Faut-il savoir (to know how to) lire et écrire?
4. Faut-il savoir écrire de bonnes lettres?
5. Faut-il comprendre la littérature?
6. Faut-il comprendre la liberté?
7. Comprenez-vous la liberté?
8. Comprenez-vous la littérature?
9. Ecrivez-vous de bonnes lettres et de bonnes compositions?
10. Etudiez-vous la liberté dans le cours d'histoire?

E. **Pourquoi étudie-t-on les sciences?**

Pas de discussion . . . !

EXERCICE

Complétez.

1. (comprendre) Je _____ maintenant pourquoi il faut aller à l'école.
2. (apprendre) Au lycée, on _____ des choses très importantes.
3. (lire) Nous _____ des livres de littérature et nous (écrire) _____ des lettres et des compositions en (name of language) _____ , la langue la plus importante du monde moderne.

4. (apprendre) Moi, j'_____ aussi le français, la langue qui est pro- bablement la deuxième en importance.
5. (dire) On _____ toujours, «Il faut comprendre le monde moderne!»
6. Moi, j'aime beaucoup les mathématiques et les sciences. Je (them) _____ apprends facilement et je (them) _____ étudie avec grand plaisir.
7. Je voudrais devenir (profession) _____. Il faut travailler dur pour devenir (profession) _____.
8. Tous les jours je fais mes devoirs avec mon copain Jacques. Je (him) _____ attends devant le lycée après les cours.
9. (to him) Je _____ dis souvent «Qu'est-ce qu'on va faire?»
10. Il répond, «Etudions les maths. Je ne (them) _____ comprends pas très bien.» C'est un chic type, mon copain Jacques.

X   ON FÊTE SON ANNIVERSAIRE!

A.   Parlons de votre anniversaire!

1. Quel âge avez-vous?
2. Quel âge a votre ami(e) préféré(e)?
3. Allez-vous souvent à une fête d'anniversaire?
4. Quelle est la date de votre anniversaire?
5. Quelle est la date de l'anniversaire de votre ami(e)?
6. Est-ce que vous lui faites un cadeau?
7. Qu'est-ce que vous lui donnez comme cadeau?
8. Y a-t-il un gâteau d'anniversaire à la fête?
9. Mangez-vous des glaces et des bonbons à la fête?
10. Chantez-vous «Bon Anniversaire»?

B.   Révision de Structure

1. Les verbes irréguliers **voir, vouloir, pouvoir,** au présent

voir (to see)	je vois nous voyons	tu vois vous voyez	il voit ils voient
vouloir (to want)	je veux nous voulons	tu veux vous voulez	il veut ils veulent

T.S.V.P.

| **pouvoir** | je peux | tu peux | il peut |
| (to be able) | nous pouvons | vous pouvez | ils peuvent |

À faire!

Complétez.

a.
—*Voyez*-vous souvent vos amis?
—Mais oui! Je les _____ toujours!

b.
—*Voulez*-vous de la glace?
—Nous ne _____ pas de glace, merci.

c.
—Paul *veut*-il danser avec Mimi?
—Non. Il _____ danser avec toi.

d.
—Tu ne *peux* pas apprendre ces verbes?
—Mais si, je _____ apprendre ces verbes!

2. Les pronoms objets **me, te, nous, vous**

Lisez:

—Tu connais Jean Marceau?

Do you know John Marceau?

—Oui. Il **me** voit souvent au lycée et il **me** dit toujours «Salut!»

Yes. He sees *me* often at school and and he always says "Hi!" *to me.*

—Il ne **nous** invite pas à sa fête, Gigi et moi. Il ne **nous** prête jamais ses disques.

He isn't inviting *us* to his party, Gigi and me. He never lends his records *to us.*

—Comment? Il ne **vous** invite pas, et il ne **vous** prête pas ses disques?

What? He isn't inviting *you*, and he doesn't lend his records *to you*?

—Non. C'est un garçon un peu drôle.

No. He's a little strange.

Object pronouns, 1st and 2nd persons

me = me or to me	**nous** = us or to us
te = you or to you	**vous** = you or to you

The object pronouns precede the verb except in the affirmative command.

Lisez:

Tu **me** donnes le livre?	Donne-**moi** le livre!
Vous **nous** montrez les photos?	Montrez-**nous** les photos!

In the affirmative command **me** changes to **moi**.

Répondez:

1. Qui vous invite à sa fête?
2. Qui vous prête sa voiture?
3. Qui te donne la permission?

4. Qui te dit, «Danse avec moi!»
5. Qui m'invite à une fête, moi, le professeur?

C. Parlons de la fête d'un grand ami!

1. Est-ce que ton ami t'invite à sa fête?
2. Veux-tu aller à sa fête?
3. Veux-tu faire un beau cadeau à ton ami?
4. Peux-tu danser et passer des disques chez lui?
5. Peux-tu rester après minuit?

D. Parlons de votre fête d'anniversaire!

1. Est-ce que vous invitez tous vos amis?
2. Est-ce que vous leur téléphonez?
3. Est-ce qu'ils vous répondent tout de suite?
4. Est-ce qu'ils vous apportent des cadeaux?
5. Est-ce qu'ils veulent toujours jouer de la guitare?
6. Veulent-ils chanter «Bon Anniversaire»?
7. Veulent-ils manger du gâteau, de la glace et des bonbons?
8. Peuvent-ils danser chez vous?
9. Peuvent-ils rester longtemps chez vous?
10. A quelle heure vous disent-ils «Bonsoir»?

EXERCICE

Complétez en employant **me, te, nous,** ou **vous.**

J'ai un camarade qui s'appelle (prénom). Il _____ téléphone souvent et il _____ écrit des lettres. Il _____ aime beaucoup. Quand je suis avec Marie-Lou, il _____ dit «Bonjour», et il _____ parle longtemps.

Avez-vous un grand ami? Est-ce qu'il _____ aime beaucoup? Est-ce qu'il _____ téléphone tous les jours? Quand il _____ téléphone, _____ parle-t-il longtemps?

J'ai une autre camarade qui s'appelle (prénom). Elle ne téléphone jamais. Elle ne _____ voit pas souvent. Est-ce que j'aime mieux (prénom) ou (prénom)?

XI MA VIE DE TOUS LES JOURS!

A. Parlons de votre vie au lycée.

1. Quel est votre premier cours?
2. Quel est votre deuxième cours?
3. Aimez-vous tous les cours?
4. Aimez-vous tous vos professeurs?
5. Aimez-vous toutes les matières?
6. Avez-vous l'habitude de travailler dur?
7. Travaillez-vous dur pendant toute la leçon?   *T.S.V.P.*

8. A quelle heure arrivez-vous au lycée?
9. Prenez-vous le déjeuner à l'école ou chez vous?
10. L'après-midi, à quelle heure rentrez-vous?

B. Révision de Structure

1. Les verbes réfléchis (reflexive verbs) au présent

se lever	je me lève	tu te lèves	il se lève
(to get up)	nous nous levons	vous vous levez	ils se lèvent
se coucher	je me couche	tu te couches	il se couche
(to go to bed)	nous nous couchons	vous vous couchez	ils se couchent

The reflexive verbs we are learning belong to the First Group. They are always accompanied by a *reflexive object pronoun*: **me, te, se, nous, vous,** or **se.**

Lisez à haute voix:

—**Je me réveille** à 6 heures.   —**Il** ne **se lave** pas beaucoup.
—A quelle heure **te réveilles-tu?**   —C'est un hippie, sans doute!

—Où **vous habillez-vous?**   —**S'amusent-ils** à l'école?
—**Nous nous habillons** ici.   —**Ils** ne **s'amusent** pas dans la classe de français!

À faire!

Complétez en employant *le pronom objet* nécessaire.

a.
—Je _____ réveille à 7 heures.
—Mon petit frère _____ réveille à 6 heures!

b.
—_____ levez-vous tout de suite?
—Nous _____ levons immédiatement!

c.
—Ma mère _____ couche tard.
—Mon père ne _____ couche pas avant minuit!

d.
—Les professeurs _____ amusent-ils beaucoup?
—Ils ne _____ amusent jamais!

2. L'impératif des verbes réfléchis

Lisez:

—Lève-**toi** tout de suite!	Get up immediately!
—Ce soir ne **te** couche pas tard!	This evening don't go to bed late!
—Habillez-**vous** bien!	Dress well!
—Ne **vous** réveillez pas tard!	Don't wake up late!
—Amusons-**nous**!	Let's have fun!
—Ne **nous** amusons pas ici!	Let's not have fun here!

In the affirmative command, the object pronoun follows the verb. The object pronoun **te** changes to **toi** in the affirmative only.

À faire!

e. Tell a classmate to get up and to have a good time.
f. Tell a guest who is a lot older than you to wake up and dress, please.
g. Suggest to a friend that you both (Let's) wash and go to bed.

3. L'adjectif **tout** (all)

Lisez:

Masculin	*Féminin*
—Tu aimes **tout** le monde?	—Etudiez-vous **toute** la leçon?
—J'aime **tous** mes amis!	—Je réponds à **toutes** les questions!

À faire!

Complétez en employant la forme appropriée de **tout**.

h.
—Paul mange _____ le bifteck!
—Et Anne mange _____ les légumes!

i.
—Passez-vous _____ la soirée ici?
—Nous passons _____ les soirées chez nous.

4. Les adverbes

Féminin de l'adjectif	*Adverbe*
seule, alone	seulement, only
facile, easy	facilement, easily
merveilleuse, marvellous	merveilleusement, marvellously

To form an adverb, add the ending **–ment** to the feminine of *most* adjectives.

À faire!

Complétez en employant l'adverbe formé sur l'adjectif *en italique*.

j. La leçon est *facile*. Elle l'apprend _____.
k. Sa musique est *merveilleuse*. Et il joue _____.
l. C'est une chanson *sensationnelle*. Elle la chante _____.

C. Qu'est-ce que tu fais le matin?

1. A quelle heure te lèves-tu?
2. Est-ce que tu te réveilles facilement?
3. Est-ce que tu te laves dans la salle de bains ou dans la cuisine?
4. Est-ce que tu t'habilles dans ta chambre ou dans la salle de bains?
5. Est-ce que tu prends le petit déjeuner seul(e) ou avec tes parents?

6. Comment vas-tu au lycée, à pied ou en autobus?
7. Est-ce que tu t'amuses au lycée?
8. Est-ce que tu t'amuses après les cours? Comment?
9. A quelle heure commences-tu tes devoirs?
10. A quelle heure te couches-tu?

D. Et pendant les cours . . . ?

1. Vous habillez-vous bien pour aller au lycée?
2. Vous levez-vous quand vous parlez en classe?
3. Vous réveillez-vous quand le professeur vous pose une question?
4. Répondez-vous à toutes les questions?
5. Vous amusez-vous au cours de gymnastique? au cours de musique?

EXERCICE

1. (se lever) Chez nous, nous _____ de bonne heure.
2. (se réveiller) Moi, je ne _____ pas facilement.
3. (se coucher) Je _____ toujours tard parce que j'ai trop de devoirs.
4. (se lever) Ma mère me dit, «_____ tout de suite!»
5. (se laver) Mais mon père _____ dans la salle de bains.
6. (s'habiller) Moi, je ne _____ pas immédiatement. J'attends.
7. (s'habiller) Plus tard, mon frère et moi nous _____ ensemble dans la chambre. Quelle confusion!
8. (s'amuser) L'après-midi mes camarades et moi nous _____ un peu.
9. (tout) Le soir je fais _____ mes devoirs.
10. (se coucher) On _____ de bonne heure tous les soirs.

XII OÙ HABITEZ-VOUS?

A. Parlons de votre maison!

1. Où habitez-vous?
2. Habitez-vous une maison ou un appartement?
3. Combien de pièces y a-t-il chez vous?
4. Où mangez-vous, dans la cuisine ou dans la salle à manger?
5. Où regardez-vous la télé, dans le salon, le living-room ou dans la chambre à coucher?
6. Dans quelle pièce faites-vous vos devoirs?
7. Avez-vous une chambre personnelle? Non? Qui partage (shares) votre chambre?

Une chambre à coucher moderne

8. Quels meubles y a-t-il dans votre chambre?
9. Avez-vous un chien? un chat?
10. Habitons-nous une ville? un village? la campagne?

B. Parlons de nos environs!

1. Qu'est-ce qu'on voit par (through) la fenêtre?
2. Voit-on . . .?

un arbre   des fleurs   une vache   un cheval

un champ	une montagne	un édifice	un lac

3. Dans une ville, voit-on des rues? des places? des avenues?
4. Aimez-vous mieux la campagne ou la ville?

C. Révision de Structure

1. Les verbes irréguliers ouvrir, savoir, venir, revenir, au présent

ouvrir	j'ouvre	tu ouvres	il ouvre
(to open)	nous ouvrons	vous ouvrez	ils ouvrent
savoir	je sais	tu sais	il sait
[to know (how to)]	nous savons	vous savez	ils savent
venir	je viens	tu viens	il vient
(to come)	nous venons	vous venez	ils viennent
revenir	je reviens	tu reviens	il revient
(to come back)	nous revenons	vous revenez	ils reviennent

À faire!

Complétez.

a. (savoir)
—_____ vous nager?
—Bien sûr, je _____ nager!

b. (ouvrir)
—_____ la porte, s'il vous plaît!
—Je l'_____ tout de suite.

c. (venir)
—Vous _____ de la campagne?
—Non, je _____ de la ville.

d. (revenir)
—Ils _____ bientôt?
—Non, mais nous, nous _____ bientôt!

Notez bien: **venir de** + the infinitive means *to have just,* and expresses an *immediate past* action.

—Je **viens** d'arriver!   I've *just* arrived!
—Et Paul **vient de** partir!   And Paul *has just* left!

2. Le pluriel des mots terminés par –al, –ail, –eau, –s, et –x

	Changement		Pas de changement	
sing.:	animal	beau	le repas	le prix
pl.:	animaux	beaux	les repas	les prix

À faire!

Complétez en employant le pluriel du mot *en italique.*

e.
—Vous voyez un *cheval*?
—Je vois plusieurs _____!

f.
—Tu aimes ce *repas*?
—J'aime tous les _____!

g.
—Le *château* est *beau*!
—Tous les _____ sont _____.

h.
—C'est un *prix* impossible!
—Tous ces _____ sont impossibles!

EXERCICE

Complétez.

1. (venir)   Mes amis _____ souvent chez moi après les cours.
2. (savoir)   Ils _____ jouer de la guitare et danser le «rock.»
3. (revenir)   Ils _____ parfois le samedi après-midi aussi.
4. (ouvrir)   Nous _____ toujours plusieurs bouteilles de coca-cola.
5. (savoir)   Nous _____ danser toutes les nouvelles danses.
6. Mes amis sont sensationnels. Ils sont beau___ mais ils portent toujours de vieux___ vêtements.
7. (savoir)   Marc _____ les prix___ de tous les bons disques.
8. (savoir)   Je demande parfois et Jean et à Janine, «_____-vous danser le slow?»
9. (venir) Je dis parfois à André, «Joue de la clarinette!» Il répond, «Que dis-tu? Je _____ de jouer de la clarinette!»
10. (revenir)   Quand ils partent, je leur dis, «_____ bientôt!»

XIII AUJOURD'HUI, HIER, ET SAMEDI PASSÉ

A. Parlons d'abord d'aujourd'hui!

1. Venez-vous à l'école avec vos amis? Arrivez-vous à l'heure?
2. Le professeur arrive-t-il souvent en avance? en retard?
3. Vos parents viennent-ils avec vous?
4. Revenons-nous au lycée tous les jours?
5. Voyez-vous tous vos amis au lycée?
6. Ouvrez-vous la porte pour les professeurs?
7. Ouvrons-nous les fenêtres quand il fait chaud?

8. Savez-vous toujours répondre en classe?
9. Savez-vous jouer au golf? jouer de la trompette?
10. Savons-nous parler deux langues?

B. Révision de Structure I

The passé composé of "regular" verbs (auxiliary verb = **avoir**)

Les verbes du Premier Groupe

Exemple: **jouer** to play   *participe passé:* **joué**

j'ai joué	tu as joué	il a joué
nous avons joué	vous avez joué	ils ont joué

Les verbes du Deuxième Groupe

Exemple: **finir** to finish   *participe passé:* **fini**

j'ai fini	tu as fini	il a fini
nous avons fini	vous avez fini	ils ont fini

Les verbes du Troisième Groupe

Exemple: **rendre** to return (a thing)   *participe passé:* **rendu**

j'ai rendu	tu as rendu	il a rendu
nous avons rendu	vous avez rendu	ils ont rendu

Lisez et étudiez:

—A-t-**il** fini ses devoirs?	Did he finish his homework?
—Non, il a joué au golf.	No, he played golf.
—As-tu rendu la monnaie?	Did you return the change?
—Non, je n'**ai pas** rendu la monnaie.	No, I didn't return the change.

The passé composé tells what took place in the past. It narrates or records a completed past action.

Notez bien: To express the *negative*, place **ne** before the auxiliary verb **avoir** and **pas** (or **jamais** or **plus**) after the auxiliary **avoir**.

—Vous n'avez **pas** écouté ces disques?
—Je n'ai **jamais** écouté ces disques!

To form a question with inversion, invert the form of the auxiliary verb **avoir** and the subject pronoun: **Avez**-vous **choisi** ce livre?

À faire!

Complétez le passé composé.

a.
—_____-vous parlé français?
—Non, nous _____ parlé anglais.

b.
—_____-t-il fini le travail?
—Non, il n'_____ pas fini le travail.

c.
—_____-tu trouvé Pierre?
—Non, mais j'_____ trouvé Paul!

d.
—_____-ils perdu les tickets?
—Non, ils n'_____ pas perdu les tickets.

48

Complétez encore, en employant le verbe entre parenthèses.

e. (danser)
—Avez-vous _____ la rumba?
—Nous avons _____ le «fox.»

f. (punir)
—Comment! Tu as _____ le chat?
—Non. J'ai _____ le chien.

g. (entendre)
—Ont-ils _____ le prof?
—Non, ils ont _____ sa voiture.

h. (écouter)
—As-tu _____ le prof?
—Non. Je n'ai pas _____ la leçon.

C. **Maintenant parlons d'hier!**

1. Avez-vous étudié la leçon hier?
2. Avez-vous écouté tous vos professeurs?
3. Avez-vous répondu à toutes leurs questions?
4. Avez-vous fini tout votre travail?

5. Avez-vous attendu vos amis après les cours?
6. Avez-vous dansé en classe? (*Non, . . .*)
7. Avez-vous trouvé mille dollars? (*Non, . . .*)
8. Avez-vous choisi une femme (un mari)? (*Non, . . .*)
9. Avez-vous vendu votre maison? (*Non, . . .*)
10. Avez-vous puni le professeur? (Non? Oui?)

D. **Révision de Structure II**
The passé composé of "irregular" verbs (auxiliary verb = **avoir**)

Many verbs have *irregular* past participles. As we review them, we can remember them better if we group them according to how they sound. See how many you recognize!

Infin.	Past part.	Infin.	Past part.	Infin.	Past part.
être	été				
faire	fait	dire	dit	avoir	eu
		écrire	écrit	lire	lu
		mettre	mis	voir	vu
		prendre	pris	pouvoir	pu
		apprendre	appris	vouloir	voulu
		comprendre	compris		

49

Lisez et étudiez:

—Avez-vous **été** malade? Have you been (Were you) ill?
—Oui. J'ai **eu** mal à la tête. Yes, I had a headache.

—Ton amie a-t-elle **appris** les verbes? Did your friend learn the verbs?

—Oui. Et elle a **compris** toutes les structures. Yes. And she understood all the structures.

—Vos parents ont-ils **pu** partir? Were your parents able to leave?
—Oui, mais ils ont **voulu** rester. Yes, but they wanted to stay.

E. Parlons encore d'hier!

1. Avez-vous fait une promenade hier? Qui a fait la promenade avec vous?
2. Avez-vous vu des arbres et des fleurs?
3. Pour revenir, avez-vous pris le train ou l'autobus?
4. Avez-vous dit «Bonjour» à tous vos amis?
5. En classe, avez-vous écrit la dictée?
6. Qui a appris tout le vocabulaire?
7. Qui a compris toutes les structures?
8. Qui a lu les dialogues hier?
9. Avons-nous pu finir la leçon?
10. Avons-nous voulu partir à trois heures?

F. Révision de Structure III
The passé composé of verbs conjugated with **être**

Some common verbs which denote a *change of place* use the verb **être** instead of the verb **avoir** as the auxiliary verb. How many do you remember?

Sujet masculin	*Sujet féminin*
Je suis allé. I went.	Je suis sort**ie**. I went out.
Tu es arrivé. You arrived.	Tu es part**ie**. You left.
Il est entré. He entered.	Elle est rentr**ée**. She went (home).
Nous sommes tombés. We fell.	Nous sommes ven**ues**. We came.
Vous êtes monté(s). You went up.	Vous êtes revenue(s). You came back.
Ils sont restés. They stayed.	Elles sont descend**ues**. They descended.
Ils sont devenus. They became.	

Now, try to answer these questions:

Which of the two verbs above do *not* express a change of place?
When do you always add **e** to the past participle? Why?
When do you always add **s** to the past participle? Why?

50

Now look at these different ways of writing the past participle:

Je suis allé.   Tu es parti.   Nous sommes rentrés.
Je suis allée.   Tu es partie.   Nous sommes rentrées.

Vous êtes sorti.   Vous êtes sortis.
Vous êtes sortie.   Vous êtes sorties.

Why are the past participles spelled differently? Because the past participles of these verbs act like adjectives: they agree with the *subject* in number and gender!

À faire!

Complétez le passé composé.

i.
—Hier je _____ allé chez ma tante.
—Tu n'_____ pas resté longtemps!

j.
—_____-vous sorti avec elle?
—Non. Je _____ sorti sans elle.

k.
—_____-vous rentrés à l'heure?
—Non. Nous _____ rentrés en retard.

l.
—_____-elle revenue avec vous?
—Elle n'_____ jamais revenue!

m.
—_____-ils déjà partis?
—Non, ils ne _____ pas encore partis.

n.
—_____-elles entrées avec eux?
—Non. Elles _____ entrées avec moi.

G.   Parlons maintenant de samedi passé!

1. Etes-vous allé(e) au magasin pour maman?
2. Etes-vous allé(e) à la boulangerie? à la boucherie? à l'épicerie? au supermarché?
3. Etes-vous revenu(e) tout de suite?
4. Vos amis sont-ils venus chez vous?
5. Etes-vous sorti(e) avec eux?
6. A quelle heure êtes-vous partis? (*Nous . . .*)
7. Etes-vous allés au match?
8. Etes-vous restés longtemps?
9. Etes-vous rentré(s) chez vous à sept heures?
10. A quelle heure êtes vous rentré(e)?

EXERCICE

Ecrivez un petit résumé de vos actions d'hier en employant les expressions suivantes au passé composé.

1. arriver à l'école hier matin de bonne heure.
2. parler avec vos amis dans les corridors.
3. faire tout le travail nécessaire.   *T.S.V.P.*

4. perdre vos sandwichs avant midi.
5. manger des bonbons et prendre du coca-cola.
6. quitter l'école à trois heures et demie.
7. jouer au base-ball ou au tennis.
8. partir à cinq heures.
9. aller au magasin pour maman.
10. entrer dans votre chambre pour faire vos devoirs.

XIV LE PASSÉ ET LE FUTUR!

A. Parlons d'abord du passé!

1. Avez-vous demeuré dans une ville? à la campagne?
2. Avez-vous fait des promenades dans le bois?
3. Dans les villes, avez-vous vu les grands édifices?
4. Votre père a-t-il été soldat (soldier)?

5. Votre mère a-t-elle travaillé en ville?
6. Etes-vous allé(e) souvent au musée?
7. Etes-vous sorti(e) pendant le week-end?
8. Vos amis sont-ils venus chez vous dimanche?
9. Où êtes-vous allé(e) pendant les grandes vacances? au bord de la mer? à la campagne?
10. Avez-vous eu de bonnes notes l'année dernière?

B. Révision de Structure — le futur

1. Le futur des verbes «réguliers»

Do you remember how to form the future tense? It's an easy one!

Groupe I: **parler** to speak		stem: **parler–**
je parlerai	tu parleras	il parlera
nous parlerons	vous parlerez	ils parleront

Groupe II: **choisir** to choose		stem: **choisir–**
je choisirai	tu choisiras	il choisira
nous choisirons	vous choisirez	ils choisiront

Groupe III: **répondre** to reply		stem: **répondr–**
je répondrai	tu répondras	il répondra
nous répondrons	vous répondrez	ils répondront

The verbs of the First and Second Groups use the whole infinitive as the stem and add the endings in heavy type above (the endings –ai, –as, –a, –ons, –ez, –ont). Verbs of the Third Group drop the final e of the infinitive to obtain the stem, but add the same endings.

Lisez et étudiez:

—Ecouterez-vous la musique?	Will you listen to the music?
—J'écouterai la musique avec grand plaisir.	I'll listen to the music with great pleasure.
—Joueras-tu au football?	Will you play soccer?
—Non. Pierre jouera au football.	No. Peter will play soccer.
—Danserons-nous ensemble?	Will we dance together?
—Non. Guy et Anne danseront ensemble.	No. Guy and Anne will dance together.

À faire!

Complétez en employant le futur du verbe *en italique*.

a.
—*Passerez*-vous les disques?
—Oui, je les _____ avec plaisir.

b.
—*Regardera*-t-il la télé?
—Il _____ la télé ce soir.

c.
—*Finira*-t-elle ses achats?
—Elle les _____ demain.

d.
—*Répondront*-ils au téléphone?
—Non, ils ne _____ pas.

2. Le futur des verbes «irréguliers»

Certain verbs are irregular in the *present* tense, but are "regular" in the future tense. Do you remember them? Here they are:

sortir	prendre	dire
partir	apprendre	lire
ouvrir	comprendre	mettre

Lisez et étudiez:

Verbe	Question	Réponse
sortir	**Sortiras**-tu demain?	Je **sortirai** avec Paul.
partir	**Partirez**-vous à midi?	Nous **partirons** à une heure.

Verbe	Question	Réponse
ouvrir	**Ouvrira**-t-il les valises?	Il les **ouvrira** demain.
prendre	**Prendra**-t-elle l'avion?	Elle **prendra** le train.
apprendre	**Apprendrons**-nous le chemin?	Nous l'**apprendrons** vite.
comprendre	**Comprendrez**-vous la langue?	Je la **comprendrai** bien.
dire	**Diront**-ils «Au revoir»?	Ils **diront** «A bientôt!»
lire	**Lirez**-vous leurs journaux?	Nous les **lirons**.
mettre	**Mettrons**-nous des gants?	Vous **mettrez** des gants blancs.

À faire!

Complétez en employant le futur du verbe *en italique*.

e.
—*Sortiras*-tu avec Roger?
—Je _____ avec lui ce soir.

f.
—A quelle heure *partirez*-vous?
—Nous _____ à six heures.

g.
—*Prendra*-t-il la voiture?
—Non, il ne la _____ pas.

h.
—*Apprendront*-ils la valse?
—Ils n'_____ jamais la valse!

i.
—Je ne *comprendrai* jamais ces verbes!
—Mais si! Tu les _____!

j.
—Jean ne *lira* jamais la leçon.
—Toi, tu _____ la leçon pour lui.

k.
—Ils ne *mettront* pas la table!
—Ça va. Maman _____ la table.

l.
—*Ouvrira*-t-on les portes?
—On ne les _____ pas avant midi.

EXERCICE

Ecrivez le résumé d'un pique-nique que vous allez faire un samedi après-midi . . . s'il fait beau temps! (Employez le futur.)

1. (Je) téléphoner à mes copains de bonne heure pour fixer le rendez-vous.
2. (Je) aider maman et ranger vite mes affaires.
3. (Je) embrasser mes parents avant mon départ.
4. (Jacques, Hélène, Roger et moi) passer l'après-midi ensemble.
5. (Je) arriver à l'heure au rendez-vous.
6. (On) louer une voiture chez le garagiste.
7. (On) partir tout de suite.
8. (On) arrêter la voiture près d'un petit lac.
9. (Nous) nager dans le lac avec grande joie.

10. (Roger) jouer de la guitare et chanter des chansons.
11. (Moi, je) écrire un poème, assis(e) sous un bel arbre.
12. (Jacques) lire des revues sportives.
13. (Hélène) prendre des photos avec son nouvel appareil.
14. (Hélène et Roger) donner des sandwichs et de l'orangeade à tout le monde.
15. (Nous) oublier l'école et les devoirs!

Leçon vingt-deux

22

I CONVERSATION

(à livre ouvert)

A. Aujourd'hui je parle français.
Hier j'ai parlé français.
(Yesterday I spoke French.)

1 Hier vous avez parlé français, n'est-ce pas?
(Yesterday you spoke . . .?)

Oui, j'ai parlé français.

2 Hier vous avez étudié la leçon, n'est-ce pas?
(Yesterday you studied . . .?)

Oui, j'ai étudié . . .
(Yes, I studied . . .)

3 Avez-vous cherché les mots?
(Did you look for . . .?)

Oui, j'ai cherché . . .
(. . . I looked for . . .)

4 Avez-vous trouvé les mots?
(Did you find . . .?)

Oui, j'ai trouvé . . .
(. . . I found . . .)

5 Avez-vous regardé la télé?
(Did you look at . . .?)

Oui, j'ai regardé . . .
(. . . I looked at . . .)

B.

1 Paul a regardé la télé aussi, n'est-ce pas?
(Paul looked at . . .?)

Oui, il a regardé . . .
(Yes, he looked at . . .)

2 Il a étudié la leçon, n'est-ce pas?
(He studied the lesson, . . .?)

Oui, il a étudié . . .

3 A-t-il cherché ses amis?

Oui, il a cherché . . .

4 A-t-il trouvé ses amis?

Oui, il a trouvé . . .

5 Marie a-t-elle trouvé ses amies?

Oui, elle a trouvé . . .

6 A-t-elle joué au tennis?
(Did she play . . .?)

Oui, elle a joué . . .
(. . . she played . . .)

7 A-t-elle regardé la télé?

Oui, elle a regardé . . .

8 A-t-elle donné un disque à Guy?   Oui, elle a donné . . .
  (Did she give . . .?)   (. . . she gave . . .)
9 A-t-elle dansé avec Paul?   Oui, elle a dansé . . .
  (Did she dance . . .?)   (. . . she danced . . .)
10 A-t-elle écouté la musique?   Oui, elle a écouté . . .
  (Did she listen to . . .?)   (. . . she listened to . . .)

C.

1 Paul et Marie ont écouté la Oui, ils ont écouté . . .
  musique, n'est-ce pas?
  (Paul and Mary listened to . . .?)
2 Ont-ils dansé ensemble?   Oui, ils ont dansé . . .
  (Did they dance together?)
3 Ont-ils dansé le «rock»?
4 Janine et Louise ont-elles dansé Oui, elles ont dansé . . .
  le «rock»?

D.

1 Nous avons dansé, n'est-ce pas? Oui, nous avons dansé . . .
  (We danced . . .?)
2 Nous avons passé des disques, Oui, nous avons passé . . .
  n'est-ce pas?
3 Avons-nous écouté la musique? Oui, nous avons écouté . . .

E. Now let's speak in the familiar **tu** form:

1 Dimanche dernier tu as chanté à Oui, j'ai chanté . . .
  l'église, n'est-ce pas?
  (Last Sunday you sang . . .?)
2 As-tu dansé à la surprise-partie? Oui, j'ai dansé . . .
3 As-tu dansé avec Anne?

Dialogue dirigé 1

1 Demandez à Henri, «As-tu passé As-tu passé des disques?
  des disques?»
2 Demandez à Mimi si elle a écouté As-tu écouté . . .?
  la musique.

Dialogue dirigé 2

1 Dites-moi «Vous avez écouté la Vous avez écouté la musique.
  musique.»
2 Dites-moi que j'ai dansé le Vous avez dansé . . .
  «slow.»
3 Dites-moi que j'ai mangé des Vous avez mangé . . .
  sandwichs.   (You ate . . .)

57

Dialogue dirigé 3

1 Demandez-moi, «Avez-vous   Avez-vous mangé . . .?
  mangé une tartine?»

2 Demandez-moi si j'ai préparé   Avez-vous préparé . . .?
  les examens.   (Did you prepare . . .?)

II SCÈNE DE LA VIE FRANÇAISE

De retour à Paris   Back In Paris

Scène: A la *gare du chemin de fer* à Paris, dimanche   railroad station
    soir. Les enfants, Monique, Armand, et Hamidou
    descendent du train. Papa les attend.

  PAPA: Alors, mes enfants! Vous avez passé de
5   belles vacances?

  HAMIDOU: Des vacances *parfaites*, monsieur.   perfect

  PAPA: Qu'est-ce que *vous avez fait* dans notre   did you do
    chère Provence?

  CLAIRE: Moi, *j'ai nagé* dans la mer . . .   swam

10 MONIQUE: Nous *avons planté* des légumes . . .   planted

  ROBERT: *On a fait* des promenades à bicyclette . . .   We took

  ARMAND: Grand-père nous *a emmenés* en voiture   took
    voir les lacs, les rivières, et aussi des *ruines*   Roman ruins
    romaines . . .

15 ROBERT: Et nous avons mangé de beaux fruits!

  CLAIRE: Oui, de belles *cerises*, de jolies *pêches* et   cherries & peaches
    des *poires* délicieuses.   pears

  HAMIDOU: Et de belles *figues fraîches* de Pro-   fresh figs
    vence!

20 MONIQUE: Et tout le monde *a fêté* mon anniver-   celebrated
    saire!

  CLAIRE: Oui, et Armand a donné une bague . . .   Sh! & Don't say any-
  MONIQUE: *Chut!* Claire! *Ne dis rien!*   thing!

  (Ils sortent de la gare et *se dirigent vers* le *parking*.)   head for & parking
25 PAPA: Armand a . . . *quoi*?   space & what?

  HAMIDOU: Armand *a visité* les *fermes* avec grand-   visited & farms
    père et le soir nous avons regardé la *lune* et les   moon
    étoiles. Elles sont belles dans le Midi, comme   stars
    en Afrique!

30 CLAIRE: Moi, j'ai regardé les programmes à la télé.

  PAPA: Ah! Grand-père *a acheté* un poste de télé-   bought
    vision?

  ROBERT: Oui, papa . . . Est-ce qu'on va avoir un
    poste chez nous?

58

35 PAPA: N'en parlons pas . . . *J'espère* que vous avez I hope
   étudié un peu pendant les dix jours!

ROBERT: Etudié? On *n'a pas emporté* les livres! didn't bring along
(Après le dîner. Armand est *seul* avec papa.) alone

ARMAND: Je vous *remercie*, monsieur. Vous *avez* thank ♀ arranged
40 *arrangé* de belles vacances pour nous.

● PAPA: *Pas du tout!* Au contraire! Vous *avez aidé* Not at all! ♀ helped
   mes petits à passer de bonnes vacances. Vous
   avez été très aimable. have been (were)

ARMAND: *A propos de* la bague . . . Je *voudrais* About ♀ would like
45 vous demander si . . .

PAPA: Si Monique a la permission de porter la
   bague?

ARMAND: Oui, monsieur. Vous savez que j'ai
   l'intention de . . . *c'est-à-dire* . . . que . . . je that is to say
50 voudrais . . .

PAPA: Vous voulez *épouser* Monique . . . mais pas to marry
   tout de suite?

ARMAND: A la *fin* de mes études . . . end

PAPA: Monique est *encore* très jeune, *trop* jeune. still ♀ too
55 Il faut attendre un peu, pour être *sûr*. sure

ARMAND: Oh, nous sommes très sûrs, monsieur!

PAPA: Attendons *jusqu'à l'année prochaine!* Si, à until next year
   ce moment-là, vous avez les *mêmes* sentiments, same
   Monique *aura* la permission de porter la bague. will have
60 Et maintenant tu es comme un fils! (Il embrasse
   Armand sur les deux *joues*.) cheeks

Parmi les ruines romaines
de Provence, le monument
romain à la Turbie. Notez bien
aussi les vieilles maisons
françaises.

DIALOGUE ORIGINAL

Modèle	Substitutions
—Où *avez-vous* passé les vacances de *Pâques?*	/ as-tu / / Noël /
—*Chez mes grands-parents.*	/ Avec des amis. /
—*Avez-vous* fait *un voyage?*	/ As-tu / . . . / des excursions /
—Oui. Et *vous?*	/ toi /
—Moi aussi. *Avez-vous étudié* un peu?	/ As-tu travaillé /
—Oh, non! J'ai nagé dans la *piscine* et j'ai joué au *football.*	/ mer / / tennis / base-ball /
—Moi, j'ai visité une *ferme* et j'ai *planté des fleurs.*	/ grande ville / / regardé des édifices /
—Comme les vacances sont belles!	

Vocabulaire actif

passer les vacances to spend the vacation
épouser to marry

fait *past part. of* **faire** done, made
été *past part. of* **être** been

sûr, –e sure
l'année prochaine next year

frais, fraîche fresh
hier yesterday

la cerise	cherry	la ferme	farm
la figue	fig	une étoile	star
la pêche	peach	la lune	moon
la poire	pear	la joue	cheek
le fruit	fruit	le sentiment	feeling

Questions

1. Les enfants ont-ils passé de belles vacances?
2. Qui a nagé dans la mer?
3. Qui a fait des promenades à bicyclette?
4. Qui a emmené les enfants en voiture?
5. Quels fruits ont-ils mangés?
6. Comment sont les figues en Provence?
7. Qu'est-ce qu'Armand a visité avec Grand-père?
8. Qui a regardé la lune et les étoiles?
9. Qui a fêté l'anniversaire de Monique?
10. Qui a acheté un poste de télévision?
11. Est-ce qu'on a emporté les livres?
• 12. Qui a aidé les enfants à passer de bonnes vacances?
13. Qui a été très aimable?
14. De quoi (About what) Armand veut-il parler à papa?
15. Est-ce qu'Armand veut épouser Monique?
16. Quand veut-il épouser Monique?
17. Est-ce que Monique est encore très jeune?
18. Qu'est-ce qu'il faut faire pour être sûr?
19. Combien de temps faut-il attendre?
20. Comment papa embrasse-t-il Armand?

Discussion

1. Avez-vous passé de belles vacances? Avez-vous fait des promenades en voiture? à bicyclette? à pied? Avez-vous nagé dans la mer?

2. Avez-vous fêté l'anniversaire d'un ami? (d'une amie?) Avez-vous regardé la lune et les étoiles? Avez-vous téléphoné souvent à vos amis? Avez-vous été aimable pendant les vacances?

3. Avez-vous un grand frère ou une grande soeur? Veut-il (elle) épouser quelqu'un (someone)? Qui? Est-il (elle) trop jeune? Est-il (elle) sûr(e)? Va-t-il (elle) avoir les mêmes sentiments l'année prochaine?

4. Aimez-vous les cerises? les pêches? les poires? Mangez-vous des pêches fraîches? des poires fraîches? des figues fraîches?

III STRUCTURES

A. Passé Composé of Verbs of the First Group

There are several tenses in French which express past action. The tense used conversationally to express an action completed in the past is called **le passé composé** because it is composed (**composé**) of two words. You will recognize one of them!

1. Formation

j'ai	trouvé	*I found*	nous avons	trouvé	*we found*
tu as	trouvé	*you found*	vous avez	trouvé	*you found*
il a	trouvé	*he found*	ils ont	trouvé	*they found*

> The passé composé is composed of a form of the present tense of the verb **avoir** (for many verbs) and the *past participle* of the verb whose action you are expressing.

> **Avoir** is called an *auxiliary verb* when it is used with the past participle (*le participe passé*).

2. Le participe passé

Infinitif	Drop	Add	Participe Passé	Exemple au passé composé
donner (to give)	**–er**	**–é**	donné	J'ai donné (I gave)
nager (to swim)	**–er**	**–é**	nagé	Vous avez nagé (You swam)
parler (to speak)	**–er**	**–é**	parlé	Nous avons parlé (We spoke)
jouer (to play)	**–er**	**–é**	joué	Il a joué (He played)

> a. The **participe passé** is the form of the verb used with the auxiliary.
> b. The **participe passé** of verbs of the First Group is obtained by dropping the *–er* of the infinitive and replacing it with *–é*.
> c. The infinitive and the **participe passé** of verbs of the First Group are pronounced the same way.

3. Signification

Il	a trouvé	la route.
He	found	the road.
He	has found	the road.
He	did find	the road.

Nous	avons parlé	français.
We	spoke	French.
We	have spoken	French.
We	did speak	French.

Exercice 1 Ecrivez le participe passé des verbes suivants.

EXEMPLE: parler → parlé

1. demander
2. habiter
3. travailler
4. continuer
5. étudier
6. passer

7. nager
8. manger
9. donner
10. apporter
11. acheter
12. regarder

Exercice 2 Remplacez le sujet en italique par chacun des sujets entre parenthèses.

EXEMPLE: *Nous* avons emmené les enfants. (Vous)
          Vous avez emmené les enfants.

1. *Elle* a demandé la permission à papa. (Il) (Ils) (Nous) (Je) (Vous)
2. *Ils* ont travaillé dur. (Il) (Nous) (Je) (Tu) (Vous) (On)
3. *Vous* avez mangé des figues fraîches. (Tu) (Elle) (Marc et Armand) (On)
4. *J'ai* étudié toute la leçon. (Nous) (Tu) (Vous) (Paul) (On) (Ils)
5. *Nous* avons passé les vacances chez eux. (Je) (Vous) (Il) (Alice) (Tu)

4. La forme négative

Je n'ai pas nagé dans le lac. Et Paul?
Paul n'a pas nagé dans la mer. Et les enfants?
Ils n'ont jamais nagé dans la piscine.

The auxiliary verb **avoir** is made negative. Place **ne** before the auxiliary verb and **pas** or **jamais** after it.

Exercice 3 Mettez les phrases à la forme négative. (A) Employez *ne . . . pas*. (B) Employez *ne . . . jamais*.

EXEMPLE: A. Elle a chanté la chanson. → Elle n'a pas chanté la chanson.
          B. Il a travaillé ici. → Il n'a jamais travaillé ici.

A.

1. Tu as téléphoné à ton copain.
2. J'ai dansé le «rock.»
3. Nous avons étudié cette leçon.
4. Vous avez apporté ses livres.

B.

5. Il a fêté son anniversaire.
6. Ils ont invité leurs amis.
7. Victor a passé les vacances ici.
8. Anne a déjeuné à l'école.

5. La forme interrogative avec inversion

Avez-vous tourné à gauche?   Mimi a-t-elle dansé?
A-t-elle continué tout droit?   Paul a-t-il chanté?

The auxiliary verb **avoir** and the subject pronoun are inverted.

Exercice 4   Mettez les phrases de l'Exercice 3 à la forme interrogative avec inversion. (Employez *Est-ce que* avec *Je*.)

EXEMPLE: Elle **a chanté** la chanson.
   A-t-elle chanté la chanson?

Exercice 5   Redites les phrases suivantes au passé composé.

EXEMPLE: Elle *chante* la chanson.
   Elle **a chanté** la chanson.

1.   Elle *épouse* Georges.
2.   Grand-père *invite* les enfants.
3.   Les enfants *mangent* des figues.
4.   Paul *regarde* la télé.
5.   Je *joue* au basket.
6.   Vous *nagez* dans la mer.
7.   Nous *dansons* ensemble.
8.   Tu *passes* les vacances ici.

B.   *Fait* and *été*

The verb **faire** (to do or make) has an irregular past participle, **fait**.
The verb **être** (to be) has an irregular past participle, **été**.

faire: **J'ai fait** mes devoirs.   I did my homework.
      Avez-vous fait vos devoirs?   Did you do your homework?

être: Vous **avez été** malade?   You were ill?
      Nous n'**avons** pas **été** très   We were not very happy.
         heureux.
      A-t-il été aimable?   Was he amiable?

> The passé composé of the irregular verbs **faire** and **être** acts the same way as the passé composé of any other verb.

Exercice 6   Mettez les phrases suivantes à la forme négative.

EXEMPLE: J'ai fait ce sandwich.
   Je n'ai **pas** fait ce sandwich.

1.   Tu as fait tes devoirs.   6.   J'ai été heureux.
2.   Ils ont fait attention.   7.   Tu as été gentil.
3.   Nous avons fait ce voyage.   8.   Il a été content.
4.   Il a fait la connaisance d'Anne.   9.   Vous avez été aimable.
5.   Vous avez fait cette promenade?   10.   Elles ont été malades.

Exercice 7   Mettez les phrases de l'Exercice 6 à la forme interrogative avec inversion. (Employez *Est-ce que* avec *Je*.)

EXEMPLE: Tu as fait tes devoirs.
   As-tu fait tes devoirs?

64

Exercice 8 Mettez les phrases suivantes au passé composé.

EXEMPLE: Je fais mes devoirs.
  J'**ai fait** mes devoirs.

1. Tu fais une bonne impression.
2. Il fait la connaissance de Guy.
3. Nous faisons un pique-nique.
4. Vous faites du camping.
5. Ils font attention.
6. Je suis malade.
7. Tu es malheureux.
8. Elle est contente.
9. Nous sommes aimables.
10. Ils sont gentils.

C. *De* + adjectif + nom

Subject + verb	Noun marker (some)	Adjective	Noun	Adjective
Ce sont	des		figues	délicieuses.
Ce sont	de	belles	figues	noires.
Nous avons	des		cerises	fraîches.
Avez-vous	de	jolies	cerises	fraîches?
Voulez-vous	des		bonbons	français?
Je voudrais	de	petits	bonbons	français?

> When an adjective precedes a plural noun, **des** changes to **de**.

Exercice 9 Répondez à la question en employant l'adjectif entre parenthèses.

EXEMPLE: Avez-vous des poires vertes? (jolies)
  Nous avons **de jolies** poires vertes.

1. Avez-vous mangé des cerises fraîches? (belles)
2. Claire a-t-elle visité des lacs? (beaux)
3. Y a-t-il des arbres dans le jardin? (jolis)
4. Votre tante a-t-elle apporté des disques français? (nouveaux)
5. Votre oncle a-t-il acheté des livres? (vieux)

Exercice général

A. Répondez aux questions en employant le sujet *Nous*.
1. Avez-vous fait une belle promenade?
2. Avez-vous été au bord de la mer?
3. Avez-vous trouvé des amis?
4. Avez-vous passé des disques?
5. Avez-vous mangé des bonbons, de la glace et du gâteau?

B. Répondez en employant le sujet entre parenthèses.

6. Avez-vous parlé de l'école et des professeurs? (Je)
7. Votre papa a-t-il cherché des journaux, des magazines et des livres? (Il)
8. Votre maman a-t-elle donné des tartines aux petits enfants? (Elle)
9. Vos cousins ont-ils visité les jardins publics? Ont-ils nagé dans le lac? (Ils)
10. Est-ce que j'ai passé de belles vacances? (Vous)

IV NOTES SUR LA CIVILISATION FRANÇAISE

L'Agriculture française

La France est un grand pays *agricole*. En France on cultive *tout ce qu'il faut pour nourrir* la population. La *terre* est très fertile. — agricultural / all that is necessary ⚬ to feed ⚬ land

Le Blé Le principal produit agricole est le blé. — wheat
5 Le blé *pousse* dans *presque* toutes les régions de France, mais *surtout* sur les plaines de la Beauce au sud-ouest de Paris. — grows ⚬ almost / especially

Un peu de repos (rest) pour ces cultivateurs.

En Bourgogne, des vignobles
(vineyards) caractéristiques
de la France.

La Vigne   *Le raisin*, qui pousse sur la vigne,   grapevine & grapes
est un produit agricole très important. On *utilise*   use
10 le raisin surtout pour faire les vins. Le raisin
pousse principalement dans les provinces suivantes: la Bourgogne, la Guyenne, la Provence, la
Champagne, l'Alsace, et l'Anjou. La France est le
plus grand *producteur mondial* de vins.   producer in the
15 **Autres Fruits** Les fruits poussent dans toutes   world
les régions de France. Les *pommes* poussent sur-   apples
tout dans le nord, en Normandie. On cultive beaucoup de fruits en Touraine, la province qu'on
appelle «le Jardin de la France.» La province
20 d'Anjou, qui se trouve à côté de la Touraine, est
célèbre pour ses poires. Aux Etats-Unis, dans les
supermarchés, on peut trouver des «poires   supermarkets
d'Anjou.»

On cultive en France les pêches, les poires, les
25 cerises, les *abricots*, les *framboises*, les *fraises*,
ainsi que d'autres fruits. Dans le Midi de la France
on cultive des figues délicieuses.

apricots & rasp-
berries & straw-
berries & as well
as

Les Animaux Les Français *élèvent* des chevaux, des vaches, des *cochons* et des *moutons*. Le
30 lait des vaches *sert* en grande partie à faire les
fromages français qui sont célèbres dans le monde
entier, comme le Camembert et le Brie. Le
fromage Roquefort *est fait* du lait de *brebis.*

raise
pigs & sheep
serves

is made & sheep
(fem.)

Il y a beaucoup d'autres produits agricoles. Nous
35 allons en parler plus tard.

Questions

Complétez.

1. En France la terre est _____.
2. Le principal produit agricole est _____.
3. Un autre produit très important est _____.
4. On utilise le raisin surtout pour faire _____.
5. Une province importante pour la culture de la vigne est _____.
6. La province qu'on appelle «le Jardin de la France» est _____.
7. Le lait est utilisé en grande partie pour faire _____.
8. Trois fromages célèbres sont le Brie, le Roquefort, et le _____.
9. La France est _____ producteur de vins du monde.
10. La France produit tout le nécessaire pour nourrir _____.

a. la Bourgogne
b. les vins
c. la population
d. Camembert
e. fertile
f. le blé
g. le raisin
h. le fromage
i. la Touraine
j. le plus grand

V   AMUSONS – NOUS!

Ping-pong au passé composé

Each member of the class prepares a list of about 15 infinitives of the
First Group, plus **être** and **faire**. Then the class is divided into two teams
(*deux équipes*). The captain of team A serves a verb with its subject: *jouer
. . . je.* The captain of team B has to give the form in the passé composé:
J'ai joué. Then he, in turn, must give another infinitive with a subject:
habiter . . . nous. The second person on Team A must answer *Nous avons
habité,* and must then give another infinitive and subject. EXEMPLE:
manger . . . elle.

68

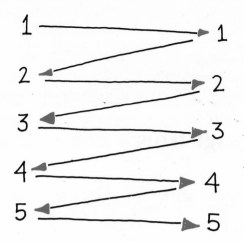

Secondary rules: Each player has only three seconds in which to answer, and then another three seconds in which to return another infinitive and subject to the opposing team. If someone misses or delays, the other team scores a point. Each team gets five consecutive serves, and the class counts the score aloud together. Twenty-one wins. *Allons voir qui va gagner!*

23

Leçon vingt-trois

I CONVERSATION

(à livre ouvert)

A. Maintenant je finis l'exercice.
Hier j'ai fini les exercices, n'est-
ce pas?

1 Hier vous avez fini les devoirs,   Oui, j'ai fini . . .
    n'est-ce pas?   (. . . I finished . . .)
    (Yesterday you finished . . .?)

2 Avez-vous fini les questions?

3 Ce matin avez-vous fini le petit
    déjeuner?

4 Avez-vous choisi du lait ou du   J'ai choisi . . .
    café?   (I chose . . .)
    (Did you choose . . .?)

5 Avez-vous choisi une tartine ou
    un croissant?

6 Avez-vous dit «Bonjour» à votre   Oui, j'ai dit . . .
    mère?   (. . . I said . . .)
    (Did you say . . .?)

7 Avez-vous écrit les exercices   Oui, j'ai écrit . . .
    hier?   (. . . I wrote . . .)
    (Did you write . . .?)

8 Avez-vous mis les exercices au   Oui, j'ai mis . . .
    tableau noir?   (. . . I put . . .)
    (Did you put . . .?)

9 Avez-vous pris la craie?   Oui, j'ai pris . . .
    (Did you take . . .?)   (. . . I took . . .)

10 Avez-vous appris les verbes?   Oui, j'ai appris . . .
    (Did you learn . . .?)   (. . . I learned . . .)

11 Avez-vous compris les verbes?   Oui, j'ai compris . . .
    (Did you understand . . .?)   (. . . I understood . . .)

B.

1 Paul a fini le petit déjeuner, n'est-ce pas?
  (Paul finished . . .?)

Oui, il a fini . . .

2 A-t-il choisi du café ou du lait?
  (Did he choose . . .?)

Il a choisi . . .

3 A-t-il dit «Au revoir» à sa mère?

Oui, il a dit . . .

4 A-t-il écrit les devoirs hier soir?

Oui, il a écrit . . .

5 A-t-il mis les questions au tableau noir?

Oui, il a mis . . .

6 A-t-il pris le livre de Marie?

Oui, il a pris . . .

7 A-t-il appris le vocabulaire?

Oui, il a appris . . .

8 A-t-il compris les structures?

Oui, il a compris . . .

9 Marie a-t-elle compris les structures?

Oui, elle a compris . . .

C.

1 Paul et Marie ont fini les phrases, n'est-ce pas?
  (Paul and Mary finished . . .?)

Oui, ils ont fini . . .

2 Ils ont choisi les questions, n'est-ce pas?

Oui, ils ont choisi . . .

3 Ont-ils dit «Merci» au professeur?

Oui, ils ont dit . . .

4 Ont-ils mis les réponses sur leurs cahiers?

Oui, ils ont mis . . .

5 Ont-ils écrit les réponses?

Oui, ils ont écrit . . .

6 Ont-ils appris les réponses?

Oui, ils ont appris . . .

7 Les jeunes filles ont-elles compris les réponses?

Oui, elles ont compris . . .

D.

1 Nous avons compris le dialogue, n'est-ce pas?

Oui, nous avons compris . . .

2 Avons-nous appris le dialogue?

Oui, nous avons appris . . .

3 Avons-nous mis les accents sur les lettres?

Oui, nous avons mis . . .

4 Avons-nous fini toutes les phrases?

Oui, nous avons fini . . .

E. Now, let's talk in the past tense in the familiar **tu** form:

1 Tu as fini toutes les phrases?
  (You finished . . .?)

Oui, j'ai fini . . .

2 As-tu choisi les phrases faciles?

Oui, j'ai choisi . . .

3 As-tu mis les phrases sur ton cahier?

Oui, j'ai mis . . .

4 As-tu appris les verbes?

Oui, j'ai appris . . .

Dialogue dirigé 1

1 Demandez à Roger, «As-tu fini les devoirs?»   As-tu fini . . .?

2 Demandez à Mimi si elle a appris les structures.   As-tu appris . . .?

3 Demandez à Paul s'il a choisi les phrases faciles.   As-tu choisi . . .?

4 Demandez-lui s'il a écrit les phrases au tableau noir.

Dialogue dirigé 2

1 Dites-moi, «Vous avez mis les devoirs au tableau noir.»   Vous avez mis . . .

2 Dites-moi que j'ai choisi les phrases difficiles.   Vous avez choisi . . .

3 Dites-moi que j'ai demandé «Y a-t-il des erreurs?»

4 Dites moi que j'ai dit «Très bien».

Dialogue dirigé 3

Demandez-moi si:

1 j'ai écrit l'examen.   Avez-vous écrit . . .?

2 j'ai choisi les questions difficiles.   Avez-vous choisi . . .?

3 j'ai dit «Apprenez le vocabulaire.»

II SCÈNE DE LA VIE FRANÇAISE

Hamidou devient poète

Hamidou Becomes A Poet

Scène: Un petit café du Quartier latin. Hamidou *est en train d'*écrire une lettre. Armand entre dans le café et *s'assied* à la table avec lui.

is engaged in

sits down

HAMIDOU: Voilà! J'ai fini la lettre!

5 ARMAND: Quelle lettre?

HAMIDOU: Une lettre à mon père. J'ai choisi enfin le *métier* qui me *plaît*.

occupation⩫pleases

ARMAND: Tu *ne* veux *plus* être avocat?

no longer

HAMIDOU: Non, non, et non! Je vais être poète. Je

10 vais apprendre à jouer de la guitare pour chanter mes vers dans les rues et dans les cafés.

ARMAND: Tu as dit tout cela à ton père?

HAMIDOU: Pas *tout à fait*! Il va l'*apprendre*, *petit à petit*. Je lui ai dit que j'ai écrit des vers, que *cela*

entirely ⩫ little by little

15 *me plaît* . . .

I like it

ARMAND: Tu n'es pas sérieux!

72

HAMIDOU: Si, si! Je suis très sérieux! Ecoute les
vers que je viens d'écrire ce matin:

20
Je t'ai donné mon *coeur*   heart
Et tu l'as pris, mon coeur.
Mais tu n'as pas compris.

Et moi, je pleure, mon coeur,
Car je n'ai pas appris   For
Que tu n'as pas compris   that
25
Mon coeur *qui* pleure,   which
Et que c'est tout fini.

Où l'as-tu mis
Ton *bonheur*?   happiness

● ARMAND: *Pas mal*, pour commencer. Mais pas   Not bad
30   pour *gagner sa vie*.   earning one's living
HAMIDOU: Notre président du Sénégal est poète!
ARMAND: *En effet!* Mais Léopold Senghor est   Quite so!
    aussi président de la République du Sénégal!
HAMIDOU: Tu as raison. Mais *cela ne fait rien*. Je   that doesn't make
35   vais devenir poète. Comme le président Senghor,   any difference
    je vais vendre beaucoup de livres et je vais avoir
    des *sous* . . . assez pour *vivre*.   "cents" (a little
                                                      money) ⊊ to live
ARMAND: Il faut *d'abord* devenir important! Ce   on ⊊ first
    n'est pas facile pour les poètes. Il y a tant de
40   poètes à Paris.
(On entend la musique de guitare.)
ARMAND: Ecoute, Hamidou, ce jeune étudiant qui
    joue et qui chante!
ETUDIANT: (qui joue de la guitare et chante en
45   même temps.)

Voilà les vers
Que je fais pour toi!
Que vas-tu faire
De mes vers et de moi?

50 (Le *garçon de café* arrive à la table du jeune   waiter
    étudiant.)

GARÇON: Monsieur, *je le regrette*, mais vous *dé-*   I'm sorry ⊊ disturb
    rangez les clients. Il ne faut pas jouer de la
    guitare et chanter au café.
55 ETUDIANT: Oui, monsieur. Pardon, monsieur.
ARMAND: Tu vois, Hamidou?

73

DIALOGUE ORIGINAL

Modèle	**Substitutions**
—*Avez-vous* choisi *vos* cours pour l'année prochaine?	/ As-tu / . . . / tes /
—Oui. Et *vous*?	/ toi /
—Pas encore.	
—*Avez-vous* parlé au conseiller?[1]	/ As-tu /
—Oui, et je lui ai *dit* que je ne veux pas continuer le cours de *mathématiques.*	/ écrit / / sciences / français /
—Pas possible! Pourquoi pas?	
—J'ai déjà appris assez de *mathématiques.*	/ sciences / français /

[1] guidance counselor

Vocabulaire actif

entrer to enter
entrer dans to enter (a place)
gagner to earn, gain
gagner sa vie to earn one's living

être en train de + inf. to be engaged in, be in the act of
jouer de + musical instrument to play
Je le regrette I'm sorry

que *conjunction* that
pas mal not bad
ne . . . plus no longer, no more
le métier trade, occupation

le coeur heart
le poète poet
le poème poem

Participes Passés	*Participes Passés*
(choisir) choisi	(mettre) mis
(finir) fini	(prendre) pris
(dire) dit	(apprendre) appris
(écrire) écrit	(comprendre) compris

Questions

1. Qu'est-ce que Hamidou est en train de faire au café?
2. Qui entre dans le café?
3. Qu'est-ce que Hamidou a fini?
4. A qui a-t-il écrit une lettre?
5. Qu'est-ce qu'il a choisi enfin?
6. Qu'est-ce qu'il ne veut plus devenir? Qu'est-ce qu'il veut devenir?
7. Pourquoi va-t-il apprendre à jouer de la guitare?
8. Où va-t-il chanter ses vers?
9. A-t-il dit tout cela à son père?
10. Qu'est-ce qu'il a dit à son père?
11. Qu'est-ce qu'il vient d'écrire ce matin?
12. Est-ce que la dame du poème a pris son coeur?
13. A-t-elle compris son coeur?
14. Hamidou a-t-il appris qu'elle n'a pas compris?
15. Quelle question Hamidou pose-t-il à la fin du poème?
16. Est-ce qu'on peut gagner sa vie comme poète?
17. Quel président est poète?
18. Qu'est-ce qu'il faut devenir d'abord?
19. Qui joue et chante ses vers au café?
20. Qu'est-ce qu'il ne faut pas faire au café?

Discussion

1. A quelle heure entrez-vous dans la salle de classe? Avez-vous fini vos devoirs? Avez-vous écrit toutes les phrases? Avez-vous appris à jouer de la guitare? du piano? du violon?

2. Avez-vous choisi un métier ou une profession? Voulez-vous devenir poète? Est-ce que c'est facile pour les poètes? Avez-vous appris des vers? Avez-vous écrit les vers? Avez-vous compris tous les vers? Etes-vous en train d'écrire un poème? Avez-vous l'intention d'écrire un poème?

3. Votre père gagne-t-il sa vie? Votre oncle gagne-t-il sa vie? Gagnez-vous votre vie maintenant? Etes-vous en train d'apprendre le français? Etes-vous en train de gagner votre vie?

III STRUCTURES

A. Le passé composé (Verbes du Deuxième Groupe)

The passé composé of verbs of the Second Group is formed in the same way as that of the First Group. The past participle, however, is formed differently. Can you tell how the past participle is formed?

finir au passé composé
(I finished, etc.)

j'ai fini	nous avons fini
tu as fini	vous avez fini
il a fini	ils ont fini

1. Le participe passé

Infinitif	Drop	Add	Participe passé	Exemple au passé composé
finir (to finish)	–ir	–i	fini	J'ai fini la phrase.
choisir (to choose)	–ir	–i	choisi	Il a choisi le mot.
punir (to punish)	–ir	–i	puni	Elle a puni le chien.
guérir (to cure)	–ir	–i	guéri	Il a guéri l'enfant.

2. La forme négative

Vous avez fini le poème?
Non, je n'ai **pas** fini le poème.

Il a choisi ses professeurs?
Il n'a **jamais** choisi ses professeurs.

> The auxiliary verb (a form of **avoir**) is made *negative*.

3. La forme interrogative avec inversion

Avez-vous fini vos devoirs?
Oui, nous avons fini nos devoirs.

Ont-ils choisi un film?
Oui, ils ont choisi un bon film.

> The subject pronoun and the auxiliary are inverted.

Notez bien The same rules apply as with verbs of the First Group.

Exercice 1 Remplacez le sujet en italique par chacun des sujets entre parenthèses.

EXEMPLE: *Nous* avons fini la leçon. (Vous) (Tu)
Vous avez fini la leçon.
Tu as fini la leçon.

1. *Nous* avons fini les vers. (Vous) (Tu) (Elle) (Ils) (Je) (On)
2. *Paul* a choisi ce poème. (Alice) (Nous) (Vous) (Les garçons) (Je)
3. *Je* n'ai pas fini l'examen. (Tu) (Roger) (Nous) (Vous) (Elles) (On)
4. *Je* n'ai pas choisi ce cours. (Tu) (Vous) (Jacques) (Marc et Jean)
5. Avez-*vous* fini la lettre? (nous) (ils) (tu) (il) (on) (je)

76

6. *Pierre* a-t-il puni le chien? (Marc) (Mimi) (Les enfants) (Les jeunes filles)
7. *Le médecin* a-t-il guéri l'enfant? (Papa) (Maman) (Les grands-parents)

Exercice 2   Répondez en français.

EXEMPLE: Avez-vous fini le travail?
          Oui, j'ai fini le travail; Non, je n'ai pas fini le travail.

1. As-tu fini le poème?
2. Paul a-t-il choisi son professeur de dessin?
3. Alice a-t-elle choisi son professeur de musique?
4. Avons-nous puni le chien?
5. Avez-vous fini l'examen hier?
6. Les docteurs ont-ils guéri les enfants malades?

Exercice 3   Posez la question à la forme affirmative. Employez le sujet entre parenthèses dans votre question.

EXEMPLE: Non, je n'ai pas fini la lettre. (Tu)
          As-tu fini la lettre?

1. Oui, j'ai fini mes devoirs. (vous)
2. Non, je n'ai pas fini la lettre. (tu)
3. Oui, Alice a choisi son métier. (Alice)
4. Non, nous n'avons pas choisi cette maison. (vous)
5. Oui, ils ont guéri mon ami. (les docteurs)
6. Non, Marc n'a pas puni son chien. (Marc)

B.   Some "Irregular" Past Participles

Infinitif	*Participe Passé*		*Exemple*
	Orthographe	*Prononciation*	
dire (to say, tell)	dit	di*t*	J'ai dit «Bonjour».
écrire (to write)	écrit	écri*t*	J'ai écrit le mot.
mettre (to put, put on)	mis	mi*s*	Il a mis le livre ici.
prendre (to take)	pris	pri*s*	On a pris le train.
apprendre (to learn)	appris	appri*s*	As-tu appris le verbe?
comprendre (to understand)	compris	compri*s*	Ils ont compris.

All the past participles of the above irregular verbs end in the sound **i.**

77

Exercice 4 Remplacez le sujet en italique dans la phrase par chacun des sujets entre parenthèses.

EXEMPLE: As-*tu* appris les verbes? (vous) (ils)

        Avez-vous appris les verbes?

        Ont-ils appris les verbes?

1. *J'*ai dit «Au revoir» hier. (Nous) (Tu) (On) (Vous) (Paul) (Ils)
2. *Tu* n'as pas écrit la lettre. (Vous) (Je) (Nous) (Elles)
3. *Marie* a mis la table hier soir. (Elles) (Je) (Nous) (Tu) (Vous)
4. Avez-*vous* pris l'autobus hier? (tu) (il) (elles) (nous) (je)
5. *Nous* avons appris le poème avant midi. (Vous) (On) (Je) (Tu)
6. *Janine* a-t-*elle* compris la leçon? (Paul) (vous) (Les élèves)

Exercice 5 Redites la phrase au passé composé.

EXEMPLE: Nous *comprenons* le vocabulaire.

       Nous avons compris le vocabulaire.

1. Je *choisis* ma profession.
2. Tu *finis* les phrases.
3. Il *apprend* les mots difficiles.
4. Nous *mettons* des chaussures.
5. Le médecin *guérit* les malades.
6. *Comprend*-elle les vers?
7. *Prennent*-ils le train?
8. *Ecrivez*-vous une carte postale?
9. Vous ne *dites* pas «Merci».
10. Je ne *prends* pas la clef.

C.   Le Négatif *ne . . . plus*

Au présent			*Au passé composé*		
Je ne prends	pas	le train.	Vous n'avez	pas	pris le train?
Je ne prends	jamais	le train.	Vous n'avez	jamais	pris le train?
Je ne prends	plus	le train.	Vous n'avez	plus	pris le train?

> **Ne . . . plus** (no longer) acts just like **ne . . . pas** or **ne . . . jamais**. **Ne** precedes the verb (or the auxiliary verb in the passé composé) and **plus** follows the verb (or auxiliary verb).

Exercice 6 Mettez les phrases à la forme négative en employant (A) *ne . . . pas*, et (B) *ne . . . plus*.

1. Je dis «Bonjour» à Jacques.
2. Tu comprends la structure?
3. Elle parle au téléphone.
4. Nous demeurons ici.
5. Vous mettez ces chaussures?
6. Tu as dit «Merci»?
7. Elle a compris les verbes.
8. J'ai parlé à Victor.
9. Nous avons dansé la rumba.
10. Vous avez écrit les devoirs.

D.   L'Objet indirect avec le passé composé

1.   Les objets indirects lui et leur

A qui a-t-il écrit une lettre?

       A son père?   Oui, il **lui** a écrit une lettre.

A ses amis?	Oui, il **leur** a écrit une lettre.
A sa cousine?	Non, il ne **lui** a pas écrit de lettre.
A ses parents?	Non, il ne **leur** a pas écrit de lettre.

---

1. The indirect object pronoun precedes the *auxiliary verb.*
2. In the negative, **ne** precedes the indirect object pronoun and **pas** follows the auxiliary verb.

Exercice 7 Remplacez l'expression en italique par le pronom indirect approprié.

EXEMPLE: Paul a dit «Bonjour» *au professeur.*
        Paul **lui** a dit «Bonjour».

1. Roger a dit «Au revoir» *à sa mère.*
2. Marc a téléphoné *à Janine.*
3. Il a parlé *à ses parents.*
4. Il n'a pas dit «Bonjour» *à ses amis.*
5. Roger n'a jamais téléphoné *à son ami.*
6. Avez-vous parlé *à votre ami?*
7. Avez-vous téléphoné *à vos parents?*

2. Les objets indirects **me, te, nous, vous**

to me	Il m'a dit, «Je m'excuse.»
to you, *(fam.)*	Il t'a dit, «Pardon».
to us	Il **nous** a dit, «Excusez-moi».
to you *(pol. or pl.)*	Il **vous** a dit, «Pardonnez-moi».

Exercice 8 Répondez *Oui,* en employant le pronom entre parenthèses.
1. Paul *vous* a écrit, n'est-ce pas? (me)
2. Marc *t'*a dit «Pardon», n'est-ce pas? (me)
3. Alice et Janine *nous* ont dit «Merci,» n'est-ce pas? (nous)
4. *Nous* ont-elles écrit une carte? (nous)
5. *Nous* ont-elles parlé au téléphone? (vous)
6. *Nous* ont-elles donné des disques? (vous)
7. Est-ce que Jacques *m'*a téléphoné? (vous)
8. Est-ce que Monique *m'*a téléphoné? (te)

E. Idiotismes

1. être en train de + infinitif = to be busy, to be engaged in, to be in the act of doing something

Exercice 9 Répondez aux questions en remplaçant l'expression en italique par l'expression entre parenthèses.

EXEMPLE: Etes-vous en train de *mettre la table?* (écrire une lettre)
        Non, je suis en train d'**écrire une lettre**.

1. Etes-vous en train de *lire une histoire?* (apprendre une leçon)

2. Paul est-il en train d'*apprendre le vocabulaire*? (finir ses devoirs)
3. Marie est-elle en train de *chanter*? (jouer de la guitare)
4. Sommes-nous en train de *jouer au tennis*? (parler français)
5. Est-ce que je suis en train de *manger un sandwich*? (boire de l'orangeade)
6. Vos amis ne sont pas en train de *danser le «slow»*? (passer des disques)

2. **jouer de** + a musical instrument = to play a musical instrument

La guitare?	Paul joue **de la** guitare.
Le piano?	Marie joue **du** piano.
L'accordéon?	Marc joue **de l'**accordéon.

Exercice 10 Répondez en français.
1. Jouez-vous du piano ou de la guitare?
2. Votre ami(e) joue-t-il (elle) du violon ou de l'accordéon?
3. Joue-t-il au tennis?
4. Joue-t-il au football?

5. De quoi joue-t-elle?   6. De quoi joue-t-il?

7. A quoi jouent-elles?   8. A quoi jouent-ils?

3. **venir de** + infinitif = to have just (done something)

Tu **viens d'**écrire des vers?	You've just written some verses?
Non, **je viens d'**écrire une lettre.	No, I've just written a letter.

Exercice 11 Répondez *Non*, et employez l'expression entre parenthèses.
EXEMPLE: Il vient d'*arriver au lycée*? (partir du lycée)
　　　　　Non, il vient de partir du lycée.
1. Tu viens de *lire des vers*? (écrire des vers)
2. Il vient de *faire ses devoirs*? (prendre des photos)
3. Vient-elle d'*apprendre les verbes*? (apprendre un poème)
4. Venez-vous de *commencer la lettre*? (finir la lettre)
5. Viennent-ils de *gagner des sous*? (demander des sous)

80

Exercice général Composition dirigée. Ecrivez une lettre à un(e) ami(e) français(e).

1. Ecrivez la date.
2. Ecrivez «Cher» ou «Chère» et le nom de la personne.
3. Dites que:
   a. vous avez fini vos devoirs et vous avez le temps d'écrire une lettre.
   b. vous avez choisi vos cours pour l'année prochaine.
   c. vous comprenez bien toutes les matières, sauf les maths.
   d. vous voulez devenir ingénieur, et les maths sont importantes.
   e. vous voulez passer les vacances au bord de la mer.
4. Demandez à votre ami(e) [Employez *tu*]
   a. s'il (elle) veut passer les vacances avec vous.
   b. s'il veut aller au bord de la mer ou à la montagne.
   c. s'il a fini toutes ses compositions pour cette année.
5. Dites à votre ami(e) de vous écrire (to write to you).
6. Ecrivez «Ton ami(e)» et votre nom.

Réception à l'Académie française: les 40 «Immortels.»

Les Français et la littérature

Les Français ont beaucoup de respect pour les *écrivains*. Quand vous dites à un Français que vous êtes écrivain, il vous montre *plus de* respect qu'il *ne* montre à un homme qui est riche.

writers
more
(Don't translate)

5 Les Français montrent leur appréciation de la bonne littérature de différentes *façons*. Il y a, par exemple, un assez grand nombre de rues qui portent le nom d'un grand écrivain. A Paris il y a l'avenue Victor Hugo, le boulevard Voltaire, la rue
10 Molière, le boulevard Diderot, la rue Corneille, *entre* autres. On *décerne* en France plus de 500 *prix* littéraires pour encourager les jeunes écrivains.

ways

among & award
prizes

Kiosque à Paris: journaux
et magazines de plusieurs pays
et en plusieurs langues.

Les Français aiment beaucoup lire. Dans les
15 villes, grandes et petites, on trouve de belles *librairies* où *les gens* peuvent acheter toutes sortes   bookstores & people
de livres. Dans les *kiosques* il y a une grande vari-   newsstands
été de journaux, de *revues*, et de magazines. Il y a   journals
quelque chose pour tout le monde: pour les en-
20 fants, pour les teen-agers, et pour les adultes.

La France a une belle tradition littéraire. Les
oeuvres littéraires françaises ont beaucoup in-   works
fluencé le développement de la *pensée* et de la   thought
politique du monde *occidental*.   politics & western

25   Voici une petite liste de livres français qui sont
très populaires dans le monde entier. Vous pouvez
lire ces livres en anglais, si vous voulez. Ils sont
très *intéressants*!   interesting

	Auteur (Author)	*Titre* (Title)	
30	A. Dumas père	*Le Comte* de Monte Cristo	The Count
	A. Dumas père	Les Trois *Mousque-taires*	Musketeers
	Victor Hugo	*Notre-Dame de Paris*	The Hunchback of Notre Dame
35	Victor Hugo	Les Misérables	
	Jules Verne	*Tour du Monde* en 80 Jours	Around the World
	J. Costeau et F. Dumas	*Le Monde du Silence*	Silent World
40	A. de Saint-Exupéry	*Vol de Nuit*	Night Flight

Questions

Completez.

1. Les Français ont beaucoup de _____ pour les
   écrivains.
2. Il y a beaucoup de _____ en France qui portent le
   nom d'un grand écrivain.
3. La littérature française a influencé le développement de la pensée du _____ occidental.
4. On vend toutes sortes de livres dans les _____ .
5. Dans les _____ on peut acheter des journaux et
   des magazines.
6. On peut lire les livres dans la liste ci-dessus en
   français et en _____ .

a. anglais
b. monde
c. librairies
d. respect
e. rues
f. kiosques

V AMUSONS—NOUS!

Qui joue dans notre orchestre?

Here are some of the instruments of the orchestra. The person who can mention the greatest number of people who play in the school orchestra wins the game. EXEMPLES: *Victor joue du piano; Marguerite joue du violon; Hélène joue de la harpe,* etc.

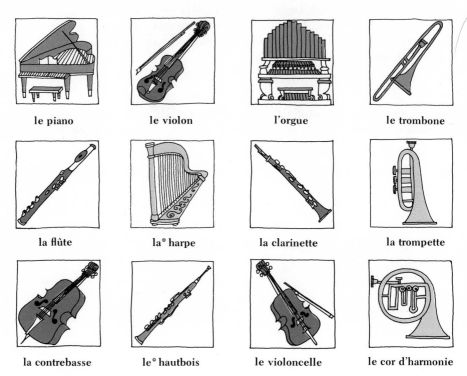

le piano	le violon	l'orgue	le trombone
la flûte	la° harpe	la clarinette	la trompette
la contrebasse	le° hautbois	le violoncelle	le cor d'harmonie

84

Leçon vingt-quatre

I CONVERSATION

(à livre ouvert)

A. Ce matin j'ai attendu l'autobus.
   (. . . I waited for . . .)

1 Avez-vous attendu l'autobus?   Oui, j'ai attendu . . .
                                    (. . . I waited for . . .)

2 Avez-vous entendu les voitures?   Oui, j'ai entendu . . .
   (Did you hear . . .?)   (. . . I heard . . .)

3 Avez-vous perdu vos livres?   Oui, j'ai perdu . . .
   (Did you lose . . .?)   (. . . I lost . . .)

4 Avez-vous répondu au téléphone?   Oui, j'ai répondu . . .
   (Did you answer . . .?)   (. . . I answered . . .)

5 Avez-vous lu la leçon?   Oui, j'ai lu . . .
   (Did you read . . .?)   (. . . I read . . .)

6 Avez-vous vu vos amis?   Oui, j'ai vu . . .
   (Did you see your friends?)   (. . . I saw . . .)

B.

1 Marc a-t-il attendu ses amis?   Oui, il a attendu . . .
   (Did Mark wait for . . .?)

2 A-t-il entendu ma question?   Oui, il a entendu . . .

3 A-t-il répondu à ma question?   Oui, il a répondu . . .

4 A-t-il eu raison?   Oui, il a eu raison.
   (Was he right?)

5 A-t-il eu mal à la tête?   Oui, il a eu . . .
   (Did he have a headache?)   (. . . he had . . .)

6 A-t-il vu les questions?   Oui, il a vu . . .

7 A-t-il voulu répondre?   Oui, il a voulu . . .
   (Did he want . . .?)   (. . . he wanted to . . .)

8 A-t-il pu répondre?   Oui, il a pu répondre.
  (Was he able . . .?)   (. . . he was able . . .)
9 Marie a-t-elle pu répondre?   Oui, elle a pu . . .
10 A-t-elle vu toutes les questions?   Oui, elle a vu . . .

C.

1 Marie et Paul ont-ils attendu   Oui, ils ont attendu . . .
  ensemble?
  (Did Mary and Paul wait . . .?)
2 Ont-ils vendu les disques?   Oui, ils ont vendu . . .
  (Did they sell . . .?)   (. . . they sold . . .)
3 Ont-ils rendu les disques à Marc?   Oui, ils ont rendu . . .
  (Did they return . . .?)   (. . . they returned . . .)
4 Ont-ils perdu des disques?   Oui, ils ont perdu . . .
  (Did they lose . . .?)

D.

1 Avons-nous rendu les livres à   Oui, nous avons rendu . . .
  Alice?
  (Did we return . . .?)
2 Avons-nous lu des journaux?   Oui, nous avons lu . . .
3 Avons-nous vu des journaux   Oui, nous avons vu . . .
  français?
4 Avons-nous eu de bonnes notes?   Oui, nous avous eu . . .
5 Avons-nous attendu le docteur?   Non, nous n'avons pas attendu . . .

E.   Now let's talk in the familiar **tu** form.

1 Tu as attendu longtemps, n'est-ce   Oui, j'ai attendu . . .
  pas?
  (You waited . . .?)
2 As-tu entendu les copains?

Dialogue dirigé 1

1 Demandez à Jacques, «As-tu vu   As-tu vu . . .?
  tes amis devant le lycée?»   (Did you see . . .?)
2 Demandez à Janine si elle a   As-tu attendu . . .?
  attendu ses amis devant le lycée.
3 Demandez à Louise si elle a eu   As-tu eu . . . ?
  froid.

Dialogue dirigé 2

Dites-moi que:
1 j'ai attendu la voiture.   Vous avez attendu . . .
2 j'ai eu mal à la tête.
3 j'ai voulu des médicaments.

86

Dialogue dirigé 3

Demandez-moi si:

1 j'ai vu le docteur.   Avez-vous vu . . .?
2 j'ai voulu prendre des médi-
    caments.
3 j'ai pu acheter des médicaments.

II SCÈNE DE LA VIE FRANÇAISE

Claire raconte tout   Claire Tells All

Scène: Claire est à sa table de travail. Robert entre
dans la chambre.

   ROBERT: Qu'est-ce que tu fais?

   CLAIRE: J'écris . . . La *maîtresse* demande sou-   elementary school
5   vent comment on a passé les vacances . . .   teacher (*fem.*)

   ROBERT: *Laisse-moi* voir! Je veux *corriger* les   Let me ♀ correct
   fautes!   mistakes

   CLAIRE: Non! S'il y a des fautes, *cela ne fait rien!*   it makes no differ-
   On le dit *à haute voix!*   ence ♀ aloud

10 ROBERT: (Robert prend la *feuille* de *papier*. Il lit à   sheet ♀ paper
   haute voix.)

        J'ai passé de belles vacances de Pâques
   dans le Midi chez mes grands-parents. Chaque
   jour nous avons fait une belle promenade.
15   Un jour nous avons nagé dans la mer. Ce
   jour-là, Monique, ma soeur, a perdu son
   béret, mais le *lendemain, quelqu'un* a rendu   next day ♀ some-
   le béret à Grand-mère. Monique *a toujours de*   one ♀ is always
   la chance.   lucky
20   Un soir, j'ai entendu Armand *qui parlait*   who was talking
   avec Monique. Il lui a dit: «Je t'aime,» mais
   Monique n'a pas répondu.
        Un autre jour nous avons vu la *forêt* et la   forest
   petite *rivière*. Quand nous avons voulu mar-   river
25   cher dans la forêt, Grand-père n'a pas voulu
   aller avec nous. Il a attendu au *bord* de la   edge
   route. Grand-père n'est pas *sportif*.   enthusiastic about
        Un jour nous avons fêté l'anniversaire de   sports
   Monique. Tout le monde a pu trouver un joli
30   cadeau, sauf Robert. Grand-mère a trouvé
   quelque chose pour lui. Moi, j'ai pu acheter
   des *boucles d'oreilles, car* Grand-mère m'*avait*   earrings ♀ because ♀
   donné de l'argent. Quand Armand a voulu   had

87

donner une bague à Monique, Monique a
35   voulu l'accepter. Mais papa n'a pas voulu
qu'elle porte la bague d'Armand. Il a dit:
«Tu es trop jeune», et il a refusé la permission.

•   Tout le monde a vu les cadeaux de Monique.
Et Monique a lu à haute voix toutes les cartes
40   de *voeux*. On a *souhaité* un heureux anni-   good wishes ϱ
versaire à Monique, et on a chanté «Bon   wished
anniversaire!»

Un autre jour, nous avons voulu aller au
petit lac qui est *plein de poissons*. Mais Grand-   full of fish
45   père n'a pas pu aller avec nous. Il a eu *mal au*   backache
dos juste avant le départ.

Ce que j'ai aimé *le mieux* pendant toutes les   What ϱ best
vacances *c'était de* parler avec Hamidou, qui   was to
est Sénégalais. Savez-vous qu'en Afrique ils
50   ont les mêmes proverbes *qu*'en France? En   as
France on dit: «On n'*attrape* pas les *mouches*   catch ϱ flies
avec du *vinaigre*.» En Afrique on dit: «Quand   vinegar
tu *appelles* un chien, *n'aie pas de bâton à la*   call ϱ don't have a
main.» Les mots sont différents, mais c'est la   stick in your hand
55   même *idée*.   idea

Cet été je *voudrais* aller au Sénégal pendant   would like
les *grandes vacances*. Je vais demander la   summer vacation
permission à papa.

ROBERT: Tu n'as pas fait de fautes, mais le *style*   literary style
60   est mauvais!

CLAIRE: *Qu'est-ce que c'est que* le style?   what's

ROBERT: Tu répètes toujours, «a voulu, a voulu,»
«a pu, a pu.» Et c'est trop long.

CLAIRE: Oh, cela ne fait rien! La maîtresse ne
65   m'appelle jamais! Elle dit que je parle trop!

88

DIALOGUE ORIGINAL

Modèle	Substitutions
—Quel bonheur![1] L'examen est *fini*!	/ terminé /
—As-tu *répondu à* toutes les questions?	/ vu /
—*Bien sûr. Et toi*?	/Moi? Non! /
—Je n'ai pas *eu le temps*. Et toi, Mimi?	/ pu finir /
—J'ai mal *lu* la troisième question.	/ entendu /
—Et moi, je n'ai pas *vu* la dernière!	/ répondu à /
—Robert n'a pas *pu* finir. Quel dommage!	/ voulu /

[1] happiness

A l'Université de Dakar, des étudiants devant un des beaux édifices. Attendent-ils des amis?

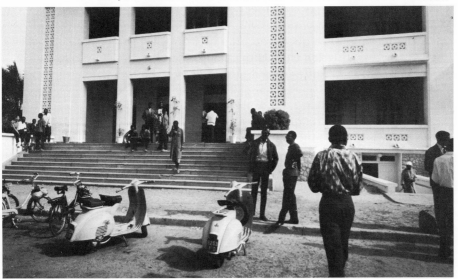

Vocabulaire actif

la maîtresse woman teacher (elementary school)
le papier paper
quelqu'un somebody, someone

la forêt forest
la rivière river (which flows into another river)
le proverbe proverb

Participes passés (Verbes réguliers)	Participes passés (Verbes irréguliers)
(attendre) attendu	(avoir) eu
(entendre) entendu	(lire) lu
(perdre) perdu	(pouvoir) pu
(rendre) rendu	(vouloir) voulu
(répondre) répondu	(voir) vu
(vendre) vendu	

le mieux	best	refuser	to refuse
mal	badly	mal au dos	back ache

Questions

1. Où Claire est-elle? Qui entre dans sa chambre?
2. Pourquoi est-ce que cela ne fait rien s'il y a des fautes?
3. Qu'est-ce que les enfants ont fait chaque jour dans le Midi?
4. Qu'est-ce que Monique a perdu un jour?
5. Qui a rendu le béret?
6. Qui a toujours de la chance?
7. Est-ce que Claire a entendu Armand? Qu'est-ce qu'il a dit?
8. Est-ce que Monique a répondu?
9. Où est-ce que les enfants ont voulu marcher?
10. Est-ce que Grand-père a voulu aller avec eux?
11. Qu'est-ce que Claire a pu acheter pour Monique?
12. Est-ce que Robert a pu trouver un joli cadeau?
13. Qu'est-ce qu'Armand a voulu donner à Monique?
● 14. Qu'est-ce que tout le monde a vu?
15. Qu'est-ce que Monique a lu?
16. Est-ce que Grand-père a pu aller au petit lac?
17. Qu'est-ce qu'il a eu, juste avant le départ?
18. Est-ce que Claire a aimé parler avec Hamidou?
19. Ont-ils les mêmes proverbes en Afrique qu'en (as in) France?
20. Où Claire veut-elle aller pendant les grandes vacances?

Discussion

1. Avez-vous fait une belle promenade pendant les vacances? Avez-vous répondu à plusieurs lettres? Avez-vous vu un bon film? un bon programme à la télé?

2. Avez-vous attendu des amis pour sortir? Vos amis ont-ils voulu aller avec vous? Qu'est-ce que vous avez aimé?

3. Avez-vous vu le lac? la rivière? la forêt? Qu'est-ce que vous avez aimé le mieux?

4. Avez-vous entendu de bons disques samedi soir? Avez-vous prêté des disques à des amis? Ont-ils rendu les disques? Ont-ils perdu des disques?

5. Avez-vous refusé une invitation à une surprise-partie? à un match de basket?

6. Avez-vous joué au basket? Avez-vous bien joué ou mal joué? Est-ce que quelqu'un a bien joué? Qui?

7. Aimez-vous les proverbes? Quel proverbe aimez-vous le mieux? Ecrivez-vous parfois un proverbe sur une feuille de papier?

III STRUCTURES

A. Le passé composé (Verbes du Troisième Groupe)

Verbs of the Third Group are those regular verbs whose infinitive ends in **–re**.

perdre au passé composé

(I lost my pen, etc.)

J'ai perdu mon stylo.	Nous avons perdu nos stylos.
Tu as perdu ton stylo.	Vous avez perdu vos stylos.
Il a perdu son stylo.	Ils ont perdu leurs stylos.

1. Formation du participe passé

Infinitif	Drop	Add	Participe passé	Exemple au passé composé
attendre (to wait for)	–re	–u	attendu	J'ai *attendu* le train.
entendre (to hear)	–re	–u	entendu	Tu *as entendu* la musique.
perdre (to lose)	–re	–u	perdu	Il *a perdu* son béret.
rendre (to return)	–re	–u	rendu	Nous *avons rendu* l'argent.
répondre (to reply)	–re	–u	répondu	Avez-*vous répondu*?
vendre (to sell)	–re	–u	vendu	Ils *ont vendu* la voiture.

How is the past participle of verbs of the Third Group obtained from the infinitive form?

2. La forme négative

Avez-vous attendu l'autobus?
Non, je **n'ai pas** attendu l'autobus.

> Like all other verbs in the passé composé, the auxiliary verb is made negative.

3. La forme interrogative avec inversion

> **Ont-ils rendu** les livres?
> Non, ils n'ont pas rendu les livres.

> The auxiliary verb and the subject pronoun are inverted in the interrogative form of the passé composé.

Exercice 1 Redites la phrase en remplaçant le sujet en italique par les sujets entre parenthèses.

EXEMPLE: *Ils* ont répondu au téléphone. (Il) (Vous)
         Il a répondu au téléphone.
         Vous avez répondu au téléphone.

1. *J'*ai entendu les voitures. (Nous) (Tu) (Vous) (Elle) (On) (Elles)
2. *Je* n'ai pas rendu le béret. (Nous) (Tu) (Vous) (Ils) (Il) (On)
3. *Ils* n'ont pas vendu la ferme. (Elle) (Vous) (Tu) (Nous)
4. Avez-*vous* attendu le train? (tu) (ils) (il) (on) (nous) (je)
5. As-*tu* répondu à la question? (vous) (elle) (elles) (nous) (je)

Exercice 2 Posez la question à la forme affirmative.

EXEMPLE: Non, il n'a pas entendu le chat.
        A-t-il entendu le chat?

1. Non, elle n'a pas attendu ses amis.
2. Non, nous n'avons pas vendu la maison.
3. Oui, j'ai répondu à la question.
4. Non, nous n'avons pas perdu la place.
5. Oui, ils ont rendu l'argent.
6. Mais non, tu n'as pas entendu la réponse.

Exercice 3 Mettez chaque phrase au passé composé.

EXEMPLE: Il attend son grand-père.
        Il a attendu son grand-père.

1. Elle entend les animaux.
2. Répondez-vous au téléphone?
3. Tu perds tes affaires.
4. Je ne rends pas le béret.
5. Attendent-ils notre départ?
6. Nous vendons les meubles.

B. Irregular past participles

Many of the irregular verbs we have studied have irregular past participles which end in **–u** or the sound of **u**.

Infinitif	Participe passé	Exemple au passé composé
avoir (to have)	eu	Il *a eu* mal à la gorge.
lire (to read)	lu	Nous *avons lu* le journal.
pouvoir (to be able)	pu	Vous *avez pu* comprendre la leçon?
vouloir (to wish)	voulu	Tu *as voulu* danser?
voir (to see)	vu	J'*ai vu* le Louvre.

Exercice 4 Redites la phrase en remplaçant le sujet en italique par chacun des sujets entre parenthèses.

EXEMPLE: *Je* n'ai pas lu la leçon. (Nous) (Ils)
　　　　　Nous n'avons pas lu la leçon.
　　　　　Ils n'ont pas lu la leçon.

1. *Elle* a vu la montagne. (Je) (Tu) (Nous) (Vous) (Ils)
2. *Il* a voulu manger. (Ils) (Nous) (Je) (Vous) (Tu) (On)
3. *Je* n'ai pas lu l'histoire. (Nous) (Tu) (Vous) (Ils) (Il) (On)
4. *Il* n'a pas pu revenir. (Ils) (Nous) (Je) (Vous) (Tu) (On)
5. A-t-*il* lu la lettre? (ils) (nous) (vous) (tu) (je) (on)
6. Ont-*ils* eu mal à la tête? (il) (vous) (tu) (nous) (je)

Exercice 5 Mettez les phrases au passé composé. Ajoutez le mot *hier* à votre réponse.

EXEMPLE: Il lit le livre.
　　　　　Il **a lu** le livre hier.

1. Il voit les arbres.
2. Nous voulons venir.
3. Pierre peut partir.
4. Je ne lis pas toute la leçon.
5. Vous ne voyez pas la mer?
6. Avez-vous mal à la gorge?

Exercice 6 Posez la question à la forme affirmative.

EXEMPLE: Non, ils n'ont pas vu leurs amis.
　　　　　Ont-ils vu leurs amis?

1. Oui, elle a perdu son béret.
2. Non, ils n'ont pas vu la forêt.
3. Oui, nous avons répondu.
4. Non, je n'ai pas pu trouver les gants. (tu)
5. Non, nous n'avons pas voulu nager.
6. Oui, ils ont lu les lettres et les journaux.

C. Position of short adverbs

Roger a **bien** joué.　　L'enfant a mangé.
A-t-il **déjà** joué?　　A-t-il **beaucoup** mangé?

In the passé composé, short, common adverbs are placed between the auxiliary and the past participle. When a question is in the inverted form, the short adverb is placed before the past participle, *after* the subject pronoun.

Exercice 7 Redites la phrase en mettant l'adverbe entre parenthèses avant le participe passé.

EXEMPLE: Pierre a parlé. (bien)

   Pierre a **bien** parlé.

1. Nous avons dansé. (déjà)
2. Vous avez chanté? (bien)
3. Avez-vous lu? (beaucoup)
4. A-t-il vu la montagne? (enfin)
5. Il a vu la forêt. (souvent)
6. J'ai perdu mon béret. (encore)
7. Avez-vous répondu? (mal)
8. Non, j'ai répondu. (bien)
9. Ils ont lu la phrase. (vite)
10. Claire a parlé. (trop)

Exercice général Composition dirigée. Write a short article in French for your school newspaper in which you report briefly on the school concert.

Ecrivez que:

1. vous avez vu vos amis au concert annuel. (Nous)
2. vous avez entendu chaque personne et chaque instrument. (Nous)
3. vous avez lu le programme avec intérêt (interest).
4. vous avez été très contents.
5. (nom d'un ami) a joué de la clarinette.
6. (nom d'un professeur) a joué de l'orgue.
7. ils ont bien joué.
8. tout le monde a bien aimé l'Etude de Chopin.
9. on a beaucoup applaudi (applaudir, to applaud).
10. on a passé une bonne soirée.

IV NOTES SUR LA CIVILISATION FRANÇAISE

L'Ecole primaire élémentaire   Elementary School

   A l'âge de six ans, les enfants français commencent leur vie sérieuse d'*écolier* ou d'*écolière*. Ils vont à l'école primaire élémentaire. Les garçons vont à l'Ecole de garçons et les petites filles vont
5 à l'Ecole de filles.

   Ils vont à l'école tous les jours, sauf le jeudi et le dimanche. Le matin, ils arrivent à l'école *vers* neuf heures et ils y restent jusqu'à midi quand ils rentrent chez eux pour le déjeuner. Ils ont deux
10 heures pour déjeuner! A deux heures de l'après-

schoolboy ♀ school-girl

about

94

Ces garçons sont en train d'étudier la géographie.

midi, ils vont encore en classe où ils restent jusqu'à
cinq heures *environ*.   approximately

    A l'école les enfants apprennent les matières
suivantes: la *lecture*, l'*écriture*, la géographie,   reading ♀ writing
15 l'histoire, le *calcul*, le *chant*, le dessin, et les   arithmetic ♀ singing
sciences *appliquées*. On leur donne du travail   applied
manuel, et ils font des exercices *physiques*.   manual ♀ physical
L'éducation civique fait aussi partie du pro-   Civics is also a part
gramme d'études.

20   Les enfants écrivent leurs devoirs en classe, sur
des cahiers. Le *maître* (ou la maîtresse) *ramasse*   teacher (*masc.*) col-
les cahiers et les *corrige*. Après, il (ou elle) donne   lects ♀ corrects
une *note* à l'élève pour le travail *fait*.   grade ♀ done

    De retour à la maison, les enfants ont générale-   Back
25 ment faim. Maman leur donne le goûter, qui consiste généralement en une tartine et du chocolat.
Les enfants n'ont pas de devoirs *écrits* pour le   written
lendemain, mais ils *doivent* étudier leurs leçons   next day ♀ must
avant de se coucher!   before going to bed

95

30 Les enfants français prennent *au sérieux* leur   seriously
    travail *scolaire*. Quand ils ne travaillent pas bien school (*adj.*)
    en classe, les parents ne sont *pas du tout* contents. not at all
        A l'âge de onze ans, les enfants terminent leurs
    études primaires, mais ils continuent dans un
35 lycée ou dans un collège. (Voir Leçon quatre.) Ils
    doivent continuer leurs études jusqu'à l'âge de
    seize ans *au moins*.   at least

Ils répondent aux questions avec enthousiasme.

Questions

Faites correspondre les éléments de la Colonne I aux éléments de la Colonne II.

I	II
1. le commencement des études primaires	a. si les enfants travaillent bien
	b. sur des cahiers
2. la fin des études primaires	c. matières importantes
3. Ecole de garçons	d. six ans
4. Ecole de filles	e. l'heure du déjeuner
5. de midi à deux heures	f. le travail du cahier
6. le goûter	g. onze ans
7. la lecture, l'écriture, le calcul	h. pour les petits garçons
8. devoirs écrits	i. une tartine et du chocolat
9. une note importante	j. pour les petites filles
10. Les parents sont contents	

V AMUSONS-NOUS!

Le Grand Prix

Write down 10 past participles, such as *attendu* (past participle of the verb *attendre*); *lu (lire)*; *voulu, (vouloir)*; *écrit (écrire)*, and arrange them in an alphabetical list. Then copy each past participle onto a separate slip of paper and hand the ten slips to your teacher. Be sure to keep the original alphabetical list for yourself.

When you get to class, all the slips will be mixed together. The teacher begins the game by pulling one slip at a time, and reading the word aloud. As the teacher reads, if you have that word on your list, check it off. The person who can check off all his ten words first wins. He must shout *Bravo!* and read his list of ten past participles. *Grand Prix* (Grand Prize): «A» *en français!*

25

Leçon vingt-cinq

I CONVERSATION
(à livre ouvert)

A.

1 Vous êtes allé(e) en vacances, n'est-ce pas?
(You went on vacation . . .?)

Oui, je suis allé(e) . . .
(. . . I went . . .)

2 Etes-vous allé(e) à la campagne?
(Did you go . . .?)

Oui, je suis allé(e) . . .

3 Etes-vous allé(e) au bord de la mer?

4 Etes-vous resté(e) longtemps?
(Did you stay . . .?)

Oui, je suis resté(e) . . .
(. . . I stayed . . .)

5 Etes-vous arrivé(e) en voiture?
(Did you arrive by . . .?)

Oui, je suis arrivé(e) . . .
(. . . I arrived . . .)

6 Etes-vous sorti(e) en groupe?
(Did you go out in a group?)

Oui, je suis sorti(e) . . .
(. . . I went out . . .)

7 Etes-vous parti(e) en voiture?
(Did you leave . . .?)

Oui, je suis parti(e) . . .
(. . . I left . . .)

B.

1 Paul est-il allé en vacances?
(Did Paul go . . .?)

Oui, il est allé . . .
(. . . he went . . .)

2 Est-il arrivé à pied ou en voiture?

Il est arrivé . . .

3 Est-il allé à la campagne?

4 Est-il resté longtemps?

Oui, il est resté . . .

5 Est-il sorti avec des amis?

Oui, il est sorti . . .

6 Est-il parti de bonne heure?

Oui, il est parti . . .

7 Est-il revenu tard?
(Did he come back late?)

Oui, il est revenu . . .
(. . . he came back . . .)

8 Marie est-elle venue chez vous?
(Did Mary come . . .?)

Oui, elle est venue . . .
(. . . she came . . .)

9 Est-elle revenue souvent?   Oui, elle est revenue . . .

10 Est-elle restée longtemps?   Oui, elle est restée . . .

C.

1 Vos amis sont-ils allés en va-   Oui, ils sont allés . . .
cances?   (. . . they went . . .)
(Did your friends go . . .?)

2 Sont-ils partis en voiture?   Oui, ils sont partis . . .

3 Sont-ils arrivés en voiture?   Oui, ils sont arrivés . . .

4 Sont-ils restés deux jours?   Oui, ils sont restés . . .

5 Louise et Alice sont-elles restées   Oui, elles sont restées . . .
deux jours?

6 Sont-elles parties après deux   Oui, elles sont parties . . .
jours?

D.

1 Nous sommes restés dix jours,   Oui, nous sommes restés . . .
n'est-ce pas?   (. . . we stayed . . .)
(We stayed . . .?)

2 Sommes-nous allés au petit lac?   Oui, nous sommes allés . . .

3 Sommes-nous entrés dans l'eau?   Oui, nous sommes entrés . . .
(Did we go into . . .?)

4 Sommes-nous sortis de l'eau?   Oui, nous sommes sortis . . .

5 Sommes-nous rentrés tard?   Oui, nous sommes rentrés . . .
(Did we return home late?)

E.   Now let's speak in the familar **tu** form.

1 Tu es rentré(e) tard, n'est-ce pas?   Oui, je suis rentré(e) . . .

2 Es-tu allé(e) au cinéma?   Oui, je suis allé(e) . . .

3 Es-tu parti(e) avec des amis?   Oui, je suis parti(e) . . .

Dialogue dirigé 1

1 Demandez à Jacques, «Es-tu allé   Es-tu allé . . .?
au petit lac?»   (Did you go . . .?)

2 Demandez à Marie si elle est
sortie avec Paul.

Dialogue dirigé 2

Dites-moi que:

1 je suis allé(e) en vacances.   Vous êtes allé(e) . . .

2 je suis arrivé(e) en voiture.

3 je suis revenu(e) à pied.

Dialogue dirigé 3

Demandez-moi si:

1 je suis sorti(e) souvent.   Etes-vous sorti(e) . . .?

2 je suis rentré(e) tard.

Tout est bien qui finit bien

All's Well That Ends Well

Scène: Il est une heure et demie, jeudi. Monique entre dans l'appartement avec des paquets.

MAMAN: Monique, chérie! Il est si tard! Mon train part à trois heures, et je ne t'ai pas encore montré
5 comment il faut préparer la viande!

MONIQUE: Oh, je sais, maman! Et Armand vient dîner ce soir avec Hamidou et un ami de Dakar! Je suis si *inquiète*! Je veux préparer un vraiment — nervous
bon dîner, *car* je veux *tellement* faire une bonne — because & so much
10 impression!

MAMAN: Tu es allée à la *boulangerie*? — bakery

MONIQUE: Oui! Je suis allée *partout*! Le *boulanger* — everywhere & baker
m'a dit, «Le pain de ce soir n'est pas encore *prêt*. — ready
Revenez plus tard!»

15 MAMAN: Et à l'*épicerie*? — grocery

MONIQUE: Je suis partie tout de suite de la boulangerie pour aller à l'épicerie. Et l'*épicier* — grocer
n'*était* pas là! Je suis restée dix minutes devant — was
la porte!

20 MAMAN: Il est enfin arrivé?

MONIQUE: Oui, enfin! Je suis entrée chez lui et j'ai pu obtenir ces petites choses . . . Voilà de la
crème, du *sucre*, du *sel* et des *oeufs* . . . — cream & sugar & salt & eggs

MAMAN: Tu es allée à la *boucherie*? C'est le plus — butcher shop
25 important!

MONIQUE: Non, parce que le *boucher* est sorti à — butcher
midi. Il est rentré chez lui pour le déjeuner!

MAMAN: Ces *marchands* sont si indépendants! — merchants
Malheureusement il n'y a pas de supermarché — Unfortunately
30 près d'ici! Mmmm . . . Qu'est-ce qu'on va faire?
Je *me demande* si . . . — wonder

MONIQUE: Je vais *retourner* au *marché* plus — return & market
tard . . .

● MAMAN: Attends un peu! Je vais *donner un coup* — to make a phone call
35 *de téléphone* à la femme du boucher. Elle va
pouvoir me dire à quelle heure son mari *sera* — will be
de retour au magasin. (Elle *compose* le numéro.) — back & dials
Allô? Ici Madame Darmond. Oui, de l'Avenue

100

des Moulins. Comment? Votre mari *est tombé?*   fell
40   Il ne peut pas marcher? Alors il ne retourne plus
aujourd'hui au magasin? Je suis *désolée,* ma-   very sorry
dame. Au revoir. (Elle *raccroche.*)   hangs up

MONIQUE: Oh, maman! J'ai *presque* oublié! A   almost
trois heures je vais chez la *coiffeuse!* Est-ce que   hairdresser
45   Robert peut aller à bicyclette *chercher* la viande   to get
dans un quartier *voisin?*   neighboring

MAMAN: Robert est parti chez des amis. Il revient
à quatre heures.

MONIQUE: Et Claire, où est-elle?

50   MAMAN: Elle est descendue chez Suzanne.

(On sonne à la porte. Maman ouvre. Le *garçon de*   errand boy
courses entre avec des paquets. Il les *dépose* sur   puts down
la table de la cuisine.)

GARÇON: Je suis venu vous apporter votre pain et
55   votre *pâtisserie.*   pastry

MAMAN: Merci beaucoup, monsieur. (Il sort de
l'appartement.)

MONIQUE: Oh, maman, qu'est-ce que je vais faire?

MAMAN: Ma chérie, sans la viande, je ne sais
60   pas . . .

MONIQUE: J'ai une *idée!* Des oeufs! Armand adore   idea
les oeufs! Je vais préparer une belle omelette!

(On sonne encore à la porte. Maman ouvre. Le
même garçon entre.)

65   GARÇON: Je suis revenu *de la part du* boucher.   on behalf of
Voilà la viande que vous avez *commandée* hier.   ordered
La femme du boucher est revenue au magasin
pour la *couper.*   to cut

(Le téléphone sonne. Monique répond.)

70   MONIQUE: Allô? Oh, c'est toi, Armand! Mais oui,
certainement! On vous attend tous les trois pour
dîner ce soir!

ARMAND: Maintenant nous sommes quatre! Un
autre ami de Dakar est arrivé ce matin. C'est
75   trop pour toi! On va dîner au restaurant.

MONIQUE: Mais . . . On a tout préparé . . .

ARMAND: Mets tout cela au *frigo* pour demain! Je   refrigerator (pop.)
viens te chercher à sept heures!

DIALOGUES ORIGINAUX

Modèles	Substitutions

A. Scène: A la maison

—Où êtes-vous allé(e) ce matin?

—Je suis allé(e) à *la boulangerie.* / la boucherie / l'épicerie /

—Avez-vous acheté *du pain*? / de la viande / du sucre /

—Non. Je suis arrivé(e) trop tard.

—Ce n'est pas possible!

—La voisine m'a dit, «Le *boulanger* / boucher / épicier /
  est *rentré* déjeuner à midi.» / parti / allé /

 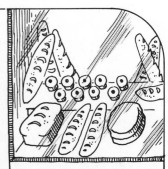

B. Scène: A la porte de l'appartement

—Comment! Vous êtes malade?

—Un peu. Je suis tombé(e) dans
 l'escalier.

—Pourquoi êtes-vous *monté(e)* à / descendu(e) /
 pied?

—Parce que l'ascenseur[1] ne marche
 pas.

—Pourquoi êtes-vous *venu(e)* si / revenu(e) /
 tard?

—Je suis *resté(e)* chez la concierge. / entré(e) /

[1] elevator

102

la boulangerie bakery	**le boulanger** baker
une épicerie grocery	**un épicier** grocer
la boucherie butcher shop	**le boucher** butcher
le marché market	**le marchand** merchant
le supermarché supermarket	**le coiffeur, la coiffeuse** hairdresser

la crème cream	**le sucre** sugar
un oeuf egg	**le sel** salt

un coup de téléphone phone call	**donner un coup de téléphone** to
tomber to fall	make a phone call
presque almost	

Questions

1. A quelle heure part le train de maman?
2. Qu'est-ce que maman n'a pas encore montré à Monique?
3. Qui vient dîner ce soir?
4. Pourquoi Monique est-elle allée à la boulangerie?
5. Qu'est-ce que le boulanger lui a dit?
6. Monique est-elle partie tout de suite?
7. Combien de minutes est-elle restée devant la porte de l'épicerie?
8. Qui est enfin entré chez l'épicier?
9. Qu'est-ce qu'elle a pu acheter?
10. A quelle heure le boucher est-il sorti?
11. Pourquoi est-il rentré chez lui?
12. Y a-t-il un supermarché dans le quartier?
● 13. A qui maman va-t-elle donner un coup de téléphone?
14. Est-ce que le boucher est tombé?
15. Où va Monique à trois heures?
16. Où Robert est-il parti? Où Claire est-elle descendue?
17. Pourquoi le garçon de courses est-il venu la première fois?
18. Qu'est-ce que Monique va préparer pour Armand?
19. Pourquoi le garçon de courses est-il revenu?
20. Qui téléphone à Monique? Où vont-ils dîner, au restaurant ou à la maison?

Discussion

1. A quelle heure êtes-vous arrivé au lycée ce matin? A quelle heure êtes-vous sorti de la maison? Etes-vous parti seul ou avec des copains?

2. Hier êtes-vous allé au marché pour votre mère? Etes-vous allé à la boulangerie? à l'épicerie? à la boucherie? au supermarché?

3. Etes-vous allé à bicyclette ou à pied? A quelle heure êtes-vous rentré chez vous?

4. A quelle heure votre père est-il rentré hier? Est-ce que les marchands de votre quartier rentrent chez eux pour le déjeuner? Votre père rentre-t-il pour le déjeuner? Rentrez-vous?

III STRUCTURES

A. Le passé composé avec *être*

1. A certain number of verbs form the passé composé with **être** instead of **avoir** as the auxiliary verb.

Sujet masculin (I arrived, etc.)		*Sujet féminin* (I arrived, etc.)	
je suis	arrivé	je suis	arrivée
tu es	arrivé	tu es	arrivée
il est	arrivé	elle est	arrivée
nous sommes	arrivés	nous sommes	arrivées
vous êtes	arrivé(s)	vous êtes	arrivée(s)
ils sont	arrivés	elles sont	arrivées

> The past participle of these verbs agrees in *number* (singular or plural) and *gender* (masculine and feminine) with the *subject*.

 Notez bien If **vous** is the subject, the past participle may be written in one of four ways:

	Masculin	*Féminin*
singulier:	Vous êtes arrivé	Vous êtes arrivée
pluriel:	Vous êtes arrivés	Vous êtes arrivées

2. The following are verbs we have studied which are conjugated with **être** as the auxiliary verb. Most of them can be remembered by pairing them with their opposites.

aller ≠ { venir / revenir }   monter ≠ descendre

aller ≠ rester

arriver ≠ partir   tomber ≠ monter

entrer / rentrer } ≠ sortir   devenir ≠ rester

104

3. Les participes passés

Infinitif	Participe Passé	Exemple au passé composé
aller (to go)	allé	Je suis allé à l'église.
arriver (to arrive)	arrivé	Tu es arrivée à l'heure?
entrer (to enter)	entré	Paul est entré avec moi.
monter (to go up)	monté	Anne est montée au premier étage.
rentrer (to go home)	rentré	Vous êtes rentré après les cours?
rester (to stay)	resté	Nous sommes restés longtemps.
tomber (to fall)	tombé	Les enfants sont tombés dans l'escalier.
sortir (to go out)	sorti	Vous (*masc. sing.*) êtes sorti hier soir?
partir (to depart, leave)	parti	Vous (*fem. sing.*) êtes partie avec Marc?
descendre (to go down)	descendu	Vous (*fem. pl.*) êtes vite descendues.
venir (to come)	venu	Elles sont venues en retard.
revenir (to come back)	revenu	Ils sont revenus ce matin.
devenir (to become)	devenu	Elles sont devenues impossibles.

4. Liaison before past participles beginning with a vowel

Obligatory	*Optional*
Il est allé (arrivé, entré)	Je suis allé (arrivé, entré)
Elle est allée (arrivée, entrée)	Tu es allé (arrivé, entré)
Ils sont allés (arrivés, entrés)	Nous sommes allés (arrivés, entrés)
Elles sont allées (arrivées, entrées)	Vous êtes allés (arrivés, entrés)

> Liaison must be made between the auxiliary **est** or **sont** and a past participle beginning with a vowel. With other forms of the auxiliary **être** liaison is optional.

Exercice 1 Remplacez le sujet en italique dans la phrase par chacun des sujets entre parenthèses. (Make the past participle agree with the subject.)

EXEMPLE: *Elle* est entrée dans le studio. (Elles) (Nous)
  Elles sont entrées dans le studio.
  Nous sommes entrés dans le studio.

1. *Je* suis allé au cinéma. (Nous) (Vous) (Tu) (Elle) (On) (Elles)
2. *Vous* êtes arrivé de bonne heure. (Tu) (Nous) (Vous, *masc. plu.*) (Il)
3. *Il* est rentré hier. (Ils) (Je) (Nous) (Vous) (Tu) (On)
4. *Elle* est venue avec Roger. (Elles) (Il) (Je) (Vous) (Nous)
5. *Nous* sommes partis en avance. (Je) (Vous, *fem. plu.*) (Tu) (Il) (Ils)
6. *Vous* êtes sortis avec des amis. (Tu) (Nous) (Je) (Il) (On) (Ils)
7. *Ils* sont revenus tard. (Paul) (Tu) Vous) (Je) (Paul et moi)
8. *Elles* sont descendues de la voiture. (Marie) (Vous) (Je) (Paul et Jacques)

Exercice 2 Mettez à la forme négative en employant *ne . . . plus.*

EXEMPLE: Il est allé au cinéma.
  Il **n'est plus** allé au cinéma.

1. Je suis allé au musée.
2. Tu es venu chez nous.
3. Il est resté à la maison.
4. Elle est sortie avec Marc.
5. Nous sommes partis sans elles.
6. Vous êtes arrivé en retard.
7. Ils sont revenus en avion.
8. Elles sont montées par l'escalier.

Exercice 3 Mettez les phrases à la forme interrogative avec inversion.

EXEMPLE: Vous êtes arrivés en bonne santé.
  Etes-vous arrivés en bonne santé?

1. Vous êtes restés chez des amis.
2. Tu es entré au restaurant.
3. Il est sorti avec Janine.
4. Elle est partie sans parapluie.
5. Pierre est sorti avec Marie.
6. Nous sommes venus sous la pluie.
7. Vous êtes rentrés sous la neige.
8. Ils sont revenus sans pardessus.
9. Elles sont arrivées sans eux.
10. Louise est partie en retard.
11. Les enfants sont allés au jardin.
12. Les garçons sont devenus médecins.

Exercice 4 Répondez en français.

1. Etes-vous allé à une surprise-partie samedi dernier?
2. A quelle heure êtes-vous parti de la maison?
3. Avec qui êtes-vous sorti?
4. A quelle heure êtes-vous arrivé?
5. A quelle heure vos amis sont-ils venus?
6. Etes-vous resté longtemps?
7. Avec qui êtes-vous rentré?
8. Etes-vous revenu tard ou de bonne heure?

Exercice général Une conversation. Two friends meet and talk about what they did one day during the weekend. Combine the subject and the proper

106

form of the verb to form a question or a statement in the passé composé, as indicated.

EXEMPLE: (elle) (arriver) à l'école de bonne heure?
        Est-elle arrivée à l'école de bonne heure?

1. Question: (vous) (aller) à la campagne samedi passé?
2. Réponse: Non. (Je) (aller) à la piscine avec des amis.

3. Question: A quelle heure (vous) (arriver)?
4. Réponse: (Nous) (arriver) à deux heures et demie.

5. Remarque: (Jean et Janine) (venir) avec nous.

6. Question: (vous) (voir) Marc et André?
7. Réponse: Non. (Ils) (partir) de bonne heure.

8. Remarque: (Ils) (attendre) leurs amis et après ils (dire) «Au revoir.»

9. Question: (ils) (nager) un peu dans la piscine?
10. Réponse: (nous) (nager) ensemble pendant une demi-heure.

Un marché typique dans un village ou une ville de France.
Notez bien la marchandise sous la tente.

IV NOTES SUR LA CIVILISATION FRANÇAISE

Les Magasins d'alimentation

La femme française *fait ses courses* tous les jours pour *nourrir* sa famille! Il y a maintenant dans les maisons de France un assez grand nombre de *réfrigérateurs*, mais tout le monde n'en pas encore un! *Par conséquent*, la femme française *moyenne* ne peut pas mettre la *nourriture* dans un *congélateur*, comme la femme américaine.

Maman va à toutes les boutiques: à la boucherie, à la boulangerie, à l'épicerie, à la *crémerie* et aussi chez le *marchand de légumes*. Souvent elle

Glosses (right margin):
Food Stores

goes shopping
feed

electric refrigerators ♀ consequently ♀ average
food ♀ freezer

dairy store
vegetable merchant

On achète du pain tous les jours à la boulangerie. Dans cette boulangerie il y a aussi de la pâtisserie.

s'arrête aussi chez un *fleuriste* pour un petit bou-   florist
quet. A présent il y a quelques supermarchés dans
les grandes villes, mais, en général, les supermarchés sont *plutôt* rares.   rather

15   Dans les villes et les villages français il y a aussi,
une ou deux fois par semaine, un marché où
maman peut acheter *ce qu'il faut.* Les marchands   what she needs
étalent leurs marchandises *en plein air*, générale-   display ♀ outdoors
ment sur la place publique, *sous* une sorte de tente   under
20   de *toile* verte.   canvas

Pour nourrir la population de Paris, il y a un
très grand marché, appelé les Halles Centrales.
C'est un marché où l'on achète seulement *en gros.*   wholesale
Les propriétaires des magasins d'alimentation et
25   des restaurants vont aux Halles pour *procurer le*   obtain what is nec-
nécessaire entre minuit et huit heures du matin.   essary

Les Halles Centrales ne sont plus situées à
Paris. Le grand marché est situé à présent près de
l'aéroport d'Orly.

Questions

Complétez.

1. La femme française moyenne n'a pas de _____.	a. de la viande
2. Maman achète de la nourriture _____.	b. un marché
3. Maman va à toutes les _____.	c. restaurants
4. A la boucherie on vend _____.	d. congélateur
5. On achète des carottes chez le _____.	e. marchand de
6. A la crémerie on vend _____.	légumes
7. Une ou deux fois par semaine, il y a _____ en	f. la nuit
plein air.	g. tente
8. Au marché, les marchands sont sous une toile	h. tous les jours
verte en forme de _____.	i. boutiques
9. Aux Halles Centrales viennent les propriétaires	j. du lait et du
des magasins d'alimentation et des _____.	fromage
10. Les Halles Centrales ouvrent seulement _____.	

V   AMUSONS – NOUS!

Le Petit Prince

Apprenons une chanson française! *Le Petit Prince* est une vieille chanson
populaire que les enfants français aiment chanter. Parce que la chanson est
rythmique et, en même temps un peu drôle, les jeunes Français la chante
surtout quands ils marchent au pas (in step) avec leurs camarades, au camp,
avec les scouts, etc.

LE PETIT PRINCE

Arranged by Jack Finestone

Traditional

Lun - di ma - tin L'em - p'reur, sa femme et le p'tit prin - ce sont v'nus chez moi pour me ser-rer la pin - ce,[1] Mais comm' j' n'é-tais pas là, le pe-tit prince a dit puis-que c'est comme ça nous re - vien - drons mar - di.

Begin the second verse with *mardi matin* and end with *mercredi*. Continue this with all the days of the week until the final verse, which begins with *dimanche matin* and ends with *Nous ne reviendrons plus!*

---

[1] **La pince** (*populaire*) veut dire **la main.**

110

26

Leçon vingt-six

I CONVERSATION

(à livre ouvert)

A.

1 Vous parlerez français, n'est-ce pas?   Oui, je parlerai . . .
(You will speak . . .?)   (. . . I'll speak . . .)
    Non, je ne parlerai pas . . .

2 Vous danserez le «rock»?   Oui, je danserai . . .
(You'll dance . . .?)   (. . . I'll dance . . .)

3 Vous choisirez les disques?   Oui, je choisirai . . .
(You'll choose . . .?)   (. . . I'll choose . . .)

4 Vous finirez les devoirs?   Oui, je finirai . . .
(You'll finish . . .?)   (. . . I'll finish . . .)

5 Répondrez-vous à la question?   Oui, je répondrai . . .
(Will you answer . . .?)   (. . . I'll answer . . .)

6 Répondrez-vous au professeur?

7 Attendrez-vous l'autobus?   Oui, j'attendrai . . .
(Will you wait for . . .?)   (. . . I'll wait . . .)

B.

1 Paul parlera français, n'est-ce pas?   Oui, il parlera . . .
(Paul will speak . . .?)   (. . . he'll speak . . .)

2 Il dansera le «slow»?   Oui, il dansera . . .
(He'll dance . . .?)

3 Il chantera en français?   Oui, il chantera . . .
(He'll sing . . .?)

4 Chantera-t-il en anglais?

5 Choisira-t-il les chansons?   Oui, il choisira . . .

6 Répondra-t-il au professeur?   Oui, il répondra . . .

7 Attendra-t-il l'autobus?   Oui, il attendra . . .

8 Prendra-t-il l'autobus?   Oui, il prendra . . .
   (Will he take . . .?)   (. . . he'll take . . .)
9 Marie prendra-t-elle l'autobus?   Oui, elle prendra . . .
   (Will Mary take . . .?)
10 Apprendra-t-elle le français?   Oui, elle apprendra . . .
   (Will she learn . . .?)
11 Comprendra-t-elle le français?   Oui, elle comprendra . . .
   (Will she understand . . .?)

C.

1 Comprendras-tu le français?   Oui, je comprendrai . . .
   (Will you understand . . .?)
2 Parleras-tu français ou anglais? Je parlerai . . .
3 Attendras-tu le train ou l'autobus? J'attendrai . . .
4 Répondras-tu bien ou mal?
5 Choisiras-tu la musique classique? Oui, je choisirai . . .

Dialogue dirigé 1

Demandez à Paul:
1 s'il choisira la musique populaire.   Choisiras-tu . . .?
                                  Est-ce que tu choisiras . . .?

2 s'il attendra un bon programme.
3 s'il répondra à la lettre.

D.

1 Paul et Marie parleront français, Oui, ils parleront . . .
   n'est-ce pas?
   (Paul and Mary will speak . . .?)
2 Ils danseront ensemble, n'est-ce
   pas?
3 Ils chanteront ensemble, n'est-ce
   pas?
4 Choisiront-ils les chansons?   Oui, ils choisiront . . .
5 Marie et Mimi finiront-elles les
   sandwichs?
6 Attendront-elles leurs amis?   Oui, elles attendront . . .

E.

1 Vous et moi nous parlerons   Oui, nous parlerons . . .
   français, n'est-ce pas?
   (You and I [we] will speak . . .?)
2 Donnerons-nous les disques à
   Marie?
3 Choisirons-nous les disques?
4 Attendrons-nous nos copains?   Oui, nous attendrons . . .

112

F.

1 Paul et moi nous parlerons fran-çais, n'est-ce pas?	Oui, vous parlerez . . .
2 Nous donnerons les disques à Marie, n'est-ce pas?	
3 Choisirons-nous les disques?	Oui, vous choisirez . . .
4 Attendrons-nous tout le monde?	Oui, vous attendrez . . .

Dialogue dirigé 2

Dites-moi que:	
1 je parlerai espagnol.	Vous parlerez espagnol.
2 je finirai le travail.	
3 je répondrai à toutes les questions.	

Dialogue dirigé 3

Demandez-moi si:	
1 je parlerai français.	Parlerez-vous français?
2 je finirai les examens pour demain.	
3 je répondrai à tous les élèves.	

II SCÈNE DE LA VIE FRANÇAISE

Allons en Afrique

PAPA: Mes enfants! Odette chérie! J'ai une grande nouvelle à vous *annoncer*! Je viens de *recevoir* une lettre de Dakar . . . de Lucien Mercier! — announce ♀ / received

ROBERT: Les lettres de Monsieur Mercier font
5   toujours grande impression!

MAMAN: Robert! Tu n'as pas de respect pour ton père?

PAPA: Cette fois-ci, ce n'est pas un *manque* de respect; c'est *tout* simplement un petit manque — lack / quite
10   d'intelligence! Lucien nous invite à passer les *grandes vacances* à Dakar! — summer vacation

MONIQUE: Oh, papa, quel *rêve*! — dream

PAPA: Mais moi, j'ai refusé!

MONIQUE: Oh, papa! Ce n'est pas possible!

15 MAMAN: Tu as eu sans doute une bonne raison . . .

PAPA: Ce *sera* trop de travail pour sa femme Renée . . . — will be

MAMAN: Je comprends très bien!

PAPA: Mais je lui ai *proposé* une autre possi- — proposed
20   bilité: nous *louerons* une petite villa tout près — will rent

113

de la ville, dans les environs de Dakar, . . . à la plage.

ROBERT: Mais, papa, il fait très chaud à Dakar en été!

25 PAPA: Oui, il fait chaud *en ville*, mais la villa est *climatisée*! — in town / air-conditioned

ROBERT: De la climatisation en Afrique? Mais ils sont *bien* modernes! — very

PAPA: Dakar est une ville très moderne, . . . et

30 très française. *De plus*, à la plage il y a toujours la *brise* qui vient de la mer. — In addition / breeze

MAMAN: Mais, Charles, il faut *penser à* la préparation des repas . . . Dans un pays *étranger*, ce n'est jamais facile! — think about / foreign

35 PAPA: J'ai déjà *pensé* à ça! Nous mangerons à l'hôtel! Il y a un grand hôtel *à deux pas de* la villa, où nous prendrons les repas! — thought / a short distance away from

MAMAN: Nous *voyagerons* en avion, bien entendu! — will travel

CLAIRE: Et les Mercier nous attendront à l'aéro-

40 port, comme nous les avons attendus à Orly! C'est chouette, ça!

ROBERT: Et Monique sortira tous les jours avec Armand!

• MAMAN: Robert! Tu *es de mauvaise humeur* — are in bad humor

45 aujourd'hui! *Qu'est-ce que tu as?* — What's the matter with you? ♀ mark

CLAIRE: Il a eu une mauvaise *note* en histoire!

PAPA: En histoire? Impossible!

ROBERT: C'est *à cause de* Duval, le prof! Il me — because of déteste! Oh, comme il est désagréable, ce Duval!

50 PAPA: Il ne te déteste pas! Et *ne sois pas* si mal- — don't be heureux! Tu apprendras un peu d'histoire en Afrique, *peut-être*. — maybe

MAMAN: On visitera la ville, l'Université, l'*Insti-* — Institute *tut* Pasteur, la ville Saint-Louis et tous les monu-

55 ments *historiques*! — historical

CLAIRE: Et nous nagerons dans la mer, comme chez Grand-père!

PAPA: Maman choisira des vêtements *légers* pour — light tous! Et moi, j'écrirai tout de suite à Lucien que

60 vous êtes *enchantés de* l'idée de la villa . . . — delighted with

MONIQUE: Oh, papa, comme je suis heureuse! Je donnerai un coup de téléphone à Armand et je lui dirai . . .

(Le téléphone sonne. Maman répond.)

65 MAMAN: Allô? Ah, c'est toi, Armand! . . . Dakar? . . .
Oui, nous *pensons à* une villa . . . Mais tu veux   are thinking of
certainement parler à Monique . . . La voilà!
MONIQUE: Allô, Armand . . . Oui, nous louerons
une villa . . . Pas possible! Vraiment? Attends un
70 peu; je veux le dire à toute la famille. (A la
famille:) Monsieur Mercier va louer aussi une
villa pour sa famille. Il en louera deux, alors!
MAMAN: Magnifique! Mais demande-lui si Hamidou sera avec nous.
75 MONIQUE: Armand, sais-tu comment Hamidou
passera les vacances? Oui? Oh, c'est *parfait*!   perfect
Attends une petite minute. (A la famille:) Pendant la semaine Hamidou travaillera chez un ami
de son père, un avocat, . . . Mais il passera tous
80 les week-ends avec nous à la plage!
CLAIRE: Chouette! Il nous présentera à de vrais
Sénégalais!
ROBERT: Si tous les Sénégalais sont comme lui, on
va bien s'amuser!

DIALOGUE ORIGINAL

Modèle	Substitutions	
	A	B
—Où passerez-vous les grandes vacances?		
—Moi, *à la plage*. Et vous?	/ à la campagne /	/ en ville /
—*Au camp*.	/ à l'école /	/ en France /
—Qu'est-ce que vous allez y faire?		
—Je nagerai, je *jouerai au basket* . . . Et vous?	/ travaillerai /	/ voyagerai /
—Je m'amuserai. Je jouerai *de la guitare*, je jouerai *au base-ball*.	/ du violon / / au football /	/ du piano / / aux cartes /
—Penserez-vous aux *amis*?	/ professeurs /	
—*Je penserai à tous mes amis!*	/ Mais non! Pourquoi? /	

115

Vocabulaire actif

le respect respect	**la villa** villa, house
le manque lack	**la raison** reason
les grandes vacances *fem. pl.* summer vacation	**la note** mark (school)
	en ville in town

recevoir to receive	**voyager** to travel
être de bonne (mauvaise) humeur to be in good (bad) humor	**penser à** to think of, about
	louer to rent

peut-être maybe	**à cause de** because of
Qu'est-ce que tu as? *fam.* What's the matter with you?	**léger, légère** *adj.* light (in weight)

Questions

1. De qui papa vient-il de recevoir une lettre?
2. Qui ne montre pas de respect pour son père?
3. Est-ce un manque de respect ou un manque d'intelligence?
4. Qui a invité la famille à passer les grandes vacances à Dakar?
5. Papa a-t-il accepté ou a-t-il refusé l'invitation?
6. Pour quelle raison a-t-il refusé l'invitation?
7. Qu'est-ce que les Darmond loueront?
8. Pourquoi est-ce qu'il ne va pas faire chaud dans la villa?
9. Où mangeront-ils?
10. Qui attendra les Darmond à l'aéroport?
- 11. Qui est de mauvaise humeur aujourd'hui?
12. Le professeur d'histoire déteste-t-il Robert?
13. Où Robert apprendra-t-il un peu d'histoire?
14. Qu'est-ce que maman choisira pour tout le monde?

116

15. A qui Monique donnera-t-elle un coup de téléphone?
16. Qui téléphone à Monique?
17. Combien de villas Lucien louera-t-il?
18. Où Hamidou travaillera-t-il?
19. Où passera-t-il les week-ends?
20. A qui Hamidou présentera-t-il les membres de la famille?

Discussion

1. Où passerez-vous vos grandes vacances, en ville, à la campagne ou à la plage? Comment y voyagerez-vous, par le train, en voiture, en autocar (bus), ou en avion? Où prendrez-vous les repas, à l'hôtel, au restaurant, ou chez vous?

2. Penserez-vous à l'école? Travaillerez-vous pendant les vacances? Sortirez-vous tous les jours? Nagerez-vous dans la mer, dans un lac, ou dans une piscine?

3. Vos parents loueront-ils une villa? Visiterez-vous les monuments historiques (s'il y en a)? Mettrez-vous des vêtements légers?

4. Etes-vous de bonne humeur ou de mauvaise humeur?

5. Pensez-vous toujours à vos devoirs? Est-ce que votre professeur vous donne parfois une mauvaise note? Dites-vous souvent, «C'est à cause du professeur»?

III STRUCTURES

A. Le Futur des verbes réguliers

Premier Groupe	*Deuxième Groupe*	*Troisième Groupe*
Infinitive: parler	choisir	attendre
Future Stem: parler–	choisir–	attendr–
(I'll speak, etc.)	(I'll choose, etc.)	(I'll wait for, etc.)
je parlerai	je choisirai	j'attendrai
tu parleras	tu choisiras	tu attendras
il parlera	il choisira	il attendra
ils parleront	ils choisiront	ils attendront
nous parlerons	nous choisirons	nous attendrons
vous parlerez	vous choisirez	vous attendrez

To form the future of verbs of the First or Second Groups, add the endings –ai, –as, –a, –ons, –ez, –ont to the *infinitive*, which becomes the *stem*. For the Third Group, drop the final –e of the infinitive before adding the *same endings*.

Notez bien Although the *spelling* is different for each of the six forms, to *the ear alone* there are only three forms, because all verbs in the future tense end in one of three different sounds:

Ending	–rai or –rez	–ra or –ras	–ons or –ront
Same sound	·(je) finirai (vous) finirez	(tu) finiras (il) finira	(nous) finirons (ils) finiront

Exercice 1 Mettez le verbe à la forme indiquée du futur.

EXEMPLE: (je) (vous) donner
       je donnerai
       vous donnerez

1. (je) (vous)   donner, trouver, chercher, jouer, finir, entendre, perdre
2. (tu) (il)   manger, laisser, rentrer, choisir, rendre, punir
3. (nous) (ils)   tourner, travailler, visiter, guérir, vendre

Exercice 2 Employez les expressions au futur avec tous les sujets indiqués.

A. gagner de l'argent
B. passer le week-end ici

C. penser à l'examen
D. rendre les livres

    1. Je . . .   3. Tu . . .   7. Nous . . .
    2. Vous . . .   4. Il . . .   8. Ils . . .
                5. Elle . . .   9. Elles . . .
                6. On . . .

Exercice 3 Mettez les phrases suivantes à la forme interrogative avec inversion (sauf avec *je*).

1. Il gagnera beaucoup d'argent.
2. Vous me prêterez ce disque.
3. Ils étudieront demain.
4. Elle guérira vite.
5. Nous entendrons les enfants.
6. Tu voyageras en avion.
7. Je refuserai son invitation.
8. Elles loueront une villa.
9. Je penserai à mes amis.
10. Ils attendront le train.

Exercice 4 Mettez les phrases de l'Exercice 3 à la forme négative, en employant *ne . . . jamais.*

EXEMPLE: Il gagnera beaucoup.
       Il ne gagnera jamais beaucoup.

Exercice 5 Mettez les phrases suivantes à la forme négative, précédées du mot *Pourquoi*.

EXEMPLE: Parlera-t-il français?
           (Will he speak French?)
           Pourquoi ne parlera-t-il **pas** français?
           (Why won't he speak French?)

1. Montrera-t-il les cadeaux?
2. Oubliera-t-il l'argent?
3. Epousera-t-elle Jacques?
4. Planteras-tu les fleurs?
5. Accepteront-ils l'invitation?
6. Mangeront-ils cette viande?
7. Attendront-ils leurs amis?
8. Est-ce que je rendrai les livres?
9. Finirons-nous ce travail?
10. Est-ce que je choisirai cet ensemble?

Exercice 6 Refaites les phrases en mettant les verbes en italique au *futur*.

EXEMPLE: Je *joue* de la guitare. → Je **jouerai** de la guitare.

1. A quelle heure *arrivez*-vous à la surprise-partie?
2. J'*arrive* à neuf heures.
3. *Passez*-vous les disques?
4. Nous *passons* des disques et nous *dansons*.
5. Qui *choisit* les disques?
6. Les copains les *choisissent*, bien entendu!
7. Pour rentrer, *attendez*-vous l'autobus?
8. Il y a des copains qui *attendent* l'autobus; il y en a d'autres qui *rentrent* en voiture.

B. Verbs which are "Regular" in the Future

Many verbs, although they are irregular in the present tense, are "regular" in the future tense; that is, they follow the same rules for the formation of the future tense as do verbs of the First, Second, and Third Groups.

1. Infinitives ending in –ir

Infinitive:	sortir	partir	ouvrir
Future Stem:	sortir–	partir–	ouvrir–
	(I'll go out, etc.)	(I'll leave, etc.)	(I'll open, etc.)
	je sortirai	je partirai	j'ouvrirai
	tu sortiras	tu partiras	tu ouvriras
	il sortira	il partira	il ouvrira
	ils sortiront	ils partiront	ils ouvriront
	nous sortirons	nous partirons	nous ouvrirons
	vous sortirez	vous partirez	vous ouvrirez

The above verbs form the future like regular verbs of the Second Group.

2. Infinitives ending in **–re**

Infinitive	Future Stem	Future	Meaning
prendre	prendr–	je prendrai, etc.	I'll take, etc.
apprendre	apprendr–	j'apprendrai, etc.	I'll learn, etc.
comprendre	comprendr–	je comprendrai, etc.	I'll understand, etc.
dire	dir–	je dirai, etc.	I'll say, etc.
mettre	mettr–	je mettrai, etc.	I'll put, etc.
lire	lir–	je lirai, etc.	I'll read, etc.
écrire	écrir–	j'écrirai, etc.	I'll write, etc.

The above verbs form the future like regular verbs of the Third Group.

Exercice 7 Mettez le verbe à la forme indiquée du futur.

1. (je) (vous) prendre, apprendre, lire, écrire, mettre, dire
2. (tu) (il) comprendre, ouvrir, mettre, dire, écrire
3. (nous) (ils) apprendre, lire, mettre, dire, écrire
4. (vous) (je) sortir, ouvrir, partir, comprendre
5. (tu) (elle) prendre, lire, sortir, partir, apprendre, prendre
6. (nous) (elles) comprendre, dire, sortir, partir, ouvrir

Exercice 8 Répondez *Oui* ou *Non* aux questions suivantes.

EXEMPLE: Apprendrez-vous l'italien?
        Oui, j'apprendrai l'italien; Non, je n'apprendrai pas l'italien.

1. Prendrez-vous l'avion?
2. Lirez-vous le menu au restaurant?
3. Ecrirez-vous des lettres à vos amis?
4. Paul dira-t-il toujours «Très bien»?
5. Comprendra-t-il les dialectes au Sénégal?
6. Mettrons-nous des vêtements chauds?
7. Ouvrirons-nous les fenêtres en été?
8. Les copains sortiront-ils seuls?
9. Partiront-ils de bonne heure le matin?
10. Rentreront-ils tard?
11. Lira-t-il le journal?
12. Apprendras-tu le français?

Exercice 9 Redites la phrase, en mettant le verbe en italique au futur.

EXEMPLE: Je *mets* des gants. → Je **mettrai** des gants.

1. On *prend* l'avion pour aller en France.
2. On *apprend* des mots français.
3. Vous *comprenez* le pilote français.
4. Tu *lis* le menu en français.
5. Tu *écris* des lettres de Paris.
6. Votre mère *dit* «Merci».
7. Votre soeur *sort* avec un Français.
8. Ils *partent* en taxi.

C. The Present vs. the Future

S'il lit	la lettre,	il comprendra.
If he reads If he will read }the letter,		he will understand.

J'écrirai	à Louise,	si elle m'écrit.
I shall write to Louise,		if { she writes to me. she will write to me.

In French, *only the present tense* is used after **si** if the other clause is in the future, regardless of the English tense.

Exercice 10 Combine the two sentences, using **si** with the sentence it precedes and changing the verb in italics to the present tense.

EXEMPLE: (Si) Paul me *donnera* le disque. Je le passerai.
    Si Paul me **donne** le disque, je le passerai.

1. (Si) Elle *trouvera* un bon restaurant. Nous y mangerons.
2. Nous attendrons les copains. (Si) Ils *arriveront* avant dix heures.
3. (Si) Vous *visiterez* les musées. Vous apprendrez beaucoup.
4. Il jouera du piano. (Si) Nous *travaillerons* très dur.
5. (Si) Ils *guériront* avant dimanche. Ils sortiront avec nous au match de football.

D. Idiotismes

1. être de bonne (mauvaise) humeur = to be in good (bad) humor

Exercice 11 Give your impression of the disposition of the people listed in Column I by using one of the adverbs in Column II plus *être de bonne (mauvaise) humeur.*

EXEMPLES: Mes parents sont généralement de bonne humeur.
      Mon ami Victor n'est pas souvent de mauvaise humeur.

I	II
1. Ma mère	généralement
2. Mon père	souvent
3. Mon ami (nom)	toujours
4. Mon amie (nom)	parfois
5. Mon professeur de dessin	rarement
6. Mes copains	
7. Mes parents	
8. Nos camarades	

2. à cause de = because of (something or someone)

Exercice 12 Traduisez les phrases en français selon l'exemple donné.

EXEMPLE: Is it because of the teacher?
Est-ce à cause du professeur?

1. Is it because of the exam?
2. Is it because of the vacation?
3. It's because of the party.
4. It's because of the game.
5. It's because of my parents.

3. avoir **(quelque chose)** = to have something the matter with one

Exercice 13 Traduisez les phrases en français selon l'exemple donné.

EXEMPLE: What's the matter with *you*?
Qu'est-ce que vous avez?

1. What's the matter with *him*?
2. What's the matter with *you (fam.)*?
3. What's the matter with *them*?
4. What's the matter with *us*?
5. What's the matter with *me*?

Exercice général Une conversation. Friends are talking about a party. Complete each sentence with the proper verb form and tense indicated in parentheses.

1. (donner, *futur*) Est-ce que Vincent _____ une surprise-partie samedi prochain?
2. (inviter, *futur*) Oui, et il _____ certainement tous les copains.
3. (choisir, *futur*) Qui _____ tous les rythmes?
4. (choisir, *futur*; passer, *futur*) Toi, tu _____ tous les disques et tu les _____ .
5. (apprendre, *futur*) Toi et Carole _____ -vous le tango?
6. (apprendre, *futur*) Moi, je l'_____, mais Carole ne l'_____ jamais!
7. (apprendre, *passé composé*) Mais elle _____ déjà _____ la bamba!
8. (entendre, *présent*) Bob, vous _____?
9. (dire, *passé composé*) Lucienne _____ que Carole a déjà appris la bamba!

IV NOTES SUR LA CIVILISATION FRANÇAISE

Dakar, capitale du Sénégal

Dakar, la capitale de la République du Sénégal, est une ville importante en Afrique. L'aéroport de Dakar à Yoff, près de la ville, est un grand aéroport international. A Yoff arrivent et partent les grands

Scène typique à Dakar: Sénégalais et Européens ensemble.

5 avions *à réaction* qui *volent* entre l'Europe et   jet ♀ fly
l'Amérique du Sud.

    Dakar est le centre politique, administratif et
culturel de la République. Il y a à Dakar de beaux
immeubles modernes, des magasins, des théâtres,
10 et des édifices administratifs du gouvernement,
tels que le Palais de Justice et l'Assemblée   such as
Nationale.

    Il y a aussi à Dakar une grande *mosquée,* une   mosque
belle église protestante, et une cathédrale catho-
15 lique. Les rues, les avenues, les boulevards et les
places publiques sont *nommés* à la manière fran-   named
çaise: la rue Zola, l'avenue Pasteur, la Place de
l'Indépendance, le boulevard de la Libération.

    L'Université de Dakar, située pas loin du centre
20 de la ville, est une grande université qui *comprend*   includes
quatre facultés: Médecine et Pharmacie, Sciences,
Lettres, et *Droit.* Au centre de la ville est l'Institut   Liberal Arts ♀ Law
Pasteur, *fondé* par les Français pour la *recherche.*   founded ♀ research

Situé au *carrefour* de trois continents, Dakar est
25 aussi un grand port. Les *paquebots* qui voyagent
entre l'Europe, l'Afrique et l'Amérique du Sud
peuvent *s'arrêter* à Dakar.

Dakar se trouve sur une péninsule; il y a *donc*,
dans les environs de la ville, plusieurs belles
30 plages, des hôtels et des villas.

crossroads
steamships

stop
therefore

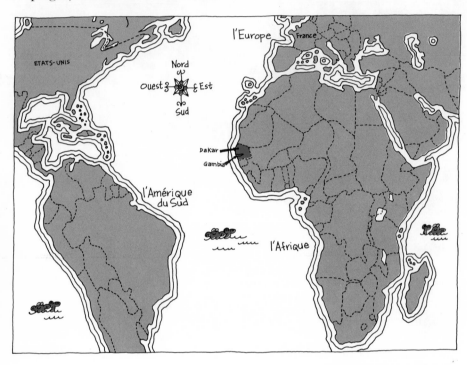

Questions

Complétez.
1. Dakar est une des villes importantes de _____.
2. Les avions qui volent entre l'Amérique du Sud et _____ s'arrêtent généralement à Dakar.
3. Dans la ville il y a des églises, une cathédrale, et aussi une grande _____.
4. Un assez grand nombre de rues portent des noms _____.
5. Dakar est une ville moderne, avec une Université et un grand Institut _____.
6. Les bateaux de _____ continents peuvent s'arrêter à Dakar.
7. Dans les environs de la ville se trouvent plusieurs _____.

a. trois
b. plages
c. Pasteur
d. l'Afrique
e. l'Europe
f. mosquée
g. français

124

V   AMUSONS-NOUS!

Le Futur en 20 questions

The night before, prepare 4 sentences in the future tense, one to fit each occasion or place listed below. EXEMPLE: *Je jouerai au tennis.* When you get to class, the teacher will divide the class into two teams. A member of Team A will read aloud one of his sentences and a member of Team B will have to respond in five seconds with a question that includes the occasion or place of the action. EXEMPLE: *Vous jouerez au tennis au match, n'est-ce pas?* or *Vous jouerez au tennis en vacances, n'est-ce pas?*

Anyone who can't respond is "out." After Team A has read 10 sentences, Team B begins to read theirs. After 20 questions, all left in the game get an "A!"

Occasions or places:	*à la surprise-partie*	*à l'école*	*en vacances*	*au match*
Suggested actions:	*danser*	*étudier*	*nager*	*jouer à . . .*
	passer des disques	*apprendre*	*visiter*	*regarder*

Révision Générale V

Leçons 22–26

I RÉVISION DE GRAMMAIRE

A. Les adjectifs devant le nom

Study the chart of **de + adjectif + nom** on page 65. Then compose 2 original sentences (preferably a question and an answer) in which you show that you understand when the partitive **des** (*some*) changes to **de** (*some*).

B. Les verbes au passé composé

Study all the forms of the verbs on the pages indicated. For each group, write 4 questions and answer them. Be sure to make one answer a negative.
1. Verbs of the First Group (page 62), **faire** and **être** (page 64).
2. Verbs of the Second Group (page 76), and the irregular verbs whose past participles end in –i or the sound of –i (page 77).
3. Verbs of the Third Group (page 91), and the irregular verbs whose past participles end in –u (page 91).
4. Verbs conjugated with **être** (page 104).

C. Les verbes au futur

Review the verbs in the future tense (pages 117, 119 and 120). Select two verbs from each page and write 4 questions, two for each verb you select. Answer 2 questions in the affirmative and 2 in the negative.

II ÉTUDE DE VOCABULAIRE

A. Les mots associés

1. Consult the Vocabulaire actif on each of the pages indicated.
Then jot down all the words which can be classified under the titles given next to the page number.

Feelings and poetry (pages 60–61 and 74)

Fruits; Nature; Time expressions (pages 60–61 and 89)

Stores; Storekeepers; Foods (page 103)

Vacation places and activities (pages 61; 89; 116)

126

2. Which word or words in Group II do you think of when you hear each of the words in Group I?

I	II
le sentiment	la rivière . . . le cœur . . . le supermarché . . .
le métier	la maîtresse . . . faire des vers . . . une bonne note . . .
le poète	le marché . . . le respect
la forêt	
le magasin	
le professeur	

B. Les phrases

For each verb in Column I select the proper elements in Column II and combine them into an original sentence.

EXEMPLE: être . . . en train de

Je suis en train d'apprendre le français.

I	II
gagner	l'anniversaire
entrer	sur les deux joues
épouser	quelqu'un
être	de bonne humeur
jouer	sa vie
embrasser	en train de
fêter	au base-ball
	de la flûte
	dans le magasin

C. Les contraires

Can you give the opposite of each of the following verbs?

descendre ≠	sortir ≠	venir ≠
partir ≠	rester ≠	acheter ≠
		accepter ≠

D. Les réponses

Trouvez dans la colonne II la réponse à chaque question de la colonne I.

I	II
1. Est-ce que quelqu'un est allé en ville avec vous?	a. Non. Je pense à mes vacances.
	b. Oui. Je le regrette.
2. Pensez-vous à vos examens?	c. Non. Tout le monde a refusé.
3. Vos amis vont faire un voyage?	d. Il a eu mal au dos.
4. Vous avez dit cela? C'est un manque de respect!	e. Oui, ils voyageront en Europe.
5. Pourquoi ce monsieur est-il presque tombé?	

E. Encore des réponses!

Can you find a logical response in column II to the question or statement in column I?

I	II
1. Le professeur t'a donné une mauvaise note?	a. J'ai besoin d'une feuille de papier.
2. Savez-vous jouer du piano?	b. Il gagne sa vie.
3. Ce sont de beaux fruits, n'est-ce pas?	c. Elle téléphonera à ses parents.
4. Marc est-il en train d'étudier?	d. Il est malheureux aujourd'hui.
5. Donnera-t-elle un coup de té-léphone à Janine?	e. Non. Il ne veut plus travailler.
	f. J'ai mal à l'estomac.
6. Ecrivez tout de suite son nom.	g. Non. Il va l'acheter.
7. Pourquoi Vincent est-il de mauvaise humeur?	h. Je sais jouer aux cartes.
	i. Elle ne m'aime pas.
8. Qu'est-ce que tu as?	j. Ce sont des pêches fraîches.
9. Ton père est-il riche ou pauvre?	
10. Va-t-il louer la villa?	

III PETIT THÉÂTRE IMPROMPTU

Write 5 original questions for each situation described below. When you get to class, have one of your classmates join you in enacting an impromptu scene in front of the class: ask him the questions and have him answer them. (The number in parentheses refers to the lesson you may consult in making up your questions.)

1. A friend of yours has just returned from an overnight hike with his friends. Ask him questions about how they found the lake (the forest, the river), what they ate, the songs they sang, etc. (22)

2. Your younger brother (or sister) has just completed the first week at a new junior high school. Ask him questions about his work, such as what he learned, what the teacher said, whether he understood the questions, etc. (23)

3. You have all had a vacation very recently. Ask one of your friends where he spent the vacation, with whom, what he saw, what games or sports he played, etc. (24)

4. Your mother wants you to go shopping. She tells you to go to certain stores; you ask her what to buy in each. (25)

5. A friend of yours is going to move to a new neighborhood and will transfer to a new school. Ask him questions about his future activities: what time he will arrive at school, at what time he will have lunch, what subjects he will choose, etc. (26)

IV VRAI OU FAUX?

Si vous dites *Faux*, corrigez l'affirmation en français. The number in parentheses refers to the page of the *Notes sur la civilisation française* which you may wish to consult.

1. On ne cultive pas assez en France pour nourrir la population française. (66)
2. Le produit agricole principal de la France est la vigne. (66)
3. Le raisin est utilisé en grande partie pour faire les vins. (67)
4. Le lait est utilisé en grande partie pour faire les puddings. (68)
5. Les Français n'ont pas beaucoup de respect pour les écrivains. (82)
6. En France il y a peu de librairies et un petit nombre de journaux, de revues et de magazines, parce que les Français n'aiment pas lire. (83)
7. La littérature française a influencé le développement de la civilisation. (83)
8. Il y a peu de livres, écrits en français, qu'on peut lire en anglais. (83)
9. Les enfants vont à l'école primaire élémentaire de six à onze ans. (94; 96)
10. Pour faire leurs études primaires, les petits garçons vont à l'Ecole de garçons et les petites filles à l'Ecole de filles. (94)
11. Il y a beaucoup de supermarchés en France. (109)
12. On trouve un réfrigérateur dans chaque cuisine de France. (108)
13. La femme française va généralement à plusieurs magasins d'alimentation tous les jours. (108)
14. La ville de Dakar est importante principalement à cause de sa situation géographique. (122–23)
15. Dakar est une ville moderne et un centre important de commerce en Afrique. (122–23)

27

Leçon vingt-sept

I CONVERSATION
(à livre ouvert)

A.

1 Aujourd'hui vous allez à la maison après les cours, n'est-ce pas?

Oui, je vais . . .

2 Samedi prochain vous irez en ville, n'est-ce pas?
(Next Saturday you'll go downtown, won't you?)

Oui, j'irai . . .
(Yes, I'll go . . .)

3 Serez-vous de bonne humeur?
(Will you be . . . ?)

Oui, je serai . . .
(Yes, I'll be . . .)

4 Ferez-vous des achats?
(Will you make . . . ?)

Oui, je ferai . . . .
(Yes, I'll make . . .)

5 Aurez-vous besoin d'argent?
(Will you have need . . . ?)

Oui, j'aurai . . .
(Yes, I'll have . . .)

6 Saurez-vous trouver le chemin?
(Will you know how . . . ?)

Oui, je saurai . . .
(Yes, I'll know . . .)

7 Pourrez-vous trouver le cinéma?
(Will you be able . . . ?)

Oui, je pourrai . . .
(Yes, I'll be able . . .)

8 Faudra-t-il partir de bonne heure?
(Will it be necessary . . . ?)

Oui, il faudra . . .
(Yes, it will be necessary . . .)

B.

1 Paul ira à la campagne, n'est-ce pas?
(Paul will go . . . ?)

Oui, Paul ira . . .

2 Sera-t-il content?
(Will he be . . . ?)

Oui, il sera . . .

3 Fera-t-il un pique-nique?

Oui, il fera . . .

4 Aura-t-il besoin d'un pull-over?

Oui, il aura . . .

5 Marie ira avec Paul, n'est-ce pas?

Oui, elle ira . . .

6 Saura-t-elle faire les sandwichs?

Oui, elle saura . . .

7 Pourra-t-elle rester longtemps?

Oui, elle pourra . . .

8 Faudra-t-il rentrer de bonne heure?

Oui, il faudra . . .

C.

1 Iras-tu en ville ou à la campagne? J'irai . . .
2 Seras-tu de bonne humeur ou de Je serai . . .
   mauvaise humeur?
3 Feras-tu une excursion ou du Je ferai . . .
   camping?
4 Auras-tu faim? Oui, j'aurai . . .
5 Sauras-tu demander le chemin? Oui, je saurai . . .
6 Pourras-tu aller avec des amis? Oui, je pourrai . . .
7 Faudra-t-il manger à midi? Oui, il faudra . . .

Dialogue dirigé 1

1 Demandez à Louise:
   a. si elle ira à une surprise- Iras-tu . . .?
       partie.
   b. si elle sera contente. Seras-tu . . .?
2 Demandez à Victor:
   a. s'il saura jouer de la guitare. Sauras-tu . . .?
   b. s'il pourra passer des disques. Pourras-tu . . .?

D.

1 Paul et Marie iront à Québec, Oui, ils iront . . .
   n'est-ce pas?
2 Seront-ils ensemble? Oui, ils seront . . .
3 Feront-ils le voyage en voiture? Oui, ils feront . . .
4 Auront-ils froid en hiver? Oui, ils auront . . .
5 Sauront-ils parler français avec les Oui, ils sauront . . .
   Canadiens?
6 Pourront-ils visiter les forêts? Oui, ils pourront . . .
7 Faudra-t-il voir Montréal? Oui, il faudra . . .

E.

1 Vous et moi irons-nous à Paris? Oui, nous irons . . .
2 Serons-nous heureux? Oui, nous serons . . .
3 Ferons-nous le voyage en avion? Oui, nous ferons . . .
4 Aurons-nous assez de francs? Oui, nous aurons . . .
5 Saurons-nous parler français? Oui, nous saurons . . .
6 Pourrons-nous voir toute la ville? Oui, nous pourrons . . .
7 Faudra-t-il voir la Tour Eiffel? Oui, il faudra . . .

F.

1 Vous et Anne vous irez à Miami, Oui, nous irons . . .
   n'est-ce pas?
2 Serez-vous très contents? Oui, nous serons . . .

3 Ferez-vous le voyage en avion?   Oui, nous ferons . . .
4 Aurez-vous besoin de nouveaux   Oui, nous aurons . . .
    vêtements?
5 Saurez-vous nager dans la mer?   Oui, nous saurons . . .
6 Pourrez-vous rester dix jours?   Oui, nous pourrons . . .

Dialogue dirigé 2

1 Dites-moi que:
    a. j'irai à un match de tennis.   Vous irez . . .
    b. je serai de bonne humeur.   Vous serez . . .
    c. je ferai une promenade.   Vous ferez . . .
2 Demandez-moi si:
    a. j'aurai faim à midi.   Aurez-vous . . . ?
    b. je saurai trouver un petit café.   Saurez-vous . . . ?
    c. je pourrai voir des amis.   Pourrez-vous . . . ?

II SCÈNE DE LA VIE FRANÇAISE

8 Jours + 15 Jours = 3 Semaines

Personnages: M = Maman; P = Papa; MO = Monique; DOC = le Docteur

Scène: Le soir. La famille est dans la *salle de*   = le living-room
  séjour.

5 M: Charles, tu *as l'air* bien *triste* ce soir. Qu'est-ce   seem ♀ sad
    que tu as?

    P: Nous ne pourrons pas aller tout de suite *en*   to
    Afrique.

    M: Non? Mais pourquoi?

10 P: *Il nous faudra être vaccinés!*   We'll have to be
        vaccinated!
    MO: Oh, là, là! Quel *commencement* pour notre   beginning
    beau voyage!

    M: Eh bien, nous irons demain chez le docteur
    Bertrand, et ce sera *fait!*   done

15 MO: Il faudra *nous dépêcher,* papa! Armand sera   to hurry
    en Afrique *dans huit jours!*   in a week

    M: Et nous y serons *dans quinze jours, probable-*   in two weeks ♀
    ment, tout de suite après les examens.   probably

    P: Je ne suis *pas du tout* sûr de la date de notre   not at all
20 départ. J'irai *moi-même* chez le docteur demain   myself
    pour *prendre les renseignements* . . . .   to get the informa-
        tion ♀ as soon as
    M: Et *dès que* tu les auras, nous saurons exacte-
    ment quand nous pourrons partir.

MO: Et, s'il te plaît, papa, dis-lui que nous voulons
25   partir *aussitôt que possible!*   as soon as possible

● Le *lendemain* après-midi, chez le docteur Ber-   next day
   trand.

    DOC: Si vous voulez rester plus *de* quinze jours *au*   than ♀ in
      Sénégal, *il vous faudra* deux vaccinations.   you will need
30 P: Deux, pour *chacun?*   each one (of us)
    DOC: *Précisément . . . l'une* contre la *fièvre* jaune,   Exactly ♀ one ♀
      et l'autre contre la *variole.*   fever ♀ smallpox
    P: Mais vous ferez *le nécessaire,* n'est-ce pas,   what's necessary
      docteur?
35 DOC: Pour la variole, oui. Mais pour la fièvre
      jaune, *malheureusement* non . . . il faut aller à   unfortunately
      un hôpital militaire ou à un *centre spécial.*   special center
    P: Ce n'est pas possible!
    DOC: Mais si! Et *tranquillisez-vous!* Ils feront le   calm down
40   nécessaire. (Le docteur écrit une adresse sur une
      feuille de papier et la donne à papa.)
      Voici l'adresse où vous irez d'abord. Après les
      piqûres contre la fièvre jaune, il faudra attendre   "shots"
      quinze jours.
45 P: Quinze jours! Vous *plaisantez,* docteur!   are joking
    DOC: Mais non! C'est la *vérité!* Vous attendrez   truth
      quinze jours et ensuite vous pourrez revenir ici
      pour les piqûres contre la variole.
    P: Mais nous avons déjà eu des vaccinations con-
50   tre la variole!
    DOC: *Assurément!* Mais il vous faudra des vacci-   Of course
      nations de moins *de* trois ans!   than (3 years old)
    P: Et sans ces vaccinations, nous ne pourrons pas
      partir?
55 DOC: Vous pourrez partir, mais vous ne pourrez
      pas rentrer en France.
    P: Et après la seconde vaccination, il faudra aussi
      attendre huit ou quinze jours, je suppose?
    DOC: Non. Vous pourrez partir tout de suite si vous
60   voulez. Mais, après deux piqûres, vous savez
      . . . . *Attendez donc* encore huit jours!   Do wait
    P: Oh, là là! Cela fera, en tout, quinze jours pour
      la première et huit jours pour la seconde. Il
      faudra attendre au moins trois semaines *avant de*   before taking
65 *prendre* l'avion?

DOC: C'est exact! Ce sont des précautions nécessaires et importantes pour la santé de tous.

P: Je comprends bien, mais les enfants seront *déçus*, parce que notre départ *aura lieu* plus de
70 quinze jours après la *fin* de l'*année scolaire* . . . et ils veulent partir aussitôt que possible.

disappointed ♀ will take place ♀ end ♀ school year

DOC: Ce n'est pas si *grave*! *Entre temps*, vos enfants pourront étudier un peu la géographie et l'histoire de l'ancien empire français en
75 Afrique. . . . Ils sauront *ainsi apprécier* la contribution de la France au développement de l'Afrique.

serious ♀ Meanwhile

thus ♀ to appreciate

P: Excellente idée, docteur! Je vais leur proposer un programme d'*études intéressantes* et in-
80 structives! Ils *en* seront *ravis*, j'*en* suis sûr!

studies ♀ interesting ♀ delighted about it ♀ of it

DIALOGUE ORIGINAL

Modèle	Substitutions
—Bonjour, *Louise*! Tu as l'air *bien contente* aujourd'hui!	/ Henri / . . . / très / / heureux /
—*Ma jolie cousine Nicole* arrivera chez nous dans *huit jours*!	/ Mon beau cousin François / / quinze jours /
—Combien de temps restera-t-*elle*?	/ il /
—Je ne sais pas. . . .	
—Sera-t-*elle* ici pour *la fin* de l'année scolaire?	/ il / . . . / le commencement /
—*Peut-être.*	/ Probablement /
—*Aura-t-elle* de nouveaux *disques*?	/ Saura-t-il / . . . / rythmes /
—*Probablement.*	/ Peut-être /
—Ira-t-*elle* *à la surprise-partie* samedi *soir*?	/ il / . . . / au match de football / / après-midi /
—Non. . . .	/ Peut-être /
—Fera-t-*elle* ses études *au lycée*?	/ il / . . . / avec nous /
—Pas du tout! *Elle* a seulement dix ans!	/ Il /

Vocabulaire actif

NOTE: The Roman numerals I, II, or III after a verb in the **Vocabulaire actif** indicates that the verb is regular and its tenses are formed on the patterns of Group I, Group II, or Group III.

la fin end	huit jours a week
le commencement beginning	quinze jours two weeks
dès que as soon as	aussitôt que as soon as

avoir l'air + adj. to look, seem	déçu, –e disappointed
avoir lieu to take place	triste sad
se dépêcher (I) to hurry	ravi, –e delighted
faire le nécessaire to do what's necessary	nécessaire necessary
	intéressant, –e interesting

une étude study	la vérité truth
les renseignements *masc. pl.* information	la fièvre fever
	la piqûre injection, "shot"
un hôpital hospital	

pas du tout not at all	avant de + infinitive before (do)ing
probablement probably	

Questions

1. Est-ce que papa a l'air heureux ou l'air triste?
2. Qu'est-ce qu'ils ne pourront pas faire?
3. Qu'est-ce qu'il leur faudra faire?
4. Qu'est-ce que maman propose?
5. Quand Armand sera-t-il en Afrique?
6. Quand les Darmond y seront-ils probablement?

135

7. Qui ne sait pas du tout la date de leur départ?
8. Qui ira lui-même chez le docteur Bertrand?
9. Quand sauront-ils la date de leur départ?
●10. Combien de vaccinations leur faudra-t-il?
11. Où faudra-t-il aller pour la piqûre contre la fièvre jaune?
12. Qui fera le nécessaire?
13. Qu'est-ce qu'ils pourront faire ensuite?
14. Combien de temps faudra-t-il attendre après la première vaccination?
15. Sans ces vaccinations pourront-ils rentrer en France?
16. Pourquoi les piqûres sont-elles nécessaires?
17. Les enfants seront-ils contents ou déçus?
18. Le départ aura-t-il lieu avant ou après la fin de l'année scolaire?
19. Qu'est-ce que les enfants pourront étudier avant de partir?
20. Quel programme papa va-t-il proposer aux enfants?

Discussion

1. Avez-vous souvent l'air triste? l'air content?

2. Pourrez-vous aller en France l'année prochaine? Si vous allez en France, aurez-vous besoin d'une vaccination? Irez-vous chez le docteur pour une piqûre? Fera-t-il le nécessaire? Si vous n'allez pas en France, serez-vous déçu(e)?

3. Où irez-vous à la fin de l'année scolaire? Ferez-vous du camping? Aurez-vous les renseignements nécessaires? Est-ce qu'il vous faudra des piqûres? Combien de temps y resterez-vous, huit jours ou quinze jours? Saurez-vous nager dans le lac?

4. Est-ce que vous vous dépêchez d'aller à la maison après les cours? Lisez-vous des livres intéressants? Choisissez-vous vos livres vous-même?

5. Aimez-vous les études? Qu'est-ce que vous aimez mieux, le commencement ou la fin de l'année scolaire? Dès que vous aurez le temps, lirez-vous un journal français? Quand vous serez adulte, irez-vous en France pendant les vacances?

6. Sortez-vous souvent avant de finir vos devoirs? Allez-vous souvent au lycée sans manger? Ecrivez-vous les exercices sans penser à l'orthographe?

7. Dites-vous toujours la vérité? Est-ce que tout le monde dit toujours la vérité? Aimez-vous passer huit jours (quinze jours) à l'hôpital?

8. Si quelqu'un vous demande, «Avez-vous mal à la tête?» qu'est-ce que vous répondez d'habitude: «Pas du tout», «Probablement», ou «Mais non»?

III STRUCTURES

A. Le futur des verbes irréguliers

1. Formation

Infin.: **aller,** to go	**être,** to be	**faire,** to do or make
Stem: **ir–**	**ser–**	**fer–**
j'irai	je serai	je ferai
(I'll go, etc.)	(I'll be, etc.)	(I'll do, make, etc.)
tu iras	tu seras	tu feras
il ira	il sera	il fera
ils iront	ils seront	ils feront
nous irons	nous serons	nous ferons
vous irez	vous serez	vous ferez

Infin.: **avoir,** to have	**savoir,** to know	**pouvoir,** to be able
Stem: **aur–**	**saur–**	**pourr–**
j'aurai	je saurai	je pourrai
(I'll have, etc.)	(I'll know, etc.)	(I'll be able, etc.)
tu auras	tu sauras	tu pourras
il aura	il saura	il pourra
ils auront	ils sauront	ils pourront
nous aurons	nous saurons	nous pourrons
vous aurez	vous saurez	vous pourrez

Infinitif	*Présent*	*Futur*
falloir	**il faut**	**il faudra**
to be necessary	it is necessary	it will be necessary

> The verb **falloir** has only one form, the **il** form (third person singular, masculine). It is called an *impersonal* verb.

2. La forme interrogative avec inversion

a. In the future tense, the inverted form is often used with **je** in formal style.

Informal style	*Formal style*
Est-ce que j'irai avec vous?	Irai-je avec vous?
Est-ce que je serai content?	Serai-je content?
Est-ce que j'aurai l'argent?	Aurai-je l'argent?
Est-ce que je saurai parler?	Saurai-je parler?
Est-ce que je ferai mes devoirs?	Ferai-je mes devoirs?
Est-ce que je pourrai rester?	Pourrai-je rester?

137

b. In the third person singular, a –t– is inserted.

Fera–t–il le voyage en voiture?   Sera–t–on à l'heure?
Il ne le fera pas en avion!   On ne sera pas en avance!

Exercice 1   Mettez les verbes au futur à la forme indiquée.

EXEMPLE: (je) (vous) (savoir) $\longrightarrow$ je **saurai**
$\longrightarrow$ vous **saurez**

A. (je) (vous)   B. (tu) (il) (elle) (on)   C. (ils) (elles) (nous)
   1. être   3. avoir   5. aller
   2. faire   4. savoir   6. pouvoir

Exercice 2   Mettez les expressions suivantes au futur avec tous les sujets indiqués.

EXEMPLES: A.   aller chez le docteur $\begin{cases} 1. & \textbf{J'irai } \text{chez le docteur.} \\ 2. & \textbf{Vous irez } \text{chez le docteur.} \\ 3. & \textbf{Tu iras } \text{chez le docteur.} \end{cases}$

A. aller chez le docteur   D. avoir faim
B. être de bonne humeur   E. savoir parler français
C. faire du camping   F. pouvoir venir demain

     1. Je . . .   3. Tu . . .   5. Elle . . .   7. Ils . . .
     2. Vous . . .   4. Il . . .   6. On . . .   8. Nous . . .

Exercice 3   Mettez les phrases suivantes à la forme négative, en employant (A) *ne . . . pas*, et (B) *ne . . . jamais*.

A	B
1. Nous irons à l'hôpital.	5. Ils pourront venir ici.
2. Ce sera la fin.	6. Je saurai jouer du violon.
3. La fête aura lieu demain.	7. Cette étude sera intéressante.
4. Il faudra partir.	8. Ils feront le nécessaire.

Exercice 4   Mettez les phrases à la forme interrogative avec inversion.

1. Vous irez à l'hôpital.	5. Tu auras l'air heureux.
2. Nous serons déçus.	6. Elle saura la réponse demain.
3. Ils feront un voyage.	7. Ils pourront rester quinze jours.
4. Il faudra attendre huit jours.	8. On ira au cinéma.

Exercice 5   Refaites les phrases en mettant les verbes *au futur*.

EXEMPLE: J'*ai* besoin d'argent. $\longrightarrow$ J'*aurai* besoin d'argent.

1. Nous allons probablement au cinéma.	4. Vous avez l'air triste.
	5. Je peux rester huit jours.
2. C'est peut-être un commencement.	6. Tu sais nager.
	7. Il faut étudier l'histoire.
3. On fait toujours le nécessaire.	8. Elles sont heureuses.

B. Special uses of the future tense

Quand	nous	arriverons,	nous téléphonerons	à	nos amis.
When	we	arrive, shall arrive,	we will telephone		our friends.

Aussitôt que Dès que	je trouverai	les disques,	je les passerai.
As soon as	I find I'll find	the records,	I'll play them.

> The future tense of the French verb is used after **quand** (*when*), **aussitôt que**, and **dès que** (*as soon as*), when a future action is *meant*. (In English, we may also use the present tense after *when* and *as soon as*, even though the action will take place in the future.)

Exercice 6 Combine the two sentences of each group, using the expression in parentheses. Change the verb *in italics* to the future tense.

EXEMPLE: (Quand) J'*ai* le temps. Je ferai le voyage.
Quand j'**aurai** le temps, je ferai le voyage.

1. (Quand) Vous *êtes* à Paris. Vous pourrez voir Notre-Dame.
2. (Dès que) Nous *allons* en ville. Nous prendrons des photos.
3. Vous aurez une bonne note. (quand) Vous *savez* les réponses.
4. Il fera le nécessaire. (aussitôt que) Il *est* chez lui.
5. Nous danserons ensemble. (quand) Nous *entendons* la musique.
6. (Aussitôt que) Elle *sort*. Elle trouvera la voiture.
7. (Quand) Vous *faites* les devoirs. Vous apprendrez beaucoup.
8. (Dès que) Vous *arrivez* ici. Je vous donnerai les renseignements.
9. Nous nous amuserons. (quand) Nous *sommes* chez nous.
10. Elle se dépêchera. (aussitôt que) Jacques *va* chez elle.

C. *Il faut* + the indirect object pronoun

Il **me** faut un stylo.   *I* need a pen.
Est-ce qu'il **vous** faut du papier?   Do *you* need some paper?

Il **me** faut un livre.   *I* need a book.
Il **te** faut un disque.   *You* need a record.
Il **lui** faut un crayon.   *He* (*She*) needs a pencil. *T.S.V.P.*

Il **nous** faut de l'argent.	*We* need (some) money.
Il **vous** faut des billets.	*You* need (some) tickets.
Il **leur** faut des renseignements.	*They* need (some) information.

> The expression **il faut**, when used with an indirect object, expresses *need*. The indirect object pronoun precedes the verb **faut**.

Exercice 7 Redites les phrases suivantes au futur.

EXEMPLE: Il me *faut* un professeur. ⟶ Il me **faudra** un professeur.

1. Il me *faut* une piqûre.
2. Il te *faut* huit jours.
3. Il lui *faut* quinze jours.
4. Il nous *faut* la vérité.
5. Il vous *faut* des études.
6. Il leur *faut* des renseignements.

Exercice 8 Redites chaque phrase, en employant *Il faut* et l'objet indirect approprié.

EXEMPLE: *J'*ai besoin d'un stylo. (I need a pen.)
             Il **me faut** un stylo. (I need a pen.)

1. *Tu* as besoin d'une piqûre.
2. *Il* a besoin d'un ami.
3. *Elle* a besoin d'un mari.
4. *J'*ai besoin d'une vaccination.
5. *Nous* avons besoin d'un électrophone.
6. *Vous* avez besoin d'un livre.
7. *Ils* ont besoin d'un voyage.

D.   Infinitives after prepositions

1.   Quand partirez-vous?

| Je partirai | avant de | manger. |
| I'll leave | before | eating. |

2.   Comment partira-t-il?

| Il partira | sans | répondre. |
| He'll leave | without | answering. |

> Use the infinitive form of the verb after all prepositions except the preposition **en**. (In a later lesson we'll learn which form of the verb follows the preposition **en**.)

Exercice 9 Traduisez les phrases en français selon les exemples.

EXEMPLES: A   B
I'll work before *leaving.*   I'll speak without *waiting.*
Je travaillerai avant de **partir.**   Je parlerai sans **attendre.**

1. I'll work before *eating.*
2. I'll work before *playing.*
3. I'll work before *refusing.*
4. I'll work before *writing.*
5. I'll work before *doing* what is necessary.

1. I'll speak without *listening.*
2. I'll speak without *refusing.*
3. I'll speak without *understanding.*
4. I'll speak without *studying.*
5. I'll speak without *reading.*

140

E. Compound stress pronouns: *moi-même*, etc.

Qui fera le nécessaire? Who will do what's necessary?
Je le ferai **moi-même**. I'll do it *myself.*

Je le trouverai **moi-même**. Nous le trouverons **nous-mêmes**.
Tu le trouveras **toi-même**. Vous le trouverez **vous-même(s)**.
Paul le trouvera **lui-même**. Ils le trouveront **eux-mêmes**.
Alice le trouvera **elle-même**. Elles le trouveront **elles-mêmes**.
On le trouvera **soi-même** (oneself).

> To emphasize a noun or a pronoun, add **–même(s)** (*self* or *selves*) to the stress pronouns. If the subject is **on**, add **–même** to soi: **soi-même**.

Exercice 10 Complete the following sentences, adding the compound stress pronoun which emphasizes the subject *in italics.*

EXEMPLE: *Marc* le cherchera. ⟶ Marc le cherchera **lui-même**.

1. *Tu* y seras _____.
2. *J'*irai là _____.
3. *Paul* le saura _____.
4. *Alice* pourra jouer _____.
5. *On* fera tout _____.
6. *Nous* les attendrons _____.
7. *Vous* direz la vérité _____.
8. *Ils* seront ici _____.
9. *Elles* auront l'argent _____.
10. *On* pourra le faire _____.

Exercice 11 Rewrite the following composition, including in the space provided the proper form of the stress pronoun *–même* (*moi-même*, etc.).

Janine a écrit une composition excellente. En classe, le professeur a demandé: —Avez-vous écrit cette composition _____ ?

—Mais oui, a répondu Janine. J'ai écrit chaque phrase, _____.

—Je ne sais pas, a dit le professeur. Allez voir le directeur. Il pourra décider _____.

—Avec votre permission, monsieur, a demandé Paul, ne pourrons-nous pas décider _____, ici, en classe?

—Oh, oui, a dit Jacques, les élèves veulent décider si Janine a écrit la composition _____ !

F. Adjectives followed by *de*

1. Adjective + **de** + the infinitive

Etes-vous heureux	de	voir Anne?	Je suis ravi	de	voir Anne.
Are you happy	✕	to see Anne?	I'm delighted	✕	to see Anne.

> Most adjectives we have learned so far are followed by the preposition **de** when an infinitive comes after them.

Exercice 12 Posez la question et répondez-y! Complete the questions in column A by adding *de* and an expression from column B. Then answer your own question. (Select any expression in column B that makes sense!)

EXEMPLE: Est-il heureux **de** gagner cet argent?
Oui, il est heureux **de** gagner cet argent.
Non, il n'est pas heureux **de** gagner cet argent.

A	B
1. Paul est-il heureux . . . ?	a. aller à l'école
2. Etes-vous ravi(e) . . . ?	b. gagner cet argent
3. Sommes-nous contents . . . ?	c. faire le nécessaire
4. Est-il (it) facile . . . ?	d. travailler ici
5. Est-il (it) difficile . . . ?	e. apprendre le français
6. Sont-ils sûrs . . . ?	f. jouer de là guitare

Exercice 13 Posez les questions de l'Exercice 12 au futur et répondez-y.

EXEMPLE: **Sera**-t-il heureux **de** gagner cet argent?
Oui, il **sera** heureux **de** gagner cet argent.
Non, il ne **sera** pas heureux **de** gagner cet argent.

2. Adjective + **de** + a noun ⟶ **en** (pronom)

Etes-vous content **de votre note**?	Are you happy *with your mark*?
J'**en** suis très content.	I'm very happy *with it*.
Est-elle contente **des cadeaux**?	Is she happy *with the presents*?
Elle **en** est ravie.	She is delighted *with them*.

Most adjectives we have learned so far may be followed by **de** + a noun to indicate the origin or source of the feeling described by **être** + an adjective. If the phrase **de** + noun refers to a thing or things, the phrase can be replaced by **en**.

Exercice 14 Redites la phrase en remplaçant l'expression *en italique* par le pronom *en*.

EXEMPLE: Je suis très content *de ma note.* ⟶ J'**en** suis très content.

1. Elle est ravie *de cette invitation.*
2. Nous sommes très tristes *de cette nouvelle.*
3. Vous êtes déçu *de tout cela*?
4. Je serai enchanté(e) *de sa visite.*
5. Tu seras sûr *de leurs sentiments.*

G. Les idiotismes

1. avoir l'air + adjective   to seem, look + adjective

Il a l'air heureux. Et elle?   He *looks* happy. How about her?
Elle a l'air sérieuse.   She *looks* serious.

142

Notez bien: When the subject of the expression **avoir l'air** is a person, the adjective after the word **air** can either agree with the word **air** (masculine singular) or with the person being described (the subject). Agreement with the person is commonly used to describe the person's *general appearance.*

Exercice 15 Combine the elements to form a sentence using *avoir l'air.*

EXEMPLE: (Vous, *fem. sing.*) (ravi) ⟶ Vous avez l'air ravi. *or*
Vous avez l'air ravie.

1. (Vous, *sing.*) (heureux)
2. (Elle) (intelligent)
3. (Il) (déçu)
4. (Nous) (content)
5. (Tu) (malheureux)
6. (Elles) (triste)
7. (Cet homme) (intéressant.)
8. (Ces dames) (très jeune)
9. (Je) (stupide)
10. (Ils) (sympathique)

2. **avoir lieu**   to take place

La surprise-partie **aura lieu** de-   The party *will take place* tomorrow.
main.

Exercice 16 Mettez le verbe *en italique* au futur.

1. La fin de l'année scolaire *a* lieu le 20 juin.
2. Les examens *ont* lieu la semaine prochaine.
3. Ma fête d'anniversaire *a* lieu en mai.
4. Les vacances de Noël *ont* lieu en décembre.

Exercice 17 Répondez en français.

1. En quel mois a lieu votre anniversaire?
2. A quelle date aura lieu la fin de l'année scolaire?
3. En quel mois ont lieu les examens?
4. En quel mois auront lieu les vacances de Pâques?

Exercice général Répondez en français.

1. Quand ferez-vous un voyage en France? (*Aussitôt que . . .*)
2. Si vous faites un voyage, qu'est-ce qu'il faudra faire?
3. Quand faut-il aller à l'hôpital?
4. Est-ce que vous vous dépêchez le matin ou l'après-midi?
5. Combien de temps resterez-vous à l'école aujourd-hui?
6. Quand vous êtes en train d'étudier, est-ce qu'on vous téléphone?
7. Etes-vous allé(e) au théâtre pendant le week-end?
8. A quoi (what) pensez-vous quand vous avez un examen?
9. Avec quoi fait-on une omelette?
10. Est-ce que vos parents loueront une villa pour les grandes vacances?
11. Aimez-vous sortir avec des amis le samedi soir?
12. Vos parents sont-ils toujours de bonne humeur?

143

Les Français et la santé

Les Français font très attention à leur santé.
Ils font *tout leur possible* pour rester en bonne
santé et pour *recouvrer* leur santé quand ils sont
malades.

5   Les membres de la famille *essaient d'*avoir
au moins huit heures de *sommeil* tous les soirs,
et se couchent généralement de bonne heure. (Il
n'y a pas d'*émissions* à la télé après minuit!)

La nourriture   La nourriture traditionnelle *fa-*
10 *vorise* la santé parce que les Français mangent très
bien et ils ne mangent pas trop. Ils *consomment* les
vitamines et les autres éléments nécessaires à la
santé dans les *aliments* qu'ils ont l'habitude de
manger tous les jours. Ils consomment une grande
15 quantité de pain, de légumes, et de fruits. Les
fruits frais *constituent* le dessert de la *plupart*
des Français. *En plus*, ils mangent une quantité
suffisante de protéines *sous forme de* viande, de
poisson, et de fromage.

(glosses)
everything possible
regain

try to
at least ♀ sleep

broadcasts

food
favors
consume

foods

constitute
majority ♀ In addi-
tion ♀ sufficient
♀ in the form of
♀ fish

Une leçon de natation. Ces
petits nageront bientôt dans la
belle piscine.

Une salle d'attente (waiting room) à l'Hôpital Rothschild.

Les exercices physiques Les Français font aussi
20 *pas mal* d'exercices physiques. Ils font des prome-   quite a bit
nades à pied et à bicyclette; ils jouent au tennis
et au football; et ils vont *à la pêche* et *à la chasse*.   fishing ♀ hunting
A l'école les enfants sont *obligés* d'apprendre à   required
25 nager, et d'avoir au moins deux heures de sports
en plein air chaque semaine.   outdoors

Les frais médicaux Le gouvernement français   medical expenses
rend possible des *soins* médicaux pour tous les   care
citoyens, riches et pauvres. Partout il y a des   citizens
30 cliniques et des hôpitaux. L'Etat *rembourse*   reimburses
environ quatre-vingt pour cent (80%) du *coût* des   cost
médicaments et des *honoraires* des docteurs.   fees

La scène internationale La France est membre
de l'*Organisation mondiale de la Santé* (l'O.M.S.),   World Health Or-
35 une institution de l'*Organisation des Nations*   ganization
Unies (l'O.N.U.). L'O.M.S. a *pour but* d'aider à   United Nations
créer les conditions de santé physique et mentale   as an aim
pour tous les pays du monde.   to create
Au *Conseil de Sécurité* de l'Organisation des   Security Council
40 Nations Unies, on *traduit* tous les *discours* en   translate ♀ speeches
deux langues seulement: en anglais et en français!

145

Certificat International de Vaccination, en français et en anglais.

Questions

Choisissez la réponse correcte.

1. Pour rester en bonne santé, les Français font (a) très peu, (b) des pique-niques, (c) tout leur possible.
2. Les Français se couchent généralement (a) vers minuit et demi, (b) de bonne heure, (c) l'après-midi.
3. Pour continuer à être en bonne santé, les Français mangent (a) trop, (b) très peu, (c) très bien.
4. Dans la nourriture traditionnelle, il y a (a) peu de vitamines, (b) peu de protéines, (c) tout le nécessaire.
5. Le dessert consiste généralement en (a) gâteau, (b) fruits frais, (c) un verre de vin.
6. On consomme assez de protéines dans (a) le vin rouge, (b) le thé chaud, (c) la viande ou le poisson.

146

7. Les Français font des exercices physiques (a) en ville, (b) à la campagne, (c) en ville et à la campagne.
8. Pour payer les docteurs et les médicaments, le gouvernement français rembourse au citoyen (a) 50%, (b) 100%, (c) 80% de la somme (amount, sum) qu'il a payé.
9. La France est membre de l'O.M.S., initiales qui signifient (a) l'Organisation de Médecins scientifiques, (b) l'Organisation mondiale de Santé, (c) l'Office de Médicaments sanitaires.
10. Au Conseil de Sécurité de l'O.N.U., on traduit tous les discours en deux langues, (a) en anglais et en français, (b) en français et en allemand, (c) en anglais et en russe.

V AMUSONS-NOUS!

Décrivons nos amis!

As your teacher reads the following list of words aloud, repeat each one. As you look at it, think of its meaning by substituting the English ending –*ous* for the French ending –**eux**.

EXEMPLES

Your teacher reads aloud: curieux   capricieux   contagieux
Repeat the French and think: (curious) (capricious) (contagious)

capricieux	fabuleux	harmonieux	précieux
contagieux	fameux	joyeux	religieux
courageux	furieux	malicieux	sérieux
curieux	généreux	mélodieux	spacieux
dangereux	glorieux	miraculeux	studieux
délicieux	gracieux	nerveux	

On a slip of paper, write **mon** or **ma** plus the name of a person, an animal, or a thing to which one of the above adjectives might refer. (No proper names, please!) *Par exemple: mon professeur de dessin* (**sérieux**); *ma mère* (**courageuse**); *mon chien* (**joyeux**); *mon piano* (**harmonieux**). Remember to write only the *name* on the slip of paper. Just *think* about the adjective!

One student collects all the names and puts them in a box. He mixes them up and passes them around so that each student can pick a slip.

Now, with the name he has picked, each student makes up an original sentence with the verb **est** or **n'est pas**, plus his own choice of one of the adjectives from the list. *Par exemple: Mon professeur de dessin n'est pas* **dangereux**! *Ma guitare est* **mélodieuse**! The student then reads his sentence aloud, *en français, naturellement*! *Reminder:* The adjectives in the above list are masculine; the feminine singular ends in –**euse**. Remember to make the adjective agree with the noun (masculine or feminine). Do not use an adjective that someone else has used.

147

28

Leçon vingt-huit

I CONVERSATION
(à livre ouvert)

A.

1 C'est *la jeune fille. La jeune fille* parle français.

En effet! (Indeed) C'est la jeune fille qui (who) parle français!

2 C'est *le garçon. Le garçon* travaille bien.

Ah oui! C'est le garçon qui (who) travaille bien!

3 C'est *le professeur. Il* parle beaucoup.

4 On cherche *la dame. La dame* chante bien.

5 Ce sont *les enfants. Les enfants* jouent ici.

6 Ce sont *les élèves. Les élèves* écoutent le professeur.

B.

1 Paul attend *le train. Le train* arrivera bientôt.

Ah? Paul attend le train qui (which) arrivera bientôt?

2 Mimi regarde *les feuilles. Les feuilles* tombent.

Ah, oui? Mimi regarde les feuilles qui (which) tombent?

3 C'est *l'autobus. L'autobus* part à dix heures.

4 C'est *l'avion. L'avion* descend vite.

5 On cherche *la plage. La plage* est blanche.

6 Elle achète *les sacs. Les sacs* sont très grands.

C.

1 C'est *le professeur.* Marc aime bien *le professeur.*

C'est le professeur **que** (whom) Marc aime bien?

2 C'est *la voisine.* Nous aimons bien *la voisine.*

C'est la voisine **que** (whom) nous aimons bien?

3 Ce sont *des amis*. Maman voit souvent *des amis*.

Ce sont des amis **que** (whom) maman voit souvent?

4 On cherche *le monsieur*. On voit souvent *le monsieur* ici.

On cherche le monsieur **qu'**on voit souvent ici?

5 C'est *la jeune fille*. On voit souvent *la jeune fille* ici.

6 Nous cherchons *les copains*. Il invite toujours *les copains*.

D.

1 C'est *la lettre*. Vous cherchez *la lettre*?

Oui, c'est la lettre **que** (which) je cherche.

2 C'est *le paquet*. Vous voulez *le paquet*?

Oui, c'est le paquet **que** (which) je veux.

3 Ce sont *les livres*. On va lire *les livres*?

Oui, ce sont les livres **qu'**on va lire.

4 Ce sont *les robes*. On va acheter *les robes*?

5 Où est *le disque*? Nous aimons *le disque*.

Voilà le disque **que** nous aimons.

6 Où sont *les billets*? Nous voulons *les billets*.

Voilà . . .

7 Où est *la voiture*? Nous attendons *la voiture*.

E.

1 C'est *une amie*. Nous allons jouer au tennis **avec** *une amie*.

C'est une amie avec **qui** (whom) nous allons jouer au tennis?

2 On cherche *le garçon*. On va travailler **avec** *le garçon*.

3 C'est *le boulanger*. Vous allez travailler **chez** *le boulanger*.

C'est le boulanger chez **qui** (whom) nous allons travailler?

4 Ce sont *des amis*. Nous allons rester **chez** *des amis*.

5 Où est *la dame*? On va donner l'argent **à** *la dame*.

Où est la dame à **qui** (whom) on va donner l'argent?

6 Où est *le monsieur*? On va parler **à** *ce monsieur*.

7 Où sont les copains? On a prêté des disques **à** *ces copains*.

8 On a trouvé *la jeune fille*. On a parlé **de** *la jeune fille*.

On a trouvé la jeune fille de **qui** (whom) on a parlé?

9 Où sont *les enfants*? On a parlé **de** *ces enfants*.

VISAGES DE LA FRANCE: HIER ET AUJOURD'HUI

1. **CARCASSONNE:** Au premier plan (in the foreground), jeunes vignes.
   Au fond, les remparts de la Cité qui datent du XIIIe siècle.
2. **LES ALPES:** Voitures à l'entrée du tunnel sous le Mont Blanc, 1968.
3. **LES PYRÉNÉES:** On danse «la sardane» à une fête folklorique moderne.
4. **DOCUMENT MEDIÉVAL:** Charlemagne couronné Empereur Romain, 800 A.D.

5. **Marseille:** Immeuble de l'architecte Le Corbusier, inspirateur de
     l'architecture moderne, XXᵉ siècle.
6. **La Touraine:** Le Château d'Ussé dans la vallée de la Loire, près de
     l'Indre (rivière), XVIᵉ siècle.
7. **La Normandie:** Intérieur de la Cathédrale de Rouen, XIIᵉ – XIIIᵉ siècles.
8. **Versailles:** Palais et jardins de Louis XIV (le Roi Soleil) XVIIᵉ siècle.

Les enfants veulent travailler

Personnages: P = Papa; M = Maman; R = Robert;
C = Claire; MO = Monique
Scène: Le soir, au dîner.

P: Alors, voilà, mes enfants! Le docteur Bertrand
5   m'a dit qu'il nous faudra trois semaines en tout
pour les vaccinations.

MO: Quel *désastre*! Cela veut dire que nous parti-   disaster
rons quinze jours après le commencement des
vacances!

10 P: *C'est comme ça.* Il faut *obéir à la loi.* Pour le   That's the way it is.
moment, vous avez des examens *à passer.* Vous   ⤻ obey the law
allez bien travailler pour avoir de bonnes notes,   to take
et ensuite nous ferons nos *préparatifs* pour le   preparations
voyage.

15 R: Pendant ces quinze jours, moi, je voudrais travailler comme *garçon de plage* en Bretagne.   beach boy

P: Ah! Tu as trouvé une *place* pour quinze jours?   job, position

R: Un de mes copains a une place en Bretagne. Il
y a beaucoup de *monde* à la plage. Je pourrai   people
20 travailler avec lui . . .

P: Alors, tu as tout décidé, sans demander la permission de tes parents?

R: *Selon les règlements*, il me faudra l'autorisa-   according to the
tion de mes parents!   rules

25 P: Et où vas-tu dormir en Bretagne? A l'hôtel?

R: Dans un *sac de couchage, à la belle étoile,*   sleeping bag ⤻ out-
comme tous les copains. Je voudrais gagner   doors
quelques francs pour avoir de *l'argent de poche.*   a few ⤻ pocket

● MO: Moi aussi, papa! Je voudrais travailler comme   money
30 *vendeuse.* Je *connais* une jeune fille qui *rem-*   salesgirl ⤻ know
place les vendeuses qui sont en vacances. Elle   substitutes for
gagne 110 francs *par semaine* pour une *demi-*   a week ⤻ half day
journée de travail par jour.

R: Et Jean-Pierre, le copain avec qui je vais tra-
35 vailler, gagne *au moins* 20 francs par jour.   at least

C: Le cousin de Suzanne qui travaille *tous les*   every summer
étés dans un hôtel gagne 300 francs par mois!

P: Et les personnes que vous *connaissez*, vont-ils   know
en Afrique à la fin du mois?   to

40 R: Avec l'argent qu'il gagnera, Jean-Pierre ira en
       Angleterre pendant les vacances de Noël.
    MO: Et la jeune fille que je connais . . .
    P: *Cela suffit!* Ne parlons plus de travailler!   That's enough!
       Avant d'aller en Afrique, il faudra *d'abord*   first
45   étudier la géographie et l'histoire de l'Afrique
       francophone.   French-speaking
    C: Oh, papa! Oh, non! C'est trop!
    R: Après tous les examens, des études? Oh, là là!
    MO: Tu n'es pas raisonnable, papa! Moi, je dis
50   non, non, et non!
    M: Monique! Un peu de respect, s'il te plaît!
    MO: Je m'excuse, papa. Mais vraiment, papa . . . .
    P: Eh . . . Eh . . . Eh bien, voilà *ce que* je vous   what
       propose: Vous allez d'abord *réussir à* vos   succeed in
55   examens . . . et après, j'achèterai un *poste de*
       télévision!   = **téléviseur**
    C: Oh, papa! Tu achèteras vraiment un poste?
    P: *En plus,* je vous emmènerai en voiture passer   In addition
       un week-end en Normandie!
60 R: Chic alors! Mais . . . quels sont les «si»? Si
       l'on fait *quoi encore?*   we ♀ what else
    P: Si vous aidez maman à faire les préparatifs . . . .
    R: Nous aiderons maman à faire les préparatifs.
    P: Si—et *ceci* est le plus important—si vous   this (*pro.*)
65   réussissez à vos examens . . . .
    R: Nous réussirons à nos examens.
    P: Si vous avez de bonnes notes . . . .
    R: Nous aurons de bonnes notes.
    P: Et si . . . si . . . si vous n'*échouez* pas . . . .   fail (flunk)
70 R: Nous n'échouerons pas!
    C: On se lèvera tous les jours à six heures pour
       étudier avant le petit déjeuner!

DIALOGUE ORIGINAL

Modèle	Substitutions
—Tu connais *Jean-Pierre* Picot?	/ Marie-Lou /
—*Le copain* qui *réussit* toujours aux examens de *maths?*	/ La jeune fille / . . . / échoue / / sciences /
—Oui, et qui *obéit toujours* aux *règlements!*	/ n'obéit jamais / / professeurs / *T.S.V.P.*

153

—*Oui, je le connais.*   / Non, je ne la connais pas /

—Eh bien, c'est *Jean-Pierre que*   / Marie-Lou / . . . / avec qui /
  je vais *remplacer* au magasin.   / travailler /

—*Chic* alors! Tu vas gagner 30   / Zut /
  francs par *jour, au moins*!   / semaine / . . . / pas plus /

Vocabulaire actif

qui *subject* who, which (that); *object of prep.* whom
que *object of a verb* whom, which (that)

ceci *pro.* this (in general)
cela *pro.* that (in general)
cela suffit that's enough

---

réussir (à) (II)[1] to succeed (in)
obéir (à) (II) to obey
faire les préparatifs to make preparations

échouer (à) (I) to fail (in)
passer un examen (I) to take an examination
je or **tu connais** I or you know (a person)

---

la loi the law
le règlement regulation, rule
l'argent de poche *masc.* pocket money
la place job; public square; seat

selon according to
par per, by
au moins at least
quelques *adj.* a few, several
d'abord first, in the first place

---

remplacer (I) to replace, substitute for
la vendeuse saleslady

dormir à la belle étoile to sleep outdoors
le sac de couchage sleeping bag

---

[1]The Roman numeral in parentheses after a verb indicates the Group (1st, 2nd, or 3rd) to which this "regular" verb belongs.

1. Qu'est-ce que le docteur Bertrand a dit à papa?
2. Quand partiront-ils?
3. Faut-il obéir à la loi?
4. Qu'est-ce que les enfants vont passer?
5. Après les examens, que feront-ils?
6. Où Robert veut-il travailler? Avec qui?
7. Qui a cherché une place sans demander la permission?
8. Qu'est-ce qu'il lui faut, selon les règlements?
9. Comment Robert va-t-il dormir?
10. Pourquoi veut-il travailler?

● 11. Qu'est-ce que Monique veut faire?
12. Qui remplace les vendeuses qui sont en vacances?
13. Combien gagne-t-elle par semaine?
14. Combien gagne le cousin de Suzanne qui travaille dans un hôtel?
15. Où ira Jean-Pierre avec l'argent qu'il gagnera?
16. Selon papa, qu'est-ce qu'il faudra étudier avant d'aller en Afrique?
17. Qu'est-ce que les enfants vont faire d'abord?
18. Qu'est-ce que papa achètera ensuite?
19. Est-ce que les enfants réussiront à leurs examens? Auront-ils de bonnes notes?
20. Selon Claire, à quelle heure se lèveront-ils tous les jours?

Discussion

1. Passez-vous des examens à l'école? Réussissez-vous à vos examens? Echouez-vous parfois à un examen? Obéissez-vous à vos professeurs? à vos parents?

2. Avez-vous des amis qui réussissent toujours aux examens? Avez-vous des amis qui échouent parfois aux examens? Avez-vous des amis qui aiment passer des examens? Aimez-vous tous vos cours? Quel est le cours que vous n'aimez pas? Quel est le cours que vous aimez beaucoup?

3. Voulez-vous travailler pendant les vacances? Trouvez-vous toujours une place? Est-ce qu'il faut demander la permission à vos parents? Est-ce qu'il faut obéir à la loi? Avec qui aimez-vous travailler?

4. Aimez-vous gagner de l'argent de poche? Gagnez-vous quelques dollars? Combien d'argent gagnez-vous par semaine?

5. Connaissez-vous (Connais-tu) une camarade qui remplace une vendeuse pendant les vacances? Connaissez-vous (Connais-tu) un camarade qui aime dormir à la belle étoile? Aimez-vous dormir dans un sac de couchage?

III STRUCTURES

A. Les pronoms relatifs

1. Sujet (qui) et objet direct (que)

Sujet = qui	Objet direct = que
Persons: Voilà le garçon **qui** jouera. (who)	C'est un garçon **que** nous aimons. (whom)
Things: Voilà l'avion **qui** descend. (which)	C'est l'avion **que** nous attendons. (which)

> 1. **Qui** is the subject of the verb which follows it. **Qui** means *who* or *which* (*that*) and can refer to persons or things.
> 2. **Que** is the object of the verb which follows it. **Que** means *whom* or *which* (*that*) and can refer to persons or things.

2. Object of a preposition

Qui cherchez-vous? Je cherche la dame avec **qui** je travaille.
(with whom)

> **Qui** is also used as object of a preposition to relate to *persons* (but not to things). In this use, **qui** means *whom*.

Exercice 1 Combine the two sentences, using the relative pronoun *qui* or *que* to replace the word or expression *in italics*.

EXEMPLE: Où est l'avion? *L'avion* descend.
Où est l'avion **qui** descend?

1. Où sont les élèves? *Les élèves* ont fini leurs devoirs.
2. Voilà le professeur. *Il* dit toujours: «Silence!»
3. Je cherche les paquets. *Les paquets* sont arrivés hier.
4. Voilà le paquet. Nous avons apporté *le paquet.*
5. Nicole a apporté des fruits. Nous mangerons *les fruits* demain.
6. As-tu l'argent? Papa t'a donné *l'argent* hier.
7. Voici la dame. J'ai rendu la monnaie à *la dame.*
8. Où est le docteur? Mon frère est allé chez *le docteur.*
9. Je vois les marchands. Nous avons parlé de *ces marchands.*
10. Le docteur Gautier est le médecin. *Le médecin* vient chez nous.

Exercice 2 Remplacez le tiret par *qui* ou *que*.

1. C'est maman _____ fera les préparatifs.
2. Où sont les enfants _____ obéissent à leurs parents?
3. Voici les examens _____ nous allons passer.
4. Voulez-vous compter l'argent _____ j'ai gagné?
5. Quels sont les sacs de couchage _____ nous allons acheter?

156

6. Montrez-moi la vendeuse à _____ vous avez donné l'argent.
7. Permettez-moi de vous présenter le garçon de _____ je vous ai parlé.
8. Pouvez-vous voir les personnes _____ il y a sur la plage?

B. L'accord (Agreement) du participe passé

1. Le nom = objet direct

Quel *livre* avez-vous choisi? Quels *garçons* as-tu invités?
Quelle *robe* a-t-elle choisie? Quelles *dames* as-tu invitées?

2. Le pronom personnel = objet direct

a. Je cherche mon *frère*. c. Paul cherche ses *amis*.
   *L'*avez-vous vu? *Les* avez-vous vus?

b. Elle cherche sa *sœur*. d. Jacques cherche ses *cravates*?
   Je ne *l'*ai pas vue. Je ne *les* ai pas vues.

> The past participle of a verb conjugated with **avoir** agrees in number (singular or plural) and gender (masculine or feminine) with its direct object *if the direct object precedes it.*

Questions: Consult the sentences above and tell what letter or letters you add to the past participle if the preceding direct object is
        a. masculine singular.   c. masculine plural.
        b. feminine singular.   d. feminine plural.

Exercice 3 Make the past participle in each sentence agree with the preceding direct object by adding the proper letter or letters where required.

1. Et vous, quel livre avez-vous acheté _____?
2. Quels cahiers a-t-il perdu_____ ?
3. Quelle vendeuse a-t-elle remplacé_____ ?
4. Robert quelles places a-t-il cherché _____?
5. Son père? Je l'ai vu_____ hier.
6. Ma mère? Je l'ai vu_____ là-bas.
7. La musique? Nous l'avons entendu_____ .
8. Les disques? Nous les avons passé_____ .
9. Il nous (*masc.*) a trouvé _____ à l'école.
10. Marianne vous (*fem. sing.*) a invité_____ ?

3. Le pronom relatif = objet direct

Où sont les cadeaux *que* nous avons achetés?

Voici les belles choses *que* nous avons achetées.

> The past participle of a verb conjugated with **avoir** agrees with the preceding direct object pronoun **que**. The past participle has the same number and gender as the word that **que** stands for.

Exercice 4 Faites l'accord du participe passé. (Make the past participle agree.)

1. La vendeuse que j'ai remplacé＿＿ s'appelle Solange.
2. La place qu'elle a trouvé＿＿ est bonne.
3. Les examens qu'il a passé ＿＿ sont difficiles.
4. Où sont les lettres que vous avez écrit＿＿?
5. La loi que vous avez lu＿＿ est intéressante.
6. Les sacs de couchage que nous avons choisi＿＿ sont bons.
7. Où sont les renseignements que le monsieur m'a laissé＿＿?
8. Voilà l'hôpital que nous avons visité ＿＿.
9. Bob va donner l'argent qu'il a gagné＿＿ à sa sœur.
10. La fièvre que vous avez eu＿＿ n'est pas dangereuse.

C. *Réussir à* and *obéir à*

1. Formation (Verbes du Deuxième Groupe)

Au présent

Infin.:	**réussir** to succeed		**obéir** to obey	
Stems:	**réussi–**	**réussiss–**	**obéi–**	**obéiss–**
	je réussis	nous réussissons	j'obéis	nous obéissons
	tu réussis	vous réussissez	tu obéis	vous obéissez
	il réussit	ils réussissent	il obéit	ils obéissent

Au passé composé

Participe passé:	**réussi** succeeded		**obéi** obeyed	
	j'ai réussi	nous avons réussi	j'ai obéi	nous avons obéi
	tu as réussi	vous avez réussi	tu as obéi	vous avez obéi
	il a réussi	ils ont réussi	il a obéi	ils ont obéi

Au futur

Infin. and stem:	**réussir–**		**obéir–**	
	je réussirai	nous réussirons	j'obérirai	nous obéirons
	tu réussiras	vous réussirez	tu obéiras	vous obéirez
	il réussira	ils réussiront	il obéira	ils obéiront

2. Emploi du verbe **obéir**

Il obéit	à	sa mère.		Ils obéissent	aux	règlements.
He obeys	✗	his mother.		They obey	✗	the rules.

The verb **obéir** must be followed by the preposition à if a noun follows.
(You obey *to* someone or *to* something.)

3. Emploi du verbe **réussir**

   a. Before a noun

Paul réussit	(dans)	son travail.
Paul succeeds	in	his work.

Il réussit	(à)	son examen.
He succeeds	in	his exam.

The verb **réussir** does not *require* a preposition when a noun follows. If the noun **examen** follows, you *may* use the preposition à before it.

   b. Before an infinitive

Elle réussit	à	apprendre les verbes.
She succeeds	in	learning the verbs.

Réussir *must* be followed by the preposition à if an infinitive follows.

Exercice 5 Redites chacune des phrases avec chacun des sujet indiqués entre parenthèses.

EXEMPLES

Aujourd'hui je réussis à parler. (tu) ⟶ Aujourd'hui **tu réussis** à parler.
Hier j'ai réussi à parler. (tu) ⟶ Hier **tu as réussi** à parler.
Demain je réussirai à parler. (tu) ⟶ Demain **tu réussiras** à parler.

(A) réussir à

1. Aujourd'hui je réussis aux examens. (on) (tu) (il) (ils) (nous) (vous)
2. Hier j'ai réussi à finir mes devoirs. (tu) (elle) (elles) (nous)
3. Demain je réussirai à apprendre les mots. (vous) (nous) (ils) (tu) (on)

(B) obéir à

1. Aujourd'hui j'obéis aux règlements. (tu) (on) (ils) (nous) (vous)
2. Hier j'ai obéi à mes parents. (tu) (elle) (elles) (nous) (vous)
3. Demain j'obéirai au professeur. (vous) (nous) (ils) (tu) (on)

Exercice 6 Mettez le verbe à la forme négative en employant *ne . . . jamais.*

EXEMPLE: Guy *obéit* à son père. ⟶ Guy **n'**obéit **jamais** à son père.

1. On *réussit* à finir les devoirs.
2. Elle *réussira* à remplacer la vendeuse.
3. Vous *avez réussi* à faire le nécessaire.

T.S.V.P.

4. Tu *obéiras* aux règlements.
5. Nous *avons obéi* à la loi.

Exercice 7 Mettez à l'impératif.

1. Tu obéis à ton père.
2. Vous obéissez à vos professeurs.
3. Nous obéissons à la loi.
4. Tu réussis à trouver une place.
5. Vous réussissez à tout faire.
6. Nous réussissons à nos examens.

Exercice 8 Formez des phrases en employant les éléments entre parenthèses ci-dessous. Pour chaque verbe formez une phrase au présent, une au passé composé, et une au futur.

EXEMPLE: (réussir à) (je) (finir mes devoirs)
Maintenant je réussis à finir mes devoirs. *ou*
Hier j'ai réussi à finir mes devoirs. *ou*
Demain je réussirai à finir mes devoirs.

(réussir à)   (obéir à)

1. (tu) (avoir de l'argent de poche)
2. (on) (apprendre quelques mots)
3. (ils) (faire les préparatifs)
4. (nous) (dormir à la belle étoile)
5. (vous) (écrire la composition)

6. (je) (mon professeur)
7. (tu) (les règlements)
8. (elle) (la loi)
9. (nous) (la concierge)
10. (vous) (le directeur)

4. Obéir à and the indirect object pronoun

Persons

Obéissez-vous *à votre père*?
Oui, je **lui** obéis.

Obéissez-vous *à vos professeurs*?
Oui, nous **leur** obéissons.

Things

Obéissez-vous *à la loi*?
Oui, j'y obéis. [I obey (to) *it*.]

Obéissons-nous *aux règlements*?
Oui, nous y obéissons. [We obey (to) *them*.]

Obéir is always followed by an *indirect* object noun or pronoun. If the indirect object *pronoun* is a *person*, you must use **me, te, lui, nous, vous, leur**. If the indirect object pronoun is a *thing*, you must use the little pronoun **y**, *to it, to them*.

Exercice 9 Redites la phrase en remplaçant l'expression *en italique* par un pronom.

EXEMPLE: Obéit-on toujours *au directeur*?
          Lui obéit-on toujours?

1. Obéis-tu toujours *à maman*?
2. Avez-vous obéi *à ton oncle*?
3. Paul n'obéit pas *à ses parents*.
4. J'obéis souvent *à ma tante*.
5. Nous obéissons toujours *à la loi*.
6. Ils obéissent *aux règlements*.

160

Exercice 10 Répondez à la question en employant le pronom entre parenthèses.

EXEMPLE: Est-ce qu'ils nous obéiront? (vous)
Oui, ils **vous** obéiront. *ou*
Non, ils ne **vous** obéiront pas.

1. Est-ce qu'elle vous obéira? (me)
2. Paul vous a-t-il obéi? (nous)
3. Le chien lui a-t-il obéi? (lui)
4. Roger ne nous obéira pas? (vous)
5. Anne ne m'a pas obéi? (te)
6. L'enfant leur a-t-il obéi? (leur)

D. *Par* with expressions of time

C'est combien?

Dix francs	par	mois.
Ten francs	a (per)	month.

Combien de fois?

Cinq fois	par	an.
Five times	a (per)	year.

The preposition **par** is used to mean *a* or *per* before a word expressing a division of time, except before the word **heure**.

Exceptions with **heure**

Dix francs	l'	heure
Ten francs	an	hour

Soixante kilomètres	à l'	heure
Sixty kilometers	an	hour

The definite article **l'** is generally used with **heure** to mean *an* or *per*, although many Frenchmen use **de l'heure** instead. In expressions indicating speed, however, **à l'** is used.

Exercice 11 Redites chaque phrase en remplaçant le mot *en italique* par chacun des mots entre parenthèses. Faites les changements nécessaires quand vous employez le mot *heure.*

EXEMPLE: Nous avons des leçons trois fois par *mois.* (jour)
Nous avons des leçons trois fois par **jour.**

1. Nous y allons deux fois par *semaine.* (jour) (mois) (an) (heure)
2. Cela coûtera au moins cent francs par *an.* (semaine) (jour) (mois) (heure)
3. Elle remplace la vendeuse trois jours par *mois.* (semaine) (an)
4. Il va dormir à la belle étoile deux fois par *mois.* (semaine) (an)
5. Cette voiture marche bien à *50* kilomètres à l'heure. (60) (70) (80)

161

E.   Les verbes terminés par *–ever, –eter, –ener*

Au futur

se lever	acheter	emmener
je me lèverai	j'achèterai	j'emmènerai
tu te lèveras	tu achèteras	tu emmèneras
il se lèvera	il achètera	il emmènera
ils se lèveront	ils achèteront	ils emmèneront
nous nous lèverons	nous achèterons	nous emmènerons
vous vous lèverez	vous achèterez	vous emmènerez

> Verbs ending in **–ever, –eter**, and **–ener** have a grave accent in *all* forms of the future tense.

Exercice 12   Ecrivez les phrases suivantes au futur.

1. Je me lève à sept heures.
2. Vous vous levez à huit heures.
3. Nous nous levons à six heures.
4. On achète un sac de couchage.
5. Nous achetons un poste de télévision.
6. Vous achetez le sac bleu.
7. Tu emmènes les enfants.
8. Nous emmenons les enfants.
9. Vous emmenez vos amis.
10. Ils emmènent quelques co-pains.

F.   *Ceci* and *cela* (*ça*)

Donnez-moi **ceci** et prenez **cela**.   Give me *this* and take *that*.

> **Ceci** (*this*) and **cela** (*that*) are used to indicate something that has not yet been named. (**Ça** is the short form of **cela**.)

—Il a réussi aux examens? **Cela** est très intéressant!
—Pas plus intéressant que **ceci**: Il a trouvé une place pour l'été!

> **Ceci** and **cela** are also used to refer to a general situation, or to an idea.

Exercice 13   Remplacez le tiret par *ceci* ou *cela,* selon l'indication en anglais.

1. —On peut dormir à la belle étoile? _____ est très important. (That)
2. —_____ est plus important: On a de beaux sacs de couchage. (This)
3. —Mais, a-t-on aussi quelques francs? _____ est le plus important. (That)
4. —Ecoutez _____ : On a l'argent qu'on a gagné au magasin, et aussi l'argent de poche que papa nous a donné! (this)
5. _Tout _____ est intéressant, mais demain il va faire mauvais temps! (that)

162

Exercice général Répondez.

1. Etes-vous allé(e) à une surprise-partie pendant le week-end?
2. Y avez-vous fait la connaissance d'un garçon (d'une jeune fille) très sympathique?
3. Est-ce un garçon (une jeune fille) qui réussit toujours à ses examens à la fin de l'année scolaire?
4. Est-ce un garçon (une jeune fille) que vous voulez revoir?
5. A-t-il (elle) des qualités que vous admirez?
6. A-t-il (elle) généralement l'air triste ou l'air heureux (heureuse)?
7. Est-ce qu'il (elle) vous a parlé sans être présenté(e)?
8. Ira-t-il (elle) à la Faculté pour faire ses études?
9. Qu'est-ce qu'il (elle) veut devenir?
10. Allez-vous sortir avec lui (elle)?
11. Ferez-vous des promenades ensemble?
12. Saura-t-il (elle) choisir un bon film? de bons disques?
13. Dès qu'il (elle) arrivera, saurez-vous faire le nécessaire?
14. A-t-il (elle) des copains chez qui vous pourrez passer des disques?
15. Est-ce qu'il (elle) vous emmènera chez lui (elle) pour faire la connaissance de ses parents?
16. Irez-vous avec lui (elle) à une surprise-partie la semaine prochaine?

Pardon en Bretagne: une procession religieuse de nos jours.

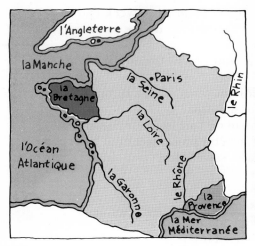

IV NOTES SUR LA CIVILISATION FRANÇAISE

La Bretagne

La Bretagne A l'*ouest* de la Normandie *se trouve* la Bretagne, une province très intéressante. Les habitants de cette province s'appellent les Bretons. *Autrefois*, les Bretons *étaient* surtout des *pêcheurs*.
5 A présent, l'agriculture est aussi très importante en Bretagne.

Histoire Les Bretons sont de race celte. Ils sont très *courageux*. Ils aiment beaucoup la mer. Avant l'invention des bateaux à *vapeur*, ils *allaient* jus-
10 qu'à *Terre-Neuve* au Canada pour *pêcher*. La majorité des *marins* qui *allèrent* en Amérique pour explorer ce continent *furent* des Normands et des Bretons.

Les villes Il y a des villes assez importantes en
15 Bretagne. Chaque ville a un caractère différent. Voici *quelques-unes* des plus intéressantes:

BREST: un port militaire et *siège* de l'*Ecole navale*

RENNES: une ville industrielle, ancienne ca-
20   pitale de Bretagne

west ⋟ is located

Formerly ⋟ were ⋟ fishermen

courageous
steam ⋟ went
Newfoundland ⋟ fish ⋟ sailors ⋟ went
were

some
site ⋟ Naval Academy

164

NANTES: un centre industriel, *surtout* pour les *constructions navales* et les *conserves* — especially / ship-building & canning

QUIMPER: une vieille ville pittoresque où se trouvent des *fabriques* de *faïences* et de *po-* — factories & porce-
25 *teries* — lain & pottery

CARNAC: une petite commune où se trouvent *toujours* des «menhirs», grandes pierres *dres-* — still & erected
sées par des hommes préhistoriques.

Les traditions   Les Bretons aiment *conserver* leurs — preserve, keep
30 *coutumes d'autrefois.* Les jours de fête ils aiment — customs & former times
mettre leurs costumes d'autrefois. Les dames por-
tent de belles *coiffes de dentelle.* Les Bretons sont — lace headdresses
très religieux. Une coutume religieuse qu'ils célè-
brent toujours est le Pardon. Un Pardon est une
35 fête qui a pour *but* de demander à Dieu la protec- — aim
tion des marins. Il y a d'abord une procession religieuse, ensuite la *messe*, et, enfin, une fête où — mass
tout le monde danse, mange, et s'amuse beaucoup.

La côte   Le long de la côte il y a des villes et des
40 villages où l'on trouve de belles plages, des hôtels,
et des villas. Les Français vont souvent à la plage
en Bretagne pour passer les vacances. Les touristes
aiment aller en Bretagne pour voir les vieux cos-
tumes, les vieux *bateaux de pêche*, et les vieilles — fishing boats
45 fêtes du pays.

Questions

Match.

I		II	
1.	les Bretons autrefois	a.	à Terre-Neuve
2.	les Bretons à présent	b.	les Bretons et les Normands
3.	deux qualités des Bretons	c.	leurs vieilles traditions
4.	Français responsables pour l'exploration de l'Amérique	d.	religieux et courageux
		e.	à Dieu
5.	voyages des Bretons autrefois	f.	surtout des pêcheurs
6.	Les Bretons aiment conserver	g.	des pêcheurs et des agriculteurs
7.	une fête importante en Bretagne	h.	le Pardon
8.	On demande la protection	i.	de belles plages
9.	Les touristes aiment voir	j.	les vieux costumes et bateaux; les vieilles coutumes
10.	sur la côte		

Belles coiffes traditionnelles de la région de Quimper en Bretagne.

V AMUSONS-NOUS!

Apprenons quelque chose par correspondance!

Lisez la réclame (advertisement) ci-dessous avec soin (care)! Décidez quelle sera la brochure que vous allez demander!

The next day, divide the class into two groups or teams. A member of Team A will be the student; a member of Team B will be the receptionist who answers the telephone at the school.

After five calls, Teams A and B exchange roles.

La Conversation au Téléphone

Team Member
- A: Allô, allô? C'est l'Ecole Moderne?
- B: Oui, mademoiselle (monsieur), c'est bien ici l'Ecole Moderne!
- A: Je voudrais une brochure, s'il vous plaît.
- B: Le numéro de la brochure, s'il vous plaît . . . ?
- A: Numéro 27 (ou le numéro que vous désirez).
- B: C'est pour quelle étude (situation) (carrière [career])?
- A: Pour l'étude (la situation) (la carrière) de secrétaire bilingue, s'il vous plaît.

Choisissez la fin que vous préférez:
- B: Comment vous appelez-vous? Où demeurez-vous? *ou*
- B: Nous n'avons plus de brochure pour cette étude (situation) (carrière). Choisissez autre chose! *ou*
- B: Si vous nous écrivez votre nom et votre adresse tout de suite, vous aurez la brochure demain matin!

166

travaillez avec nous
pendant vos vacances

167

29

Leçon vingt-neuf

I CONVERSATION 1

A.

1 Tu dois parler français, n'est-ce pas?
(You must speak Franch, . . . ?) — Oui, je dois parler . . .
(Yes, I must speak . . .)

2 Dois-tu étudier les verbes? — Oui, je dois étudier . . .

3 Dois-tu passer un examen?

4 Reçois-tu les corrigés?
(Do you receive the corrected versions?) — Oui, je reçois . . .
(Yes, I receive . . .)

5 Reçois-tu les explications?

6 Paul doit passer un examen aussi, n'est-ce pas?
(Paul must take an exam . . . ?) — Oui, il doit passer . . .
(Yes, he must take . . .)

7 Doit-il réussir à l'examen?

8 Reçoit-il des renseignements? — Oui, il reçoit . . .

9 Marie doit-elle obéir à sa mère? — Oui, elle doit obéir . . .

10 Doit-elle aller chez sa tante?

11 Reçoit-elle des cadeaux? — Oui, elle reçoit . . .

12 Reçoit-elle des coups de téléphone?

Dialogue dirigé 1

1 Demandez à une camarade si elle:
  a. doit obéir à son père. — Dois-tu obéir . . . ?
  b. doit réussir à l'examen.

2 Demandez à un camarade s'il:
  a. reçoit de l'argent. — Reçois-tu . . . ?
  b. reçoit des renseignements.

B.

1 Paul et Jacques doivent-ils faire du camping?
(Must Paul and James go . . . ?) — Oui, ils doivent faire . . .

2 Doivent-ils dormir à la belle étoile?

3 Reçoivent-ils de l'argent de poche?
Oui, ils reçoivent . . .

4 Marie et Janine doivent-elles travailler?
Oui, elles doivent travailler.

5 Doivent-elles remplacer les vendeuses?

6 Reçoivent-elles un salaire (salary)?
Oui, elles reçoivent . . .

C.

1 Vous et moi nous devons étudier, n'est-ce pas?
(You and I must . . . ?)
Oui, nous devons étudier.
(Yes, we must study.)

2 Devons-nous apprendre la géographie?

3 Devons-nous écrire à nos amis?

4 Recevons-nous des lettres?
(Do we receive . . . ?)
Oui, nous recevons . . .
(Yes, we receive . . .)

5 Recevons-nous des cartes postales?

D.

1 Paul et toi vous devez faire un voyage, n'est-ce pas?
(You and Paul must . . . ?)
Oui, nous devons faire . . .

2 Devez-vous faire les préparatifs?

3 Recevez-vous les renseignements nécessaires?
Oui, nous recevons . . .

4 Recevez-vous des billets (tickets) d'avion?

Dialogue dirigé 2

1 Dites-moi que:
   a. je dois faire un voyage.
   Vous devez faire . . .
   b. je dois faire les préparatifs.
   c. je reçois les renseignements.
   Vous recevez . . .
   d. je reçois des billets d'avion.

2 Demandez-moi si:
   a. je dois faire le nécessaire.
   Devez-vous faire . . . ?
   b. je dois obéir aux règlements.
   c. je reçois des renseignements.
   Recevez-vous . . . ?
   d. je reçois des billets d'avion.

A.

1 Paul, montrez le stylo à Marc, s'il   Paul: «Voilà le stylo, Marc.»
    vous plaît.
2 Paul lui montre le stylo, n'est-ce   Oui, il lui montre le stylo.
    pas?
3 Il le lui montre, n'est-ce pas?   Oui, il le lui montre.
    (He shows it to him . . . ?)   (Yes, he shows it to him.)
4 Paul, prêtez le stylo à Marc.
5 Il le lui prête, n'est-ce pas?   Oui, il le lui prête.
6 Paul, donnez le stylo à Marc.
7 Il le lui donne, n'est-ce pas?   Oui, il le lui donne.
8 Est-ce qu'il le lui montre?
9 Est-ce qu'il le lui prête?
10 Est-ce qu'il le lui donne?

B.

1 Marc, montrez la règle à Nicole,   Marc: «Voilà la règle, Nicole.»
    s'il vous plaît.
2 Est-ce que Marc lui montre la
    règle?
3 Est-ce qu'il la lui montre?   Oui, il la lui montre.
    (Does he show it to her?)   (Yes, he shows it to her.)
4 Est-ce qu'il la lui prête?
5 Est-ce qu'il la lui donne?

C.

1 Nicole, montrez les livres à Guy,   Nicole: «Voilà les livres, Guy.»
    s'il vous plaît.
2 Est-ce qu'elle lui montre les
    livres?
3 Est-ce qu'elle les lui montre?   Oui, elle les lui montre.
    (Does she show them to him?)   (Yes, she shows them to him.)
4 Est-ce qu'elle les lui prête?
5 Est-ce qu'elle les lui donne?

II SCÈNE DE LA VIE FRANÇAISE

Pour montrer *sa reconnaissance*   one's gratitude

Personnages: P = Papa; M = Maman; MO = Mo-
        nique; R = Robert; C = Claire
Scène: Au petit déjeuner. Samedi matin.

170

P: Odette, chérie, nous *avons* beaucoup *à* faire   have ... to do
5 avant notre départ.

C: Moi, j'ai déjà acheté trois robes de *coton*,   cotton
Monique a des bas de *nylon*, et Robert a une   nylon
belle cravate de *soie*!   silk

P: Et c'est *tout ce qu'*il nous faut pour le voyage,   all that
10 je suppose.

R: Il me faudra un complet de coton, papa. Je ne
pourrai porter ce complet de *laine* en Afrique!   wool

P: Pour une fois, tu as parfaitement raison. Le
coton est *le meilleur tissu* pour les pays chauds.   the best material
(fabric) ♀ to take
15 M: Je pense que nous devons *emporter* quelques   along
petits cadeaux pour la famille Mercier. Qu'est-ce
que tu penses, Charles?

P: Excellente idée! Je suis d'accord avec toi! Et on
doit penser aussi à la famille M'Baye.

20 R: Des cadeaux pour tout le monde? Mais pourquoi?

P: Ce sera la meilleure *façon* de leur montrer   way
notre reconnaissance.

P: Reconnaissance? Quelle reconnaissance?

25 P: Quand nous arriverons, tu le sauras bien. Ils
nous inviteront à dîner, à faire des promenades;
ils nous aideront à voir et à comprendre le pays
et le *peuple*. Nous recevrons des invitations de   people
toutes *sortes*.   kinds

30 R: Ah! Je comprends maintenant.

P: C'est *entendu*, alors! *Essayons* cet après-midi   understood ♀ Let's
de trouver des souvenirs pour tous! Maman va   try to
s'occuper des dames, et moi, je vais m'occuper   take care of
des *messieurs*.   gentlemen

● 35 A sept heures, le même soir.

M: Voilà, Charles, les souvenirs que nous avons
trouvés. D'abord, un *bijou fantaisie* pour   jewel (costume)
Madame Mercier. . . .

P: Ah! Une *broche* en *or* avec des fleurs en *argent*   brooch ♀ gold ♀
40 . . . très élégante!   silver

C: Je voudrais la lui *offrir* . . .   to give, offer

M: Et pour Madame M'Baye, une *écharpe* de den-   scarf ♀ lace
telle.

MO: C'est la grande *mode* à Paris . . . pour *se*   style ♀ cover one's
45 *couvrir la tête* quand on va au théâtre le soir.   head

C: Est-ce que je peux la lui offrir?

M: Et du *parfum* pour Mireille Mercier. perfume

P: Un *choix* parfait! choice

50 C: Maman, est-ce que je peux offrir les cadeaux moi-même?

M: Oui, oui, . . . tu les leur offriras *de la part de* la on behalf of
famille. Tu es contente maintenant?

P: Odette! Elle fait toujours tout ce qu'elle veut,
parce que tu *la laisses faire*! let her do (what she wants)

55 M: Et les souvenirs pour les messieurs, tu les as
trouvés?

P: Mais oui, certainement! Voilà! Un *briquet* pour cigarette lighter
le frère de Hamidou.

M: Tu es sûr qu'il *fume*? smokes

60 R: Il fume beaucoup, j'*en* suis certain! of it

P: C'est vrai! Tu sais bien qu'il ne faut pas fumer?
C'est très mauvais pour la santé!

R: Oui, papa!

P: Et voilà aussi une *ceinture* de *cuir* italien pour belt ♀ leather
65 le docteur M'Baye. Et finalement, pour Lucien
Mercier, une *caméra* allemande. movie camera

M: Une caméra! Mais les caméras sont chères! Tu
as dû dépenser beaucoup d'argent! must have spent

P: J'ai dépensé le double! J'ai acheté aussi une
70 caméra pour nous!

R: On pourra faire des films en Afrique!

M: Et comment va-t-on *payer* tous ces *luxes*? pay for ♀ luxuries

P: Nous les paierons, ma très grande chérie, avec
l'*augmentation* que je viens de recevoir chez raise
75 Hubert et *Cie.*, Entreprises de Construction! Et Company
maintenant, pour célébrer cette bonne *nouvelle*, news
buvons un peu de champagne! let's drink

DIALOGUES ORIGINAUX

1. **Modèle**   **Substitutions**

	A	B
—*Devons-nous* montrer *notre* reconnaissance à ces *messieurs*?	/ Doit-on / / sa / / dames /	/ Doivent-ils / / leur / / professeurs /
—Mais oui! *Nous devons* leur offrir des *souvenirs en argent*, au moins!	/ On doit / / bijoux / / en or /	/ Ils doivent / / cadeaux / / de toutes sortes /

172

—Comment *pourrons-nous* les payer?	/ pourra-t-on /	/ vont-ils /
—*Nous les paierons* avec *notre* argent de poche.	/ On les paiera / / son /	/ Ils les paieront / / leur /
—Pas *moi*, merci! *Je ne suis* pas *millionnaire*!	/ nous / . . . / Nous ne sommes / / si riches /	/ Marc / . . . / Il n'est / / si riche /

2. **Modèle**	**Substitutions**
—Avez-vous beaucoup à *acheter* cet *après-midi*?	/ étudier / / ce soir /
—Oui, je m'occupe de mes *vêtements d'hiver*.	/ cours de langues /
—Et moi, de mes *robes de laine* et *de soie*.	/ cours de maths / / de sciences /
—J'essaie toujours d'*acheter* les *meilleurs tissus*.	/ apprendre / / règles de grammaire /
—Et moi, j'essaie d'*acheter* aussi des *bijoux* et *des écharpes*.	/ de comprendre / / les lois scientifiques / / les mathématiques /

Vocabulaire actif

devoir to owe, to have to; *p. p.* **dû**	**avoir à** + infinitive to have to
boire to drink	**essayer de** + infinitive to try to
recevoir to receive	**s'occuper de** (I) to take care of
offrir to offer, to give	**payer** to pay (for)
fumer (I) to smoke	

la reconnaissance gratitude	meilleur *masc. sing. adj.* better
les messieurs gentlemen	le meilleur *masc. sing. adj.* (the) best

le tissu cloth, fabric	le coton cotton
l'or *masc.* gold	la soie silk
l'argent *masc.* silver	la laine wool

le bijou (*pl.* bijoux) jewel	la mode style, fashion
le parfum perfume	la broche brooch
la ceinture belt	une écharpe scarf

Questions

1. Qui a beaucoup à faire avant le départ?
2. Qu'est-ce que Claire a acheté? Qui a des bas de nylon? Qui a une belle cravate de soie?
3. Qu'est-ce qu'il faut à Robert?
4. Quel est le meilleur tissu pour les pays chauds?
5. Qu'est-ce qu'on doit faire pour la famille Mercier?
6. Papa est-il d'accord?
7. Pour quelle raison doit-on penser à tout le monde?
8. Qui les invitera à dîner et à faire des promenades?
9. Qu'est-ce qu'ils recevront?
10. Qu'est-ce que la famille va essayer de trouver?
11. Qui va s'occuper des dames? Qui va s'occuper des messieurs?
● 12. Quel souvenir maman a-t-elle trouvé pour Madame Mercier?
13. Qui veut la lui offrir?
14. Quelle est la mode à Paris?
15. Qu'est-ce que maman a acheté pour Mireille?
16. Qui veut offrir tous les cadeaux elle-même?
17. Est-ce que Claire les offrira à tout le monde?
18. Est-ce qu'on doit fumer? Pourquoi pas?
19. Qu'est-ce que papa a acheté pour le docteur M'Baye? pour Lucien? pour la famille?
20. Papa a-t-il dépensé beaucoup d'argent?
21. Comment vont-ils payer tout cela?
22. Qu'est-ce qu'ils boivent pour célébrer la bonne nouvelle?

Discussion

1. Avez-vous beaucoup à faire tous les jours? Avez-vous à étudier les verbes? Vos amis ont-ils à faire leurs devoirs?

174

2. Portez-vous souvent une robe (un pantalon) de coton? un pull-over de laine? des chaussettes (des bas) de nylon? une blouse (une cravate) de soie? Qu'est-ce que vous portez maintenant? Quel est le meilleur tissu pour les pays chauds? les pays froids?

3. Votre mère a-t-elle un bijou en or? A-t-elle une broche en or? Avez-vous un bracelet-montre en or? en argent?

4. Aimez-vous offrir des cadeaux? Recevez-vous souvent des cadeaux? Quel cadeau avez-vous reçu à votre anniversaire? Devez-vous faire des cadeaux à vos amis? Aimez-vous montrer votre reconnaissance?

5. Buvez-vous du café au lait? Qu'est-ce que vous buvez à midi, du lait ou du coca-cola? Qu'est-ce que vous avez bu ce matin? Qu'est-ce que vous boirez ce soir?

6. Essayez-vous d'apprendre le français? Votre frère essaie-t-il de jouer au tennis? Votre sœur essaie-t-elle de jouer de la guitare?

III STRUCTURES

A. *Devoir, recevoir, boire*
Verbes «irréguliers»

1. Formation

Au présent

devoir	recevoir	boire
(to owe, to have to)	(to receive)	(to drink)
je dois	je reçois	je bois
(I have to, etc.)	(I receive, etc.)	(I drink, etc.)
tu dois	tu reçois	tu bois
il doit	il reçoit	il boit
ils doivent	ils reçoivent	ils boivent
nous devons	nous recevons	nous **buvons**
vous devez	vous recevez	vous **buvez**

Au passé composé

Participe passé:	dû	reçu	bu
	j'ai dû	j'ai reçu	j'ai bu
	(I had to, etc.)	(I received, etc.)	(I drank, etc.)
	tu as dû	tu as reçu	tu as bu
	il a dû	il a reçu	il a bu
	ils ont dû	ils ont reçu	ils ont bu
	nous avons dû	nous avons reçu	nous avons bu
	vous avez dû	vous avez reçu	vous avez bu

175

$$Au\ futur$$

Stem:	devr–	recevr–	boir–
	je devrai	je recevrai	je boirai
	(I'll have to, etc.)	(I'll receive, etc.)	(I'll drink, etc.)
	tu devras	tu recevras	tu boiras
	il devra	il recevra	il boira
	ils devront	ils recevront	ils boiront
	nous devrons	nous recevrons	nous boirons
	vous devrez	vous recevrez	vous boirez

2. Emploi du verbe **devoir**

a.

Il doit	deux francs.
He owes	two francs.

b.

Il doit	payer.
He must He has	pay. to pay.

c.

Devra-t-il	payer?
Will he have Must he	to pay? pay?

d.

Il a dû	payer.
He had He must have	to pay. paid.

---

1. When it is followed by a direct object, **devoir** means *to owe*.
2. When it is followed by an infinitive, **devoir** means *to have to* or *must*, because it expresses an obligation to do something.
3. In the passé composé, **devoir** may have two meanings: It may express (a) obligation (*had to*); or (b) supposition (*must have*).

Exercice 1 Remplacez le sujet dans chacune des phrases ci-dessous par tous les sujets indiqués.

EXEMPLE: Aujourd'hui **je** dois rester ici.
　　　　　　Aujourd'hui **tu** dois rester ici.
　　　　　　Aujourd'hui **on** doit rester ici.

1. Aujourd'hui . . .　　Sujets: (tu) (on) (les enfants) (nous) (vous)
   a. je dois rester ici.　　　　　c. je bois de l'orangeade.
   b. je reçois des cadeaux.

2. Hier . . .　　Sujets: (tu) (elle) (je) (nous) (vous) (ils)
   a. on a dû travailler.　　　　　c. on a bu du lait.
   b. on a reçu de bons cadeaux.

176

3. Demain . . .   Sujets: (je) (tu) (Paul) (on) (nous) (ils)
   a. vous devrez venir.   c. vous boirez du champagne.
   b. vous recevrez des bonbons.

B. Double object pronouns, third person

1. Le verbe à la forme affirmative: temps simples

(le stylo)	Vous **le lui** prêtez?	Je le lui prêterai demain.
	(Do you lend *it to him?*)	(I'll lend it to him tomorrow.)
(la bague)	Vous la lui prêtez?	Je la lui prêterai demain.
(les clefs)	Vous les lui prêtez?	Je les lui prêterai demain.
(le disque)	Vous **le leur** donnez?	Nous le leur donnerons demain.
	(Do you give *it to them?*)	(We'll give it to them tomorrow.)
(la règle)	Vous la leur donnez?	Nous la leur donnerons demain.
(les sacs)	Vous les leur donnez?	Nous les leur donnerons demain.

---

1. When a direct object pronoun and an indirect object pronoun are used together, and *both are in the third person*, the direct object pronoun precedes the indirect object pronoun, as it does in English.
2. They both precede the verb, except in the affirmative command. See paragraph 5, page 179.

Résumé

Direct objects	Indirect objects	Position together	
le (it *masc.*; him)	lui (to him)	le lui	le leur
la (it *fem.*; her)	lui (to her)	la lui	la leur
les (them)	leur (to them)	les lui	les leur

Hint: When two third person object pronouns (one direct and one indirect) are used *together*, they are in *alphabetical order!*

Exercice 2 Remplacez les mots *en italique* par le pronom approprié.

EXEMPLE: Je lui prête *le livre?* ⟶ Je **le** lui prête?
          Je le rends *à Marc?* ⟶ Je le **lui** rends?

1. Tu lui prêtes *le disque?*
2. Tu lui prêtes *la clef?*
3. Tu lui prêtes *les bijoux?*
4. Je le rends *à Paul.*
5. Je la rends *à Janine.*
6. Je les rends *à Victor.*
7. Je les rends *à Marie.*
8. On leur montre *le parfum?*
9. On leur montre *la ceinture?*
10. On leur montre *les bas.*
11. Il le donne *à papa et à maman.*
12. Il la donne *aux copains.*
13. Il les donne *aux professeurs.*
14. Il les donne *aux dames.*

177

2. Le verbe à la forme affirmative: **temps composé**

Au passé composé

Le complet? Je *le lui* ai donné.   Le tissu? Je *le leur* ai donné.
La caméra? Je *la lui* ai prêtée.   La lettre? Je *la leur* ai écrite.
Les bijoux? Je *les lui* ai montrés.   Les ceintures? Je *les leur* ai rendues.

In the passé composé, both object pronouns precede the *auxiliary verb*. If the verb is conjugated with **avoir**, the past participle must agree with its *preceding direct object*, as usual.

Exercice 3   Redites chaque phrase, en remplaçant le nom *en italique* par un pronom direct ou par un pronom indirect. (Faites l'accord du participe passé, s'il le faut.)

EXEMPLES: Tu lui as prêté *la caméra?* $\longrightarrow$ Tu la lui as prêtée?
             On les a montrés *à nos parents.* $\longrightarrow$ On les **leur** a montrés.

1. Tu lui as rendu *la ceinture?*
2. Je l'ai rendue *à Pierre.*
3. Elle lui a prêté *la broche?*
4. Elle l'a prêtée *à Ginette.*
5. François lui a dit *son nom?*
6. Il l'a dit *au professeur.*
7. Papa lui a lu *les cartes?*
8. Il les a lues *à maman.*
9. Qui lui a apporté *les cadeaux?*
10. Marc les a apportés *à papa.*
11. Nous leur avons *prêté la caméra.*
12. Nous l'avons prêtée *aux copains.*
13. Vous leur avez donné *les renseignements?*
14. Nous les avons donnés *aux touristes.*
15. Ils leur ont montré *leur reconnaissance?*
16. Ils l'ont montrée *à mes amis.*

3. Le verbe à la forme négative

Au présent et au futur (temps simples)

On le lui donne?   Non, on **ne** le lui donne **pas.**
(Do we give it to him?)   (No, we don't give it to him.)
On la lui prête?   Non, on **ne** la lui prête **pas.**
On les leur prêtera?   Non, on **ne** les leur prêtera **pas.**

Au passé composé (temps composé)

On le lui a donné?   Non, on **ne** le lui a **pas** donné.
(Did they give it to him?)   (No, they didn't give it to him.)
On la lui a prêtée?   Non, on **ne** la lui a **pas** prêtée.
On les leur a montrés?   Non, on **ne** les leur a **pas** montrés.

When double object pronouns precede a negative verb, **ne** precedes the first object pronoun, and **pas** (or **plus** or **jamais**) comes after the verb or the auxiliary.

Exercice 4 Mettez les phrases à la forme négative en employant (A) *ne . . . pas,* et (B) *ne . . . jamais.*

Temps simples	*Temps composé*
Tu la lui montreras?	Tu la lui as montrée?
(A) Tu **ne** la lui montreras **pas?**	Tu **ne** la lui as **pas** montré*e*?
(B) Tu **ne** la lui montreras **jamais?**	Tu **ne** la lui as **jamais** montré*e*?

1. Je le lui montre?
2. Paul la lui montrera?
3. Nicole la lui prête?
4. Elle les lui donnera?
5. On les leur rendra?

6. Vous le leur avez donné?
7. Vous la leur avez rendue?
8. Nous les leur avons écrits.
9. Nous les leur avons prêtés.
10. Ils les leur ont écrits.

Exercice 5 Mettez les phrases à la forme négative en employant *ne . . . pas.* Faites attention à la prononciation de *dite(s)* et *écrite(s)*!

1. La vérité? Je la lui ai écrite.
2. La vérité? Je la lui ai dite.
3. Les lettres? Elle les leur a écrites.
4. Les cartes? Je les lui ai écrites.

4. Le verbe à la forme interrogative avec inversion

La lui montrerez-vous?	**La lui** avez-vous écrite?
Oui, je **la lui** montrerai.	Oui, je **la lui** ai écrite.

> The double object pronouns precede the verb or the auxiliary when the verb is in the inverted form of the interrogative.

Exercice 6 Mettez les phrases à la forme interrogative avec inversion.

EXEMPLE: Elle *les leur* prêtera? ⟶ **Les leur** prêtera-t-elle?

1. Tu le lui donneras?
2. Vous les leur rendrez?
3. Il la lui prêtera?
4. Janine les leur écrit toujours?

5. Tu le lui as donné?
6. Vous les leur avez rendus?
7. Il la lui a prêtée?
8. Janine les leur a écrits?

5. L'impératif

Est-ce que je **le lui** donne?	Est-ce que nous **les leur** montrons?
Oui! Donnez-le-lui!	Oui! Montrons-les-leur!

> The third person double object pronouns *follow the verb* and are attached to it in the affirmative command by hyphens, as are all object pronouns. The order in which they follow *does not change* (direct object, then indirect object).

Exercice 7   Mettez à l'impératif.

1. Vous le lui donnez.
2. Nous la lui écrivons.
3. Tu les leur montres.

4. Tu ne la leur écris pas.
5. Vous ne les leur écrivez pas.
6. Nous ne les lui rendons pas.

6. Devant l'infinitif

Sujet	ne	verbe	pas	pronoms	infinitif
Je		veux		le lui	donner.
Tu		vas		la lui	dire.
Il	ne	va	pas	les leur	écrire.
Elle	ne	veut	pas	les leur	lire.
Nous		aimons		le leur	prêter.
Vous		devez		la leur	montrer.
Ils	ne	doivent	pas	les lui	offrir.

When object pronouns are object of the *infinitive*, they precede the infinitive.

Exercice 8   Redites les phrases en remplaçant les mots *en italique* par des pronoms.

EXEMPLE: Je dois montrer *la règle aux enfants.*
           Je dois **la leur** montrer.

1. Je vais donner *le bijou à Janine.*
2. Janine veut prêter *la broche à Marie.*
3. Voulez-vous rendre *la caméra aux messieurs*?
4. Doivent-ils donner *les écharpes aux dames*?
5. Nous n'allons pas offrir *la ceinture à Paul.*

C.   Materials

1.   **De** + materials

Portez-vous une robe **de** soie?
Are you wearing a dress of silk?
            (a silk dress)

Je porte une robe **de** coton.
I'm wearing a dress of cotton.
            (a cotton dress)

Est-ce un pull-over **de** laine?
Is it a pullover of wool?
            (a woolen pullover)

C'est une jaquette **de** nylon.
It's a jacket of nylon.
            (a nylon jacket)

The material of which a thing is made is generally expressed by the preposition **de** plus the name of the material.

2. **En** + materials

Est-ce une montre **en** or?
Is it a watch of gold?
  (a gold watch)

C'est une broche **en** argent.
It's a brooch of silver.
  (a silver brooch)

> When the material is gold or silver and refers to jewelry or personal articles, the preposition **en** (instead of **de**) is generally used.

Exercice 9 Complétez la question en employant les éléments ci-dessous. Ensuite répondez «Oui» ou «Non» à la question.

EXEMPLE: **Eléments:** (coton) (complet) Aimez-vous ce _____ ?
            Question: Aimez-vous ce **complet de coton**?
            Réponse: Oui, j'aime ce complet de coton. *ou*
                     Non, je n'aime pas ce complet de coton.

1. (soie) (robe) Aimez-vous cette _____ ?
2. (laine) (écharpe) Voulez-vous cette _____ ?
3. (nylon) (bas) Allez-vous acheter ces _____ ?
4. (or) (bague) Devez-vous accepter cette _____ ?
5. (argent) (bijou) Devez-vous porter ce _____ ?

Maintenant, posez les questions ci-dessus (above) encore une fois, mais répondez en changeant le tissu ou le métal. Suivez l'exemple:

EXEMPLE: Aimez-vous cette robe *de soie*?
            Non, mais j'aime cette robe **de coton**.

D. L'adjectif irrégulier *bon*

1. Comparison

Masculin:	*Singulier*	*Pluriel*
(good)	un bon journal	de bons journaux
(better)	un meilleur journal	de meilleurs journaux
(best)	le meilleur journal	les meilleurs journaux

Féminin:	*Singulier*	*Pluriel*
(good)	une bonne idée	de bonnes idées
(better)	une meilleure idée	de meilleures idées
(best)	la meilleure idée	les meilleures idées

> 1. The *comparative* **meilleur** (*better*) has four forms: masculine and feminine, singular and plural.
> 2. The *superlative* **le meilleur** (*best*) also has four forms, which are obtained by placing the definite article **le, la,** or **les** before the comparative **meilleur(e)(s)**.

2. Emploi à noter

Solange est	la meilleure	élève	**de**	la classe.
Solange is	the best	pupil	in	the class.

After the superlative, use **de** to translate *in*, as you do with any other superlative.

Exercice 10 Complétez la phrase en employant la forme appropriée de *meilleur.* Suivez les exemples.

EXEMPLES

Sing.: C'est un bon journal, mais ———.
C'est un bon journal, mais donnez-moi un **meilleur** journal.

Pl.: Ce sont de bons disques, mais ———.
Ce sont de bons disques, mais donnez-moi de **meilleurs** disques.

1. C'est un bon parfum, mais ———.
2. C'est une bonne caméra, mais ———.
3. C'est une bonne réponse, mais ———.
4. Ce sont de bons livres, mais ———.
5. Ce sont de bons bijoux, mais ———.
6. Ce sont de bonnes ceintures, mais ———.

Exercice 11 Répondez à chaque question en employant la forme appropriée du superlatif (*le meilleur, la meilleure, les meilleurs,* ou *les meilleures*) et l'expression entre parenthèses.

EXEMPLE: Quel livre lisez-vous? (tous)
Je lis **le meilleur** livre **de** tous.

1. Quel journal lisez-vous? (la ville)
2. Quelle idée Robert a-t-il? (toute la famille)
3. Quel bijou maman prend-elle? (la boutique)
4. Quelles poires les enfants mangent-ils? (le jardin)
5. Quelle caméra papa achète-t-il? (le magasin)
6. Quels tissus les dames achèteront-elles? (tous)

E. Verbs followed by *à* or *de* + infinitive

1. avoir à + infinitive   to have to do (something)

—Qu'est-ce que vous avez à faire?	What do you have to do?
—J'ai à faire mes devoirs.	I have to do my homework.
—Avez-vous beaucoup à apprendre?	Do you have a lot to learn?
—J'ai trop à apprendre!	I have too much to learn!

Exercice 12 Répondez à la question en employant le mot entre parenthèses.

EXEMPLE:　Votre mère a-t-elle *beaucoup* à faire? (trop)
　　　　　　Elle a **trop** à faire.

1.　Votre professeur a-t-il *peu* à faire? (tant)
2.　Votre sœur a-t-elle *beaucoup* à faire? (assez)
3.　Votre petit frère a-t-il *trop* à faire? (peu)
4.　Vos amis ont-ils *assez* à dépenser? (peu? beaucoup? assez?)
5.　Avez-vous *beaucoup* à étudier? (trop)

Exercice 13 Répondez à chaque question en employant l'expression entre parenthèses.

EXEMPLE

Qu'est-ce que vous avez à faire maintenant? (étudier la leçon)
Nous avons à **étudier la leçon** maintenant.

1.　Qu'est-ce que nous avons à faire ce soir? (regarder la télé)
2.　Qu'est-ce que votre mère a à faire ce matin? (préparer le déjeuner)
3.　Qu'est-ce que vos amis ont à faire samedi? (aider leurs parents)
4.　Qu'est-ce que vous avez à faire vendredi? (réussir à un examen)

Exercice 14 Remplacez l'expression *en italique* par la forme appropriée du verbe *devoir*. Employez le présent.

EXEMPLE:　Cet après-midi nous *avons à* jouer au basket.
　　　　　　Cet après-midi nous **devons** jouer au basket.

1.　Aujourd'hui j'*ai à* acheter du parfum.
2.　A midi tu *as à* aider ta mère.
3.　Maintenant les enfants *ont à* faire leurs devoirs.
4.　Ce matin nous *avons à* faire les préparatifs.
5.　Ce soir vous *avez à* apprendre les verbes.

2.　**aider** (quelqu'un) à + infinitive　to help (someone) to do something
　　inviter (quelqu'un) à + infinitive　to invite (someone) to do something

　　　　　Aidera-t-il ses amis à voir la ville?
　　　　　Il invitera ses amis à faire des promenades.

Exercice 15 Complétez en employant l'expression entre parenthèses.

EXEMPLE:　Nous invitons nos amis _____. (danser)
　　　　　　Nous invitons nos amis à **danser**.

1.　Elle invite ses camarades _____. (déjeuner)
2.　Elle aide sa mère _____. (ranger ses affaires)
3.　Pierre m'a invité _____. (faire une promenade)
4.　Nicole m'a aidé _____. (faire le nécessaire)
5.　Tout le monde nous aidera _____. (apprendre la langue)

Exercice 16 Utilisez les éléments ci-dessous pour composer des phrases en employant (A) le verbe *aider à*, et (B) le verbe *inviter à*.

EXEMPLE: Eléments: (Nicole) (sa sœur) (passer des disques)
(A) Nicole **aide** sa sœur à passer des disques.
(B) Nicole **invite** sa sœur à passer des disques.

1. (Je) (mes amis) (manger des glaces)
2. (Jacques) (son copain) (faire un pique-nique)
3. (Paul) (Nicole) (danser le «slow»)
4. (Nos cousins) (nous) (faire le voyage)
5. (Vous) (les [*them*]) (montrer leur reconnaissance)

Exercice 17 Utilisez les éléments de l'Exercice 16 ci-dessus pour composer des phrases en employant *aider à* ou *inviter à* (A) au passé composé, et (B) au futur.

EXEMPLES

Eléments: (Nicole) (sa sœur) (passer des disques)

(A) *au passé composé*   Nicole a **aidé** sa sœur à passer des disques.
Nicole a **invité** sa sœur à passer des disques.
(B) *au futur*   Nicole **aidera** sa sœur à passer des disques.
Nicole **invitera** sa sœur à passer des disques.

3. **essayer de** + infinitive   to try to do (something)

Notez bien: Etudiez d'abord l'orthographe des formes du verbe **essayer** (au présent), paragraphe G, page 186.

Paul essaie	de	comprendre	le français.
Paul tries	✕	to understand	French.

The preposition **de** follows the verb **essayer** when **essayer** is followed by an infinitive. The preposition **de** is not translated into English.

Exercice 18 Répondez à la question en employant l'expression entre parenthèses.

EXEMPLE: Qu'est-ce que vous essayez de faire? (étudier les verbes)
J'essaie d'**étudier les verbes.**

1. Qu'est-ce que votre professeur essaie de faire? (travailler)
2. Qu'est-ce que vos amis essaient de faire? (avoir de bonnes notes)
3. Qu'est-ce que tu essaies de faire au magasin? (payer un achat)
4. Qu'est-ce que vous essayez de faire à une fête d'anniversaire? (offrir un beau cadeau)
5. Qu'est-ce que j'essaie de faire ici? (faire le nécessaire)

Exercice 19 En utilisant les éléments ci-dessous, composez des phrases en employant *essayer de* au présent.

EXEMPLE: (Mon père) (faire les préparatifs)
          Mon père **essaie de** faire les préparatifs.

1. (Ma mère) (acheter des cadeaux)
2. (Je) (montrer ma reconnaissance)
3. (Tu) (recevoir ces messieurs)
4. (Mes amis) (passer les meilleurs disques)
5. (Nous) (avoir de meilleures notes)
6. (Vous) (réussir à vos examens)

F. D'autres locutions à retenir!

1. payer   to pay or to pay for

Notez bien: Etudiez d'abord l'orthographe des formes du verbe *payer* (au présent), paragraphe G, page 186.

On	paie	╳	la caméra ici?
Do we	pay	for	the camera here?

Payez	la vendeuse!
Pay	the saleslady!

After the verb **payer**, the word *for* is not used in French.

Exercice 20 Répondez à la question, en employant le mot entre parenthèses comme sujet.

1. Qui paie les ceintures? (Papa)
2. Qui paie les écharpes? (Maman)
3. Qui paie le parfum? (Je)
4. Qui paie les bijoux? (Nous)
5. Qui paie le tissu? (Les dames)
6. Qui paie le boucher? (Mes parents)
7. Qui paie le médecin? (Vous)
8. Qui paie ces messieurs? (Tu)
9. Qui paie le garçon? (Les clients)

2. s'occuper de (quelque chose)   to be busy with (something)
    s'occuper de (quelqu'un)   to take care of (somebody)

—Vous vous occupez de ces messieurs?   Are you taking care of these gentlemen?

—Non. je m'occupe de mon travail.   No. I'm busy with my work.

—Alors, occupez-vous d'**eux** tout de suite!   Then, take care of *them* right away!

The verb **s'occuper de** can be followed by a noun referring to a person or thing. When **de** is followed by a pronoun referring to a person, use the stress pronoun (**moi, toi, lui,** etc.).

Exercice 21 Répondez à la question en employant l'expression entre parenthèses.

EXEMPLE: De qui maman s'occupe-t-elle? (ses enfants)
Maman s'occupe **de ses enfants.**

1. De qui le professeur s'occupe-t-il? (ses élèves)
2. De qui papa s'occupe-t-il? (ses clients)
3. De qui votre sœur s'occupe-t-elle? (ses amis)
4. De quoi nous occupons-nous? (nos leçons)
5. De quoi vous occupez-vous? (mon travail)
6. De quoi est-ce que je m'occupe? (vos affaires)

Exercice 22 Traduisez les phrases selon l'exemple. Employez les pronoms *moi, toi, lui,* etc.

EXEMPLES

A	B
Is he taking care of you?	He isn't taking care of me.
Est-ce qu'il s'occupe de **toi?**	Il ne s'occupe pas de **moi.**
1. Is he taking care of me?	1. He isn't taking care of us.
2. Is he taking care of him?	2. He isn't taking care of them (*masc.*).
3. Is he taking care of her?	3. He isn't taking care of them (*fem.*).
4. Is he taking care of you?	4. He isn't taking care of you.

G. **Verbs with spelling changes: Infinitive ends in –ayer**

Au présent

payer, to pay, to pay for		**essayer,** to try, to try on	
je paie	nous payons	j'essaie	nous essayons
tu paies	vous payez	tu essaies	vous essayez
il paie		il essaie	
ils paient		ils essaient	

Au futur

je paierai	nous paierons	j'essaierai	nous essaierons
tu paieras	vous paierez	tu essaieras	vous essaierez
il paiera	ils paieront	il essaiera	ils essaieront

Au passé composé

j'ai payé	nous avons payé	j'ai essayé	nous avons essayé
tu as payé	vous avez payé	tu as essayé	vous avez essayé
il a payé	ils ont payé	il a essayé	ils ont essayé

Verbs whose infinitive ends in **–ayer** change **y** to **i** in (a) present singular and third person plural, and (b) in all forms of the future.

Exercice 23 Singulier ⟶ pluriel; pluriel ⟶ singulier.

payer
1. Je paie les cadeaux.
2. Tu paies le parfum et aussi l'écharpe.
3. Il paie la broche.
4. Vous payez la caméra.
5. Nous payons les luxes de toute la famille.
6. Elles paient la vendeuse.

essayer
7. Tu essaies la ceinture?
8. J'essaie l'écharpe.
9. Il essaie le complet de coton.
10. Nous essayons de trouver le tissu.
11. Vous essayez d'offrir un cadeau.
12. Elles essaient de boire le champagne.

Exercice 24 Mettez les phrases de l'Exercice 23 ci-dessus (A) au futur, et (B) au passé composé.

EXEMPLES

(A) Demain je **paierai** les cadeaux.   Demain j'**essaierai** la ceinture.
(B) Hier j'**ai payé** les cadeaux.   Hier j'**ai essayé** la ceinture

Exercice général Ecrivez une lettre à votre correspondant(e) en France, [ou à votre correspondant(e) imaginaire, si vous n'en avez pas un].

A. Dites-lui que:
  1. vous êtes heureux de lui dire que vous pourrez aller en France.
  2. vous avez reçu votre certificat de revaccination.
  3. vous ferez le voyage en avion.
  4. vous irez d'abord à Paris où vous avez un cousin qui vous donnera des renseignements.
  5. vous serez en France pour deux mois au moins.
  6. vous voulez passer quelques semaines avec lui.

B. Demandez-lui:
  7. s'il pourra passer huit jours ou quinze jours avec vous.
  8. s'il aime faire du camping et dormir à la belle étoile.

C. Dites-lui que:
  9. vous pourrez emporter des sacs de couchage.
  10. si vous allez chez lui, vous voulez offrir des cadeaux à sa mère et à son père.
  11. vous voulez les leur offrir pour montrer votre reconnaissance.
  12. vous attendez sa réponse avec impatience.

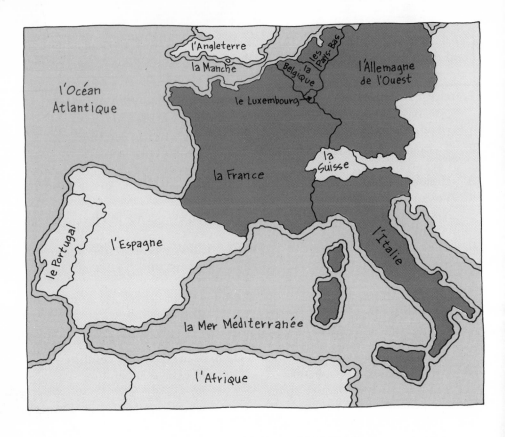

IV NOTES SUR LA CIVILISATION FRANÇAISE

Le Marché Commun
La Communauté économique européenne

Common Market

Le Marché Commun est une union économique formée par les six pays européens suivants[1]: la France, la Belgique, la République Fédérale d'Allemagne (l'Allemagne de l'Ouest), l'Italie, les
5 *Pays-Bas*, et le Luxembourg. Cette union a pour *but* de *faciliter* le commerce entre les pays membres, et de *l'augmenter*. Cette coopération économique entre les pays membres (qu'on appelle «les Six») est basée surtout sur la réduction graduelle
10 des tarifs *douaniers*. On espère que dans quelques années il n'y aura plus de *droits de douane* à payer entre les Six.

Netherlands
aim 2 to facilitate
to increase it

customs
customs duties

[1]En 1970.

188

Les accords économiques entre ces pays ont *abouti à* une grande expansion économique en resulted in
15 Europe. On peut voir en France *actuellement* des at present
produits de tous les pays membres du Marché products
Commun, comme, par exemple, de belles caméras
allemandes, de beaux articles de *cuir* italien et de leather
soie italienne, des *ampoules* et des *piles* des Pays- bulbs ♀ batteries
20 Bas, des *machines à laver* de la Belgique, etc. Les washing machines
prix de ces articles ne sont pas *plus élévés* que les higher
prix des articles comparables *faits* en France. Et made
l'on peut voir dans les autres pays membres beaucoup d'articles français *en vente* à des prix pas plus on sale
25 élévés que *ceux pratiqués* en France. those prevailing

Produits du Marché Commun en France. Ces jeunes Françaises achèteront-elles un magné-tophone (tape recorder) ou un téléviseur?

Ce monsieur essaie de vendre une cuisinière (kitchen range) du Marché Commun à ces dames. Y réussira-t-il?

Aussitôt qu'il n'y aura plus de droits de douane à payer, le Marché Commun *constituera* une zone libre économique presque aussi grande que *celle des* Etats-Unis d'Amérique. Voici la population approximative de chacun des pays (1968):

la France	50.500.000[2] d'habitants
l'Italie	53.500.000
l'Allemagne	60.000.000
les Pays-Bas	12.600.000
la Belgique	9.500.000
le Luxembourg	335.000
LE MARCHÉ COMMUN	186.435.000 d'habitants
LES ETATS-UNIS	205.000.000 d'habitants

will comprise
that of

Beaucoup d'autres pays veulent aussi *faire partie du* Marché Commun, surtout la *Grande Bretagne*. On pense que bientôt le Marché Commun constituera une zone libre économique *bien* plus grande que celle des Etats-Unis.

to be part of
Great Britain

= beaucoup

[2] Notice the use of a period instead of a comma in numbers over one thousand.

190

Questions

Complétez.

1. L'union économique européenne formée par six pays d'Europe s'appelle _____ .
2. La France, l'Italie, l'Allemagne de l'Ouest, le Luxembourg, la Belgique et les Pays-Bas sont «les _____».
3. Cette union a pour but de faciliter et d'augmenter _____ .
4. Le résultat (result) de cette union est une _____ du commerce en Europe.
5. La population des «Six» est presque aussi grande que la population des _____ .
6. On peut voir en France beaucoup de produits faits dans les pays du _____ .
7. On peut voir dans les autres pays du Marché Commun beaucoup de produits faits en _____ .

V AMUSONS-NOUS!

Est-ce une histoire romantique?

Your teacher will read aloud each of the words below ending in **–ique**. As you follow, *read* and *repeat* each word. At the same time, think of its meaning. (The ending **–ique** is generally equivalent to the English ending *–ic* or *–ical*.)

artistique	atomique	aristocratique
classique	biologique	démocratique
dramatique	électrique	économique
logique	géographique	politique
poétique	physique	pratique
romantique	scientifique	transatlantique

Now divide the class into two teams. Team A will select an expression from one of the lists below and call on a member of Team B to complete it, using one of the adjectives ending in **–ique**.

EXEMPLE: Team A: C'est un homme . . .
                Team B: C'est un homme **politique**.

C'est un homme . . .	C'est un problème . . .	C'est de la musique . . .
C'est une femme . . .	C'est une question . . .	C'est une bombe . . .
C'est un garçon . . .	C'est une histoire . . .	C'est un pays . . .
C'est une jeune fille . . .	C'est une discussion . . .	C'est un avion . . .
		C'est un bateau . . .

If Team B can't answer, Team A scores a point. After 10 questions Team B gets the ball and Team A has to complete the expressions. Remember: Use as many different adjectives as you can!

191

30

Leçon trente

I CONVERSATION

(à livre ouvert)

A.

1 Paul, donnez-moi le livre, s'il vous plaît. Merci.
   Voici le livre, monsieur.

2 Il me donne le livre, n'est-ce pas?
   Oui, il vous donne le livre.

3 Il me le donne, n'est-ce pas? (He gives it to me, . . . ?)
   Oui, il vous le donne. (Yes, he gives it to you.)

4 Paul, prêtez-moi le stylo, s'il vous plaît. Merci.
   Voilà le stylo, monsieur.

   Il me le prête, n'est-ce pas? (He lends it to me, . . . ?)
   Oui, il vous le prête. (Yes, he lends it to you.)

6 Paul, montrez-moi le cahier, s'il vous plaît. Merci.
   Voilà le cahier, monsieur.

7 Il me le montre, n'est-ce pas? (He shows it to me, . . . ?)
   Oui, il vous le montre. (Yes, he shows it to you.)

8 Voici le livre. Il me le donne, n'est-ce pas?
   Oui, il vous le donne.

9 Voici le stylo. Il me le prête, n'est-ce pas?
   Oui, il vous le prête.

10 Voici le cahier. Il me le montre, n'est-ce pas?
   Oui, il vous le montre.

B.

1 Roger, montrez-moi la craie, s'il vous plaît. Merci.
   Voilà la craie, monsieur.

2 Il me montre la craie, n'est-ce pas?

3 Il me la montre, n'est-ce pas? (He shows it to me, . . . ?)
   Oui, il vous la montre. (Yes, he shows it to you.)

4 Prêtez-moi la craie, s'il vous plaît.
   Avec plaisir, monsieur.

5 Il me la prête, n'est-ce pas?
   Oui, il vous la prête.

6 Est-ce que vous me donnez la craie?
   Oui, monsieur.

7 Il me la donne, n'est-ce pas?
   Oui, il vous la donne.

C.

1 Louise, montrez-moi les crayons, s'il vous plaît. Merci.   Voici les crayons, monsieur.

2 Elle me montre les crayons?

3 Est-ce qu'elle me les montre?   Oui, elle vous les montre.

4 Est-ce qu'elle me les prête?   Oui, elle vous les prête.

5 Est-ce qu'elle me les donne?   Oui, elle vous les donne.

D.

1 Roger, donnez le livre à Marie.   Voici le livre, Marie.

2 Il vous donne le livre, n'est-ce pas, Marie?   Oui, il me donne le livre.

3 Il vous le donne?   Oui, il me le donne.

4 Il vous le prête?   Oui, il me le prête.

5 Il vous le montre aussi?   Oui, il me le montre aussi.

6 Marc, montrez la gomme à Janine.   Voilà la gomme, Janine.

7 Il vous la montre, n'est-ce pas, Janine?   Oui, il me la montre.

8 Est-ce qu'il vous la prête?   Oui, il me la prête.

9 Est-ce qu'il vous la donne?   Oui, il me la donne.

10 Annette, montrez-lui les disques.   Voici les disques, Janine.

11 Elle vous les montre, n'est-ce pas, Jean?   Oui, elle me les montre.

12 Est-ce qu'elle vous les prête?   Oui, elle me les prête.

13 Est-ce qu'elle vous les donne?   Oui, elle me les donne.

E.

1 Jacques, montrez-nous le stylo rouge, à moi et à Mimi. Merci.   Voilà le stylo rouge.

2 Il nous montre le stylo rouge, n'est-ce pas, Mimi?   Oui, il nous montre le stylo rouge.

3 Il nous le montre, n'est-ce pas? (He shows it to us, . . . ?)   Oui, il nous le montre. (Yes, he shows it to us.)

4 Est-ce qu'il nous le prêtera?   Oui, il nous le prêtera.

5 Est-ce qu'il nous le donnera?   Oui, il nous le donnera.

6 Est-ce qu'il vous le donnera, à vous et à Jean?   Oui, il nous le donnera.

7 Est-ce qu'il vous le prêtera?   Oui, il nous le prêtera.

8 Est-ce qu'il vous prêtera la serviette?   Oui, il nous la prêtera.

9 Est-ce qu'il vous la donnera?

10 Est-ce qu'il vous prêtera les disques?   Oui, il nous les prêtera.

11 Est-ce qu'il vous les prêtera?

Dialogue dirigé

1 Paul, dis à Marc que Louise te montre le disque. — Louise me montre le disque.

2 Marie, demande à Paul: «Est-ce qu'elle te le prête?» — Est-ce qu'elle te le prête?

3 Paul, réponds affirmativement. — Oui, elle me le prête.

4 Marie, demande à Paul: «Est-ce qu'elle te le donne?»

5 Paul, réponds affirmativement.

II SCÈNE DE LA VIE FRANÇAISE

Claire veut *maigrir*   to get thin

Personnages: C = Claire; S = Suzanne; P = Papa;
M = Maman

Scène: Il est deux heures *de* l'après-midi. Claire   in
sonne à la porte de son amie, Suzanne. Suzanne   rings
5   ouvre.

S: Oh, c'est toi, Claire! Entre, vite. Je suis très
occupée.   busy

C: Qu'est-ce que tu fais? (Elle entend une *voix.)*   voice
Tu regardes la télé?

10 S: Non. Je suis en train de faire des exercices
*physiques à l'aide d'*un disque. Viens vite avec   physical ♀ with the
moi.   help of

(Elles entrent dans la chambre de Suzanne et
écoutent le disque.)

15 VOIX DU DISQUE: Position *debout.* Mouvements: standing
Numéro 1–Levez le *genou* droit *le plus haut*   knee ♀ as high as
possible. Numéro 2–*Remettez* le pied droit au   possible ♀ 'Put
sol. Numéro 3–Levez le genou gauche le plus   back ♀ floor
haut possible. Numéro 4–Remettez le pied
20   gauche au sol.

Vous êtes prêtes, mesdames? N'oubliez pas de   ready
garder le rythme! Commençons: un, deux, trois,   keep
quatre. Répétons: un, deux, trois, quatre. . . .

C: Mais c'est chouette, ça! Qu'est-ce que c'est?

25 S: Ce sont des exercices physiques pour maigrir.

C: Ah! Voilà *ce qu'*il me faut avant d'aller *en*   what ♀ to
Afrique!

S: Il y a un *livret* qui *accompagne* le disque.   booklet ♀ accom-
                                                                      panies

C: *Fais voir* . . . . (Suzanne lui montre le livret.   Show (me)
30   Claire commence à lire à haute voix.)
        «*Clé* de la *beauté* féminine: la gymnastique.   Key ♀ beauty
        Sachez que la santé *égale* la beauté. *Ayez* le   Know ♀ equals ♀
        courage et la *volonté* de maigrir. *Soyez* tou-   Have ♀ will ♀ Be
        jours en forme. *Consacrez* quinze minutes   Devote
35   par jour à la gymnastique physique.»
        Oh! Il me faut ce disque et ce livret! Tu me les
        prêteras, Suzanne, . . . s'il te plaît?
   S: Je *voudrais bien te les* prêter, mais je ne peux   I'd like ♀ them to
        pas. Ils *sont à* ma tante et elle revient demain   you ♀ belong to
40   matin.
   S: Je te les rendrai demain matin.
   S: Ça va. Mais n'oublie pas . . . *jusqu'à* demain   until
        matin, de bonne heure!
   C: Oh, merci, merci beaucoup, Suzanne! Tu es la
45   meilleure des amies!

● Le même soir, au dîner. Tout le monde est à table
   sauf Claire.

   P: Comment? Claire n'est pas à sa place? Où est-
        elle?
50 M: Je l'ai *appelée* plusieurs fois. Je vais voir si   called
        elle est dans sa chambre. (Près de la porte de la
        chambre de Claire, maman entend la voix du
        disque.)
   VOIX: Un, deux, trois, quatre; un, deux, trois,
55   quatre. . . .
        (Maman *frappe légèrement* à la porte et l'ouvre.   knocks ♀ lightly
        Elle voit Claire, *couchée* sur le *parquet*, les   lying ♀ floor
        mains sur les *épaules*, et la jambe droite en l'air.   shoulders
        La voix du disque continue.)
60 VOIX: Encore une fois. Position: couchée sur le
        dos, mains sur les épaules. Mouvements: Nu-   back
        méro 1–*Touchez* le *front* avec la main droite.   Touch ♀ forehead
        Numéro 2–*Etendez* le bras droit le plus *rapide-*   Extend ♀ rapidly
        ment possible . . . .
65 M: Claire, qu'est-ce que tu fais?
        (Claire se lève et arrête l'électrophone.)
   C: Ce sont des exercices physiques, maman, pour
        maigrir . . . un disque et un livret. Regarde-les.
        (Elle les lui montre.)
70 M: A qui sont-ils?

C: Ils sont à la tante de Suzanne. Suzanne me les a prêtés jusqu'à demain matin. Regarde, maman, je *deviens* déjà plus mince et plus jolie, n'est-ce pas? (Elle *se retourne.*) — am becoming / turns around

75 M: Non, tu ne deviens pas plus mince, et pour moi, tu es toujours jolie. Viens dîner, ma chérie.

C: Si tu permets, maman, je *préfère* manger ici, dans ma chambre, seulement pour ce soir. — prefer

M: Mais pourquoi donc?

80 C: J'ai à copier tous les exercices *sur* un *carnet,* *car* demain matin, je dois rendre le livret et le disque à Suzanne. — in a notebook / = parce que

M: Tu *espères* copier tout cela avant demain matin? — hope

C: Je dois les lui rendre de bonne heure.

85 M: Tu sais où l'on peut acheter un disque et un livret *pareils*? — similar

C: Je demanderai l'*adresse* à la tante de Suzanne. — address

M: Eh bien, demande l'adresse à la tante de Suzanne, et je te les achèterai demain. Ce sera

90 *mieux.* Et maintenant, mon petit coco, viens dîner! — better

C: Oh, maman, tu es un *ange*! (Elle embrasse sa mère.) — angel

DIALOGUE ORIGINAL

Modèle	Substitutions
—Je viens de recevoir une *photo* de *Jean-François*!	/ lettre / / Christine /
—*Montre-la-moi, veux-tu?*	/ Montrez-la-nous, voulez-vous /
—Je *te la* montrerai *plus tard.*	/ vous la / . . . / cet après-midi /

—*Tu ne veux pas me* la montrer
  tout de suite?

/ Vous ne voulez pas nous /
/ maintenant /

—Non. Je veux d'abord la *regarder*
  longtemps moi-même.

/ lire /
/ plusieurs fois /

—*Tu es bien* sentimentale!

/ Vous êtes trop /

Vocabulaire actif

accompagner (I) to accompany	**être à** (+person) to belong to (someone)
frapper (I) to knock, strike	
garder (I) to keep	**demander à** (+person) (I) to ask (someone)
maigrir (II) to get thin	
devenir (être)[1] to become	**faire voir** = **montrer**

la beauté beauty	**le dos** back
la voix voice	**le front** forehead
la volonté will, will-power	**le genou** (*pl.* **genoux**) knee
le rythme rhythm	**le pied** foot
le livret booklet	**une épaule** shoulder

espérer to hope	**jusqu'à** until, up to
préférer to prefer	**mieux** *adv.* better
répéter to repeat	**le mieux** *adv.* (the) best
prêt, –e ready	**légèrement** lightly
debout standing	

Questions

1. Qui est très occupé?
2. Qu'est-ce qu'elle est en train de faire à l'aide d'un disque?
3. Quelle est la première position de l'exercice?
4. Qu'est-ce qu'il faut lever le plus haut possible?
5. Où doit-on remettre le pied droit?
6. Qu'est-ce qu'il faut garder?
7. Claire veut-elle maigrir avant d'aller en Afrique?
8. Qu'est-ce qui (What) accompagne le disque?
9. Qu'est-ce que Suzanne fait voir à Claire?
10. Quelle est la clef de la beauté féminine?
11. A qui sont le disque et le livret?
12. Jusqu'à quand Suzanne les prête-t-elle à Claire?

[1] In the passé composé, **devenir** uses *être* as its auxiliary verb. See page 206.

● 13. Qu'est-ce que maman entend à la porte de Claire?
  14. Comment frappe-t-elle à la porte?
  15. Comment est Claire? Décrivez sa position.
  16. Claire devient-elle déjà plus mince?
  17. Où préfère-t-elle manger ce soir?
  18. Qu'est-ce qu'elle espère copier avant demain matin?
  19. Qu'est-ce que Claire demandera à la tante de Suzanne?
  20. Qu'est-ce que maman achètera demain? Est-ce que ce sera mieux?

Discussion

1. Faites-vous des exercices physiques? Voulez-vous maigrir? Faites-vous des exercices pour maigrir? Faites-vous des exercices à l'aide d'un livret (with the help of . . .) ou à l'aide d'un disque?

2. Faites-vous des exercices couché(e) sur le dos? debout? avec les genoux? avec les épaules? Après les exercices, devenez-vous plus fort ou plus faible? Pour faire des exercices, doit-on demander la permission au docteur?

3. Aimez-vous danser? Accompagnez-vous vos amis à une surprise-partie le samedi soir? Jusqu'à quelle heure restez-vous avec eux? Avez-vous de la volonté? Etes-vous prêt(e) à partir avant minuit?

4. Aimez-vous la beauté? Est-ce que la beauté est aussi importante que la santé? Avez-vous une belle voix? un joli front?

5. Avez-vous beaucoup de disques chez vous? Aimez-vous mieux les disques de musique classique ou les disques de musique yé-yé? Les disques de musique yé-yé sont-ils à vous? Quels disques sont à vous? Est-ce que vous faites voir vos disques à vos amis? Quels disques aiment-ils le mieux?

6. Espérez-vous réussir à vos examens? Espérez-vous aller à la Faculté? Préférez-vous faire des études de lettres ou des études de sciences?

III STRUCTURES

A. **Order of double object pronouns**
   me, te, nous, vous plus *le, la, les*

1. Le verbe à la forme affirmative

Temps simples		*Temps composé*
(it to me)	Il me le prête.	Il me l'a prêté.
(it to me)	Il me la prêtera.	Il me l'a prêtée.
(them to me)	Il me les prêtera.	Il me les (*masc.*) a prêtés.
		Il me les (*fem.*) a prêtées.

Temps simples		_Temps composé_
(it to you)	Je te le montre.	Je te l'ai montré.
(it to you)	Je te la montrerai.	Je te l'ai montrée.
(them to you)	Je te les montrerai.	Je te les (_masc._) ai montrés.
		Je te les (_fem._) ai montrées.
(it to us)	Elle nous le donne.	Elle nous l'a donné.
(it to us)	Elle nous la donnera.	Elle nous l'a donnée.
(them to us)	Elle nous les donnera.	Elle nous les (_masc._) a donnés.
		Elle nous les (_fem._) a données.
(it to you)	On vous le rend.	On vous l'a rendu.
(it to you)	On vous la rendra.	On vous l'a rendue.
(them to you)	On vous les rendra.	On vous les (_masc._) a rendus.
		On vous les (_fem._) a rendues.

---

1. When a first or second person indirect object pronoun (**me, te, nous, vous**) is used with a third person direct object pronoun (**le, la, les**), the indirect object pronoun precedes the direct object pronoun _except in the affirmative command._ (See paragraph 4, page 202.)
2. Both pronouns precede the verb or the auxiliary, _except in the affirmative command._ (See paragraph 4, page 202.)
3. In the passé composé, the past participle agrees in number (singular or plural) and gender (masculine or feminine) with the _preceding direct object._

Exercice 1 (Temps simples) Redites chaque phrase en remplaçant l'expression _en italique_ par un pronom.

EXEMPLE: Janine me donne _le parfum._
                    Janine me **le** donne.

1. Elle me donne _le tissu._
2. Papa me prêtera _la voiture._
3. Il me donnera _les renseignements._
4. Elle te rend toujours _l'argent._
5. Nous te donnons _la soie._
6. Je te prêterai _les bijoux._
7. On nous montre _le chemin._
8. On nous écrira _les adresses._
9. Je vous prête _ma ceinture._
10. Je vous montrerai _les beautés._

Exercice 2 (Temps composé) Redites chaque phrase, en ramplaçant l'expression _en italique_ par un pronom. Faites l'accord du participe passé.

EXEMPLE: Norbert m'a donné _la ceinture._
                    Norbert me l'a donnée.

1. Nicole m'a montré _la place._
2. Elle m'a lu _les lettres de Jean._
3. Bob t'a loué _son bateau?_
4. Il t'a prêté _ses cravates._
5. Je vous ai donné _la soie._
6. Je vous ai prêté _les livrets._
7. Ils nous ont lu _le règlement._
8. Ils nous ont donné _les photos._

Exercice 3 Répondez, en employant le pronom entre parenthèses.

EXEMPLE: (les examens)   Est-ce que le professeur *vous* les rend? (nous)
Oui, le professeur **nous** les rend.

1. (le cadeau)   Est-ce que maman te le donne? (me)
2. (la broche)   Est-ce que ton amie te la prête? (me)
3. (les lettres)   Est-ce que votre sœur vous les lit? (me)
4. (le sac de couchage)   Le monsieur vous le vend? (nous)
5. (l'écharpe)   Est-ce que la vendeuse vous la montre? (nous)
6. (les ceintures)   Papa vous les a donnés? (nous)

2. Le verbe à la forme négative

Temps simples

Elle me le prête?	⟶ Non, elle **ne** te le prête **pas**.
Elle te la donne?	Non, elle **ne** me la donne **pas**.
On nous la rendra?	Non, on **ne** nous la rendra **pas**.
On vous les montrera?	Non, on **ne** nous les montrera **pas**.

Temps composé

Il te l'a prêté(e)?	⟶ Non, il **ne** me l'a **pas** prêté(e).
On me l'a donné(e)?	Non, on **ne** te l'a **pas** donné(e).
Il me les a rendu(e)s?	Non, il **ne** te les a **pas** donné(e)s.
On vous l'a prêté(e)?	Non, on **ne** nous l'a **pas** prêté(e).
On vous les a donné(e)s?	Non, on **ne** nous les a **pas** donné(e)s.
On nous les a rendu(e)s?	Non, on **ne** vous les a **pas** rendu(e)s.

In the negative, place **ne** before *both* object pronouns, and **pas** (or **plus** or **jamais**) after the verb (temps simples) or the auxiliary (temps composés).

Exercice 4 (Temps simples) Mettez les questions et les réponses à la forme négative. Employez (A) *ne . . . pas*, et ensuite (B) *ne . . . jamais*.

EXEMPLE

(ses devoirs)   Il vous les montre? Oui, il nous les montre.
(A)   Il **ne** vous les montre **pas**? **Non**, il **ne** nous les montre **pas**.
(B)   Il **ne** vous les montre **jamais**? **Non**, il **ne** nous les montre **jamais**.

1. (l'or)   On me le donne? Oui, on te le donne.
2. (la vérité)   On me la dit? Oui, on te la dit.
3. (les francs)   On me les rend? Oui, on te les rend.
4. (l'or)   Vous nous le donnerez? Oui, je vous le donnerai.
5. (la villa)   Vous nous la louerez? Oui, je vous la louerai.
6. (les meubles)   Vous nous les vendrez? Oui, je vous les vendrai.

Exercice 5 (Temps composé) Mettez les questions et les réponses à la forme négative en employant d'abord (A) *ne . . . pas*, et ensuite (B) *ne . . . jamais*.

EXEMPLE

(la route)   On vous l'a montrée? Oui, on nous l'a montrée.
(A)   On **ne** vous l'a **pas** montrée? **Non,** on **ne** nous l'a **pas** montrée.
(B)   On **ne** vous l'a **jamais** montrée? **Non,** on **ne** nous l'a **jamais** montrée.

1.   (l'argent)   On te l'a donné? Oui, on me l'a donné.
2.   (la vérité)   On te l'a dite? Oui, on me l'a dite.
3.   (les lettres)   On te les a écrites? Oui, on me les a écrites.
4.   (la maison)   Il me l'a louée? Oui, il te l'a louée.
5.   (les disques)   Il nous les a rendus? Oui, il vous les a rendus.
6.   (les affaires)   Il vous les a rendues? Oui, il nous les a rendues.

3.   Le verbe à la forme interrogative avec inversion

Affirmations		Questions
Temps simples		
Jean-Pierre nous les prête.	⟶	**Nous les** prêtera-t-il demain?
Mais il ne nous les donne pas.		Ne **nous les** donnera-t-il jamais?
Temps composé		
Il vous les a prêtés.	⟶	**Me les** a-t-il prêtés, vraiment?
Il ne vous les a pas donnés.		Ne **nous les** a-t-il pas donnés? Pourquoi pas?

In the inverted form of the question, the double object pronouns precede the verb [temps simples (simple tenses)] or the auxiliary [temps composés (compound tenses.)]

Exercice 6   Mettez les phrases à la forme interrogative avec inversion.

EXEMPLES: (A) Paul nous les prête? ⟶ Paul **nous les** prête-t-il?
(B) Paul nous les a prêtés? ⟶ Paul **nous les** a-t-il prêtés?

(A)	(B)
1. Paul nous le donne?	1. Paul nous l'a donné?
2. Marc vous le montre?	2. Marc vous les a montrés?
3. Louise te le donne?	3. Louise te l'a donné?
4. Anne me la donnera?	4. Anne me l'a donné?
5. Janine me les rendra?	5. Janine te les a rendus?
6. Tu me les diras?	6. Vous nous les avez apportés?
7. Tu nous les diras?	7. Ils vous les ont apportés?
8. On vous les dira?	8. Les élèves nous les ont donnés?

4. L'impératif

	Affirmative	*Négative*
Vous me le donnez?	Donnez-le-moi!	Ne me le donnez pas!
Vous nous le donnez?	Donnez-le-nous!	Ne nous le donnez pas!

1. In the *affirmative* command, **me** becomes **moi**.
2. In the *affirmative* command, the positions of the two pronouns are reversed; the direct object (**le, la, les**) precedes the indirect object **moi** or **nous**. Both pronouns follow the verb and are attached to it by means of hyphens.
3. In the *negative* command, the position of the double pronoun objects remains the same as in statements or questions.

Exercice 7 Mettez à l'impératif.

EXEMPLES

Affirmative (A): Vous me le dites. ⟶ Dites-le-moi!
Négative (B): Vous ne me le dites pas. ⟶ Ne **me le** dites pas!

(A)

1. Vous me le donnez.
2. Vous me les rendez.
3. Tu me la lis.
4. Tu me les rends.
5. Vous nous le dites.
6. Vous nous le lisez.
7. Tu nous les rends.
8. Tu nous la rends.

(B)

9. Vous ne me le donnez pas.
10. Vous ne me la montrez pas.
11. Tu ne nous le dis pas.
12. Tu ne nous les écris pas.

B. Comparison of adverbs

1. Regular comparison

	Adverb	More (Comparative)	Most (Superlative)
(quickly)	vite	plus vite	le plus vite
(often)	souvent	plus souvent	le plus souvent
(rarely)	rarement	plus rarement	le plus rarement
(easily)	facilement	plus facilement	le plus facilement
(high)	haut	plus haut	le plus haut
(lightly)	légèrement	plus légèrement	le plus légèrement

1. Add **plus** (*more*) to the adverb to obtain the comparative form.
2. Add **le plus** (*most*) to obtain the superlative form.

Notez bien: Adverbs *never* change to the feminine or the plural as adjectives do. *They always remain the same.*

2. Irregular comparison

Adverb	Comparative	Superlative
mal (badly)	pis (worse) *or*	le pis (worst) *or*
	plus mal (worse)	le plus mal (worst)
bien (well)	mieux (better)	le mieux (best)
beaucoup (a lot)	plus (more)	le plus (most)
peu (a little)	moins (less)	le moins (least)

1. The adverb **mal** can be regularly or irregularly compared. The regular comparison (**plus mal**, **le plus mal**) is most often used.
2. The comparisons of **bien**, **beaucoup**, and **peu** are always irregular.

Exercice 8 Answer the question, using the comparative form of the adverb *in italics*. Then add *que* (than) and the name of a friend, or a stress pronoun (*moi, toi, lui,* etc.) Follow the example.

EXEMPLE: Paul nage *vite*, n'est-ce pas?
Paul nage **plus** vite **que Georges.** *ou*
Paul nage **plus** vite **que moi.**

1. Jacques marche *vite*, n'est-ce pas?
2. Marie écrit *souvent*, n'est-ce pas?
3. Elle sort *rarement*, n'est-ce pas?
4. Les jeunes filles apprennent *rapidement*, n'est-ce pas?
5. Pierre lève la main *haut*, n'est-ce pas?
6. Maman frappe à la porte *légèrement*, n'est-ce pas?
7. Nicole lit *mal*, n'est-ce pas?
8. Elle joue *bien*, n'est-ce pas?
9. Elle en a *beaucoup*, n'est-ce pas?
10. Ils en ont *peu*, n'est-ce pas?

Exercice 9 Restate the sentence, using the adverb *in italics* in the superlative. Add the French word *possible*, and place the entire expression at the end of the sentence.

EXEMPLE: Je lève *vite* la main.
Je lève la main **le plus vite possible.**

1. Je tourne *vite* le dos.
2. Roger lève *haut* le genou.
3. Mimi montre *souvent* sa volonté.
4. On touche *rarement* l'épaule.
5. On touche *facilement* les pieds.
6. L'avion vole *rapidement*.
7. Nos devoirs? Nous les ferons *bien*.
8. Je frappe *légèrement* à la porte.
9. Ces garçons dansent *mal* le «slow».
10. Chantons *bien* en français.
11. Du lait? Nous en boirons *beaucoup*.
12. Des bonbons? Nous en mangerons *peu*.

C. L'impératif des verbes *avoir*, *être*, et *savoir*

	avoir	être	savoir
	(Have! Let's have!)	(Be! Let's be!)	(Know! Let's know!)
(tu)	**Aie** du courage!	**Sois** gentil!	**Sache** l'heure!
(vous)	**Ayez** de la volonté!	**Soyez** en forme!	**Sachez** la réponse!
(nous)	**Ayons** de la patience!	**Soyons** heureux!	**Sachons** la vérité!

The imperative forms of **avoir**, **être**, and **savoir** are irregular and must be memorized. *Notez bien:* The negative imperative of these verbs is formed the same way as the negative imperative of any other verb.
Exemples: **Ne** sois **pas** malheureux! Don't be unhappy!
N'ayez **pas** l'intention d'échouer! Don't intend to fail!

Exercice 10 Dites le suivant en employant l'impératif du verbe *en italique.*

EXEMPLE: Dites au professeur d'*être* indulgent.
Soyez indulgent!

1. Dis à ton camarade:
   a. d'*avoir* de la volonté.
   b. d'*être* intelligent.
   c. de *savoir* garder le rythme.

2. Dites à votre professeur:
   a. d'*être* de bonne humeur.
   b. d'*avoir* de la patience.
   c. de *savoir* que vous travaillez dur.

3. En employant la forme appropriée pour *nous*, dites à vos amis:
   a. d'*être* heureux.
   b. d'*avoir* toujours l'air dynamique.
   c. de *savoir* réussir à tous les examens.

D. Position of adverbs

1. Short common adverbs (Révision)

Temps simples	*Temps composé*
Elle danse **bien** le «slow»?	Elle a **bien** dansé le «rock»?
Oui, mais elle danse **mal** le «fox».	Oui, mais elle a **mal** dansé le «slow».
Il joue **déjà** au tennis?	Il a **déjà** joué de la guitare?
Non, mais il jouera **bientôt** au football.	Non, mais il a **enfin** joué du piano.

Short common adverbs are placed directly after the verb (temps simples) or between the auxiliary and past participle (temps composé).

Exercice 11 Redites chaque phrase en employant l'adverbe entre parenthèses.

EXEMPLE: (déjà) Elle est arrivée? ⟶ Elle est **déjà arrivée?**

1. (enfin) Paul est parti.
2. (bientôt) Le professeur sera ici.
3. (peut-être) Maman est sortie.
4. (presque) Nous avons fini la leçon.
5. (toujours) On a invité Robert.
6. (beaucoup) Nous mangeons à midi.
7. (souvent) Il vient ici.
8. (toujours) Il est arrivé en retard.

2. Adverbs ending in –ment

Il apprend **rapidement** les mots. Il a **rapidement** appris les mots.
Il apprend les mots **rapidement.** Il a appris **rapidement** les mots.

Adjectives ending in **–ment** generally come after the verb (temps simples) or after the auxiliary (temps composés). They may also come at the end of a short sentence (temps simples) or after the past participle (temps composés), especially if they are *long* adverbs.

Exercice 12 Redites chaque phrase en ajoutant (adding) l'adverbe entre parenthèses.

EXEMPLE: (facilement) Il a compris la phrase.
         Il a **facilement** compris la phrase. *ou*
         Il a compris **facilement** la phrase.

1. (facilement) Jean comprend le français.
2. (facilement) Yvonne a compris le dialogue.
3. (rarement) Nous faisons des voyages en avion.
4. (rarement) On a fait des excursions en montagne.
5. (probablement) Vous serez ensemble.
6. (probablement) Vous êtes descendus à pied.

E. *Meilleur* vs. *mieux*

Voici un **meilleur** stylo.   Il écrit **mieux** que l'autre stylo.
(Here's a *better* pen.)   (It writes *better* than the other pen.)

Meilleur is an *adjective*; it precedes a *noun* which is expressed or understood. **Mieux** is an *adverb*; it follows a *verb.*

Exercice 13 Traduisez les phrases en français selon l'exemple donné.

EXEMPLE: This pen writes *better*.   It's a *better* pen.
         Ce stylo écrit **mieux.**   C'est un **meilleur** stylo.

1. This girl works better. She's a better pupil.
2. This boy plays better. He's a better player (joueur). *T.S.V.P.*

3. This man dances better. He's a better dancer (danseur).
4. This lady sings better. She's a better singer (chanteuse).
5. M. Guérin speaks better. He's a better lawyer (avocat).

F. Le verbe irrégulier *devenir*

devenir   to become

Au présent		*Au futur*	
je deviens	nous devenons	je deviendrai	nous deviendrons
(I become, etc.)	vous devenez	(I'll become, etc.)	vous deviendrez
tu deviens		tu deviendras	
il devient		il deviendra	
ils deviennent		ils deviendront	

Au passé composé
Part. passé: **devenu** (être)

je suis devenu(e)	nous sommes devenu(e)s
(I became, etc.)	vous êtes devenu(e)(s)
tu es devenu(e)	ils sont devenus
il est devenu	elles sont devenues
elle est devenue	

The forms of the verb **devenir** are the same as the forms of the verb **venir**, preceded by the prefix **de–**.

Exercice 14 Employez chacune des phrases avec tous les sujets indiqués entre parenthèes.

EXEMPLE: Maintenant tu deviens impossible. (il) (vous)
Maintenant **il devient** impossible.
Maintenant **vous devenez** impossible.

1. Maintenant . . .   Sujets: (il) (elle) (vous) (nous) (les enfants)
   a. tu deviens impossible.
   b. tu ne deviens pas plus mince.
   c. deviens-tu plus intelligent?

2. L'autre jour . . .   Sujets: (tu) (vous) (je) (nous) (elle) (elles)
   a. il est devenu faible.
   b. il n'est pas devenu plus fort.
   c. est-il devenu difficile?

3. L'année prochaine . . .   Sujets: (je) (tu) (il) (ils) (nous)
   a. vous deviendrez ingénieur(s).
   b. vous ne deviendrez pas médecin(s)?
   c. deviendrez-vous professeur(s)?

G. Past participles as adjectives

coucher to lie down

Maman est-elle **couchée**?   Is Mother *lying down*?
Non, elle n'est pas **couchée**.   No, she's not *lying down*.

occuper to occupy

Est-elle **occupée**?   Is she *busy*?
Non. Papa est **occupé**.   No. Dad is *busy*.

payer to pay (for)

Les billets sont **payés**?   The tickets are *paid for*?
Peut-être. Je sais que les robes sont   Perhaps. I know that the dresses
   payées.   are *paid for*.

préférer to prefer

Ma robe **préférée** aussi?   My *favorite* dress too?
Oui, mais mes disques **préférés** ne   Yes, but my *favorite* records are not
   sont pas **payés**.   *paid for*.

---

1. A past participle can be used as an adjective. When it is so used, it must agree in number (singular or plural) and gender (masculine or feminine) with the noun to which it refers.
2. When a past participle is used as an adjective, its meaning may change slightly.

Exercice 15 Complétez les phrases en employant comme adjectif le participe passé du verbe entre parenthèses.

EXEMPLE: (coucher) Les petites filles sont _____.
                 Les petites filles sont **couchées**.

1. (coucher) Les enfants sont-ils _____?
2. (occuper) Non, mais ils sont _____.
3. (payer) Les œufs sont-ils déjà _____?
4. (payer) Non, mais la viande est déjà _____.
5. (préférer) Quels sont vos professeurs _____?
6. (préférer) Je vous dirai quelles sont mes matières _____.

207

H. Les verbes qui changent d'orthographe
Les verbes terminés par –érer, –éter, etc.

préférer (to prefer)	espérer (to hope)	répéter (to repeat)
	Au présent	
je préfère (I prefer, etc.)	j'espère (I hope, etc.)	je répète (I repeat, etc.)
tu préfères	tu espères	tu répètes
il préfère	il espère	il répète
ils préfèrent	ils espèrent	ils répètent
nous préférons	nous espérons	nous répétons
vous préférez	vous espérez	vous répétons
	Au futur	
je préférerai (I'll prefer, etc.)	j'espérerai (I'll hope, etc.)	je répéterai (I'll repeat, etc.)
tu préféreras	tu espéreras	tu répéteras
il préférera	il espérera	il répétera
ils préféreront	ils espéreront	ils répéteront
nous préférerons	nous espérerons	nous répéterons
vous préférerez	vous espérerez	vous répéterez
	Au passé composé	
j'ai préféré (I preferred, etc.)	j'ai espéré (I hoped, etc.)	j'ai répété (I repeated, etc.)
tu as préféré	tu as espéré	tu as répété
il a préféré, etc.	il a espéré, etc.	il a répété, etc.

> In the *present tense,* the acute accent before the ending changes to a grave accent in all the singular forms and in the third person plural (**ils**) form. In the **nous** and **vous** forms the accent does not change.

Questions: Are there any changes in accents in the future? Are there any changes in accents in the participe passé?

Exercice 16 (Au présent) Singulier ⟶ pluriel; pluriel ⟶ singulier.

1. Je préfère ce rythme.
2. Je répète les exercices.
3. J'espère voyager en Europe.
4. Tu espères maigrir?
5. Tu préfères accompagner Anne au cinéma?
6. Le garçon préfère partir.
7. La jeune fille répète tout.
8. Nous espérons devenir riches.
9. Nous préférons voir un film.
10. Nous répétons le dialogue.
11. Vous le répétez jusqu'à minuit?
12. Vous espérez réussir?
13. Les garçons préfèrent le sport.
14. Elles espèrent déjeuner ici?

Exercice 17 Mettez les phrases de l'Exercice 16 (A) au futur, et (B) au passé composé.

EXEMPLES: Je préfère ce rythme.
(A) Je **préférerai** ce rythme.
(B) J'ai **préféré** ce rythme.

I. Les idiotismes

1. **être à (quelqu'un)** to belong to (somebody)

—A qui est ce livret?   To whom does this booklet belong?
   Est-il à Roger?   Does it belong to Roger?
—Non. Il **est à** moi.   No. It belongs to me.

After the preposition **à** in the expression **être à**, use either a noun or a stress pronoun (**moi, toi, lui,** etc.), or the interrogative pronoun **qui** (whom).

Exercice 18 Répondez «Non» à la question, en remplaçant les mots *en italique* par l'expression entre parenthèses.

EXEMPLE: Ces bijoux sont-ils à *votre mère*? (ma tante)
Non, ces bijoux sont à **ma tante**.

1. Ce parfum est-il à *vous*? (ma sœur)
2. Cet or est-il à *Victor*? (Georges)
3. Ces places sont-elles à *nous*? (eux)
4. Ce sac de couchage est-il à *lui*? (moi)
5. Ces disques sont-ils à *toi*? (mes camarades)

2. **demander à (quelqu'un)** to ask (somebody)

Exercice 19 Répondez «Non» à la question, en remplaçant l'expression *en italique* par l'expression entre parenthèses.

EXEMPLE: Demanderez-vous à *votre mère*? (mon père)
Non, je demanderai à **mon père**.

1. Demanderez-vous à *votre oncle*? (ma tante)
2. Demandera-t-il à *son ami*? (son professeur)
3. Demanderons-nous à *nos parents*? (nos grands-parents)
4. Avez-vous demandé à *vos amis*? (mes cousins)

3. **demander (quelque chose) à (quelqu'un)**
to ask (something) of (someone) *or* to ask (someone) for (something)

Demanderez-vous le nom à maman? Will you ask Mother for the name?
Je **demanderai** l'adresse à papa. I'll ask Dad for the address.

In French, when you want to ask someone for something, you must ask *something to someone.*

Exercice 20 Répondez à la question en employant *une* des expressions entre parenthèses. (Choisissez l'expression que vous voulez!)

EXEMPLE: Qu'est-ce que vous demanderez à votre ami? (des disques)
(de l'argent)

Je demanderai **des disques** à mon ami.
Je demanderai **de l'argent** à mon ami.

1. Qu'est-ce que vous demanderez au professeur? (une bonne note)
(l'heure)
2. Qu'est-ce que vous avez demandé à votre père? (la voiture)
(de l'argent)
3. Qu'est-ce que vous demandez à votre mère? (un pull-over neuf)
(une veste)
4. Qu'est-ce que vous demandez à une jolie jeune fille? (son adresse)
(son numéro de téléphone)
5. Qu'est-ce que vous demanderez à un jeune homme? (un appareil)
(une caméra)

Exercice 21 Redites chaque phrase en remplaçant l'expression *en italique* par le pronom *lui* ou *leur*.

EXEMPLE: Je demanderai l'adresse *à Roger*.
Je **lui** demanderai l'adresse.

1. Je demanderai l'adresse *à Marc*.
2. Vous demanderez le nom *à Guy*?
3. J'ai demandé le nom *à mon frère*.
4. Avez-vous demandé la caméra *à vos camarades*?
5. Paul demandera un appareil *à ses amis*.

4. oublier de + infinitive   to forget to (do something)

A-t-il oublié	de	venir?		Il a oublié	de	téléphoner.
Did he forget	✕	to come?		He forgot	✕	to telephone.

Exercice 22 Combine the two expressions, using *oublier de* + the infinitive of the verb *in italics*.

EXEMPLE: *Rendre* l'argent? Paul a oublié.
Paul a oublié de rendre l'argent.

1. *Acheter* la laine? Yvonne a oublié.
2. *Frapper* à la porte? J'ai oublié.
3. *Garder* le rythme? Ils vont oublier.
4. *Accompagner* les enfants! N'oubliez pas!
5. *Faire* des exercices physiques! N'oublions pas!

210

5. faire voir (quelque chose) = montrer (quelque chose)

Faites-moi voir	le livret.
Show me	the booklet.

=

Montrez-moi	le livret.
Show me	the booklet.

Exercice 23 Redites la phrase en remplaçant l'expression *faire voir* par la forme appropriée du verbe *montrer*.

EXEMPLE: Elle *fait voir* son pied au docteur.
Elle **montre** son pied au docteur.

1. Il *fait voir* son dos au médecin.
2. Elle *ne fait pas voir* ses genoux avec la maxi-jupe.
3. Elles *font voir* leurs jolies épaules sur cette photo.
4. *Fais*-tu *voir* ta composition au professeur?
5. *Faites*-moi *voir* vos devoirs.

Exercice 24 Redites chaque phrase en remplaçant le verbe *montrer* par la forme appropriée de l'expression *faire voir*.

1. Elle *montre* la photo à son amie.
2. Suzanne lui *montre* le livret.
3. Vous *montrez* vos dents blanches au dentiste.
4. Paul ne *montre* pas ses réponses à son camarade.
5. *Montrez*-moi vos notes!

Exercice général Ecrivez une lettre en français à un(e) camarade pour lui dire que vous essayez de maigrir. Si vous n'essayez pas de maigrir, dites-lui qu'une de vos amies essaie de maigrir. (Si vous parlez d'une amie, employez le sujet *elle*; si vous parlez de vous-même, employez le sujet *je*, naturellement!)

Dites à votre camarade:
1. que vous savez qu'elle (ou qu'il) veut devenir plus mince.
2. que vous êtes en train d'essayer de maigrir aussi (ou que votre amie essaie de maigrir aussi).
3. pourquoi vous voulez le faire (pour sortir avec une personne très spéciale?).
4. depuis combien de temps vous faites des exercices physiques (depuis 8 jours? depuis 15 jours? deux mois?).
5. à quel moment vous les faites (quand vous vous levez? avant de manger?).
6. combien de temps vous passez à faire des exercices (dix minutes? vingt minutes? par jour? par semaine?).
7. quelle est la position initiale de l'exercice que vous préférez [debout? couché(e) sur le dos? assis(e)?].

8. quels sont les mouvements de votre exercice préféré (vous touchez
. . . ? vous tournez . . . ? vous levez . . . le plus haut ou le plus vite
possible?).

9. où vous avez trouvé tous les renseignements (dans un journal? à la
télévision? chez le médecin? à la librairie?).

10. jusqu'à quelle date vous ferez le nécessaire.

11. si vous avez à prendre des cachets. (*J'ai à prendre* ou *Je n'ai pas à
prendre . . .*).

12. si vous devez manger du pain, de la glace et des pommes frites.

13. si vous buvez du lait ou de l'eau.

14. si vous devez compter les calories tous les jours.

15. si vous obéissez à toutes les instructions.

16. si vous avez perdu quelques kilos (un kilo = 2.2 pounds).

17. combien de kilos vous espérez perdre avant le mois prochain.

18. si vous avez payé cher les livrets et les disques.

19. qu'il faut avoir beaucoup de volonté.

20. que, si elle (ou s'il) a besoin d'autres renseignements, vous les lui
donnerez tout de suite.

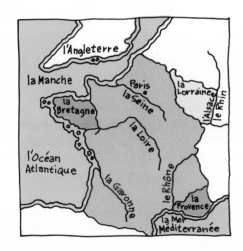 

IV NOTES SUR LA CIVILISATION FRANÇAISE

L'Alsace et la Lorraine

L'Alsace Située à l'*est* de la France, l'Alsace a   east
deux frontières qui touchent l'Allemagne, la fron-
tière *nord* et la frontière est. A l'est, l'Alsace est   northern
séparée de l'Allemagne par le *Rhin*, un des grands   separated ♀ Rhine
5 fleuves de l'Europe.

212

L'industrie alsacienne, près de Mulhouse. Au fond, le Rhin et l'Allemagne.

L'Alsace est une province très riche. A l'*ouest* sont les belles montagnes des Vosges. Entre les Vosges et le Rhin sont les riches *coteaux* où *poussent* la *vigne* et les belles prairies où poussent le 10 *blé*, les fruits, et le *houblon*. (La *bière* alsacienne est la bière préférée de France!)

west

slopes ♀ grow
grapevines
wheat ♀ hops ♀
beer

Une belle Alsacienne en costume traditionnel pendant une fête folklorique. Notez bien la coiffe de la province.

En Alsace *se trouvent* aussi de grandes indus- — are located
tries textiles, métallurgiques et *chimiques.* — chemical

15 Strasbourg, la ville principale de la province, est un port sur le Rhin et un centre commercial important. Sa cathédrale est *renommée* pour son — renowned
horloge astronomique. Strasbourg est *connu* — clock & known
aussi pour son *pâté de foie gras* qui est célèbre — goose-liver paste
partout au monde. — everywhere

20 En Alsace, on parle un dialecte local *aussi bien* — as well as
que le français. Beaucoup d'Alsaciens parlent aussi l'allemand.

La Lorraine A l'ouest de l'Alsace se trouve la Lorraine, une province d'une grande *richesse* — wealth
25 minérale. En Lorraine se trouvent les mines de *fer* et les mines de *charbon* les plus importantes — iron & coal
de France. Il y a aussi en Lorraine beaucoup de grandes *fonderies* où l'on transforme le *minérai* — foundries & iron ore
de fer en *fonte* à l'aide du charbon et du coke. — cast iron

30 Nancy, ancienne capitale des *ducs* de Lorraine, — dukes
est un centre commercial et aussi une très jolie ville. A Nancy se trouvent de beaux monuments historiques, de belles places, et des *grilles* ad- — wrought-iron grill
mirables. — work

35 **L'Allemagne** Après une *guerre* entre la *Prusse* et — war & Prussia
la France en 1870 (quand la Prusse *était victo-* — was victorious
rieuse), ces deux provinces *furent rattachées* à — were ceded
l'Allemagne. Elles *restèrent* sous la domination — remained
allemande jusqu'en 1918, quand elles *redevinrent* — again became
40 françaises à la *suite* de la guerre de 1914–1918. — result

Questions
L'Alsace

Complétez.

1. L'Alsace est située dans la partie _____ de la France.
2. Le pays qui se trouve à l'est et au nord de l'Alsace s'appelle _____.
3. Un fleuve important qui forme la frontière allemande est le _____.
4. En Alsace on trouve les montagnes qui s'appellent _____.
5. La ville principale de l'Alsace est _____.
6, 7. En Alsace poussent la vigne pour faire _____, et le houblon pour faire _____.
8. Il y a des _____ textiles, métallurgiques et chimiques en Alsace.
9. La ville de _____ est connue pour son pâté de foie gras.
10. Beaucoup d'Alsaciens parlent un dialecte local et _____ aussi bien que le français.

214

La Lorraine

Choisissez.

1. La Lorraine se trouve (a) à l'est, (b) à l'ouest, (c) au nord, (d) au sud de l'Alsace.
2. Les mines de fer et de charbon les plus riches de France se trouvent en (a) Alsace, (b) Provence, (c) Normandie, (d) Lorraine.
3. En Lorraine se trouvent les grandes usines de (a) textiles, (b) fer, (c) voitures, (d) produits chimiques.
4. L'ancienne capitale des ducs de Lorraine s'appelle (a) Nanette, (b) Nathalie, (c) Nancy, (d) Norbert.
5. Après la guerre de 1870, l'Alsace et la Lorraine sont devenues (a) françaises, (b) italiennes, (c) allemandes, (d) belges.
6. Après la guerre de 1914–1918, l'Alsace et la Lorraine sont devenues (a) françaises, (b) italiennes, (c) allemandes, (d) belges.

V AMUSONS-NOUS!

Faisons de la gymnastique!

Comprenez-vous bien le français? Pouvez-vous faire des exercices physiques en français? Pouvez-vous faire des exercices *ensemble*?

Organize into teams of four or five students. Each team selects a captain. When it's your team's turn, you will all go to the front of the room to do some exercises. Your captain will combine a command selected from Column I with a word or expression from Column II.

I	II	
Levez . . .	la tête	l'épaule
Baissez (Lower) . . .	le front	l'estomac
Montrez . . .	les yeux	le(s) genou(x)
Touchez . . .	le nez	la jambe
Tournez . . .	la bouche	le pied
	le bras	la main droite
	le dos	la main gauche

EXEMPLES: Touchez la tête! Levez le pied! Montrez la jambe!
Tournez le dos! Baissez l'épaule! Touchez la bouche!

Remember, the idea is not only to do the exercises, but to do each movement together as a team. If *one* team member does not do the right movement at the right time, the team loses that point. Each captain may call out 5 commands. The team which gets the highest number right wins the game!

RÉVISION GÉNÉRALE VI

Leçons 27–30

I RÉVISION DE GRAMMAIRE

A. Les verbes

1. Etudiez le futur des verbes «irréguliers» à la page 137. Ensuite redites chacune des phrases suivantes en remplaçant le sujet *en italique* par chacun des sujets entre parenthèses.

    a. *Vous* irez à l'hôpital samedi.   d. *Ils* auront besoin de l'argent.
       (Je) (Tu) (Nous) (Ils)   (Nous) (Vous) (Je) (Jacques)

    b. *Vous* ferez le nécessaire.   e. *Nous* saurons les réponses.
       (Je) (Le médecin) (On)   (Les professeurs) (Je) (Marie)

    c. *Je* serai de bonne humeur.   f. *Nous* pourrons partir demain.
       (Vous) (Nous) (Les enfants)   (Elles) (Tu) (Janine) (Vous)

2. Etudiez le présent des verbes «irréguliers» à la page indiquée pour chacun. Ensuite remplacez le sujet *en italique* par chacun des sujets entre parenthèses.

    a. **devoir** (p. 175–76)   e. **essayer** (p. 186)
       Je dois maigrir.   *Nous* essayons de réussir.
       (Tu) (Elles) (Nous) (Vous)   (Vous) (On) (Victor) (Les élèves)

    b. **boire** (p. 175–76)   f. **acheter** (p. 162, Appendix B)
       Tu bois du champagne?   *Vous* achetez tout cela?
       (Il) (Ils) (Vous) (Nous)   (Nous) (Vos amis) (On) (Tu)

    c. **recevoir** (p. 175–76)   g. **préférer** (p. 208)
       Paul reçoit des cadeaux.   *On* préfère danser.
       (Je) (Mes parents) (Vous)   (Hélène) (Je) (Mes amis)

    d. **devenir** (p. 206)
       André devient formidable.
       (Tu) (Les matches) (Vous)

3. Etudiez le futur et le passé composé des verbes de l'Exercice 2. Ensuite redites chacune des phrases de l'Exercice 2 (A) au futur, et (B) au passé composé.

4. Etudiez les expressions à la page indiquée à côté de chaque phrase. Ensuite, redites la phrase en remplaçant le pronom *en italique* par chacun des pronoms entre parenthèses.

    a. *Je* le ferai *moi*-même. (141)
        (Tu) (Il) (On) (Nous) (Elles)

    b. *Nous* obéissons à la loi. (158)
        (Vous) (Ils) (On) (Je)

    c. Il *me* faut du temps. (137–38)
        (te) (lui) (nous) (leur)

    d. *On* lui fait voir la ville. (210)
        (Jacques) (Nous) (Je) (Elle)

B. Les pronoms

1. Etudiez les pronoms à la page 177. Ensuite, répondez à chaque question en employant des pronoms à la place des noms *en italique*. Faites l'accord du participe passé.

EXEMPLE: Avez-vous rendu *les livres au professeur*?
            Oui, je **les lui** ai rendus. *ou*
            Non, je ne **les lui** ai pas rendus.

    a. Avez-vous prêté *les disques à votre cousin*?
    b. Avez-vous donné *le livret à Georges*?
    c. Avons-nous écrit *la lettre à Grand-mère*?
    d. A-t-on montré *le cadeau aux enfants*?
    e. A-t-on dit *la fin aux élèves*?
    f. Ont-ils donné *les renseignements aux messieurs*?

2. Etudiez les pronoms à la page 198. Ensuite, répondez aux questions en employant deux pronoms, (A) le pronom entre parenthèses, et (B) un pronom à la place du nom *en italique*. Faites l'accord du participe passé.

EXEMPLE: Il vous a dit *la vérité*? (me)
            Oui, il me l'a dite. *ou*
            Non, il ne **me** l'a pas dite.

    a. Il vous a lu *la lettre*? (me)
    b. Elle nous a rendu *le poste de radio*? (vous)
    c. La vendeuse vous a vendu *les bijoux*? (nous)
    d. Grand-père m'a donné *ces disques*? (te)

3. Etudiez les pronoms **qui** et **que** à la page 156. Ensuite, écrivez 3 phrases originales. Ecrivez (A) une phrase en employant **qui** comme sujet, (B) une phrase en employant **qui** après une préposition, et (C) une phrase en employant **que**.

EXEMPLES: (A) Voici le garçon **qui** parle français.
             (B) C'est le garçon avec **qui** je parle.
             (C) C'est un garçon **que** je vois beaucoup.

C. Les prépositions

Etudiez les expressions à la page indiquée.

réussir à, obéir à, échouer à (154)
aider à, avoir à, inviter à (182–83)
être à, demander à (209)

essayer de, s'occuper de (184–85)
content de, triste de (143)
par + time expressions (161)

Maintenant complétez les phrases avec à, de ou par.

1. Il faut réussir ____ l'examen.
2. Obéissez toujours ____ la loi !
3. Demandez la réponse ____ Paul.
4. Yvonne va gagner 20 francs ____ jour.
5. Guy a échoué ____ l'examen.
6. L'avion vole (flies) à 300 kilomètres ____ l'heure.
7. Robert gagne 120 francs ____ semaine.
8. ____ qui sont ces photos ?
9. Elles sont ____ mon camarade.
10. Qui s'occupera ____ moi ?
11. Je m'occupe ____ tout le monde.
12. Nous avons ____ étudier ceci.
13. Qui nous invite ____ dîner ?
14. Ma sœur essaiera ____ venir.
15. Elle sera contente ____ voyager.
16. Mimi est triste ____ voir son frère malade.
17. Qui va demander la voiture ____ papa ?
18. Qui aime aider le professeur ____ préparer les examens ?

D. Les idiotismes

Trouvez dans la colonne II la réponse ou la remarque pour chaque question ou affirmation de la colonne I.

I

1. Est-ce que ces livres sont à toi ?
2. Papa paiera les billets d'avion ?
3. André a une très bonne idée !
4. Comment essaie-t-on de montrer sa reconnaissance ?
5. Qui s'occupera des bagages ?
6. Robert a l'air triste.
7. L'examen aura lieu demain après-midi.
8. Est-ce qu'il me faudra une vaccination contre la fièvre jaune ?
9. Comment faites-vous les exercices physiques ?
10. Je vais rester jusqu'à minuit.

II

a. Certainement ! Il fait toujours le nécessaire !
b. Oui, et merci beaucoup ! J'ai oublié ma serviette !
c. On doit offrir quelque chose à ces messieurs.
d. J'écoute des disques et je lis un livret.
e. Partez à huit heures. Ce sera mieux.
f. Il n'est pas content de sa note.
g. Pas possible ! Il faut passer deux examens le même jour ?
h. Pierre a une meilleure idée !
i. Généralement mes parents s'occupent de tout.
j. Pas du tout ! Seulement si vous allez dans une région tropicale !

218

II ÉTUDE DE VOCABULAIRE

A. Les contraires

Choisissez dans la colonne II le contraire de chaque mot ou de chaque expression de la colonne I.

I	II
la fin	offrir
triste	après
assis	arrêter
réussir à	rendre
avant	debout
recevoir	le commencement
garder	ravi
continuer	échouer à

B. Les synonymes

Choisissez dans la colonne II le synonyme de chaque mot ou de chaque expression de la colonne I.

I	II
montrer	la loi
triste	aussitôt que
le règlement	quelques
offrir	la gratitude
aimer mieux	faire voir
j'ai besoin de	il me faut
dès que	un livret
plusieurs	donner
la reconnaissance	préférer
un petit livre	déçu

C. Les définitions

Choisissez dans la colonne II la définition de chaque mot ou de chaque expression de la colonne I.

I	II
meilleur	dire plusieurs fois
maigrir	aimer mieux
la beauté	supérieur
essayer	ce qui (what) est beau
répéter	ce qui est vrai
s'occuper de	faire un effort
préférer	faire attention à
la vérité	devenir plus mince

D. Les associations

Choisissez dans la colonne II le mot ou l'expression associé avec un mot ou une expression de la colonne I.

I	II
réussir à	une cigarette
garder	une piqûre
le sac de couchage	la volonté
vouloir	gagner
fumer	dormir à la belle étoile
l'argent de poche	le rythme
la fièvre	un examen

E. Le vocabulaire

Consultez le **Vocabulaire actif** à la page indiquée, et écrivez les listes suivantes.

1. Six materials (p. 174)
2. Five parts of the body (p. 197)
3. Four things you could give as a gift (p. 174)

III PETIT THÉÂTRE IMPROMPTU

Prepare 5 or 6 questions which you would ask if you were in each of the situations described below. Consult the **Conversation**, the **Scène de la vie française**, the **Dialogue original** or the **Vocabulaire actif** of the lesson indicated in parentheses to help you compose your questions. When you arrive in class, act out a scene in front of the class by asking the questions of one of your classmates who will answer them impromptu.

1. You are in charge of awarding scholarships to students who want to study in a French-speaking country during the summer (*en France, au Canada, en Suisse, au Luxembourg, en Belgique*). Prepare 5 questions you would ask each applicant, such as whether he will know how to speak French next summer, whether he will be able to go alone, whether he will make the trip by plane, etc. (27)

2. You are the Personnel Director of an employment agency. A young man (or a young lady) is looking for a summer job. Interview him by asking such questions as whether he likes to work in a store, on the beach, etc., if he will obey the rules, how much he wants to earn, per day or per week, etc. (28)

3. A good friend telephones you for advice on how to show appreciation for another friend's many kindnesses. Prepare 5 or 6 questions in an effort to help him make up his mind about a gift. Par exemple: *Est-ce que votre ami est un garçon ou une jeune fille? Aime-t-il prendre des*

photos? Aime-t-il les ceintures de cuir, les complets de coton, etc
You can suggest what your friend might do: *Donnez-lui . . .; Achetez-lui . . .*, etc. (29)

4. You go to a department store to buy some things to wear on a forth-coming trip. Prepare 5 or 6 questions to ask the salesperson, specifying the material of the articles you are buying. (You may also buy jewelry, if you wish!) (29)

5. As the instructor of a course in physical fitness, you want to find out how your students are progressing with their exercises. Prepare 5 or 6 directions and ask one of your students to execute them in front of the class. (30)

IV VRAI OU FAUX?

Si l'affirmation est fausse, corrigez-la en français! (The number in parentheses refers to the page of the **Notes sur la civilisation française** you may wish to consult.)

1. Les enfants français ne font pas d'exercices physiques à l'école. (145)
2. La France est membre de l'Organisation mondiale de Santé. (145)
3. Les Français mangent beaucoup de pain et de fromage. (144)
4. Au Conseil de Sécurité de l'O.N.U. on tradiut tous les discours en anglais, en français et en russe. (145)
5. Les Français ne font pas très attention à la santé. (144)
6. Une des fêtes importantes de la Provence est le Pardon. (165)
7. Les vieilles traditions sont très importantes en Bretagne. (165)
8. Les Bretons aiment beaucoup la pêche et la navigation maritime. (164)
9. La France, la Belgique, la Grande Bretagne, l'Italie, les Pays-Bas, le Luxembourg et l'Allemagne de l'Ouest sont «les Six» du Marché Commun. (188)
10. Le véritable nom du Marché Commun est la Communauté économique européenne. (188)
11. Le Marché Commun a pour but (aim) l'expansion de la langue française. (188)
12. La population des 6 pays membres du Marché Commun est presque aussi grande que la population du Texas. (190)
13. En Lorraine il y a de grandes fonderies. (213)
14. On trouve des mines de fer et de charbon en Bretagne. (213)
15. Strasbourg est la ville principale de la province d'Alsace. (213)
16. L'Alsace est près de l'Italie. (212)

31
Leçon trente et un

(à livre ouvert)

A.

1 Quel âge as-tu maintenant?   J'ai _____ ans.

2 Tu parles bien maintenant, n'est-ce pas?

3 Est-ce que tu parlais à l'âge de trois ans?
(Were you talking at the age of three?)

     Oui, je parlais . . .
(Yes, I was talking . . .)
Non, je ne parlais pas . . .

4 Est-ce que tu parlais beaucoup?
(Did you talk[1] a great deal?)

     Oui, je parlais . . .
(Yes, I used to talk . . .)

5 Parlais-tu anglais ou français?

6 Jouais-tu beaucoup?
(Did you play . . . ?)

     Oui, je jouais . . .
(Yes, I used to play . . .)
Non, je ne jouais pas . . .
(No, I didn't play[1] . . .)

7 Jouais-tu à la balle?

8 Regardais-tu la télé?
(Did you look at . . . ?)

     Oui, je regardais . . .
Non, je ne regardais pas . . .

9 Allais-tu à l'école?
(Did you go . . . ?)

     Oui, j'allais . . .
Non, je n'allais pas . . .

10 Faisais-tu des promenades?
(Did you take walks?)

     Oui, je faisais . . .
Non, je ne faisais pas de . . .

11 Avais-tu des amis?
(Did you have . . . ?)

     Oui, j'avais . . .

12 Etais-tu heureux (heureuse)?
(Were you . . . ?)

     Oui, j'étais . . .
Non, je n'étais pas . . .

13 Est-ce que tu te levais de bonne heure?
(Did you get up . . . ?)

     Oui, je me levais . . .
Non, je ne me levais pas . . .

14 Est-ce que tu te couchais de bonne heure?
(Did you go to bed . . . ?)

     Oui, je me couchais . . .
Non, je ne me couchais pas . . .

[1] The idea here is really "used to," but "Did you use to . . ." is not good English!

B.

1 Est-ce que ton frère parlait à l'âge de trois ans?
 (Was your brother talking . . . ?)

Oui, il parlait . . .
(Yes, he was talking . . .)

2 Parlait-il beaucoup?

3 Jouait-il beaucoup?

Oui, il jouait . . .
(Yes, he used to play . . .)

4 Regardait-il beaucoup la télé?

5 Perdait-il toujours ses affaires?

Oui, il perdait toujours . . .
(Yes, he was always losing . . .)

6 Est-ce que ta sœur regardait beaucoup la télé?

Oui, elle regardait . . .
(Yes, she used to look at . . .)

7 Ecoutait-elle des disques?

8 Allait-elle à l'école?

Non, elle n'allait pas . . .

9 Faisait-elle des promenades?

10 Se couchait-elle de bonne heure?

Oui, elle se couchait . . .

11 Avait-elle des poupées (dolls)?

12 Etait-elle heureuse?

Dialogue dirigé 1

1 Demandez à une camarade:
 a. si elle était heureuse.
 b. si elle allait à l'école.
 c. si elle regardait la télé.

Etais-tu heureuse?

2 Demandez à un camarade:
 a. s'il avait des amis.
 b. s'il jouait beaucoup.
 c. s'il faisait des promenades.

Avais-tu des amis?

C.

1 A l'âge de trois ans, est-ce que ton frère et ta sœur jouaient beaucoup?
 (. . ., did your brother and sister play . . . ?)

Oui, ils jouaient beaucoup.
(Yes, they used to play . . .)

2 Jouaient-ils à la balle?

3 Est-ce qu'ils parlaient anglais ou français?

Ils parlaient . . .

4 Aimaient-ils l'école?
 (Did they like . . . ?)

Oui, ils aimaient . . .
Non, ils n'aimaient pas . . .

5 Avaient-ils des camarades?

6 Punissaient-ils le chien?
 (Did they punish . . . ?)

Oui, ils punissaient . . .
Non, ils ne punissaient pas . . .

223

7 Finissaient-ils leurs devoirs?

8 Obéissaient-ils à papa?

9 Perdaient-ils toujours leurs af-   Oui, ils perdaient toujours . . .
faires?   (Yes, they were always losing . . .)

10 Etaient-ils heureux?   Oui, ils étaient heureux.

D.

1 A l'âge de huit ans, nous étions   Oui, nous étions jeunes.
jeunes, n'est-ce pas?   (Yes, we were young.)
(At the age of eight, we were
young, weren't we?)

2 Jouions-nous beaucoup?   Oui, nous jouions . . .
(Did we play a lot?)

3 Pleurions-nous quelquefois?
(Did we cry sometimes?)

4 Avions-nous beaucoup d'amis?

5 Attendions-nous toujours papa?

6 Punissiez-vous le chien?   Oui, nous punissions . . .
    Non, nous ne punissions pas . . .

7 Obéissiez-vous à maman?   Oui, nous obéissions à . . .

8 Regardiez-vous la télé?   Oui, nous regardions . . .

9 Etiez-vous heureux?   Oui, nous étions . . .

Dialogue dirigé 2

Demandez-moi:

a. si j'étais heureux (–se).   Etiez-vous heureux (–se)?

b. si je regardais la télé.   Regardiez-vous la télé?

c. si je pleurais quelquefois.

d. si j'obéissais toujours à maman.

II SCÈNE DE LA VIE FRANÇAISE

La *lettre de remerciement*   thank you note

Personnages: FACTEUR; M = Maman; C = Claire;
MO = Monique

Scène: Samedi après-midi. On sonne à la porte de
l'appartement. C'est le *facteur*.   postman

FACTEUR: Un *colis* pour Darmond, Mademoiselle   parcel
Claire. *Signez* ici, s'il vous plaît. (Maman signe à   sign
l'endroit indiqué.)

M: Merci, monsieur.

FACTEUR: A votre service, Madame. Au revoir,

10   Madame. (Il *s'en va*.)   goes away

224

M: Claire! Viens vite, ma chérie!

C: Oui, maman, j'arrive! *Qu'est-ce qui se passe*? — What's going on?

M: Un colis pour toi . . . de tes grands-parents. (Elle donne le colis à Claire.)

15 C: (*Ouvrant* le colis et *retirant* un *à* un *divers* objets) Oh! Regarde! Un *pull* . . . une écharpe, une jupe . . . et une veste! — Opening ♀ taking out ♀ by ♀ various ♀ = pull-over

M: Mais, ma petite chérie, tu n'as pas encore lu la *carte de vœux*. La voilà! — greeting card

20 C: (*Lisant*) «Nos meilleurs vœux pour notre chère Claire . . . A l'occasion de son anniversaire! Affectueux *baisers* de Grand-mère et Grand-père!» Oh, *que* c'est joli! C'est de la *poésie*! — reading / kisses / = comme ♀ poetry

M: Va vite essayer ton ensemble, et après tu leur
25 écriras une lettre de remerciement.

C: Oui, maman! Tout de suite!

(Une heure plus tard.)

C: Voilà la lettre, maman. Je n'ai pas de *timbre*. Est-ce que tu veux bien *la mettre à la poste* pour
30 moi? — stamp / to mail it

M: Mais oui, bien sûr! Mais . . . lis-la-moi d'abord.

C: Oh, maman, tu m'excuses? Je voudrais montrer tout de suite mon beau cadeau à Suzanne! Tu permets?

35 M: Vas-y, ma petite chérie. Je lirai la lettre moi-même.

(Claire laisse la lettre ouverte sur la table, embrasse sa mère, et quitte l'appartement.)

M: (Lisant) «Ma très chère *mémé*, mon très cher
40 *pépé*, — grandma / grandpa

Merci *de* tout mon cœur *du* bel ensemble que je viens de recevoir et de la belle carte de vœux. Le pull et l'écharpe *me vont à merveille*, mais la jupe est trop *étroite* et la veste est trop *large*.
45 Cela ne fait rien. Maman pourra les *retoucher* un peu. — with ♀ for the / fit me perfectly / narrow (tight) ♀ / wide ♀ alter

Je voudrais vous *raconter ce que* nous avons fait pendant le week-end. Nous sommes allés à Deauville, en Normandie. Nous *étions* si *bien*
50 dans un grand hôtel au bord de la mer! Et tous les jours, *du* matin *au* soir, on s'amusait à faire quelque chose d'intéressant. Pendant la journée, on *se promenait* à pied ou en voiture, on nageait — relate what / were ♀ comfortable / from . . . till . . . / = faisait des promenades

225

dans *la Manche*, on jouait au tennis, ou on vi-   English Channel
55 sitait les monuments historiques dans les environs. Le soir, on dînait à l'hôtel ou dans un
beau restaurant. *De temps en temps*, on man-   From time to time
geait *en plein air*. Après le dîner, on *se reposait*.   outdoors ℒ rested
Papa et maman lisaient, et Robert et moi *cau-*   chatted
60 *sions* et regardions la télé. Il faisait chaud
dehors, mais *à l'intérieur* il faisait *frais, grâce*   outside ℒ inside ℒ
à la climatisation de l'hôtel.   cool ℒ thanks to
ℒ air-condition-
Pendant nos promenades, Monique n'était pas   ing
toujours avec nous. Elle était toujours avec
65 Armand qui venait à l'hôtel tous les matins. Ils
voulaient toujours être *seuls*, tous les deux.   alone
Quelquefois, ils *s'en allaient* sans nous. Papa   parfois ℒ went off
était souvent *fâché* quand ils partaient seuls,   angry
surtout le soir. Enfin, papa a dû dire à Monique,   especially
70 «Tu me demanderas la permission avant de t'en
aller avec Armand.»

(On sonne à la porte. Maman l'ouvre. Monique
entre, un petit bouquet de fleurs *à la main*.)   in her hand
MO: J'ai acheté ces quelques fleurs pour Claire,
75 pour son anniversaire.
M: Elle est partie chez Suzanne pour lui montrer
le nouvel ensemble que Grand-mère et Grand-
père lui *ont envoyé*. Veux-tu bien finir de me   sent
lire sa lettre de remerciement? Je voudrais ran-
80 ger ces affaires de papa.
MO: *Volontiers*.   Gladly
M: Commence à la page 5. J'ai déjà lu les quatre
premières pages.
MO: (Lisant) «Savez-vous que nous allons en
85 Afrique la semaine prochaine? Nous allons y
rester un mois. Je vous enverrai une carte postale de Dakar.

Affectueusement,   Affectionately
Claire

90 *P. S.* Je crois que Monique et Armand ont l'in-   post-script
tention de *se fiancer* à Noël, si papa leur donne   to get engaged
la permission. Maintenant c'est un secret.»

M: Monique! C'est vrai . . . ? Tu veux te fiancer?
MO: Oui, maman, c'est vrai. Mais . . . comment
95 Claire le savait-elle?
226

DIALOGUE ORIGINAL

Modèle	Substitutions

Situation: C'est le mois d'octobre. Tu causes avec un(e) camarade que tu n'as pas vu(e) depuis le mois de mai.

Situation: Tu causes avec un(e) camarade. Vous parlez de deux garçons que vous connaissez.

—Comment *passais-tu* les week-ends l'été dernier?

(comment ils passaient le temps [la semaine, la saison] dernier)

—Oh, . . . *je m'amusais. Je me promenais*; *je jouais* au tennis.

(ce que [what] ces garçons faisaient)

—Est-ce que *tu allais* quelquefois *à la campagne?*

(à quel endroit ou chez qui ils allaient quelquefois)

—De temps en temps. D'habitude *je restais* en ville avec mes copains.

(ce qu'ils faisaient de temps en temps)

—Qu'est-ce que *tu faisais le soir?*

(ce qu'ils faisaient le matin, l'après-midi ou le soir)

—*J'allais* au cinéma; *je regardais* la télé. *J'étais* content(e).

(comment ils s'amusaient; qu'ils étaient contents)

—Et moi, *je travaillais* du matin au soir comme *garçon de plage* (*vendeuse*).

(ce que tu faisais du matin au soir)

227

Vocabulaire actif

mettre à la poste   to mail
envoyer   to send
signer (I)   to sign
s'en aller   to go away

le remerciement   thanks
le facteur   postman
le colis   parcel
le timbre   stamp

---

faire frais   to be cool (out)
être bien   to be comfortable
vouloir bien   to be willing

dehors   outside
la climatisation   air-conditioning
quelquefois = parfois

---

aller à (quelqu'un)   to fit, to suit
  (someone)
à merveille   wonderfully

large   wide, broad
étroit, –e   narrow, (tight)
autrefois   formerly

---

fâché, –e   angry, annoyed
causer (I)   to chat
se reposer (I)   to rest, relax
se promener = faire une promenade

du matin au soir   from morning till
  night
de temps en temps   from time to
  time

Questions

1. Qu'est-ce que le facteur apporte? Qu'est-ce qu'il dit à maman?
2. Qui a envoyé le colis à Claire? Qu'est-ce qu'il y a dans le colis?
3. Qu'est-ce que Claire va essayer? Qu'est-ce qu'elle va écrire?
4. Qu'est-ce que maman va faire avec la lettre? Pourquoi?
5. Qu'est-ce que maman veut faire avant de mettre la lettre à la poste?
6. Est-ce que le pull et l'écharpe vont bien à Claire? Comment lui vont-ils?
7. Comment est la jupe? la veste?
8. Est-ce que la famille était bien à l'hôtel?
9. Quand s'amusaient-ils?
10. Comment se promenait-on? Où nageait-on? Où dînait-on?
11. Où mangeait-on de temps en temps?
12. Comment maman et papa se reposaient-ils le soir?
13. Comment Claire et Robert se reposaient-ils?
14. Pourquoi faisait-il frais à l'hôtel?
15. Pourquoi Monique n'était-elle pas toujours avec la famille?
16. Qui était fâché quand elle s'en allait le soir avec Armand?
17. Qu'est-ce que Monique apporte pour l'anniversaire de Claire?
18. Où la famille ira-t-elle la semaine prochaine?
19. Qu'est-ce que Claire enverra de Dakar à ses grands-parents?
20. Quand Monique veut-elle se fiancer?

228

Discussion

1. Votre facteur est-il sympathique? Combien de fois par jour vient-il chez vous? Voulez-vous devenir facteur?

2. Le facteur apporte-t-il quelquefois un colis? Y a-t-il quelquefois un cadeau?

3. Quand vous recevez un cadeau, écrivez-vous tout de suite une lettre de remerciement? Signez-vous toujours la lettre? Mettez-vous un timbre sur l'enveloppe? Mettez-vous la lettre immédiatement à la poste?

4. Est-ce que votre pull vous va bien ou mal? Et le pull de votre camarade, comment lui va-t-il? Ses chaussures comment lui vont-elles? Sont-elles larges? étroites? Lui vont-elles à merveille?

5. Chez vous, y a-t-il la climatisation? Fait-il frais chez vous en été? Fait-il frais du matin au soir? Fait-il frais dehors aujourd'hui? Non? Quel temps fait-il?

6. Quand vous étiez très jeune, est-ce qu'on fêtait souvent votre anniversaire? Qui vous apportait des cadeaux? Mangeait-on de la glace et des bonbons à la fête? Est-ce qu'on dansait beaucoup? A quelle heure commençait la fête? A quelle heure disait-on «Au revoir»?

7. Etes-vous allé(e) à la campagne l'été passé? Etiez-vous bien à la campagne? Est-ce que tout le monde se reposait? Est-ce qu'on voulait bien jouer au volley avec vous? Est-ce qu'on s'amusait du matin au soir? Le soir, causiez-vous avec vos amis?

III STRUCTURES

A. L'imparfait

In French, there are *two* past tenses which are most often used in conversation: (1) the **passé composé**, which you have already learned, and (2) the **imparfait**, or imperfect tense, which you are now learning.

The passé composé tells what *happened* at a certain *point* in the past; the imparfait describes what *was happening* or what *used to happen over and over again* in the past.

Here is a diagram to help you understand the difference between the passé composé and the imparfait:

Remember: The passé composé *records* what happened in the past.

The imparfait *describes* what happened in the past.

i—m—p—e—r—f—e—c—t

p a s s é c o m p o s é

229

1. Emplois de l'imparfait

Let's compare the two ways of expressing an idea in the past. The idea: *I played tennis with Paul.*

Implication	Expression	Tense
On a specific occasion	J'ai joué au tennis avec Paul. (I played tennis with Paul.)	Passé composé
Over and over again; habitually	Je jouais au tennis avec Paul. (I used to play tennis with Paul.)	Imparfait
Continuously	Je jouais au tennis avec Paul. (I was playing tennis with Paul.)	Imparfait

Now, compare the two past tenses we have learned when they occur in the same sentence:

Je **jouais** au tennis quand le professeur **est arrivé**.

Which verb is in the **imparfait**? Why? Which verb is in the **passé composé**? Why?

Notez bien: The **imparfait** tells what was going on (Je **jouais** . . .) when something else happened at a certain point (le professeur **est arrivé** [**passé composé**]).

2. Formation de l'imparfait

a. Verbes des Trois Groupes (verbes «réguliers»)

	Ier Groupe	IIème Groupe	IIIème Groupe
Infin.:	parler	finir	rendre
Présent:	nous parlǿn̸s	nous finissǿn̸s	nous rendǿn̸s
Base:	parl–	finiss–	rend–
	(. . . was or were speaking; used to speak; spoke)	(. . . was or were finishing; used to finish; finished)	(. . . was or were returning; used to return; returned)
Imparfait:	je parlais	finissais	rendais
	tu parlais	finissais	rendais
	il parlait	finissait	rendait
	ils parlaient	finissaient	rendaient
	nous parlions	finissions	rendions
	vous parliez	finissiez	rendiez

> To obtain the imperfect for all verbs except the verb **être**, use the **nous** form of the present tense, and drop the ending **–ons** to derive the base. Then add the imperfect endings (in heavy type above) **–ais, –ais, –ait, –aient, –ions, –iez**.

Notez bien: 1. The endings for the imperfect are *the same* for *all* verbs.
2. All the singular forms and the 3rd person plural forms *sound* the same.
3. Verbs of the Second Group have **–iss** in the base.

Exercice 1 Dites la forme de *l'imparfait* de chacun des verbes suivants avec les sujets indiqués.

EXEMPLES: (je) (tu) parler, attendre, finir
je parlais, tu parlais; j'attendais, tu attendais; je finissais, tu finissais

1. (je) (tu) chercher, danser, jouer, attendre, finir, obéir
2. (il) (elle) (on) crier, frapper, garder, répondre, choisir
3. (ils) (elles) chanter, accompagner, passer, rendre, réussir
4. (nous) (vous) porter, compter, entendre, descendre, maigrir

Exercice 2 Employez les expressions ci-dessous *à l'imparfait* avec tous les sujets indiqués.

A. parler français en Afrique
B. répondre souvent aux questions
C. choisir le cadeau de maman
D. obéir aux règlements

1. Je . . .
2. Tu . . .
3. Jacques . . .
4. Yvonne . . .
5. On . . .
6. Ils . . .
7. Elles . . .
8. Nous . . .
9. Vous . . .

Exercice 3 Répondez à la forme négative.

EXEMPLE: Finissais-tu toujours tes devoirs?
Non, je **ne** finissais **pas** toujours mes devoirs.

1. Pleurais-tu souvent à l'âge de dix ans?
2. Réussissais-tu en classe à l'école primaire?
3. Perdais-tu souvent tes affaires?
4. Toi et ta petite sœur dansiez-vous beaucoup? (*Nous . . .*)
5. Attendiez-vous papa devant la porte? (*Nous . . .*)

Il jouait de la guitare
quand le téléphone a sonné.

Elle finissait ses devoirs
quand l'émission a commencé.

b. Les autres verbes

Except for the verb **être**, all verbs are "regular" in the imperfect tense. You just have to find the base and add the endings to it. Here are some examples:

Infin.:	avoir	aller	faire
1st pl. pres.:	nous avons	nous allons	nous faisons
Base:	av–	all–	fais–
Meaning:	(. . . used to have; had)	(. . . was or were going; used to go; went)	(. . . was or were doing; used to do; did)
Imparfait:	j'avais	j'allais	je faisais
	tu avais	tu allais	tu faisais
	il avait	il allait	il faisait
	ils avaient	ils allaient	ils faisaient
	nous avions	nous allions	nous faisions
	vous aviez	vous alliez	vous faisiez

Here are some more examples:

Imparfait

Infin.:	prendre	(. . . was or were taking; used to take; took)	
Present:	nous **pren**ons	je prenais	nous prenions
Base:	**pren–**	tu prenais	vous preniez
		il prenait	
		ils prenaient	

Infin.:	venir	(. . . was or were coming; used to come; came)	
Present:	nous **ven**ons	je venais	nous venions
Base:	**ven–**	tu venais	vous veniez
		il venait	
		ils venaient	

Infin.:	vouloir	(. . . was or were wanting; used to want; wanted)	
Present:	nous **voul**ons	je voulais	nous voulions
Base:	**voul–**	tu voulais	vous vouliez
		il voulait	
		ils voulaient	

Infin.:	acheter	(. . . was or were buying; used to buy; bought)	
Present:	nous **achet**ons	j'achetais	nous achetions
Base:	**achet–**	tu achetais	vous achetiez
		il achetait	
		ils achetaient	

232

c. Le verbe «irrégulier» **être**

Base: ét–   *Imparfait*

(. . . was or were being; used to be; was or were)

j'étais	nous étions
tu étais	vous étiez
il était	
ils étaient	

Notez bien: The endings for **être** are the same as for other verbs. Only the *base* is obtained differently.

Exercice 4 Redites la phrase en remplaçant le sujet *en italique* par chacun des sujets entre parenthèses.

EXEMPLE: Autrefois (formerly) *il* avait toujours raison. (tu) (nous)
Autrefois **tu avais** toujours raison.
Autrefois **nous avions** toujours raison.

1. Autrefois *j'*avais besoin de vous. (Robert) (les enfants) (nous)
2. *Ils* allaient généralement à la plage. (On) (Tu) (Nous)
3. Le soir *je* faisais des promenades. (on) (mes amis) (Claire) (vous)
4. Le matin *on* partait de bonne heure. (je) (Marc) (elles) (nous)
5. *Vous* étiez chez des amis à midi. (On) (Tu) (Nous)
6. *Je* ne savais pas toujours la réponse en classe. (Il) (Ils) (Vous)
7. *On* ne venait pas souvent en voiture. (Je) (Jacques) (Mes parents)
8. Mettait-*il* autrefois les lettres à la poste? (tu) (on) (vous) (nous)

Exercice 5 Répondez à la question *à l'imparfait.* Suivez l'exemple.

EXEMPLE: Question: As-tu toujours chaud en été? (je)
Réponse: **Non, mais autrefois j'avais** toujours chaud en été.

1. Avez-vous toujours faim à midi? (je)
2. Vos parents sont-ils toujours de bonne humeur? (ils)
3. Allez-vous souvent à la piscine? (nous)
4. Est-ce que j'apprends facilement les verbes? (vous)
5. Dit-il toujours «Merci» et «S'il vous plaît»? (il)

d. Les verbes terminés par **–ger** et **–cer**

Infinitive	*1st pl. pres.*	*Base*	*Imparfait*	
voyager (to travel)	voyageons	voyage–	je voyageais	nous voyagions
			tu voyageais	vous voyagiez
			il voyageait	
			ils voyageaient	
remplacer (to replace)	remplaçons	remplaç–	je remplaçais	nous remplacions
			tu remplaçais	vous remplaciez
			il remplaçait	
			ils remplaçaient	*T.S.V.P.*

> 1. In the imperfect, verbs whose infinitive ends in –ger have an e in the base in the singular forms and in the third person plural form (ils) to soften the sound of the g.
> 2. Verbs whose infinitive ends in –cer have a **cédille** under the c in the singular forms and in the third person plural form (ils) to soften the sound of the **c**.

Exercice 6 Ecrivez les réponses aux questions suivantes à l'imparfait. Suivez l'exemple.

EXEMPLE: Mangez-vous de la tarte à midi? (je)
Non, mais autrefois je mangeais de la tarte à midi.

1. Nagez-vous généralement dans un beau lac? (je)
2. Votre camarade voyage-t-il souvent en été? (il)
3. Vous et votre frère rangez-vous vos affaires? (nous)
4. Commencez-vous votre travail à sept heures? (je)
5. Les élèves prononcent-ils mal de temps en temps? (ils)
6. Est-ce que je remplace la vendeuse? (vous)

B. Le verbe *envoyer*

envoyer to send

Au présent	*Au futur*	*A l'imparfait*
j'envoie	j'enverrai	j'envoyais
tu envoies	tu enverras	tu envoyais
il envoie	il enverra	il envoyait
ils envoient	ils enverront	ils envoyaient
nous envoyons	nous enverrons	nous envoyions
vous envoyez	vous enverrez	vous envoyiez

A l'impératif	*Au passé composé*	
(tu) Envoie!	j'ai envoyé	nous avons envoyé
(vous) Envoyez!	tu as envoyé	vous avez envoyé
(nous) Envoyons!	il a envoyé	ils ont envoyé

> 1. In the present tense, all the singular forms and the third person plural form (ils) have an i instead of a y in the base.
> 2. In the future tense, the stem is irregular: **enverr–**.

Exercice 7 Répondez à la question, en employant la forme appropriée du verbe *envoyer* selon l'indication.

EXEMPLE
(au présent) Envoyez-vous quelquefois des cadeaux à vos amis?
Oui, j'**envoie** quelquefois des cadeaux à **mes** amis.

1. (au présent) Envoies-tu toujours une lettre de remerciement à la personne qui vous a fait un cadeau?

2. (au présent) Pendant l'été, envoyons-nous des lettres à nos amis? amis?

3. (au futur) Vos camarades enverront-ils une carte de Noël au professeur?

4. (à l'imparfait) Pendant leurs voyages vos parents envoyaient-ils souvent des cartes postales à la famille?

5. (au passé composé) Votre grand-mère vous a-t-elle envoyé un cadeau pour votre anniversaire?

C. Le verbe *s'en aller*

s'en aller to go away, to be off

—Tu **t'en vas** maintenant?   Are you going away now?

—Non, **je m'en irai** à deux heures. No, I'll be off at two o'clock.

—Pourquoi **s'en allait-il** toujours à minuit?   Why did he always go away at midnight?

—Comment? Il **ne s'en allait pas** toujours à minuit!   What? He didn't always go away at midnight!

Au présent
(I'm [not] going away, etc.)

Je (ne) **m'en vais** (pas)	Nous (ne) **nous en allons** (pas)
Tu (ne) **t'en vas** (pas)	Vous (ne) **vous en allez** (pas)
Il (ne) **s'en va** (pas)	Ils (ne) **s'en vont** (pas)

Exercice 8 Mettez le verbe *en italique* (A) au futur et (B) à l'imparfait.

EXEMPLE: Je m'en *vais* sans vous. ⟶ (A) Je m'en **irai** sans vous.
⟶ (B) Je m'en **allais** sans vous.

1. Je m'en *vais* sans toi.
2. Tu t'en *vas* sans moi?
3. Jacques s'en *va* seul?
4. Margot ne s'en *va* pas seule.
5. Ils ne s'en *vont* pas sans lui?
6. On ne s'en *va* pas sans elle.
7. Nous nous en *allons* sans vous.
8. Vous vous en *allez* sans nous?

A l'impératif

Affirmation	*Affirmative command*	*Negative command*
Tu t'en vas.	Va-t'en! (Go away! Scram!)	Ne t'en va pas!
Vous vous en allez.	Allez-vous-en! (Go away!	Ne vous en allez pas!
Nous nous en allons.	Allons-nous-en! (Let's go away!	Ne nous en allons pas!

When a double object pronoun includes the pronoun **en**, **en** always comes *last* of the two pronouns. This rule applies to questions, statements and commands.

Exercice 9 Using the expression *s'en aller*, give a command you might use in each of the situations described below.

(For your answer, select an affirmative or negative command from the box on page 235.)

EXEMPLE: Un monsieur sonne à la porte. Il veut vendre de vieux pantalons. Il ne veut pas partir. (*Vous . . . affirmative*)

Vous dites: **Allez-vous-en!**

1. Tu fais tes devoirs. Ton petit frère veut écouter la radio dans ta chambre. (*Tu . . . affirmative*)
2. Vous trouvez deux étrangers (strangers) dans votre voiture. Ils refusent de sortir. (*Vous . . . affirmative*)
3. Un copain qui joue bien de la guitare est chez vous. Il veut partir. (*Tu . . . négative*)
4. Vous êtes chez votre meilleur ami. Son père, qui est très sympathique et très intéressant, doit partir. (*Vous . . . négative*)
5. Vous êtes à une surprise-partie. Il est minuit, le temps de partir. (*Nous . . . affirmative*)
6. Vous êtes au cinéma avec des amis. C'est un film superbe, et vous voulez le voir une seconde fois. (*Nous . . . négative*)
7. Une camarade que tu aimes bien veut quitter la suprise-partie de bonne heure. (*Tu . . . négative*)

D. Les idiotismes

1. aller à (quelqu'un)   to fit, to suit (somebody)

—Comme ce manteau **vous** va bien!   How well that coat *fits* (suits) *you*!
—Au contraire! Ce manteau **me** va   On the contrary! This coat *fits* (suits)
très mal!   *me* very badly.

Notez bien: The expression **aller** + the indirect object means to fit or to suit, referring to clothes.

Exercice 10   Faites une réflexion (remark) en employant le pronom entre parenthèses.

EXEMPLE: Ce chapeau va bien à Colette. (lui)
Mais non! Ce chapeau **lui** va **mal**. *ou*
Mais non! Ce chapeau **ne** lui va **pas** bien! *ou*
En effet! Ce chapeau **lui** va très bien.

1. Cette veste vous va à merveille. (me)
2. Cette chemise me va très bien. (vous)
3. Ces cravates vous vont bien. (nous)
4. Ces bas leur vont très mal. (leur)
5. Ce manteau te va très mal. (me)

236

a. Comment lui va la veste, bien ou mal?
b. Comment lui vont les chaussures? Sont-elles trop larges? trop grandes? trop petites? trop étroites?
c. Comment lui va la robe? mal? à merveille?

2. vouloir bien + infinitive   to be willing (to)

—**Voulez-vous bien** attendre le professeur ici?	*Are you willing* (Will you please) to wait for the teacher here?
—**Je veux bien.**	*I'm willing.*

Exercice 11   Posez la question et répondez-y.

1. Demandez à un camarade s'il veut bien accompagner la dame.
2. Demandez au professeur s'il veut bien faire une promenade avec les élèves.
3. Demandez à vos parents s'ils veulent bien faire un pique-nique.

3. Les verbes + **à** (ou **de**) + l'infinitif (Encore!)

a. **commencer à** faire qqch. (quelque chose)   to begin to do something

Commencez-vous	à	travailler?
Are you starting		to work?

Nous commencons	à	causer.
We're beginning		to chat.

b. **s'amuser à** faire qqch.   to enjoy doing something

S'amusait-il	à	lire?
Did he enjoy		reading? (to read)

Il s'amusait	à	se promener.
He enjoyed		taking walks (drives). (to take walks or drives)

237

c. **finir de** faire qqch. to finish doing something

Avez-vous fini	d'	écrire?	J'ai fini	de	lire un livre.
Have you finished		writing? (to write)	I finished		reading a book. (to read)

Exercice 12 Composez une question ou une affirmation en employant un élément de chacune des colonnes I, II, et III. (Employez le présent, le passé composé, le futur, ou l'imparfait.)

EXEMPLES

(au présent) Elles s'amusent à regarder les cartes de vœux. *ou*
(au passé composé) Ils ont fini de voir un film. *ou*
(au futur) Est-ce que je commencerai à maigrir? *ou*
(à l'imparfait) On s'amusait à apprendre les rythmes.

I	II	III
commencer	à	apprendre les rythmes
s'amuser	de	accompagner les enfants
finir		maigrir
		voir un film
		comprendre le français
		signer des chèques
		causer avec vous
		frapper à la porte
		se reposer

Exercice général Ecrivez le résumé de la première réunion du Cercle Français (French Club) pour le journal français de votre école. Ecrivez que:

1. le professeur de français a invité les élèves à la première réunion de l'année scolaire.
2. les élèves étaient enchantés parce que la réunion était une petite fête.
3. pendant la fête, tout le monde s'amusait beaucoup.
4. on buvait de l'orangeade et du soda, et on mangeait des bonbons.
5. le professeur avait l'air très content.
6. tout le monde essayait de parler français.
7. beaucoup d'élèves réussissaient à parler assez bien.
8. ensuite le professeur a montré un film au sujet des monuments historiques en Normandie.
9. les élèves en étaient ravis.
10. vous passiez des disques et chantiez des chansons françaises.
11. les élèves demandaient au professeur l'adresse d'un correspondant français.
12. la prochaine réunion aura lieu la semaine prochaine.

238

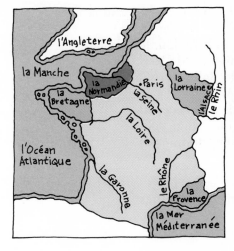 

IV NOTES SUR LA CIVILISATION FRANÇAISE

La Normandie

La Normandie La Normandie est une des plus
belles provinces de France. C'est une province où
la *terre* est très fertile, la population diligente, et   land
les *produits variés.*   products varied

5   **Les produits** En Normandie il y a de grandes
fermes, de beaux *troupeaux* et de grands *vergers.*   herds ♀ orchards
On y *produit* des fromages célèbres comme le Ca-   produce
membert, et les *pommes* pour le cidre que les   apples
Normands boivent *au lieu de* vin.   instead of

10   Il y a aussi de grandes industries en Normandie,
surtout les industries textiles et métallurgiques.   especially
Rouen, l'ancienne capitale de la province, est un
grand centre textile, et Caen, une autre grande
ville, est un grand centre métallurgique.

15   **Les ports** Cherbourg et Le Havre sont deux
grands ports sur la Manche où *font escale* les   anchor ♀ ships
grands *navires* transatlantiques.

Les monuments historiques En Normandie l'on
trouve beaucoup de beaux monuments historiques,
20   surtout des *abbayes* gothiques, comme *celle* du   abbeys ♀ the one
Mont-Saint-Michel. A Rouen, où Jeanne d'Arc fut
brulée en 1431, il y a une belle cathédrale go-
thique.

Histoire   La Normandie *fut peuplée* par les Nor-
25 mands ou les Vikings, peuple venus de la Scandi-
navie avant le dixième *siècle.* En 911, Rollon, le
chef des Normands, *devint* le premier *duc* de Normandie. En 1066, le descendant de Rollon, *Guillaume le Conquérant, conquit* l'Angleterre à la
30 *bataille* de Hastings. Les Normands *influencèrent*
l'histoire de l'Angleterre. On dit que vingt pour
cent (20%) des mots anglais viennent du français
des Normands.

was peopled

century

became ♀ duke

*William the Con-
queror ♀ con-
quered ♀ battle
♀ influenced*

**La *côte*   *Le long de* la côte, il y a de belles plages
35 et de beaux hôtels où vont les Parisiens et autres
Français pour passer les week-ends et les vacances.
Deux *stations balnéaires* en Normandie sont très
célèbres: Deauville et Trouville.

coast ♀ Along

bathing resorts

Détail de la Tapisserie de Bayeux, 1077 A.D.: Conquête de l'Angleterre.

240

Mont-Saint-Michel, vu de nuit: le village et l'Abbaye bénédictine.

Questions

Faites coïncider (Match).

I	II
1. la terre	a. ports transatlantiques
2. les produits	b. l'Angleterre
3. les abbayes	c. le cidre
4. Jeanne d'Arc	d. fertile
5. Le Havre et Cherbourg	e. Rouen
6. industrie textile	f. monuments historiques
7. industrie métallurgique	g. variés
8. le fromage	h. brûlée à Rouen
9. les Normands	i. la côte
10. les belles plages	j. Caen
11. les pommes	k. Scandinavie
12. Guillaume le Conquérant	l. Camembert

Chantons en français!

Tous les Français aiment beaucoup la Normandie, même (even) les Français d'autres règions. Quand ils parlent de la Normandie, ils pensent à sa beauté et souvent à cette chanson qui la décrit. C'est une chanson qu'apprennent beaucoup d'enfants français! Voulez-vous l'apprendre aussi?

Ma Normandie

Paroles de
FRÉDÉRIC BÉRAT
(1801–1855)

Chanson populaire
Arranged by
Edmond Cadoux

Quand tout re - naît à l'es - pé - ran - ce,[1] Et

que l'hi - ver fuit[2] loin de nous, Sous le beau ciel de no - tre

Fran - ce, Quand le so - leil[3] re - vient plus doux,[4] Quand

la na - ture est re - ver - die,[5] Quand l'hi - ron - delle[6] est

de re - tour, J'aime à re - voir ma Nor - man -

di - e: C'est le pa - ys qui m'a don - né le jour!

[1] becomes hopeful again; [2] flees; [3] sun; [4] mild; [5] green again; [6] swallow

32

Leçon trente-deux

I CONVERSATION

A.

1 Savez-vous ce qui est dans votre poche? dans votre sac?
   (Do you know what is in your pocket? in your bag?)

   Oui, je sais ce qui est dans ma poche . . .
   (Yes, I know what is in my pocket . . .)

2 Savez-vous ce qui est dans votre cahier? dans votre livre?

3 Savez-vous ce qui est sur la table?

   Non, je ne sais pas ce qui est sur la table.

Dialogue dirigé 1

1 Demandez-moi: «Qu'est-ce qui est dans votre poche? dans votre sac?»

   Qu'est-ce qui est dans votre poche? . . .
   (What is in your pocket? . . .)

2 Demandez-moi: «Qu'est-ce qui est sur la table?»

   Qu'est-ce qui est . . . ?

B.

1 Savez-vous ce qui intéresse les garçons? les messieurs?
   (Do you know what interests the boys? . . .)

   Oui, je sais ce qui intéresse les garçons . . .

2 Savez-vous ce qui intéresse les jeunes filles? les dames?

   Non, je ne sais pas ce qui intéresse les jeunes filles . . .

3 Savez-vous ce qui intéresse les professeurs?

Dialogue dirigé 2

1 Demandez-moi: «Qu'est-ce qui intéresse les garçons?»
   (Réponse: Le sport)

   Qu'est-ce qui intéresse les garçons?

   Le sport intéresse les garçons.

2 Demandez-moi ce qui intéresse les jeunes filles.
   (Réponse: La mode)

   Qu'est-ce qui intéresse les jeunes filles?

Dialogue dirigé 3

1 Demandez à Paul ce qui intéresse les messieurs.

Paul, qu'est-ce qui intéresse les messieurs?

2 Demandez à Janine ce qui intéresse les dames.

C.

1 Savez-vous ce que nous étudions? (Do you know what we're studying?)

Oui, je sais ce que nous étudions. Non, je ne sais pas ce que nous étudions.

2 Savez-vous ce que nous apprenons?

3 Savez-vous ce que nous disons?

4 Aimez-vous ce que nous disons?

Oui, j'aime ce que nous disons. Non, je n'aime pas ce que nous disons.

5 Aimez-vous ce que nous faisons?

Dialogue dirigé 4

1 Demandez-moi: «Qu'est-ce que nous étudions?» (Ask me: "What are we studying?")

Qu'est-ce que nous étudions? (What are we studying?)

2 Demandez-moi:
  a. ce que nous apprenons.

Qu'est-ce que nous apprenons?

  b. ce que nous disons.
  c. ce que nous faisons.

Dialogue dirigé 5

1 Demandez à un camarade: «Qu'est-ce qui tombe au printemps, la pluie (rain) ou la neige?» (Répondez.)

2 Demandez-moi ce qui tombe en hiver, la pluie ou la neige? (Répondez.)

3 Demandez-moi ce qui monte en l'air, l'avion ou la voiture? (Répondez.)

4 Demandez-moi ce qui est plus important, le travail ou le plaisir. (Répondez.)

Qu'est-ce qui est . . . ?

244

Quelque chose *d'important à faire*   important to do

Personnages: P = Papa; M = Maman; C = Claire;
             R = Robert; MO = Monique

Scène: Le soir, après dîner. Papa et maman sont
seuls dans la salle à manger.

5 P: Eh bien, Odette, dans deux jours nous serons en
      Afrique! La villa est louée, les billets d'avion
      sont payés, et les cadeaux choisis. Moi, j'ai fait
      tout ce que je devais faire. Et toi et les enfants,   all that
      êtes-vous prêts? Avez-vous tout ce qu'il faut?
10 M: Non. Et j'ai à te parler sérieusement . . .
   P: Mais, qu'est-ce qu'il y a?
   M: *D'habitude*, je *ne* dis *rien* quand les enfants ne   Usually ♀ nothing
      font pas ce qu'ils doivent faire . . .
   P: Qu'est-ce qui *se passe?* Dis-le-moi!   is happening
15 M: Eh bien, *depuis que* nous avons ce poste, les   since
      enfants ne font rien. *Tout ce qui* les intéresse   All that
      c'est la télévision. Pendant que tu étais à Reims
      pour tes *affaires*, ils regardaient les *émissions*   business ♀ telecasts
      quand *il y en avait*[1] à la télé. Quand il n'y en   there were any
20   avait pas, ils en *discutaient*. Ils *ne* faisaient *que* discussed ♀ only
      cela, jour et *nuit*. Et les *bagages* ne sont pas   night ♀ baggage
      encore prêts!
   P: *Comment?* Les enfants ne font pas ce que tu   What?
      leur demandes?
25 M: Quand je leur demandais *de faire* quelque   to do
      chose, ils répondaient, «Tout de suite, maman,»
      et ils oubliaient tout de suite de *le* faire. J'ai fait   it
      de mon mieux, mais ils sont devenus impos-   my best
      sibles!
30 P: Je vais leur parler. *En plus*, je vais donner à   In addition
      chacun quelque chose d'important à faire! Ils   each one
      apprendront à être responsables! Voilà ce qui
      compte dans la vie!

● Papa entre dans le living-room et *arrête* le poste   stops (turns off)
35 de télévision.

---

[1] See *Notes sur la civilisation française* in this lesson, pp. 264–5.

P: Monique, Robert, Claire, j'ai à vous parler. Nous n'avons que deux jours avant notre départ, et vous n'êtes pas encore prêts à partir. Je demande une explication!

40 C: Ma valise est presque finie, papa. Je n'ai que ma *brosse à dents*, mon *peigne*, mon *savon*, et mes *lunettes de soleil* à mettre *dedans*.

R: Il n'y a que quelques détails . . .

P: Ce sont les détails qui comptent dans une vie
45 *bien ordonnée*! Vous allez dans un pays étranger, sur un continent étranger, et vous ne savez rien *au sujet de* ce pays, de ce continent! Pour *profiter d'un séjour* dans un nouveau pays, il faut *en* savoir quelque chose avant d'y aller!

50 R: Le Sénégal *couvre environ* 197.000 kilomètres *carrés*. C'est un pays *plat* situé entre le dix-huitième et le vingt-quatrième degrés de latitude nord. Le *climat* est généralement chaud et *sec*. Il y a quatre zones de climat . . .

55 P: Ah! Tu *en* sais quelque chose. Et, qu'est-ce qui fait la *richesse* du pays?

R: Le Sénégal n'est pas riche, mais l'industrie principale est la *fabrication* de l'*huile d'arachide*. Il y a, par exemple, de grandes *usines* . . .

60 P: Bon! Mais, *de nos jours*, qu'est-ce qui intéresse principalement les Européens qui vont *en* Afrique?

R: Ce qui intéresse les Européens? Je sais très bien ce qui intéresse les Européens! C'est ce
65 qui intéresse les *hommes d'affaires* de tous les pays *développés*! On *découvre* en Afrique *actuellement* beaucoup de ressources naturelles— du *pétrole*, de l'uranium . . .

P: Cela suffit. Tu sais déjà quelque chose! Main-
70 tenant il faut préparer le départ *d'une façon* systématique et bien ordonnée. Je vais donner à chacun quelque chose d'important à faire. Mais, d'abord, quand maman vous demandera de faire quelque chose, vous le ferez tout de suite, sans
75 attendre un instant!

C: Nous le ferons tout de suite, papa, sans attendre une petite seconde!

P: Vous allez vous dépêcher . . .

C: Nous allons nous dépêcher!

Glossary:

toothbrush ℛ comb ℛ soap
sunglasses ℛ in it

well-ordered

about
benefit from ℛ a stay ℛ about it
covers about
square ℛ flat
climate
dry
about it
wealth

manufacture ℛ peanut oil ℛ factories
nowadays
to

businessmen
developed ℛ discover ℛ at present
petroleum

in a way

80 P: Parlons d'abord du jour du départ. Qui va s'oc- cuper des portes, des fenêtres, et des *volets*? Il faudra tout fermer!	shutters
R: Moi, je vais m'occuper de *tout ça*.	all that
P: Et qui va *se charger d*'appeler le taxi? Pour aller 85 à l'aéroport, il faudra l'appeler de bonne heure.	be responsible for
MO: Moi, je vais me charger d'appeler le taxi.	
P: Bon! Et qui va s'occuper du réfrigérateur? Il faudra *le vider*!	to empty it
M: Claire, tu vas t'occuper de ça pour maman, eh, 90 mon coco?	
C: Oui, maman. Nous allons nous occuper de tout, papa!	
P: Et demain, toute la journée, vous allez vous occuper des bagages, sans regarder les émissions 95 à la télé!	
C: Sans regarder les émissions? Oh, non, papa, c'est le *dernier* jour!	last
R: On se lèvera à six heures du matin et on finira tout avant midi. Comme ça, on les regardera 100 après le déjeuner et le soir, n'est-ce pas, Claire?	
C: Oh, oui! C'est parfait! (à elle-même) C'est un chic type, mon frère!	

DIALOGUE ORIGINAL

Modèle	Substitutions
—*Avez-vous* fait *un voyage* dans un *pays étranger*?	/ As-tu / . . . / une excursion / / village voisin /
—Oui, *une* fois. Et *vous*?	/ plusieurs / . . . / toi /
—Moi *aussi*. Qu'est-ce qui *vous* a *intéressé*?	/ Jamais / . . . / t' / / frappé /
—*Tout ce que j'ai vu* m'a *intéressé*.	/ Rien ne / / frappé / *T.S.V.P.*

247

—*Avez-vous* vu des *musées* et des *cathédrales*? / As-tu / ... / boutiques / / églises /

—Oui, et *j'ai découvert quelque chose* de très *intéressant*. / je n'ai rien découvert / / remarquable /

—Alors *vous avez* profité de ce que *vous avez* vu? / tu n'as pas / / tu as /

—*Oui, j'ai profité de tout.* / Non, je n'ai profité de rien /

Vocabulaire actif

Qu'est-ce qui? *subject* What?	**ce qui** *subject* what
Qu'est-ce que? *object* What?	**ce que** *object* what

ne ... rien nothing	**chacun, chacune** each one
ne ... que only	**entre** between, among

couvrir to cover	**arrêter** (I) to stop; turn off (TV)
découvrir to discover	**intéresser** (I) to interest
profiter (de) (I) to profit (by)	**compter** (I) to count

le savon soap	**le climat** climate
le peigne comb	**la pluie** rain
la brosse à dents toothbrush	**le pétrole** petroleum
les lunettes *fem.* eyeglasses	**l'huile** *fem.* oil

d'habitude usually, habitually	**une émission** broadcast, telecast
de son mieux one's best	**prêt, –e** (à) ready (to)
il y avait there was, were	**se charger de** (I) to be responsible for

Questions

1. Dans combien de jours seront-ils en Afrique?
2. Papa a-t-il fait tout ce qu'il devait faire?
3. Est-ce que maman et les enfants sont prêts à partir?
4. Est-ce que les enfants font ce qu'ils doivent faire?
5. Qui ne dit rien d'habitude quand les enfants ne font pas ce qu'ils doivent faire?
6. Qu'est-ce que les enfants faisaient quand il y avait des émissions à la télé?

7. Qu'est-ce qui intéresse les enfants?
8. Est-ce que les enfants oubliaient de faire ce que maman demandait?
9. Maman a-t-elle fait de son mieux?
10. Comment les enfants sont-ils devenus?
11. Qu'est-ce que papa va donner à chaque enfant?
●12. Qu'est-ce que Claire doit mettre dans sa valise? (Nommez quatre articles.)
13. Selon papa, est-ce que les enfants savent quelque chose au sujet de l'Afrique?
14. Pour profiter d'un séjour dans un pays étranger, qu'est-ce qu'il faut savoir?
15. Quel est le climat du Sénégal?
16. Qu'est-ce qui fait la richesse du pays?
17. Qu'est-ce qui intéresse les Européens qui vont en Afrique?
18. Qui va s'occuper des fenêtres et des portes?
19. Qui veut se charger d'appeler le taxi?
20. Qui va s'occuper du réfrigérateur? des valises?
21. Pour finir tout avant midi, à quelle heure se lèvera-t-on?
22. Quand vont-ils regarder les émissions du dernier jour?

Discussion

1. Faites-vous toujours ce que vous devez faire? Etes-vous toujours prêt(e) à l'heure? Si vous ne faites pas ce qu'il faut faire, est-ce que votre mère est contente? Est-ce qu'elle dit quelque chose d'habitude, ou est-ce qu'elle ne dit rien?

2. Qu'est-ce qui intéresse les élèves, leurs études ou les émissions à la télé? Qu'est-ce qui vous intéresse le plus? Quand il y a de bonnes émissions à la télé, faites-vous vos devoirs? Ne faites-vous que les devoirs pour le cours de mathématiques? Est-ce que, parfois, vous ne faites rien? Est-ce qu'il y avait de bonnes émissions à la télé hier?

3. Est-ce que vos professeurs vous donnent quelque chose d'intéressant à faire? (Oui, . . .) Donnent-ils à chacun quelque chose d'important à étudier? Oubliez-vous parfois de faire ce que le professeur vous demande? Faites-vous toujours de votre mieux? Faites-vous vos devoirs sans regarder les émissions à la télé? Profitez-vous de vos études? Arrêtez-vous le poste de télévision pour faire vos études?

4. Aimez-vous les pays étrangers? Découvrez-vous dans vos livres des choses intéressantes au sujet des pays étrangers? Aimez-vous les pays où le climat est chaud ou froid? Que mettez-vous dans votre valise quand vous allez en voyage?

III STRUCTURES

A. Qu'est-ce qui?; Qu'est-ce que?

1. Le pronom interrogatif: sujet

Qu'est-ce qui tombe au printemps?	*What* falls in spring?
La pluie tombe au printemps.	*The rain* falls in spring.

2. Le pronom interrogatif: objet direct

Qu'est-ce que vous devez prendre?	*What* must you take?
Je dois prendre **un parapluie**.	I must take *an umbrella*.
Qu'est-ce qu'il faut porter?	*What* must one wear?
Il faut porter **un imperméable**.	One must wear *a raincoat*.

---

1. **Qu'est-ce qui?** (*What?*) is *subject* of the verb which follows. (The verb must always be in the third person singular.)
2. **Qu'est-ce que?** (*What?*) is *object* of the verb which follows.
3. **Qu'est-ce qui** and **Qu'est-ce que** *begin* a question. They are called *interrogative pronouns*.

Exercice 1 En employant **Qu'est-ce qui** ou **Qu'est-ce que**, composez des questions pour obtenir les réponses suivantes.

EXEMPLE: Il faut trouver *un parapluie.*
           Qu'est-ce qu'il faut trouver?

1. Robert trouve *sa ceinture.*
2. Claire veut *du parfum.*
3. Papa a signé *la lettre.*
4. Maman cherchait *un timbre.*
5. Le facteur apportait *les colis.*
6. *L'avion* va très vite.
7. *Sa voiture* est très jolie.
8. *La veste* était trop large.
9. *Le pull* lui va bien.
10. *Les feuilles* tombent en automne.

Exercice 2 En employant **Qu'est-ce qui** ou **Qu-est-ce que**, complétez la question. Répondez à la question en employant l'expression entre parenthèses.

EXEMPLE: _____ est chaud et sec en été? (le climat)
           Qu'est-ce qui est chaud et sec en été?
           Le climat est chaud et sec en été.

1. _____ intéressait les enfants? (la télévision)
2. _____ on découvre en Afrique? (le pétrole)
3. _____ compte dans une vie bien ordonnée? (les détails)
4. _____ les enfants voulaient regarder? (les émissions)
5. _____ papa a arrêté? (le poste de télévision)

250

B. *Ce qui, ce que*

1. Le pronom relatif: sujet

Question			Réponse		
Qu'est-ce qui	se passe?		Voici	**ce qui**	se passe.
What	is happening?		Here's	what	is happening.

2. Le pronom relatif: objet direct

Question			Réponse		
Qu'est-ce que	vous cherchiez?		Voilà	**ce que**	je cherchais.
What	were you looking for?		Here's	what	I was seeking.

> 1. **Ce qui** and **ce que** (or **ce qu'**) mean *what* (literally, *that which*).
> 2. **Ce qui** is *subject* of the verb which follows it; **ce que** is *object* of the verb which follows it.

Exercice 3 Répondez «*Je sais . . .*» ou «*Je ne sais pas . . .*» à chacune des questions, en employant **ce qui** ou **ce que**, selon les exemples donnés.

EXEMPLES: *Qu'est-ce qui* intéresse les professeurs?
Je ne sais pas **ce qui** intéresse les professeurs.

Qu'est-ce que les professeurs pensent?
Je sais **ce que** les professeurs pensent.

1. Qu'est-ce qui intéresse tout le monde?
2. Qu'est-ce qui compte dans la vie?
3. Qu'est-ce que Paul a dit?
4. Qu'est-ce qu'il y avait dans le colis?
5. Qu'est-ce qui monte vite?
6. Qu'est-ce que les élèves préfèrent?

Exercice 4 Complétez les phrases en employant **ce qui** ou **ce que**.

1. Nous cherchons _____ est intéressant.
3. Nous voulions parler de _____ était important.
2. Voilà _____ vous cherchez.
4. Savez-vous _____ intéressera tout le monde?
5. Nous savons _____ aura lieu la semaine prochaine.
6. J'aime _____ vous avez fait.
7. Savez-vous _____ vous allez faire demain?
8. Je voulais faire _____ les autres élèves voulaient faire.
9. Je répète _____ vous dites.
10. Ils préfèrent _____ est plus facile.

251

C. *Tout ce qui, tout ce que*

Avez-vous Do you have	tout ce qui all that	intéresse mon ami? interests my friend?

J'ai I have	tout ce qu' all that	il veut. he wants.

1. **Tout ce qui** (*all that, everything that*) is *subject* of the verb which follows it.
2. **Tout ce que** (*all that, everything that*) is *object* of the verb which follows it.
3. In English, when *that* is object of a verb, the word *that* is often omitted: Give him all (that) he wants.

Notez bien: **Tout** must be followed by **ce** if the next word is **qui** or **que**.

Exercice 5 Redites la phrase en ajoutant (adding) le mot *tout* devant l'expression *ce qui* ou *ce que*.

EXEMPLE: Apportez-moi ce qui était dans ce colis.
Apportez-moi **tout ce qui** était dans ce colis.

1. J'achèterai ce qui intéresse les enfants.
2. Voilà ce que vous avez demandé.
3. Je ferai ce que je pourrai.
4. Je prendrai ce qu'il faudra prendre.
5. Marc gardait ce que tu lui envoyais.
6. Autrefois il signait ce qu'on lui montrait.
7. Autrefois j'étudiais ce qui était intéressant.
8. Ils ont appris ce que vous avez appris.
9. Prenez ce qui vous intéresse.
10. Je vais prendre ce qui compte le plus.

Exercice 6 Complétez les phrases avec *tout ce qui* ou *tout ce que*.

EXEMPLE: Avez-vous _____ il faut?
Avez-vous **tout ce qu'**il faut?

1. Avez-vous _____ nous voulons?
2. Nous avons _____ vous avez demandé.
3. Savez-vous _____ intéressait les dames?
4. Mangeons _____ est dans le frigidaire.
5. Voilà _____ il y avait.
6. On faisait _____ le professeur demandait.

252

D. *Ne . . . rien; ne . . . que*

1. **ne . . . rien**

    a. **rien:** objet direct

Qu'est-ce que vous voulez?	What do you want?
Je **ne** veux **rien.**	I want *nothing.*
	(I don't want *anything.*)
Qu'est-ce que tu as fait?	What did you do?
Je n'ai **rien** fait.	I did *nothing.*

To express *nothing* or *not anything,* place **ne** before the verb or auxiliary and **rien** after the verb (temps simples) or after the auxiliary (temps composé).

Notez bien: **Rien** takes the same position as **pas** does.

Exercice 7 Redites les phrases en remplaçant les mots *en italique* par **rien.**

EXEMPLES

Temps simples

Je ne trouve *pas le savon.*
Je ne trouve **rien.**

Il ne prendra *pas ses lunettes.*
Il ne prendra **rien.**

Temps composé

Je n'ai *pas* trouvé *le peigne.*
Je n'ai **rien** trouvé.

Il n'a *pas* pris *ses lunettes.*
Il n'a **rien** pris.

Temps simples

1. Tu ne regardes *pas l'émission?*
2. Il ne voulait *pas la brosse?*
3. On ne demandera *pas de pétrole?*
4. Vous ne désirez *pas d'huile?*

Temps composé

5. Je n'ai *pas* gardé *les timbres.*
6. Tu n'as *pas* oublié *le savon?*
7. Guy n'a *pas* dit «*Oui*»?
8. Vous n'avez *pas* lu *le livret?*
9. Ils n'ont *pas* aimé *le climat?*

Exercice 8 Répondez à chaque question en employant **ne . . . rien.**

EXEMPLES: Il voit quelque chose?
          Il **ne** voit **rien.**

          Il a vu quelque chose?
          Il n'a **rien** vu.

Temps simples

1. Il cherche quelque chose?
2. On trouvera quelque chose ici?
3. Il disait quelque chose?
4. Tu faisais quelque chose?
5. Vous apprendrez quelque chose aujourd'hui, n'est-ce pas?

Temps composé

6. Il a cherché quelque chose?
7. On a demandé quelque chose?
8. Il a vu quelque chose à la télé?
9. Tu as fait quelque chose?
10. Avez-vous appris quelque chose aujourd'hui?

253

b. Rien ne . . . sujet

Temps simples

Qu'est-ce qui intéresse les élèves?
Rien n'intéresse les élèves.

Temps composé

Qu'est-ce qui a amusé les enfants?
Rien n'a amusé les enfants.

When **rien** (*nothing*) is used as the subject of a sentence, **ne** must precede the verb (temps simples) or the auxiliary (temps composé).

Exercice 9 Répondez négativement aux questions suivantes en employant *rien ne.*

EXEMPLE: Qu'est-ce qui se passe ici? What's happening here?
          Rien ne se passe ici. Nothing's happening here.

1. Qu'est-ce qui est sous la table?
2. Qu'est-ce qui arrêtera l'avion?
3. Qu'est-ce qui compte ici?
4. Qu'est-ce qui couvre la chaise?
5. Qu'est-ce qui amuse grand-père?
6. Est-ce que quelque chose a intéressé le professeur?
7. Est-ce que quelque chose a arrêté l'avion?
8. Est-ce que quelque chose est devenu impossible?

c. Rien: used alone

—Qu'est-ce qu'on lui enverra? What will they send him?
—**Rien.** (On ne lui enverra **rien.**) *Nothing.* (They'll send him *nothing.*)

—Qu'est-ce qui est arrivé? What happened?
—**Rien.** (**Rien** n'est **arrivé.**) *Nothing.* (*Nothing* happened.)

Rien can be used alone as a one-word answer, either as subject or object. When an object pronoun is used before a verb, **ne** is placed *before* the object pronoun.

Exercice 10 Répondez à la question (A) en employant simplement le mot *rien*; ensuite (B) répondez en employant une phrase complète.

EXEMPLE: Qu'est-ce qu'on lui donnera?
          (A) **Rien.**
          (B) On ne lui donnera **rien.**

1. Qu'est-ce qu'il lui montrera?
2. Qu'est-ce qu'on leur enverra?
3. Qu'est-ce que vos copains faisaient?
4. Vous lui disiez quelque chose?
5. Vous faisiez quelque chose?
6. Qu'est-ce qu'il y a à la télé?
7. Qu'est-ce qu'il y avait dans le journal?
8. Qu'est-ce qui est tombé?
9. A-t-elle dit quelque chose?
10. Ont-elles fait quelque chose?

254

 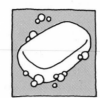 

2. ne . . . que

—Voulez-vous le peigne ou le savon?	Do you want the comb or the soap?
—Je **ne** veux **que** le peigne, merci.	I want *only* the comb, thanks.
—Avez-vous trouvé ma brosse à dents et mes lunettes?	Have you found my toothbrush and my glasses?
—Je n'ai trouvé **que** vos lunettes.	I found *only* your glasses.

> To express *only*, place **ne** before the verb or the auxiliary and **que** after the verb (temps simples) or the past participle (temps composé). If an object pronoun precedes the verb or auxiliary, **ne** *must precede the object pronoun.*

Exercice 11 Redites les phrases en remplaçant le mot *seulement* par l'expression *ne . . . que.*

EXEMPLE: Il regarde seulement les images. ⎫
Il **ne** regarde **que** les images. ⎬ He looks only at the pictures.
⎭

1. Elle regarde seulement les émissions.
2. On lui donnera seulement la brosse à dents.
3. Paul comptait seulement les livrets.
4. Il y avait seulement des timbres.
5. Les touristes aimaient seulement le climat.
6. Nous avons acheté seulement de l'huile.
7. Ils ont arrêté seulement les voitures.

Exercice 12 Répondez à la question en employant *ne . . . que* et l'expression *en italique.*

EXEMPLE: A-t-il vu les livrets et *les disques?*
Il n'a vu **que** les disques.

1. A-t-il vu les journaux et *les émissions?*
2. A-t-elle couvert (covered) *les livres* et les cahiers?
3. Ont-ils découvert (discovered) *le pétrole* et l'uranium?
4. A-t-elle couvert *la table* et le lit?
5. A-t-il compté *les brosses* et les peignes?
6. Ont-ils arrêté *les voitures* et les scooters?

E. Ouvrir, couvrir, découvrir

The forms of the verb **couvrir** (to cover) and **découvrir** (to discover) are like those of the verb **ouvrir** (to open).

Temps simples

ouvrir to open   **couvrir** to cover   **découvrir** to discover

Au présent

j'ouvre	je couvre	je découvre
(I open, etc.)	(I cover, etc.)	(I discover, etc.)
tu ouvres	tu couvres	tu découvres
il ouvre	il couvre	il découvre
ils ouvrent	ils couvrent	ils découvrent
nous ouvrons	nous couvrons	nous découvrons
vous ouvrez	vous couvrez	vous découvrez

Notez bien: To obtain the forms of **couvrir** and **découvrir**, just place a **c–** or a **déc–** before the forms of **ouvrir!**[2]

ouvrir: *à l'imparfait*

j'ouvrais	tu ouvrais	il ouvrait
nous ouvrions	vous ouvriez	ils ouvraient

ouvrir: *au futur*

j'ouvrirai	tu ouvriras	il ouvrira
nous ouvrirons	vous ouvrirez	ils ouvriront

ouvrir: *au passé composé*
Part. passé: **ouvert (couvert, découvert)**

j'ai ouvert	tu as ouvert	il a ouvert
nous avons ouvert	vous avez ouvert	ils ont ouvert

Exercice 13 Remplacez le sujet *en italique* par chacun des sujets entre parenthèses.

EXEMPLES: Aujourd'hui . . .   (tu)
  *j'*ouvre la porte. ⟶ **tu ouvres** la porte.
  je couvre la viande. ⟶ **tu couvres** la viande.
  je découvre un gâteau. ⟶ **tu découvres** un gâteau.

1. Aujourd'hui . . .   Sujets: (je) (on) (Paul) (Paul et Marc) (nous) (vous)
    a. *tu* ouvres le réfrigérateur.   c. *tu* découvres le coca-cola.
    b. *tu* couvres les légumes.

2. Autrefois . . .   Sujets: (tu) (il) (ils) (nous) (vous)
    a. *j'*ouvrais les fenêtres en   c. *je* couvrais bien mes livres.
    hiver.
    b. *je* découvrais des fleurs ici.

[2] The verb **offrir** (to offer) also acts like the verb **ouvrir**.

3. Demain... Sujets: (vous) (tu) (Marc) (ils) (Marc et moi)
   a. *j'*ouvrirai le paquet.   c. *je* couvrirai mon beau cadeau.
   b. *je* découvrirai quelque
      chose de beau.

4. Hier... Sujets: (tu) (vous) (papa) (mes parents) (nous)
   a. *j'*ai ouvert la lettre.   c. *j'*ai couvert les légumes.
   b. *j'*ai découvert quelque
      chose d'intéressant.

F. *Quelque chose* et *rien*

1. **quelque chose de** + adjectif

Avez-vous appris	quelque chose	d'	intéressant?
Have you learned	something		interesting?

J'ai découvert	quelque chose	de	merveilleux.
I discovered	something		wonderful.

The preposition **de** must be used after **quelque chose** if **quelque chose** is followed by an adjective. (The adjective is always masculine singular.)

Exercice 14 Complétez la phrase en ajoutant *de* + l'adjectif entre parenthèses.

EXEMPLE: (intéressant) Avez-vous vu quelque chose _____?
           Avez-vous vu quelque chose **d'intéressant?**

1. (bon) Avez-vous mangé quelque chose _____?
2. (délicieux) J'ai mangé quelque chose _____.
3. (dangereux) Faisait-il quelque chose _____?
4. (mauvais) Il faisait quelque chose _____.
5. (intéressant) Ont-ils dit quelque chose _____?
6. (formidable) Ils ont dit quelque chose _____.

2. **rien de** + adjectif

—Lit-on quelque chose d'intéres-   Are we reading something inter-
   sant?   esting?
—Non, on ne lit **rien** d'intéressant. No, we read *nothing* interesting.
                                         (No, we don't read *anything* inter-
                                         esting.)   *T.S.V.P.*

—Avez-vous vu quelque chose de joli? Did you see something pretty?

—Non, je n'ai **rien** vu **de** joli. No, I saw *nothing* pretty.
(No, I did*n't* see *anything* pretty.)

> The preposition **de** must also be used after **rien** when **rien** is followed by an adjective. (This rule applies even in the passé composé when **rien** is separated from **de** by the past participle.)

Exercice 15 Mettez chaque phrase à la forme négative.

EXEMPLES: On découvre quelque chose d'intéressant en Afrique.
On **ne** découvre **rien** d'intéressant en Afrique.

On a vu quelque chose d'intéressant en France.
On n'a **rien** vu d'intéressant en France.

1. Elle trouve quelque chose de nouveau dans sa chambre.
2. On découvrira quelque chose de joli dans ce magasin.
3. Il y avait quelque chose d'important dans le paquet.
4. On a acheté quelque chose de cher dans la boutique.
5. Nous avons découvert quelque chose de formidable dans ce livre.
6. J'ai donné quelque chose de bon marché à Pierre.

3. quelque chose à ou rien à + infinitif

Y a-t-il	quelque chose	à	faire?	Il n'y a	rien	à	faire.
Is there	something		to do?	There's	nothing		to do.

> The preposition **à** must be used after **quelque chose** and **rien** if **quelque chose** or **rien** is followed by an infinitive.

Exercice 16 Complétez chaque phrase en ajoutant *à* + l'infinitif entre parenthèses.

EXEMPLE: (faire) Donnez-moi quelque chose _____.
Donnez-moi quelque chose à **faire**.

1. (boire) Voulez-vous quelque chose _____?
2. (manger) Je voudrais quelque chose _____.
3. (payer) Aurez-vous quelque chose _____?
4. (essayer) Il y a quelque chose _____.
5. (dire) Y avait-il quelque chose _____?
6. (couvrir) Voilà quelque chose _____.
7. (répéter) Je vous ai donné quelque chose _____.

258

Exercice 17 Répondez négativement à chaque question en employant *ne . . . rien.*

EXEMPLES

Y a-t-il quelque chose à faire?
Non, il n'y a **rien** à faire.

Avez-vous trouvé quelque chose à faire?
Non, je n'ai **rien** trouvé à faire.

1. Avez-vous quelque chose à faire?
2. Voyez-vous quelque chose à lire?
3. Trouverez-vous quelque chose à manger?
4. Y avait-il quelque chose à boire?
5. Avez-vous choisi quelque chose à mettre?
6. Ont-ils cherché quelque chose à apprendre?

4. **quelque chose de** + adjectif, **à** + infinitif
   rien de + adjectif, **à** + infinitif

Cherchez-vous quelque chose **d'**intéressant **à** faire?
Nous ne cherchons rien **d'**intéressant **à** faire.

Ont-ils trouvé quelque chose **d'**important **à** écrire?
Ils n'ont rien trouvé **d'**important **à** écrire.

> **Quelque chose** and **rien** can take both **de** before the adjective and **à** before the infinitive which follows.

Exercice 18 Complétez les phrases en employant *quelque chose* et les mots entre parenthèses.

EXEMPLE: (intéressant) (voir) Il y a _____ ici.
  Il y a quelque chose **d'intéressant à voir** ici.

1. (intéressant) (découvrir) Il y avait _____ .
2. (joli) (porter) Elle cherchait _____ .
3. (formidable) (offrir) Nous choisirons _____ .
4. (meilleur) (offrir) On achètera _____ .
5. (important) (raconter) Il a trouvé _____ .
6. (gentil) (dire) J'ai trouvé _____ à chacun.

Exercice 19 Complétez les phrases de l'Exercice 18 en employant *ne . . . rien* et les mots entre parenthèses.

EXEMPLE: (*au présent*) (intéressant) (voir) Il y a _____ ici.
  Il n'y a **rien d'intéressant à voir** ici.

(*au passé composé*) (intéressant) (voir) Tu as trouvé _____ ici?
  Tu n'as **rien** trouvé **d'intéressant à voir** ici?

259

Exercice 20 Donnez deux réponses à chaque question, la première (A) à la forme affirmative, et la seconde (B) à la forme négative.

EXEMPLES: Avez-vous quelque chose d'important à dire?
(A) Oui, j'ai quelque chose d'important à dire.
(B) Non, je n'ai rien d'important à dire.

1. Y a-t-il quelque chose de beau à voir ici?
2. Trouvera-t-elle quelque chose de facile à demander?
3. Découvrira-t-elle quelque chose de nouveau à apprendre?
4. Cherchiez-vous quelque chose d'original à acheter?
5. Y avait-il quelque chose de difficile à apprendre?
6. Est-ce qu'ils ont trouvé quelque chose de sensationnel à lire?

G. *Aller* + the reflexive infinitive

je vais me dépêcher
(I'm going to hurry, etc.)
tu vas te dépêcher
il va se dépêcher
elle va se dépêcher
on va se dépêcher

nous allons nous lever
(we're going to get up, etc.)
vous allez vous lever
ils vont se lever
elles vont se lever

The reflexive object pronouns (**me, te, se, nous, vous**) refer to the subject of **aller** and are placed before the infinitive.

Verbs followed by the reflexive infinitive

sujet	ne	verbe	négation	objet + infinitif	complément ou adverbe
Je		vais		me dépêcher	ce soir.
Tu		vas		t'amuser	tous les jours.
Il	n'	aimait	pas	se réveiller	de bonne heure.
Elle		aimait		s'habiller	le matin.
On	ne	pourra	pas	se laver	ici.
Nous	ne	devons	jamais	nous coucher	avant dix heures.
Vous		voulez		vous occuper	de tout?
Ils	ne	savaient	plus	s'amuser	seuls.
Elles		doivent		s'occuper	des bagages.

---

1. The verbs **vouloir, pouvoir, devoir, savoir,** and **aimer** can also be followed by the reflexive infinitive. They act the same way as **aller.**
2. The negative words (**ne . . . pas, jamais, plus**) are placed before and after the first *verb* (not the infinitive).

Exercice 21 Mettez à la forme négative.

EXEMPLE: Je veux me coucher. ⟶ Je **ne** veux **pas** me coucher.

1. Je veux me lever.
2. Tu veux te coucher?
3. Il peut se réveiller.
4. Elle aime s'habiller.
5. On doit s'amuser ici.

6. Nous aimions nous dépêcher.
7. Vous vouliez vous coucher.
8. Vous saurez vous amuser?
9. Ils pourront se laver ici.
10. Ils allaient s'occuper de cela.

Exercice 22 Redites la phrase en employant la forme appropriée du verbe selon les indications (A), (B), (C).

EXEMPLE: Je me couche. ⟶ (A) Je **veux** me coucher.
                                    (B) Je **dois** me coucher.
                                    (C) Je ne **pourrai** pas me coucher.

1. Je me lève.
2. Tu te couches.
3. Il se lave.
4. Elle se réveille.
5. On s'amuse.

6. Nous nous dépêchons.
7. Vous vous habillez ici?
8. Ils se chargent de tout.
9. Elles s'occupent de nous.
10. Elles s'occupent de moi?

H. Les idiotismes

1. faire de son mieux

—Vous faites de **votre** mieux, n'est-ce pas?

You do *your* best, don't you?

—Oui, je fais de **mon** mieux.

Yes, I do *my* best.

> The possessive adjective (**mon, ton, son, notre, votre, leur**) refers to the subject of the sentence. It is masculine singular because **mieux** is masculine singular in this expression.

Notez bien: When the subject of the sentence is **on**, the possessive adjective is the same as that used to refer to **il** or **elle**: **son**.

Exercice 23 (A) Complétez les phrases suivantes.

1. Je fais de _____ mieux.
2. Tu faisais de _____ mieux.
3. Il fera de _____ mieux.
4. Elle faisait de _____ mieux.
5. On fera de _____ mieux.

6. Nous ferons de _____ mieux.
7. Vous avez fait de _____ mieux.
8. Ils ont fait de _____ mieux.
9. Elles n'ont pas fait de _____ mieux.

        (B) Répondez en français.

1. Faites-vous de votre mieux dans la classe de français?
2. Vos camarades font-ils aussi de leur mieux?

2. profiter de (quelque chose)   to benefit by (something) *or*
                                           to profit from (something)

—Il **profite de** ses études?   Does he *benefit by* his studies?
—Oui, il **en profite** beaucoup.   Yes, he *benefits by them* very much.

The pronoun **en** (*of it, of them*) takes the place of a phrase composed of **de** plus a noun. **En** precedes the verb except in an affirmative command.

Exercice 24 Répondez aux questions en remplaçant l'expression *en italique* par le pronom *en*. Répondez (A) à la forme affirmative, et (B) à la forme négative.

EXEMPLES: Profitez-vous *de vos vacances?*
               (A)   Oui, j'en profite.
               (B)   Non, je n'en profite pas.

1. Profitez-vous *de cette leçon?*   3. Paul profite-t-il *de son week-*
2. Profitez-vous *de vos devoirs?*   *end?*
                                  4. Profitons-nous *de notre voyage?*

3. prêt à + infinitif

Etes-vous prêt	à	travailler?		Je suis prêt	à	m'amuser.
Are you ready	✕	to work?		I am ready	✕	to enjoy myself.

A few adjectives are followed by the preposition à before an infinitive. **Prêt** is one of them.

Répondez:

1. Etes-vous toujours prêt(e) à partir à l'heure?
2. A midi, qu'est-ce que vous êtes prêt(e) à faire?
3. Qu'est-ce que votre camarade est toujours prêt(e) à faire?

Exercice général Ecrivez une composition en français intitulée (entitled) «Le Voyage de mes rêves». Dites:

1. que vous ne savez pas grand'chose (very much) au sujet des pays étrangers.
2. que vous faites de votre mieux pour apprendre la géographie.
3. que vous préférez faire des voyages pour l'apprendre.
4. le nom du pays que vous voulez visiter.
5. ce que vous mettrez dans votre valise.
6. qui vous accompagnera.
7. ce qui vous intéressera le plus — le climat, les industries, les musées ou les habitants.

8. combien de temps vous passerez dans ce pays.
9. qui s'occupera de prendre les renseignements.
10. qui se chargera de payer les billets et les chambres d'hôtel.
11. si vous prendrez le train ou l'avion pour y arriver.
12. si vous allez profiter de votre voyage.
13. si vous allez découvrir des choses importantes.
14. si vous devez demander la permission à vos parents.
15. à quelle date vous espérez revenir.

IV NOTES SUR LA CIVILISATION FRANÇAISE

L'*horloge* de 24 heures

clock

Pour pouvoir dire l'heure sans *ajouter* «A.M.» ou
«P.M.» on emploie en France un système très
logique et *commode.* C'est le *même* système qu'*em-*
ploient les militaires aux Etats-Unis: l'horloge de
5 24 heures! Voyons si vous comprendrez le système
en *étudiant* ces quelques exemples:

adding

convenient & same
& use

studying

1:00 A.M. = 1.00 heure (une heure)
2:00 A.M. = 2.00 heures (deux heures)
6:00 A.M. = 6.00H ou 6.00ʰ (six heures)
10   11:00 A.M. = 11.00H ou 11.00ʰ (onze heures)

12:00 NOON = midi ou 12.00ʰ (douze heures)

1:00 P.M. = 13.00H ou 13.00ʰ (treize heures)
2:30 P.M. = 13.30ʰ (treize heures trente)
4:45 P.M. = 16.45ʰ (seize heures quarante-cinq)
15   8:55 P.M. = 20.55ʰ (vingt heures cinquante-cinq)
11:59 P.M. = 23.59ʰ (vingt-trois heures cinquante-neuf)

① 21.10H = 9:10

23.53H = 11:53 P.M.

17/07 = 5:07

Vous le comprenez, n'est-ce pas? On ajoute
douze heures pour les heures de l'après-midi et
du soir! En France on *s'en sert* pour tous les
20 *horaires, même* pour les programmes de télé!

use it

schedules & even

Les heures d'ouverture (business hours) se trouvent souvent
sur la porte des magasins. A
droite, la porte d'un pressing.

263

Quel magazine choisirez-vous pour les programmes de télé? de radio?

La télévision en France

La télévision française est un service du gouvernement. Elle n'est pas, comme la télévision aux Etats-Unis, une entreprise privée. Pour payer les
25 *frais* des émissions, chaque Français qui possède   expenses
un poste de télévision paie un *impôt* annuel d'en   tax 2 about
viron 100 francs ($20.00 américains).

Il y a deux *chaînes* de télévision. Voici le pro   channels
gramme typique d'une journée pendant la se
30 maine:

	mercredi 9 juillet	
12.30ʰ	LE COMTE YOSTER A BIEN L'HONNEUR	
	Feuilleton (huitième épisode)	serial
35 13.00ʰ	TÉLÉ-MIDI (*Actualités*)	news
13.20ʰ	UNE FEMME À AIMER	
	Feuilleton (neuvième épisode)	
13.35ʰ	*ARRÊT DES ÉMISSIONS*	intermission
16.30ʰ	*LE TOUR DE FRANCE*	bicycle race
40	(onzième *étape*) Commentaire de Richard Diot	lap (of a race)

18.30ʰ	LIRE ET COMPRENDRE	
	En question aujourd'hui: Le Capitalisme	
45	Les livres qui *en traitent*:	deal with it
	«LA *GUERRE* INDUSTRIELLE» de Christian Jelen et «LA GRANDE AVENTURE D'EMMAUS» de Gérard Marin	war
19.00ʰ	ÉTÉ-MAGAZINE	
50	Emission de l'Actualité télévisée, *en direct de* Nice	live from
19.15ʰ	ACTUALITÉS RÉGIONALES	
20.00ʰ	TÉLÉ-SOIR (Actualités)	
20.30ʰ	TÉLÉ-SPORTS	
55 20.40ʰ	L'ODYSSÉE DE THOR HEYERDAHL (film)	
23.05ʰ	TÉLÉ-*NUIT* (Actualités)	night
23.20ʰ	*FIN* DES ÉMISSIONS	end

Avez-vous *remarqué* que, pendant la semaine,   notice
60 il n'y a pas d'émission (1) avant midi, et (2) entre
13.35ʰ et 16.30ʰ, c'est-à-dire, entre une heure
trente-cinq et quatre heures et demie de l'après-
midi? Mais le dimanche, le samedi, et les *jours de*   holidays
fête, il y a des émissions toute la journée! Il y a
65 aussi des émissions *scolaires* le jeudi après-midi.   educational

Questions

Complétez en choisissant l'expression correcte.

1. En France on emploie «l'horloge de 24 heures» pour (a) les cafés; (b) les horaires; (c) les vêtements.
2. La télévision française est un service (a) de l'entreprise privée; (b) du gouvernement; (c) des associations sportives.
3. En semaine, il y a des émissions (a) toute la matinée (morning); (b) tout l'après-midi; (c) toute la soirée.
4. La fin des émissions a lieu (a) avant midi; (b) avant minuit; (c) avant le dîner.
5. Le dimanche, le samedi, et les jours de fête, il y a des émissions (a) seulement le matin; (b) seulement l'après-midi; (c) jour et nuit.
6. Pour payer les frais des programmes chaque Français qui a un poste (a) achète du savon; (b) paie un impôt; (c) paie un artiste.

V AMUSONS-NOUS!

Jouons aux devinettes (guessing games)

Pouvez-vous deviner (guess) ce que veulent dire les mots dans les listes ci-dessous? Ce n'est pas difficile!

Jeu N° 1

If a French word begins with an é, you can often derive its English meaning by substituting an *s* (or occasionally *ex*) for the é, as in the words **école**, school; **étudiant**, student. (For some of the more difficult words, we have included a hint in parentheses.)

Your teacher will read the words aloud and you will repeat them. As you repeat them, try to guess their meaning. Afterwards, each student in turn will choose a word from the list and call on a classmate to give its meaning.

1.	écriture (religion)	7.	épouse	13.	échange
2.	écureuil (petit animal)	8.	état	14.	échappe (prison)
3.	épeler (les mots)	9.	étole (vêtement)	15.	écran (cinéma)
4.	épice	10.	étrange	16.	étude
5.	épine dorsal	11.	étranger	17.	écolier
6.	éponge	12.	étrangle	18.	étend

Jeu N° 2

If a French word contains a circumflex accent over one of its vowels, you can often derive its English meaning by adding an *s* after the vowel.

After your teacher reads the words aloud and you repeat them, play the game again with these words:

1.	bête (animal)	6.	hâte	11.	intérêt
2.	coût (prix)	7.	honnête	12.	maître
3.	côte (mer)	8.	hôte	13.	maîtresse
4.	fête	9.	hôtesse	14.	pâte
5.	forêt	10.	île	15.	pâtisserie

33

Leçon trente-trois

I CONVERSATION

A. Révisons!

1 Nous sommes aux Etats-Unis, n'est-ce pas? (We're in the U.S., . . .?)	Oui, nous sommes aux Etats-Unis. Non, nous ne sommes pas . . .
2 Sommes-nous en France?	
3 Sommes-nous en Belgique?	
4 Etes-vous en Angleterre?	Non, je ne suis pas en . . .
5 Etes-vous en Italie?	
6 Etes-vous au Canada? (Are you in Canada?)	Non, je ne suis pas au . . .
7 Etes-vous au Japon? au Mexique?	
8 Où êtes-vous, aux Etats-Unis ou en France?	Je suis aux Etats-Unis. Je ne suis pas en France.

B. Scène: Vous êtes millionnaire et vous voulez faire un voyage autour du (around) monde. Vous allez à une Agence de Voyages. L'employé vous pose les questions suivantes et vous y répondez. (D'abord, répétez les noms des continents et des pays aux pages 274–76.)

1 Voulez-vous faire un voyage en Europe? (. . . to Europe?)	Oui, je voudrais faire . . . Non, je ne voudrais pas faire de . . .
2 La France est belle. Voulez-vous aller en France?	Oui, je voudrais aller . . . Non, je ne voudrais pas aller . . .
3 Voulez-vous visiter la Suisse?	
4 Alors, vous voulez aller en Suisse?	
5 Voulez-vous visiter le Danemark?	
6 Alors, vous irez au Danemark?	Oui, j'irai au Danemark.

Dialogue dirigé 1

Demandez à un camarade:

1 s'il veut faire un voyage en Europe. (Réponse)	Veux-tu faire un voyage . . . ?

2 s'il veut aller en Italie ou en
   Allemagne.
   (Réponse)
3 s'il veut aller au Danemark ou
   au Portugal.
   (Réponse)

C.

1 Voulez-vous faire des voyages en Amérique du Nord?[1]	Oui, je voudrais faire . . . Non, je ne voudrais pas faire de . . .
2 Voulez-vous visiter le Canada ou les Etats-Unis?	
3 Voulez-vous aller au Mexique?	
4 Voulez-vous faire un voyage en Amérique du Sud?	
5 Voulez-vous visiter l'Argentine ou le Brésil?	
6 Alors, vous irez en Argentine (au Brésil)?	Oui, j'irai . . . Non, je n'irai pas . . .
7 Irez-vous au Pérou?	

Dialogue dirigé 2

Demandez à une camarade:

1 si elle veut faire un voyage en Amérique du Nord (en Amérique du Sud). (Réponse)	Veux-tu faire . . . ?
2 si elle veut aller au Canada ou en Argentine. (Réponse)	

D.

1 Allez-vous faire un voyage en Afrique?	Oui, je vais faire un voyage . . . Non, je ne vais pas faire de . . .
2 Voulez-vous aller au Sénégal ou en Guinée?	
3 Allez-vous aussi en Asie?	Oui, je vais en Asie. Non, je ne vais pas en Asie.
4 Allez-vous en Chine ou au Viêt-nam?	
5 Allez-vous au Pakistan ou en Corée (Korea)?	
6 Allez-vous au Japon?	

[1] It is also correct to say **dans** l'Amérique du Nord or **dans** l'Amérique du Sud.

268

Dialogue dirigé 3

Demandez à un camarade de classe:

1 s'il veut aller en Afrique.   Veux-tu aller . . . ?
   (Réponse)   Je voudrais aller . . . .
2 dans quels pays il veut aller.
   (Réponse)
3 s'il veut aller en Asie.
   (Réponse)
4 dans quels pays il veut aller.
   (Réponse)

E.

1 Voulez-vous voir Paris et Londres   Oui, je voudrais voir . . .
   (London)?   Non, je ne voudrais pas voir . . .
2 Voulez-vous rester longtemps à   Oui, je voudrais rester . . .
   Paris? à Londres?   Non, je ne voudrais pas rester . . .
3 Voulez-vous voir Nice et Le
   Havre?
4 Voulez-vous passer 8 jours à Nice
   ou au Havre?
5 Voulez-vous aller à Rome ou à
   Madrid?
6 Au Canada, voulez-vous aller à
   Montréal ou à Québec?
7 Aux Etats-Unis, voulez-vous aller
   à New York ou à La Nouvelle-
   Orléans?

Dialogue dirigé 4

Demandez-moi:

1 si je veux voir Paris ou Le Havre.   Voulez-vous voir . . . ?
2 si je vais à Nice ou à Rome.
3 si je vais à Chicago ou à La
   Nouvelle-Orléans.

II SCÈNE DE LA VIE FRANÇAISE

Le *vol* d'avion   Flight

Personnages: R = Robert; P = Papa; C = Claire;
        M = Maman; MO = Monique
Scène: La famille *monte dans* l'avion. Maman,   boards
   Monique et Claire *s'installent* devant papa et   sit down
5   Robert. Claire et Robert sont assis près du *hublot*   window (porthole)
   pour mieux voir.

269

R: Mais il y a *du monde à bord*! — a lot of people on board (aboard)

P: Les Boeing 707 peuvent transporter de 150 à 200 passagers.

10 R: La Compagnie Air France[2] *se sert d'appareils* américains? Mais pourquoi? — use equipment (planes)

P: Parce que, pour le moment, ils sont *parmi* les meilleurs avions *long-courriers* du monde! — among / long distance

R: Et nos Caravelles[3] françaises?

15 P: Nos Caravelles sont parmi les meilleurs avions *moyen-courriers* . . . et les Américains *s'en servent*. Nous *leur en* vendons *beaucoup*. — intermediate distance / use them / many of them to them

R: Je voudrais aller aux Etats-Unis. C'est le pays des *merveilles mécaniques*. — mechanical wonders

20 P: Tu y iras aussitôt que tu sauras parler anglais *convenablement*. Et, pour ça, il te faudra passer des vacances en Angleterre. — suitably

(On entend le *bruit* des *moteurs*.) — noise engines

HAUT-PARLEUR: Mesdames et messieurs, *soyez les* — loud-speaker be welcome Please fasten extinguish take-off

25 bienvenus à bord. *Veuillez attacher* vos ceintures et *éteindre* vos cigarettes pendant le *décollage*.

P: Bon! Attachons les ceintures et pensons à l'Afrique. *Tiens!* Pour mieux apprécier le voyage — Look!

30 *suivons* sur la *carte* la route qu'on va prendre. — let's follow map

(Papa cherche quelque chose dans la *pochette* — little pocket

attachée au dos du *siège* devant lui.) C'est — seat

drôle. Je ne trouve pas la *brochure* qui *indique* — leaflet points out

les routes *aériennes* sur la carte. — aerial

35 HAUT-PARLEUR: Bonjour, mesdames et messieurs. Ici votre capitaine André Lavasseur. Nous *survolons* en ce moment le Massif Central. Pendant — are flying over

notre *parcours*, nous *maintiendrons* une *vitesse moyenne* de *800 kilomètres à l'heure* et une — trip will maintain speed average about 500 m.p.h.

40 altitude moyenne de *11.000 mètres*. — about 36,000 feet

Ladies and gentlemen, this is your captain André Lavasseur speaking. We are now flying over the Massif Central . . .

R: Il parle anglais!

45 P: On fait toutes les *annonces* en plusieurs langues, en français en anglais, et quelquefois en — announcements

allemand ou en espagnol. Cela *dépend de* la — depends on

langue que parlent les *passagers* . . . . Mais où — passengers

sont ces cartes?

[2] Air France has the longest network of any airline in the world.
[3] The Caravelle is a French-made jet.

270

50 R: *On n'en a pas besoin,* papa! Nous survolerons   We don't need them
       l'Espagne, le *Détroit* de Gibraltar, et le Maroc.   Straits
       On s'arrêtera pendant une demi-heure à Las   We'll stop
       Palmas, capitale des Iles Canaries et . . . en-
       suite on survolera la Mauritanie et la *partie*   part
55   nord du Sénégal.
    P: Ah! Tu as déjà étudié tout cela?
    R: Le vol *durera* cinq heures et dix minutes!   will last

●   C: Regarde, maman! On ne voit rien *à travers* cette   through
       petite fenêtre! Il n'y a que des *nuages!*   clouds
60 M: Mais, ma chérie, nous sommes *au-dessus des*   above
       nuages!
    C: Alors, je *ne verrai pas* l'Espagne et le Maroc, et   won't see
       tout ce que papa *a promis* de me montrer.   promised
    M: Si, si, . . . tu verras tout. Attends un peu, et
65   les nuages vont *disparaître.* Bientôt tu verras   disappear
       l'Espagne *au-dessous de* nous.   below
    C: Cette dame en uniforme, qu'est-ce qu'elle vend
       dans ces sacs de plastique?
    M: Ce sont des *écouteurs,* et elle ne les vend pas.   headphones
70   Elle les loue aux personnes qui veulent écouter
       de la musique ou entendre la *bande sonore* d'un   sound track
       film qu'ils vont *projeter.*   to show
    C: On *vole* au-dessus des nuages *en écoutant* de la   fly ♀ while listen-
       musique et en *voyant* un film? C'est chouette,   ing to ♀ seeing
75   ça. Oh, maman, il faut que papa *me* loue des   for me
       écouteurs! (Claire essaie de se lever pour de-
       mander les écouteurs à son père qui est assis
       derrière elle.) Papa, est-ce que je peux . . .
    HAUT-PARLEUR: Ici le capitaine Lavasseur. Veuil-
80   lez attacher vos ceintures.
    M: Claire! *Assieds-toi,* et attache ta ceinture!   Sit down!
    C: Mais . . . je veux me lever pour parler à papa!
    MO: Tu *suivras* les *directives* du capitaine! Tu   will follow ♀ in-
       n'as pas *honte?* Vraiment, Claire, tu n'es jamais   structions
85   *comme il faut.*   ashamed ♀ well-
    M: *Sois sage,* mon coco. Papa va *te* louer des écou-   behaved
       teurs.   Be good ♀ for you
    (Claire attache sa ceinture.)
    C: Maman, qu'est-ce qu'elle fait, l'autre jeune
90   fille en uniforme?
    M: Ces jeunes filles en uniforme sont des *hôtesses*   stewardesses
       de l'air, et cette jeune fille-là *sert l'apéritif.*   is serving ♀ drink
       Bientôt elles vont servir le déjeuner.   (before meals)

C: Ça, alors! On vole au-dessus des nuages *en dé-* while lunching
95 *jeunant,* en écoutant de la musique, et en voyant
un film! Oh! Ce que je vais pouvoir raconter à
Suzanne *en rentrant!* upon returning
home

DIALOGUE ORIGINAL

D'après le Modèle suivant, écrivez un dialogue original au sujet d'un
voyage intéressant que vous avez fait.

Modèle	Vos substitutions personnelles
—*La France* est un *pays* inté-ressant, n'est-ce pas?	/ un pays ou un continent intéressant /
—Oh, oui! Nous sommes allés *en France l'été dernier.*	/ un pays / . . . / quand vous y êtes allé(e)(s) /
—Avez-vous fait le voyage en *avion?*	/ comment vous avez fait le voyage, en bateau, en voiture, en autocar /
—Oui, en *volant au-dessus des nuages.*	/ ce que vous avez fait pendant le voyage /
—*Ces avions sont des merveilles,* n'est-ce pas?	/ une remarque au sujet du bateau, de la voiture, de l'autocar /
—En effet! On voyage à une *altitude* moyenne de *12.000 mètres!* Et le voyage ne dure que *6 heures et demie.*	/ vitesse / (au choix) / / kilomètres / / combien de temps dure le voyage /
—Vous avez visité *Paris,* sans doute?	/ une ville que vous avez visitée /
—Nous sommes restés *8 jours* à *Paris!*	/ combien de temps vous y êtes resté /

272

servir to serve	**se servir de** to use, make use of
suivre to follow	**s'arrêter** (I) to come to a stop
indiquer (I) to point out	**attacher** (I) to fasten
voler (I) to fly	**durer** (I) to last
survoler (I) to fly over	**avoir honte** (**de**) to be ashamed (of)

le monde world	**une annonce** announcement
du monde a lot of people	**un apéritif** drink before meals
le bruit noise	**la merveille** marvel, wonder
le moteur motor, engine	**le vol** flight
le nuage cloud	**la vitesse** speed

convenable proper, suitable	**mécanique** mechanical
convenablement suitably, properly	**moyen, moyenne** average
comme il faut well-behaved	

à travers across, through	**au-dessus** (**de**) above
parmi among	**au-dessous** (**de**) below

Questions

1. Y a-t-il peu de monde ou beaucoup de monde dans l'avion?
2. Est-ce que les Français se servent d'avions américains? De quels avions américains Air France se sert-elle?
3. De quels avions français les Américains se servent-ils?
4. Pourquoi Robert veut-il aller aux Etats-Unis?
5. Quand ira-t-il aux Etats-Unis?
6. Où passera-t-il des vacances pour apprendre à parler anglais convenablement?
7. Quel bruit entend-il?
8. Qu'est-ce qu'il faut attacher?
9. Qu'est-ce qu'il faut suivre pour mieux apprécier le voyage?
10. Quelle sera la vitesse moyenne de l'avion? Quelle sera l'altitude moyenne?
11. En combien de langues fait-on les annonces?
12. Quels pays survoleront-ils?
13. Combien de temps le vol durera-t-il?
● 14. Est-ce que Claire voit quelque chose à travers la petite fenêtre?
15. Pourquoi ne voit-elle que des nuages?
16. Quels pays verra-t-elle bientôt?
17. Est-ce que l'hôtesse de l'air vend les écouteurs? Est-ce qu'elle les loue?

273

18. Qu'est-ce qu'on peut écouter pendant le vol?
19. Est-ce qu'on peut voir un film en volant au-dessus des nuages?
20. Pourquoi Claire essaie-t-elle de se lever?
21. Qu'est-ce que Claire ne veut pas suivre?
22. Qu'est-ce que l'autre hôtesse de l'air est en train de servir?
23. Qu'est-ce que les hôtesses de l'air vont bientôt servir?
24. Quelle est la dernière réflexion (remark) de Claire?

Discussion

1. Aimez-vous les vols d'avion? Avez-vous fait un voyage en avion? Avez-vous vu un Boeing à la télévision? Les Boeing sont-ils parmi les meilleurs avions du monde? Sont-ils des merveilles mécaniques? Aimez-vous les merveilles mécaniques? Les avions français sont-ils des merveilles mécaniques?

2. Aimez-vous la vitesse? Aimez-vous les moteurs? Aimez-vous le bruit des moteurs? Y a-t-il du bruit à l'école? Y a-t-il du monde à l'école?

3. Quelle est la vitesse moyenne d'un Boeing (en kilomètres)? Quelle est la vitesse moyenne en milles (miles) d'une voiture sur une grande autoroute (expressway)? Les voitures vont-elles quelquefois trop vite?

4. Voulez-vous traverser les Etats-Unis en avion? Nommez trois états (states) que vous survolerez pour arriver à San Francisco de New York. Est-ce que vous vous arrêterez dans un aéroport? Suivrez-vous la route sur une carte géographique?

5. Volerez-vous au-dessus des nuages? Volerez-vous au-dessous des nuages? Verrez-vous les maisons? les arbres? les hommes et les femmes?

6. Porterez-vous des vêtements convenables? Aurez-vous honte de vos vêtements? Parlerez-vous convenablement à la personne assise à côté de vous? Serez-vous comme il faut pendant le voyage? Suivrez-vous toutes les instructions?

7. Ferez-vous le voyage en écoutant de la musique? en voyant un film? en déjeunant? en lisant? Est-ce que le voyage durera deux heures? quatre heures? Combien de temps durera-t-il?

III STRUCTURES

A. Continents, pays et villes

1. Les noms des continents sont féminins.

l'Amérique du Nord	l'Afrique	l'Asie
l'Amérique du Sud	l'Europe	l'Australie

274

> The continents are feminine in gender. Each ends in a silent **e**.

Préférez-vous	l'	Europe ou	l'	Amérique?
Do you prefer		Europe or		America?

Conversation 1:
Au téléphone transatlantique

—Etes-vous **en** Amérique? — Are you *in* America?

—Oui, mais je vais bientôt **en** Europe et **en** Afrique. Et vous? — Yes, but I'm soon going *to* Europe and *to* Africa. How about you?

—Je préfère l'Australie mais j'irai en Asie avec mon oncle. — I prefer Australia but I'll go to Asia with my uncle.

> Use the definite article before the name of a continent except after the preposition **en** (*in* or *to*). The definite article (**l'**) is omitted when **en** is used.

Exercice 1 Redites la phrase de l'exemple en remplaçant le nom du continent *en italique* par chaque nom entre parenthèses. Ensuite, posez la question selon l'exemple.

EXEMPLE: J'aime beaucoup *l'Europe*. (Amérique du Sud)
J'aime beaucoup **l'Amérique du Sud**.
Allez-vous souvent **en Amérique du Sud**?

(Amérique) (Afrique) (Asie) (Australie) (Amérique du Nord) (Europe)

2. Révisons! Les noms des pays sont masculins ou féminins.

    a. Le nom d'un pays féminin se termine généralement en **e**.

En Europe		*En Afrique*
la France	l'Espagne	la Côte d'Ivoire
la Belgique	l'Italie	la Guinée
l'Angleterre	la Russie	la Mauritanie
l'Allemagne	la Suisse	la Tunisie

En Asie	*En Amérique du Sud*
la Chine	l'Argentine
la Corée (Korea)	

275

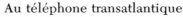

—La Suisse est belle. Y allez-vous? Switzerland is beautiful. Are you going there?

—Non. Je suis en France mais je vais bientôt **en** Russie et **en** Chine. No. I'm *in* France, but I'm soon going *to* Russia and *to* China.

—Ah? Vous allez chez les communistes? Oh? You're going to the Communist (countries)?

Countries whose names end in silent e are generally feminine. Use the article **la** (or **l'**) before a feminine country[4] except after the preposition **en** (*in* or *to*).

Exercice 2 Redites la question de l'exemple en remplaçant le nom du pays *en italique* par chaque nom entre parenthèses. Ensuite, répondez à la question selon l'exemple.

EXEMPLE: Avez-vous visité *l'Espagne*? (Italie)
Avez-vous visité **l'Italie**?
Hélas! Nous ne sommes pas allés **en Italie**!

(France) (Angleterre) (Suisse) (Russie) (Mauritanie) (Chine) (Argentine)

b. Le nom d'un pays masculin *ne* se termine *pas* en e, excepté **le Mexique et le Cambodge.**

En Europe	*En Amérique*	*En Afrique*	*En Asie*
le Danemark	le Brésil	le Congo	le Japon
le Luxembourg	le Canada	le Gabon	le Laos
le Portugal	le Mexique	le Maroc	le Viêt-nam
les Pays-Bas	les Etats-Unis	le Sénégal	le Pakistan
(the Netherlands)			

---

[4] **Israël** and **Haïti** are feminine but do not use a definite article preceding them. However, you say **en Israël, en Haïti.**

Conversation 3:
Au téléphone transatlantique

—Où êtes-vous, **au** Danemark ou **aux** Pays-Bas?

Where are you, *in* Denmark or *in* the Netherlands?

—Je suis **au** Canada, mais je vais **aux** Etats-Unis.

I'm *in* Canada, but I'm going *to* the United States.

—Est-ce que **le** Canada est un pays intéressant?

Is Canada an interesting country?

—Oui, mais je préfère **les** Etats-Unis.

Yes, but I prefer the United States.

Exercice 3 Redites la phrase de l'exemple, en remplaçant le nom du pays *en italique* par chacun des noms entre parenthèses. Ensuite, posez la question selon l'exemple.

EXEMPLE: *Le Danemark* est un pays intéressant. (Brésil)
  Le Brésil est un pays intéressant.
  Avez-vous été **au Brésil?**

(Mexique) (Canada) (Pérou) (Portugal) (Japon) (Sénégal)

3. Les villes — pas de problème!

En Europe	*En Amérique*	*En Afrique*	*En Asie*
Bruxelles	Chicago	Casablanca	Hong-Kong
Paris	New York	Dakar	Pékin
Londres	Montréal	Abidjan	Saigon
Le Havre	La Nouvelle-Orléans	Le Caire	Tokyo

Conversation 4:
Au téléphone transatlantique

—Etes-vous à Paris ou à Nice?

Are you *in* Paris or *in* Nice?

—Je suis au Havre. Où êtes-vous?

I am *in* Le Havre. Where are you?

—**A La** Nouvelle-Orléans, mais je vais demain à Los Angeles.

In New Orleans, but I'm going tomorrow *to* Los Angeles.

The article is not generally used with cities. Only certain cities require the article, such as **Le Havre, Le Caire, La Nouvelle-Orléans,** and a few others. The article is part of the name! To express *to* or *in* with cities, use **à.** If the definite article is part of a city's name, use **à La** or **au.**

277

Exercice 4 Redites la phrase de l'exemple, en remplaçant le nom *en italique* par les noms entre parenthèses. Ensuite, posez la question selon l'exemple.

EXEMPLE: Je vais à *Paris* demain. (Rome)
Je vais à **Rome** demain.
Resterez-vous longtemps à **Rome**?

(New York) (Londres) (Madrid) (Miami) (Le Havre) (La Nouvelle-Orléans)

Exercice 5 Remplacez les mots *en italique* dans la question et dans la réponse par chacun des mots entre parenthèses. (Question a ⟶ Réponse a)

EXEMPLES
QUESTION: Allez-vous faire un voyage *en France*? (a. Japon)
Allez-vous faire un voyage **au Japon**?
RÉPONSE: Non, je vais faire un voyage *en Suisse*. (a. Mexique)
Non, je vais faire un voyage **au Mexique**.

1. Question: Fera-t-on un voyage *en Asie*?
(a. Etats-Unis) (b. Suisse) (c. Amérique) (d. Portugal)
Réponse: Non, on fera un voyage *en Europe*.
(a. Pérou) (b. Afrique) (c. Angleterre) (d. Japon)
2. Question: Vous ne voulez pas aller *à Londres*?
(a. Moscou) (b. Rome) (c. Québec) (d. La Nouvelle-Orléans)
Réponse: Je préfère aller *à Paris*.
(a. Dakar) (b. Washington) (c. Montréal) (d. Le Havre)

B. Les verbes irréguliers

1. voir, au futur

Stem: **verr–**
je verrai (I'll see, etc.)   nous verrons
tu verras   vous verrez
il verra   ils verront

Exercice 6 Redites chacune des phrases en remplaçant les sujet *en italique* par chacun des sujets entre parenthèses. Faites les changements nécessaires.

EXEMPLES: *Je* ne verrai pas mes amis samedi. (Vous) (Tu)
Vous ne **verrez** pas vos amis samedi.
Tu ne **verras** pas tes amis samedi.

1. *Nous* verrons l'Afrique et l'Europe. (Ils) (Vous) (Je) (Robert) (Tu) (On)
2. *Vous* ne verrez pas les Etats-Unis? (Je) (Nous) (Elle) (Guy) (Tu) (On)
3. Verra-t-*on* la France? (tu) (elles) (ils) (nous) (vous) (je)

278

2. Les verbes servir et suivre

The verbs **servir** (to serve) and **suivre** (to follow) are "irregular" only in the following ways: (1) the *present* tense of *both* verbs is irregular, and (2) the past participle of **suivre** is **suivi**.

Notez bien: In the *present* tense both verbs have a *singular* stem and a *plural* stem.

Au présent
servir   to serve

Meaning: I serve, am serving, do serve, etc.
Stems:

(*sing.*) **ser–**	je **sers**	tu **sers**	il **sert**
(*pl.*) **serv–**	nous **servons**	vous **servez**	ils **servent**

suivre   to follow

Meaning: I follow, am following, do follow, etc.
Stems:

(*sing.*) **sui–**	je **suis**	tu **suis**	il **suit**
(*pl.*) **suiv–**	nous **suivons**	vous **suivez**	ils **suivent**

A l'imparfait
servir   to serve

1st pl. pres.: nous servons
Meaning: I was serving, used to serve, served, etc.
Stem: **serv–**

je **servais**	tu **servais**	il **servait**
nous **servions**	vous **serviez**	ils **servaient**

suivre   to follow

1st pl. pres.: nous suivons
Meaning: I was following, used to follow, followed
Stem: **suiv–**

je **suivais**	tu **suivais**	il **suivait**
nous **suivions**	vous **suiviez**	ils **suivaient**

Au futur
servir et suivre   (I'll serve, I'll follow, etc.)

Stems:

servir–	je **servirai**	tu **serviras**	il **servira,** etc.
suivr–	je **suivrai**	tu **suivras**	il **suivra,** etc.

Au passé composé
servir et suivre   I served, I followed, etc.

Part. passé:

servi	j'ai **servi**	tu as **servi**	il a **servi,** etc.
suivi	j'ai **suivi**	tu as **suivi**	il a **suivi,** etc.

Exercice 7 (servir) Remplacez le sujet *en italique* par chacun des sujets entre parenthèses. Faites les changements nécessaires.

1. Maintenant *on* sert du dessert, n'est-ce pas?
   (je) (tu) (Monique) (elles) (nous) (vous)

2. Autrefois *on* ne servait pas de café ici.
   (je) (Henri) (ces dames) (nous) (vous)

3. Servira-t-*on* le goûter à quatre heures?
   (tu) (elle) (vous) (nous) (elles) (je)

4. Hier *on* a servi l'apéritif.
   (Maman) (tu) (vous) (nous) (je)

Exercice 8 (suivre) Remplacez le sujet *en italique* par chacun des sujets entre parenthèses. Faites tous les changements nécessaries.

1. Suit-*il* la voiture bleue?
   (on) (tu) (je) (ils) (nous) (vous)

2. Autrefois *on* suivait toujours maman.
   (je) (tu) (Marc) (les enfants) (nous) (vous)

3. Demain *on* ne suivra pas cette route.
   (tu) (Jacques) (vous) (je) (nous) (elles)

4. Avez-*vous* suivi le meilleur chemin?
   (nous) (ils) (elle) (tu) (on) (je)

Enigme: Que dit cet homme?

Je suis ce que je suis,
Mais je ne suis pas ce que je suis,
Car[5] si j'étais ce que je suis
Je ne serais pas[6] ce que je suis!

---

[5] because [6] wouldn't be

Exercice 9 Mettez les verbes *en italique* à l'impératif.

1. Tu *suis* la règle de grammaire?
2. Tu *sers* le repas du soir?
3. Vous *suivez* la carte?
4. Vous *servez* le petit déjeuner?

5. Nous *servons* du champagne.
6. Nous *suivons* les instructions.
7. Tu ne *suis* pas les directives?
8. Vous ne *servez* pas de vin?

C. Révision: *en*, **pronom objet**

Moi, je voudrais **des bonbons.**
En voulez-vous?

I'd like *some candy.*
Do you want *any (some)*?

The object pronoun **en** takes the place of **de** + a noun referring to a thing or things. It means *of it, of them, some,* or *any.*

Exercice 10 Redites les phrases en remplaçant l'expression *en italique* par le pronom *en.*

EXEMPLES: Il a besoin *d'un stylo.*
Il **en** a besoin.

Il n'a pas honte *de cette note?*
Il n'**en** a pas honte?

1. Nous avons besoin *d'une valise.*
2. Vous avez besoin *d'une carte aérienne,* n'est-ce pas?
3. Ils n'ont pas besoin *d'un billet.*
4. Je n'avais pas besoin *d'argent de poche.*
5. Vous n'aurez pas besoin *d'aide?*

6. Il a honte *de son pull-over.*
7. On n'a pas honte *de ce travail.*
8. Elle a honte *de cette mauvaise habitude.*
9. Je n'ai pas honte *de ma pro-nonciation.*
10. Vous aviez honte *de cela?*

D. Indirect object pronoun + *en*

1. Le verbe à la forme affirmative

La scène: A l'hôpital. Toute la famille est venue voir le malade.
Le malade dit:

De l'aspirine pour moi?
Du café pour toi?
Du thé pour maman?
Des journaux pour tous?
De l'eau pour vous?
Des glaces pour les enfants?

On m'**en** donne. (some to me)
On t'**en** donnera. (some to you))
On **lui en** apportera. (some to her)
On **nous en** apportera. (some to us)
On **vous en** servira. (some to you)
On **leur en** a servi. (some to them)

---

1. When the object pronoun **en** (*some, any, of it, of them*) is used with an indirect object pronoun, **en** always *follows* the indirect object pronoun.
2. Good news! The past participle does not change when the object pronoun **en** precedes it in the compound tenses.

Exercice 11 Remplacez l'expression *en italique* par le pronom *en*.

EXEMPLE: Je lui donne *des bonbons*. ⟶ Je lui en donne.

1. Je lui prête *des cartes*.
2. Tu lui prêtais *des disques*?
3. Le capitaine leur faisaient *des annonces*.
4. On leur fera *des cadeaux*.
5. Elle lui sert *du fromage*.

6. Le garçon nous a servi *de la tarte*.
7. Qui vous a rendu *de l'argent*?
8. Qui vous a montré *des nuages*?
9. Guy t'a montré *des moteurs*?
10. Qui m'a envoyé *des bonbons*?

2. Le verbe à la forme négative

Temps simples	*Temps composé*
Lui donnait-on *du lait*?	Lui a-t-on servi *du bifteck*?
Non, on **ne** lui *en* donnait **pas**.	Non, on **ne** lui *en* a **pas** servi.

In the negative, ne precedes *both* pronouns; **pas** (or **plus** or **jamais**) follows the verb (temps simples) or the auxiliary (temps composés).

Exercice 12 Mettez chaque phrase à la forme négative et suivez les exemples pour *Temps simples* et *Temps composé*.

EXEMPLES

Temps simples	*Temps composé*
Je *lui en* prêtais souvent.	Je *lui en* ai prêté hier.
Je **ne** *lui en* prêtais **pas** souvent.	Je **ne** *lui en* ai **pas** prêté hier.

1. Je lui en servirai.
2. Tu leur en donneras.
3. Il m'en servait.
4. Roger t'en parlait.

5. Je lui en ai servi.
6. Tu leur en as montré.
7. Janine m'en a prêté.
8. Marc t'en a parlé.

3. Le verbe à la forme interrogative avec inversion

Temps simples	*Temps composé*
Paul *lui* montre *de beaux disques*.	Mimi *m'*a montré *des bijoux*.
Lui en prêtera-t-il samedi?	**Vous en** a-t-elle donné pour votre anniversaire?

> In the inverted form of the interrogative, both pronouns precede the verb (simple tenses) or the auxiliary (compound tenses).

Exercice 13 Mettez les phrases de l'Exercice 12 à la forme interrogative avec inversion. (Employez *Est-ce que* avec *je*.)

EXEMPLES

Temps simples	*Temps composé*
i en prêteras.	Tu lui en as prêté.
n prêteras-tu?	**Lui en** as-tu prêté?

4. L'impératif

Affirmation	*Impératif*	
Vous nous en donnez.	Donnez-nous-en!	Ne nous en donnez pas!
Vous m'en donnez.	Donnez-m'en!	Ne m'en donnez pas!
Tu lui en prêtes.	Prête-lui-en!	Ne lui en prête pas!
Nous leur en parlons.	Parlons-leur-en!	Ne leur en parlons pas!

> The pronouns stay in the same order, but are attached by hyphens to the verb in the affirmative command. **En** always goes last!

Exercice 14 Mettez les phrases à l'impératif. Ajoutez *s'il vous plaît* ou *s'il te plaît*.

EXEMPLE: Vous m'en donnez? ⟶ Donnez-m'en, s'il vous plaît.

1. Vous m'en servez?
2. Vous nous en servez?
3. Tu m'en sers?
4. Tu nous en sers?
5. Nous lui en parlons?
6. Vous ne m'en donnez pas?
7. Tu ne nous en donnes pas?
8. Nous ne leur en donnons pas?

5. En with reflexive verbs

Scène: A l'Agence de Voyages

Le client:	Qui *s'occupe des* billets d'avion?
Un employé:	Je *m'en* occupe, Monsieur.
Un autre employé:	Tu *t'en* occupes?
Un autre employé:	Il *s'en* occupe!
Plusieurs employés:	Nous *nous en* occupons!
Le client:	Vous *vous en* occupez?
	Ils *s'en* occupent tous!

When a reflexive pronoun is used with **en**, the reflexive pronoun precedes **en**.

Exercice 15 Répondez «Oui» ou «Non» à chaque question, en remplaçant l'expression *en italique* par le pronom *en*.

EXEMPLE: Votre frère s'occupe-t-il *de ses devoirs?*
　　　　　Oui, mon frère s'**en** occupe. *ou*
　　　　　Non, mon frère **ne** s'**en** occupe **pas**.

1. Est-ce que papa s'occupe *de la voiture?*
2. Est-ce que la jeune dame se charge *des apéritifs?*
3. Est-ce que le pilote se charge *de la vitesse de l'avion?*
4. Est-ce que nous nous occupons *de notre travail?*
5. Est-ce que vous vous occupez *des merveilles mécaniques?*
6. Est-ce que tu te charges *de ta petite sœur?*
7. Est-ce que je me charge *de la classe de français?*

E. Révision: the indirect object pronoun

With some verbs, the indirect object may mean *for* as well as *to* a person
or persons.

Maman m'apportera des bonbons.	Mother will bring some candy *to me* or *for me.*
Elle t'achètera de la glace.	She will buy some ice cream *for you.*
Elle **lui** louera des écouteurs.	She will rent some headphones *for him* or *for her.*
Elle **nous** paiera des apéritifs.	She will pay for drinks *for us.*
Elle **vous** achètera du dessert.	She will buy dessert *for you.*
Elle **leur** louera des vélos.	She will rent bicycles *for them.*

Exercice 16 Remplacez l'expression *en italique* selon l'exemple. (Hint:
use an indirect object pronoun.)

EXEMPLE: J'apporterai des cadeaux *pour toi.*
  Je t'apporterai des cadeaux.

1. J'achèterai un vélo *pour lui.*
2. Je louerai des écouteurs *pour elle.*
3. Je paierai des coca-colas *pour eux.*
4. Paul achètera un gâteau *pour moi.*
5. Il paiera une glace *pour toi.*
6. Il louera une voiture *pour nous.*
7. Il paiera des disques *pour vous.*

F. Le participe présent

1. Formation

    a. Verbes «réguliers»

	Premier Groupe	*Deuxième Groupe*	*Troisième Groupe*
	n̸o̸u̸s̸ parl~~ons~~	n̸o̸u̸s̸ finiss~~ons~~	n̸o̸u̸s̸ attend~~ons~~
Base:	parl–	finiss–	attend–
Pres. part.:	parlant (speaking)	finissant (finishing)	attendant (waiting)

    b. Verbes terminés par **–ger** et **–cer**

n̸o̸u̸s̸ mange~~ons~~	n̸o̸u̸s̸ nage~~ons~~	n̸o̸u̸s̸ commenç~~ons~~	n̸o̸u̸s̸ remplaç~~ons~~
Base: mange–	nage–	commenç–	remplaç–
Pres. part.:			
mangeant (eating)	nageant (swimming)	commençant (beginning)	remplaçant (replacing)

Exemples: L'appétit vient en mangeant (proverbe).
  En rangeant ses affaires, on les trouve facilement.
  Yvonne gagne sa vie en remplaçant les vendeuses.

284

c. Autres verbes

	n̸o̸u̸s̸ fais~~ons~~	n̸o̸u̸s̸ dis~~ons~~	n̸o̸u̸s̸ pren~~ons~~	n̸o̸u̸s̸ voy~~ons~~
Base:	fais–	dis–	pren–	voy–
Pres. part.:	faisant	disant	prenant	voyant
	(doing,	(saying)	(taking)	(seeing)
	making)			

To form the present participle (the *–ing* form), drop the ending **–ons** and add **–ant** to the **nous** form of the present tense.

d. Formes «irrégulières»

Infin.:	**avoir**	**être**	**savoir**
Stem:	ay–	ét–	sach–
Pres. part.:	ayant	étant	sachant
	(having)	(being)	(knowing)

There are only three verbs whose present participles are irregularly formed: **avoir**, **être**, and **savoir**.

Exercice 17 Trouvez le participe présent de chacun des verbes suivants.

Premier Groupe	*Deuxième Groupe*	*Troisième Groupe*	*–ger* et *–cer*
1. chanter	6. choisir	11. vendre	16. ranger
2. habiter	7. punir	12. rendre	17. arranger
3. attacher	8. réussir	13. perdre	18. corriger
4. indiquer	9. obéir	14. répondre	19. annoncer
5. arrêter	10. guérir	15. attendre	20. prononcer

Exercice 18 Formez le participe présent des verbes suivants.
(Hint: The *nous* form of the present tense is given in parentheses when it helps you to find the *base*.)

1. prendre (nous prenons)
2. comprendre (nous comprenons)
3. apprendre (nous apprenons)
4. partir (nous partons)
5. sortir (nous sortons)
6. devoir (nous devons)
7. écrire (nous écrivons)
8. lire (nous lisons)
9. mettre (nous mettons)
10. boire (nous buvons)
11. ouvrir (nous ouvrons)
12. pouvoir (nous pouvons)
13. vouloir (nous voulons)
14. venir (nous venons)
15. revenir (nous revenons)
16. recevoir (nous recevons)
17. servir (nous servons)
18. avoir
19. être
20. savoir

2. Emploi

Triste histoire

—As-tu fait tes devoirs **en rentrant?** — Did you do your homework *on (upon)* return*ing* home?

—Non. **En** arrivant chez moi, j'ai — No. *On* arriv*ing* home, I found my trouvé ma sœur malade. — sister sick.

The present participle is usually used after the preposition **en** (*on, upon, while, by*). After other prepositions, use the infinitive (**avant d'ar**river, **sans** réussir, **pour** acheter, à partir).

Exercice 19 Complétez la phrase de l'exemple en employant chacune des expressions indiquées. Employez le participe présent du verbe de chaque expression.

EXEMPLE: En _____, j'oublie les examens.
  jouer de la guitare
  En **jouant** de la guitare, j'oublie les examens.

1. *regarder* la télé	8. *voir* un film
2. *chercher* des disques	9. *boire* du coca-cola
3. *choisir* des robes	10. *ouvrir* mes paquets
4. *attendre* mes amis	11. *servir* le déjeuner
5. *manger* une tartine	12. *suivre* le vol d'avion
6. *faire* une promenade	13. *mettre* la table
7. *écrire* des lettres	14. *commencer* à danser

Exercice 20 Combine the two sentences by using *en* + the present participle of the verb *in italics*.

EXEMPLE: Elle *attache* se ceinture. Elle a suivi les instructions.
  En attachant sa ceinture, elle a suivi les instructions.

1. Il *indique* les routes. Il aide la dame.
2. On *volait* au-dessus de la mer. On voyait quelquefois des bateaux.
3. Nous survolons l'Europe. Nous *déjeunons* et nous *écoutons* de la musique.
4. J'*ai arrêté* ma voiture. J'ai pu regarder les nuages.
5. Ils *ont visité* Paris. Ils ont vu de beaux monuments.

G. Les idiotismes

1. se servir de (quelque chose) { to make use of (something) *or* to use (something)

De quoi se *sert*-on en classe? — (Of) What do we (make) use in class?

Je me *sers* d'un stylo.	Nous nous *servons* d'un cahier.
Tu te *sers* d'un crayon.	Vous vous *servez* d'un livre.
Il se *sert* d'une règle.	Ils se *servent* d'un disque.
Elle se *sert* d'une craie.	Elles se *servent* d'un dictionnaire.

Exercice 21 Complétez chacune des phrases en employant l'expression *se servir de* et un des articles ci-dessous.

une tasse

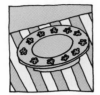

une assiette

un verre

une fourchette et
un couteau

une cuiller

un vélo

un parapluie

un stylo

1. Pour écrire mes devoirs, je _____.
2. Quand il pleut, Colette _____.
3. Pour boire du café, on _____.
4. Pour aller à l'école, il _____.
5. Pour boire du lait, tu _____.
6. Quand on mange, on _____.
7. Pour manger du biftek, vous _____.
8. Pour le potage, nous _____.

Exercice 22 Complétez les phrases de l'Exercice 21 en employant l'expression *se servir de* à la forme négative.

EXEMPLES: Pour écrire mes devoirs, je **ne** me sers **pas** d'un parapluie!
Pour boire du café, on **ne** se sert **pas** d'une fourchette ou d'un couteau.

Exercice 23 Répondez «Oui» ou «Non» à la question, en remplaçant l'expression *en italique* par le pronon *en*.

EXEMPLE: Est-ce que Paul se sert *d'un peigne*?
Oui, il s'**en** sert. *ou*
Non, il ne s'**en** sert pas (jamais).

1. Est-ce que Victor se sert *d'un peigne*?
2. Est-ce que Marie se sert *d'une brosse à dents*?
3. Est-ce que les enfants se servent *d'eau chaude*?
4. Est-ce que les professeurs se servent *de parfum*?
5. Est-ce que nous nous servons *de nos livres*?
6. Est-ce que vous vous servez *de lunettes*?
7. Est-ce que je me sers *d'un vélo*?
8. Est-ce que tu te sers *d'un stylo*?

287

Exercice original Using the sentences of the examples, substitute the name of one of your classmates and elicit a reply from another classmate.

EXEMPLES: Est-ce que Linda se sert d'eau chaude et de savon?
Est-ce que Michel se sert d'un peigne tous les jours?

2. **avoir honte de** (quelque chose) to be ashamed of (something)
   avoir honte de (quelqu'un) to be ashamed of (somebody)

—J'ai honte de ma note en histoire. I'm ashamed of my mark in history.
  Et toi? How about you?
—Moi? Je n'en ai pas **honte**! Me? I'm not ashamed of it!

Exercice 24 En employant les expressions entre parenthèses, composez des affirmations ou des questions avec *avoir honte de* (A) à la forme affirmative, (B) à la forme négative, ou (C) à la forme interrogative.

EXEMPLES: (Jacques) (sa mauvaise note)
(A) Jacques **a honte de** sa mauvaise note. *ou*
(B) Jacques **n'a pas honte de** sa mauvaise note. *ou*
(C) Jacques **a-t-il honte de** sa mauvaise note?

1. (Marie) (son écharpe)
2. (Georges) (son petit frère)
3. (Nous) (vous)
4. (Vous) (moi)
5. (Je) (toi)
6. (Tu) (ton cahier)
7. (Les élèves) (leurs devoirs)
8. (Vous) (cela)

Composition Ecrivez une composition intitulée «Le Voyage de mes rêves». Ecrivez:

1. les noms des pays que vous voulez visiter.
2. le nom ou (either) de l'avion ou (or) de la ligne aérienne que vous voulez prendre.
3. les noms des villes où vous vous arrêterez.
4. combien de temps le voyage durera.
5. la route ou les routes que vous allez suivre.
6. ce que vous allez faire pendant le vol.
7. pourquoi vous voulez faire ce voyage.

Exercice général La situation: Votre oncle vous a invité à faire un beau voyage en Europe. Ecrivez une lettre à un grand ami en répondant aux questions suivantes.

1. Qui vous a invité à faire ce beau voyage en Europe?
2. Serez-vous content(e) d'aller avec lui?
3. Aura-t-il l'air ravi quand vous accepterez son invitation?
4. Qu'est-ce que vous aurez à faire avant de partir?
5. Est-ce que votre oncle vous aidera à faire les préparatifs?
6. Est-ce qu'il vous faudra des vêtements convenables?

7. Nommez quatre articles très importants que vous mettrez dans la valise.
8. Essaierez-vous de gagner de l'argent de poche?
9. Votre mère vous en donnera-t-elle aussi?
10. Qui paiera les billets, votre père ou votre oncle?
11. Où demanderez-vous des renseignements?
12. Aurez-vous tout ce qu'il vous faudra?
13. Obéirez-vous aux instructions dès que vous serez dans l'avion?
14. Suivrez-vous les routes à l'aide d'une carte géographique?
15. Trouverez-vous toujours quelque chose d'intéressant à faire?
16. Oublierez-vous d'écrire des lettres à votre famille?
17. Ferez-vous de votre mieux pour profiter du voyage?
18. Est-ce que vous pouvez vous amuser quand vous ne savez pas la langue?
19. Qu'est-ce que vous ferez pour apprendre quelques mots des langues parlées dans les pays que vous allez visiter?
20. Qu'est-ce qui vous intéresse dans les pays étrangers?

IV NOTES SUR LA CIVILISATION FRANÇAISE

Le *Système métrique* (*Longueur*)

Metric ♀ System (Length)

Histoire Le système métrique est d'origine française! En 1790, l'Assemblée de la Première République française *décréta* la creation d'un système stable de *poids* et de *mesures*. Une commis-
5 sion de l'Académie des Sciences, composée de grands *savants*, décida que le nouveau système *suivrait* la loi décimale, et que l'*unité* de mesure pour la longueur *devrait* être une fraction du méridien de la *terre*.
10   Les savants *décidèrent* que la nouvelle unité *serait* $\frac{1}{10.000.000}$ (un dix-millionième) de la distance entre l'équateur et le pôle Nord. Cette nouvelle unité s'appela le *mètre*.

decreed

weights ♀ measures

scientists
would follow ♀ unit
should
earth

decided
would be

meter

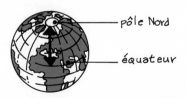

pôle Nord

équateur

$\frac{1}{10.000.000}$ = un mètre

En 1795 la France *adopta* le système métrique.   adopted

15 *De nos jours*, presque tous les pays du monde se   Nowadays
servent du système métrique. Tous les pays s'en
servent pour la recherche scientifique!

Applications   Voici les *sous-multiples* et les mul-   submultiples
tiples du mètre:

20

		Abrév.	Equivalent américain
1 mètre	= un mètre	m	39.37 inches
$\frac{1}{100}$ mètre	= un centimètre	cm	0.3937 in.
$\frac{1}{1000}$ mètre	= un millimètre	mm	0.03937 in.
25 1000 mètres	= un kilomètre	km	$\frac{5}{8}$ mile

La vitesse

En France	Aux Etats-Unis	
40 km à l'heure	25 *milles* à l'heure	miles
60 km à l'heure	$37\frac{1}{2}$ milles à l'heure	
30 800 km à l'heure	500 milles à l'heure	

L'altitude

100 mètres	330 pieds (approx.)
11.000 mètres	36.000 pieds (approx.)

La magnifique Cathédrale de Chartres.

Ici, on est à 22 km de Chartres!

Ah, le beau tissu! Combien de mètres en achètera-t-elle?

Questions

Choisissez dans la colonne B l'expression qui complète chaque phrase de la colonne A.

A

1. La création d'un système stable de mesures fut décrétée (was decreed) par _____.
2. L'Académie des Sciences est un groupe de _____.
3. Les savants décidèrent que _____ serait l'unité de mesure pour la longueur.
4. Selon les calculs des savants, le mètre est _____ de la distance entre l'équateur et le pôle Nord.
5. Le système métrique est le système utilisé dans _____ des pays du monde.
6. Tous les savants qui font de la recherche scientifique se servent du _____.
7. Le système métrique suit la loi _____.
8. Pour calculer le nombre de milles (miles), il faut multiplier le nombre de kilomètres par _____.
9. Pour calculer le nombre de pieds, il faut multiplier le nombre de mètres par _____.
10. Il y a mille mètres dans un _____.

B

a. la majorité
b. système métrique
c. décimale
d. 3.3
e. le mètre
f. $\frac{1}{10.000.000}$
g. savants
h. kilomètre
i. la Première République
j. $\frac{5}{8}$

291

Supplément: Les fractions

$\frac{1}{2}$ un demi

$\frac{1}{3}$ un tiers $\qquad$ $\frac{2}{3}$ deux-tiers

$\frac{1}{4}$ un quart $\qquad$ $\frac{2}{4}$ deux-quarts $\qquad$ $\frac{3}{4}$ trois-quarts

$\frac{1}{5}$ un cinquième $\qquad$ $\frac{2}{5}$ deux-cinquièmes $\qquad$ $\frac{4}{5}$ quatre-cinquièmes

$\frac{1}{6}$ un sixième $\qquad$ $\frac{2}{6}$ deux-sixièmes $\qquad$ $\frac{5}{6}$ cinq-sixièmes

$\frac{1}{7}$ un septième $\qquad$ $\frac{2}{7}$ deux-septièmes $\qquad$ $\frac{6}{7}$ six-septièmes

$\frac{1}{8}$ un huitième $\qquad$ $\frac{2}{8}$ deux-huitièmes $\qquad$ $\frac{7}{8}$ sept-huitièmes

$\frac{1}{9}$ un neuvième $\qquad$ $\frac{2}{9}$ deux-neuvièmes $\qquad$ $\frac{8}{9}$ huit-neuvièmes

$\frac{1}{10}$ un dixième $\qquad$ $\frac{2}{10}$ deux-dixièmes $\qquad$ $\frac{9}{10}$ neuf-dixièmes

Notez bien: $2\frac{1}{2}$ km = deux kilomètres et demi

$3\frac{3}{4}$ m = trois mètres trois-quarts

V   AMUSONS-NOUS!

Problèmes des voyageurs!

1. Tous les jours je fais une promenade à pied d'un demi-kilomètre. Combien de kilomètres ai-je marché pendant le mois d'avril?
2. Le train roule à 80 kilomètres à l'heure. Je suis monté dans le train à Saint-Raphaël et je vais à Nice. Il y a 60 kilomètres entre Saint-Raphaël et Nice. Combien de minutes me faudra-t-il pour arriver à Nice?
3. Vous êtes en voiture. Sur le panneau (sign) vous voyez «Vitesse maximum 80 km à l'heure». Quelle sera votre vitesse maximum en milles (miles)? (Multipliez par $\frac{5}{8}$.)
4. Vous êtes en voiture sur une autoroute (expressway). Sur le panneau vous lisez «Arrêt à 400 mètres». Quelle est cette distance en pieds? (Multipliez par 3.3.)
5. Madame Smith demeure maintenant à Paris. Il lui faut une nouvelle robe. Aux Etats-Unis elle achète généralement $4\frac{1}{2}$ *yards* de soie pour faire une robe. Combien de mètres de soie doit-elle acheter? (Calculez: un mètre = 39 *inches*.)

34

Leçon trente-quatre

I CONVERSATION 1

A. We'll begin by using the familiar **tu** form of the verb.

1 Tu connais Paul, n'est-ce pas?
   (You know [are acquainted with] Paul, don't [aren't] you?)
2 Est-ce que tu connais Janine?
3 Connais-tu les amies de Janine?
4 Connais-tu l'Afrique?
   (Are you familiar with Africa?)

Oui, je connais Paul.
(Yes, I know Paul.)
Non, je ne connais pas Paul.

B.

1 Paul connaît l'Afrique, n'est-ce pas?
   (Paul is familiar with . . . ?)
2 Connaît-il les Etats-Unis?
3 Connaît-il un bon médecin?
   (Does he know . . . ?)
4 Marie connaît-elle un bon médecin?
5 Connaît-elle un bon hôpital?
6 Connaît-elle l'Europe?

Oui, il connaît l'Afrique.
(Yes, he's familiar with . . .)
Non, il ne connaît pas l'Afrique.

Dialogue dirigé 1

1 Demandez à un camarade: «Connais-tu Michel?»
2 Demandez à un camarade s'il connaît la France.
3 Demandez à une camarade si elle connaît le directeur.

Connais-tu . . . ?

C.

1 Paul et Marie connaissent notre ville (village), n'est-ce pas?
   (. . . are familiar with . . . ?)

Oui, ils connaissent . . .
(Yes, they are familiar with . . .)
Non, ils ne connaissent pas . . .

2 Connaissent-ils la France?
3 Connaissent-ils le professeur?
   (Do they know . . . ?)
4 Connaissent-ils les amis de Jean?
5 Janine et Louise connaissent-elles les amies de Jean?   Oui, elles connaissent . . .
       Non, elles ne connaissent pas . . .
6 Connaissent-elles le professeur?
7 Connaissent-elles l'Angleterre?

D.

1 Vous et moi nous connaissons tous les élèves, n'est-ce pas?   Oui, nous connaissons . . .
       Non, nous ne connaissons pas . . .
2 Est-ce que nous connaissons une vendeuse?
3 Connaissons-nous beaucoup de monde?
4 Vous et votre ami connaissez-vous beaucoup de monde?
5 Connaissez-vous Roger et Marc?
6 Connaissez-vous Paris?

Dialogue dirigé 2

Dites-moi:
1 que je connais le directeur.   Vous connaissez . . .
2 que je connais Paris.

Dialogue dirigé 3

Demandez-moi si:
1 je connais les amies de Jacques.   Connaissez-vous . . . ?
2 je connais bien Paris.

CONVERSATION 2

1 Voici deux livres. Ce livre-ci est rouge; ce livre-là est vert.
   Voulez-vous celui-ci (this one), le rouge, ou celui-là (that one), le vert?   Je voudrais celui-ci, le rouge.
       (I'd like this one . . .)
       Je voudrais celui-là, le vert.
       (I'd like that one . . .)

2 Voilà deux disques. Ce disque-ci est du rock; ce disque-là est de la musique classique.
   Achèterez-vous celui-ci ou celui-là?   J'achèterai celui-là (celui-ci).

294

3 Voilà quatre stylos. Ces deux stylos-ci sont noirs; ces deux stylos-là sont bleus.

Ecrirez-vous avec ceux-ci ou avec ceux-là? J'écrirai avec ceux-ci (ceux-là).
(Will you write with these or with those?)

4 Cette jeune fille-ci est blonde; cette jeune fille-là est brune.

Danserez-vous avec celle-ci ou avec celle-là? Je danserai avec celle-ci (celle-là).
(. . . with this one or that one?)

5 Voici deux chaises. Cette chaise-ci est grande; cette chaise-là est petite.

Prendrez-vous celle-ci ou celle-là? Je prendrai celle-là (celle-ci).
(. . . this one or that one?)

6 J'ai quatre règles. Ces deux règles-ci sont longues; ces deux règles-là sont courtes.

Choisirez-vous celles-ci ou celles-là? Je choisirai celles-ci (celles-là).
(. . . these or those?)

II SCÈNE DE LA VIE FRANÇAISE

Réunion à Dakar

Personnages: P = Papa; M = Maman; C = Claire;
MO = Monique; R = Robert; DOUA-
NIER;   LUCIEN;   DR = Docteur
M'Baye; ARMAND; HAMIDOU

5 Scène: Il est quatre heures *de* l'après-midi. L'a- in
vion *atterrit* à Dakar. Les passagers descendent lands
et entrent dans l'*aérogare*. air terminal

P: Ah! Les voilà! Voilà Lucien et Renée! Je les
vois d'ici! Ils nous attendent. (Il leur *fait signe* waves
10 *de la main*.)
M: Mais il est *tout* naturel qu'ils nous attendent. = très
Armand et Hamidou sont venus aussi, sûrement!
Claire, chérie, reste tout près de moi! *Ne t'é-* Don't go away
loigne pas . . .

295

15 C: Je voudrais voir *de plus près* ce monsieur et — closer
cette dame! Regarde, maman, comme ils sont
habillés! . . . si *drôlement*! — strangely
   M: Ils portent le costume du pays; lui, le monsieur,
porte le *boubou* et la *chéchia*, et elle, la dame, — flowing outer garment ⚥ round, boxlike cap ⚥ = comme
20   porte un joli pagne[1] et un foulard[2] sur la tête.
   C: *Que* c'est drôle, tout ça!
   P: Tu vas *rencontrer* beaucoup de Sénégalais habillés *de la sorte*, alors prépare-toi! Maintenant, — to meet that way
suivez-moi! Il faut d'abord *reprendre les bagages* — claim the baggage
25   et, après, passer par l'immigration et par la
douane. — customs
   C: Qu'est-ce qu'il faut faire à l'immigration, papa?
   P: Il faut montrer les *passeports*, c'est tout. — passports
   MO: Oh! Regarde, maman! Voilà Armand . . . et
30   Hamidou! (*criant*) Armand! Armand! — shouting
   M: Monique! Attention! Tu es en train de crier!
   MO: Je m'excuse, maman.
(Dix minutes plus tard, à la douane. Papa place les
valises devant le *douanier*.) — customs officer
35 DOUANIER: Avez-vous quelque chose à déclarer?[3]
   P: Dans ces valises il n'y a que nos affaires personnelles et quelques petits souvenirs pour nos
amis.
   DOUANIER: Ouvrez celle-ci, s'il vous plaît.
40 (Papa choisit une des clefs parmi *celles* du *trousseau*, et essaie d'ouvrir la valise. Il ne réussit — those ⚥ bunch of keys
pas.)
   P: Quel *inconvénient*! Et tout ce monde qui attend — inconvenience
derrière nous! Odette! *Laquelle* de ces clefs — Which one
45   ouvre la valise bleue? (Il lui donne le trousseau
de clefs.)
   M: Je ne sais pas, Charles! C'est Robert qui s'en
occupe! Robert, laquelle de ces clefs . . . ?
   R: C'est celle-ci, la dernière. Tu permets, maman?
50   (Robert choisit la clef et ouvre tout de suite la
valise.)

---

[1] The **pagne** is a cloth, generally of silk or lace, which is draped from shoulder to floor over a woman's outer garment. See illustration, page 309.

[2] The **foulard** is a piece of cloth, generally the same type and color as the **pagne**, which is made into a large turban. The women always wear the **foulard** when they are outdoors. See illustration, page 309.

[3] Customs officers ask this question at entry points to all countries, so that people may "declare" (volunteer to tell) what dutiable (taxable) goods they are carrying.

P: (à Robert) Ah! *Ce n'est pas trop tôt!* Quand on
    sait qu'on est responsable . . .

M: Charles! *Je t'en prie!*

55 (Le douanier commence à *fouiller* dans la valise.)

DOUANIER: (fermant la valise) Passez!

(La famille *franchit la barrière.* Les Darmond et les
    Mercier *se réunissent.*)

● P: Enfin, Lucien! Et Renée! Quelle *joie* de vous
60   *revoir!*

(Maman et papa embrassent leurs amis sur les deux
    joues.)

LUCIEN: C'est notre joie *à nous* de vous revoir à
    Dakar! Mais . . . vous ne connaissez pas encore
65   le père de Hamidou! Permettez-moi de vous
    présenter le docteur M'Baye. Docteur, Monsieur
    et Madame Darmond. (Le docteur M'Baye *baise*
    la main de maman.)

M: Enchantée de faire votre connaissance, mon-
70   sieur.

P: Votre présence nous fait grand honneur, mon-
    sieur. (Papa et le docteur M'Baye se serrent la
    main.)

DOCTEUR: *Depuis son retour* à Dakar, mon fils ne
75   parle que de la famille Darmond. Je *tiens à* vous
    remercier de toutes vos *gentillesses envers* lui.

M: *Il n'y a pas de quoi,* Monsieur.

HAMIDOU: Bonjour, bonjour, mes chers amis! On
    vous *attend depuis* trois semaines!

80 ARMAND: (*apparaissant* derrière lui) *Soyez les*
    bienvenus à Dakar!

P: Appelons un porteur et cherchons un taxi!

HAMIDOU: Mais non, pas de porteur! Nous sommes
    six messieurs, et nous avons trois voitures dans
85   le parking. Nous prendrons chacun une ou deux
    valises. Laquelle dois-je prendre, monsieur?

P: Vous êtes bien aimable, Hamidou, comme tou-
    jours! Prenez celles-là, les valises beiges. Ro-
    bert, porte celle-ci, la bleue; moi, je porterai
90   celles-ci, les noires.

C: Mais, papa, il y a aussi ces trois *gros* sacs! Et
    comme ils sont *lourds!*

M: Pas si lourds que ça! Moi, je prendrai celui-ci
    et Armand pourra porter ceux-là. Mais . . . où
95   sont Monique et Armand?

Glosses (right column):

It's about time!

I beg you (Please!)

to rummage

clears the gate

are reunited

joy

to see again

our (for emphasis)

kisses

Since his return

am anxious to

thank for ♀ kind-
    nesses ♀ toward

You're welcome

have been waiting
    for ♀ appearing

Welcome

big

heavy

C: Ils sont partis ensemble . . . les voilà à la porte
d'*entrée*.   entrance

DOCTEUR: Les *amoureux* sont très occupés. Per-   people in love
100 mettez-moi, madame, de les porter!

(Tout le monde sort de l'aérogare. Près de la porte
d'entrée, Armand et Monique *se parlent à voix*   to each other ♀ in a
basse.)   low voice

ARMAND: Je t'attends depuis vingt et un jours, six
105 heures, et dix minutes. Et toi, *depuis quand*   how long
m'attends-tu?

MO: Je t'attends depuis le commencement du
monde!

Visages de l'Afrique Occidentale

1. **Côte-d'Ivoire:** Villageois arrivant à Abidjan, la capitale
2. **Sénégal:** Deux mères attendent les bateaux de pêche à Dakar
3. **Sénégal:** Un marché aux fleurs à Dakar
4. **Mauritanie:** Mines de minerai de fer et habitations des mineurs
5. **Dahomey:** Fête musulmane, le Ramadan   6. **Niger:** Petit village Haoussa
7. **Haute-Volta:** Edifices modernes: Ministères à Ouagadougou, la capitale
8. **Guinée:** La démocratie en Afrique Noire—les femmes votent aussi!

On arrive dans un autre pays.

DIALOGUE ORIGINAL

Modèle	Substitutions
—*Vous connaissez* sûrement *Monsieur et Madame Dupré?*	/ Tu connais / / Janine /
—Mais oui, certainement! *Soyez* *les bienvenus* à notre *réception.*	/ Sois / / la bienvenue / . . . / fête /
—Merci beaucoup!	
—Au contraire! C'est *nous* qui *vous remercions.*	/ moi / / te remercie /
—Mais pourquoi, donc?	
—De *vos* gentillesses envers *nous* *en France* l'année dernière!	/ tes / . . . / moi / / aux Etats-Unis /
—Je *vous* en prie, *monsieur.* Depuis quand *êtes-vous* *aux Etats-Unis?*	/ t'en / . . . / Yvonne / / es-tu / / en France /
—Depuis *deux mois* seulement!	/ quinze jours /
—*Vous parlez anglais* comme *un* *vrai Américain!*	/ Tu parles français / . . . / une / / vraie Française /

---

connaître to know, to be acquainted or familiar with
faire signe de la main to wave
tenir à + inf. to be anxious to, to insist upon

crier (I) to shout
remercier (de) (I) to thank (for)
rencontrer (I) to meet
Je vous en (t'en) prie I beg you; You're welcome

---

la réunion meeting, reunion
le porteur porter
les bagages *masc.* baggage
lourd, –e heavy

la douane customs
le douanier customs officer
le passeport passport

---

le bienvenu welcome (person)
la gentillesse kindness
envers toward, to (people)

depuis quand since when; how long
depuis (+ time expression) for, since

---

celui-ci *masc. pro.* this one
celui-là *masc. pro.* that one
ceux-ci *masc. pro.* these
ceux-là *masc. pro.* those
lequel, laquelle which one?

celle-ci *fem. pro.* this one
celle-là *fem. pro.* that one
celles-ci *fem. pro.* these
celles-là *fem. pro.* those
lesquels, lesquelles which ones?

Questions

1. A qui papa fait-il signe de la main?
2. Qui est sûrement venu aussi?
3. Qui est-ce que Claire veut voir de plus près? Pourquoi?
4. Qu'est-ce que le monsieur porte?
5. Qu'est-ce que la dame porte?
6. Quelle réflexion (remark) Claire fait-elle?
7. Qui Claire va-t-elle rencontrer?
8. Qu'est-ce qu'il faut reprendre d'abord?
9. Pourquoi faut-il passer par l'immigration?
10. Quel nom Monique crie-t-elle?
11. Où vont-ils avec les bagages?
12. Qu'est-ce que le douanier demande?
13. Qu'est-ce qu'il y a dans ces valises?
14. Qu'est-ce que papa essaie d'ouvrir?
15. Qui s'occupe des clefs?
16. Quand papa gronde (scolds) Robert, que dit maman?

● 17. Comment papa et maman embrassent-ils leurs amis?
   18. Qui est-ce que papa et maman ne connaissent pas encore?
   19. Depuis son retour à Dakar, de qui Hamidou parle-t-il toujours?
   20. Qu'est-ce que le docteur M'Baye tient à faire?
   21. Est-ce que les Darmond ont eu des gentillesses envers Hamidou?
   22. Qu'est-ce qu'Armand dit à la famille Darmond?
   23. Selon Hamidou, depuis quand attend-on les Darmond?
   24. Lesquelles des valises Hamidou va-t-il porter? Lesquelles papa va-t-il porter?
   25. Qui va porter les sacs lourds?
   26. Depuis quand Armand attend-il Monique?
   27. Depuis quand Monique attend-elle Armand?

Discussion

1.   Connaissez-vous tous les élèves du cours de français? Connaissez-vous le Président des Etats-Unis? Connaissez-vous tous les états des Etats-Unis? Connaissez-vous l'Europe ou l'Afrique?

2.   Tenez-vous à connaître les Etats-Unis? la France? le Sénégal?

3.   Quand on voyage, est-ce qu'on doit porter beaucoup de bagages? Les bagages sont-ils généralement lourds? Faut-il chercher quelquefois un porteur?

4.   Quand on va en France, faut-il avoir un passeport? En arrivant en France faut-il passer par la douane? Connaissez-vous un douanier?

5.   Quand on arrive à l'aéroport, est-ce qu'on fait signe de la main en voyant des amis? Est-ce que vous criez le nom de votre ami préféré? Qui aimez-vous rencontrer en arrivant dans une ville étrangère? Quand vous êtes le bienvenu, qu'est-ce que vos amis vous disent?

6.   Aimez-vous les réunions? Aimez-vous les fêtes d'anniversaire? Qu'est-ce que vos amis vous offrent à votre fête d'anniversaire? Est-ce que vous remerciez vos amis de leurs gentillesses? Que dites-vous? Que disent vos amis?

7.   Depuis quand étudiez-vous le français? Depuis quand demeurez-vous dans cette ville (ce village)? Depuis quand êtes-vous l'ami(e) de (nom d'un garçon ou d'une jeune fille)?

III STRUCTURES

A. Le verbe *connaître*

connaître + people	to know, to be acquainted with
connaître + things	to know, to be familiar with

1. Formation

infinitif	part. passé	présent	part. présent
connaître	connu(e)(s)	je **connais**	(en) **connaissant**
		tu connais	
		il connaît	
futur	*passé composé*	ils connaissent	*imparfait*
je **connaîtrai**	(aux. = avoir)		je **connaissais**
tu **connaîtras**	j'ai connu	nous **connaissons**	tu connaissais
il **connaîtra,**	tu as connu	vous connaissez	il connaissait
etc.	il a connu,		ils connaissaient
	etc.		nous connaissions
			vous connaissiez

1. The past participle and the forms of the present tense of the verb **connaître** are irregular.

2. Remember to place an **accent circonflexe** on the **i** of the third person singular form (**il**) of the present tense (**il connaît**), on the infinitive (**connaître**), and on all the forms of the future tense (which are derived from the infinitive).

Exercice 1 Redites les phrases en remplaçant le sujet *en italique* par chacun des sujets indiqués.

    A. *Je* connais ce monsieur.   C. Connais-*tu* Paris?

    B. *Je* ne connais pas cette dame.

1. Tu . . .   3. Il . . .   5. Elles . . .   7. Nous . . .
2. On . . .   4. Elle . . .   6. Ils . . .   8. Vous . . .

Exercice 2 Redites les phrases en remplaçant le sujet *en italique* par chacun des sujets indiqués dans l'Exercice 1.

A. *Je* ne connaissais pas les routes.
B. Connaîtras-*tu* tous les professeurs?
C. *J'*ai connu des Français.
D. *Je* n'ai jamais connu de Sénégalais.

2. Emploi: connaître vs. savoir

    Connaître, *to know* or *be acquainted with,* is always used with persons.

    Connaître is often used with places or things to express *to be familiar with* in a general way.

    Savoir, *to know,* is used to express knowing facts as the result of study or knowledge.

Connaissez-vous la France?   Savez-vous le nom de la capitale?
Non, je ne connais pas la France.   Oui, je le sais. C'est Paris.

303

Exercice 3 Complétez les phrases en employant la forme appropriée du verbe *connaître* ou du verbe *savoir*, au présent.

1. _____-vous les règles de grammaire?
2. _____-vous Michel Legrand?
3. _____-vous à quelle heure il s'arrêtera?
4. _____-il Dakar?
5. _____-il le nom de l'aéroport de Dakar?
6. Nous _____ bien le frère de Michel.
7. Nous _____ qu'il arrivera bientôt.

B. *Lequel*: pronom interrogatif

Lequel de ces livres est à vous?	*Which one* (masc. sing.) of these books belongs to you?
Laquelle de ces valises est à vous?	*Which one* (fem. sing.) of these valises belongs to you?
Lesquels de ces disques sont à vous?	*Which (ones)* (masc. pl.) of these records belong to you?
Lesquelles de ces clefs sont à vous?	*Which (ones)* (fem. pl.) of these keys belong to you?

Le pronom interrogatif: **lequel**

	Singulier			*Pluriel*	
Masc.:	lequel	which (one)		lesquels	which (ones)
Fem.:	laquelle	which (one)		lesquelles	which (ones)

Lequel agrees in gender and number with the noun to which it refers.

Exercice 4 Composez une question en remplaçant l'expression *en italique* par *lequel, laquelle, lesquels* ou *lesquelles*.

EXEMPLE: *Un disque* est à vous.   Vous allez voir *vos amis*.
          Lequel est à vous?   **Lesquels** allez-vous voir?

1. *Un livre* est à moi.
2. *Une serviette* est à lui.
3. *Ces disques* sont à vous.
4. *Ces voitures* sont à eux.
5. Vous allez voir *des merveilles*.
6. Nous allons faire *un voyage*.
7. Ils vont rencontrer *des dames*.
8. Elle va remercier *sa tante*.

Exercice 5 Complétez chaque question en employant la forme nécessaire de *lequel*.

1. _____ de ces cahiers est à vous?
2. _____ de ces langues parlez-vous?
3. _____ de ces élèves sont les meilleurs?
4. _____ de ces jeunes filles sont les plus jolies?
5. _____ de ces messieurs est le douanier?
6. _____ de ces dames passeront par la douane?
7. _____ de ces professeurs sont les bienvenus?

304

C. *Celui-ci, celui-là,* etc.

Scène: Deux dames dans un grand magasin

—Lequel de ces chapeaux préférez-vous, **celui-ci** (this one) ou **celui-là** (that one)?

—Je préfère celui-ci. Celui-là n'est pas joli.

—Laquelle de ces robes préférez-vous, **celle-ci** (this one) ou **celle-là** (that one)?

—Je préfère celle-là. Celle-ci me va très mal.

—Lesquels de ces gants préférez-vous, **ceux-ci** (these) ou **ceux-là** (those)?

—Je préfère ceux-ci. Ceux-là ne sont pas à la mode.

—Lesquelles de ces chaussures préférez-vous, **celles-ci** (these) ou **celles-là** (those)?

—Je préfère celles-là. Celles-ci ne me vont pas bien.

Les pronoms démonstratifs

	Singulier		*Pluriel*	
	(this one)	(that one)	(these)	(those)
Masc.:	celui-ci	celui-là	ceux-ci	ceux-là
Fem.:	celle-ci	celle-là	celles-ci	celles-là

A demonstrative pronoun has the same number and gender as the noun it replaces. There are four forms; the suffix –**ci** or –**là** can be added to each of the four forms, making eight forms in all.

Exercice 6 Redites les phrases, en remplaçant l'expression *en italique* par un pronom démonstratif.

EXEMPLE: Je prendrai *ce stylo-ci.* ⟶ Je prendrai **celui-ci.**

1. Je prendrai *ce savon-ci.*
2. Elle achètera *ce peigne-là.*
3. Elle remplacera *cette vendeuse-là.*
4. Nous écouterons *cette émission-ci.*
5. *Ces règlements-ci* sont impossibles.
6. *Ces moteurs-là* sont grands.
7. *Ces voix-là* sont belles.
8. *Ces annonces-ci* sont importantes.

Exercice 7 Répondez à la question en employant le pronom démonstratif qui indique le contraire.

EXEMPLES: Voulez-vous *ces disques-là?*   Connaissez-vous *cette dame-ci?*
            Non. Je voudrais **ceux-ci.**   Non. Je connais **celle-là.**

1. Connaissez-vous *ce monsieur-là?*
2. Suivrez-vous *cette voiture-ci* en allant en ville?
3. Servirez-vous *ces garçons-là* ce soir?
4. Verrez-vous *ces dames-ci* à la fête?

5. Avez-vous honte de *ces blouses-ci?*

6. Il vous faut *ces livres-là,* n'est-ce pas?

7. Avez-vous besoin de *ces journaux-ci?*

8. Est-ce qu'il me faut *ces clefs-là* pour ouvrir la porte?

D. *Depuis* and *Depuis quand:* present tense

Question

Depuis quand	travaillez-vous	ici?
(Since when *How long*	are you working have you been working	here?) here?

Réponses

Je travaille	ici	**depuis**	ce matin.
(I am working I have been working	here here	since *since*	this morning.) this morning.

Je travaille	ici	**depuis**	deux ans.
(I am working I have been working	here here	since *for*	two years.) two years.

> To express an action begun in the past but still going on at the present time, use **depuis** or **depuis quand . . .?** and the present tense of the verb. In the answer, **depuis** can mean either *since* or *for.*

Scène: A l'hôpital

—Depuis quand êtes-vous malade?

—Je suis malade depuis huit jours.

—Depuis quand prenez-vous ces cachets?

—Je prends ces cachets depuis quinze jours!

Exercice 8 Traduisez les phrases selon l'exemple donné.

EXEMPLES

Question	*Réponse*
How long have you been waiting?	I've been waiting since noon.
A. Depuis quand attendez-vous?	B. J'attends depuis midi.

How long have you been talking?	I've been talking since noon.
How long have you been eating?	I've been eating since noon.
How long have you been listening?	I've been listening since noon.
How long have you been studying?	I've been studying since noon.
How long have you been smoking?	I don't smoke!

306

Exercice 9 Complétez chaque phrase en employant le verbe entre parenthèses *au présent*.

EXEMPLE:
(lire) Depuis quand _____-vous ce livre?   Je le _____ depuis hier.
        Depuis quand **lisez**-vous ce livre?   Je le **lis** depuis hier.

1. (être)   Depuis quand _____-vous ici?
              Je _____ ici depuis jeudi.
2. (avoir)   Depuis quand _____-vous mal à la tête?
              J'_____ mal à la tête depuis ce matin.
3. (avoir)   Depuis quand _____-t-il faim?
              Il _____ faim depuis midi.
4. (écrire)   Depuis quand _____-vous ces phrases?
              Je les _____ depuis hier.
5. (faire)   Depuis quand _____-elle ses valises?
              Elle les _____ depuis hier.
6. (porter)   Depuis quand _____-ils ces bagages?
              Ils les _____ depuis une demi-heure.
7. (aller)   Depuis quand _____-nous chez Georges le dimanche?
              Nous y _____ depuis l'année dernière.

Colette s'habille depuis midi!

Exercice 10 Complete the rejoinder by using the present tense of the
verb *in italics* in the remark.

EXEMPLE
Remark: Nicole est toujours en train de *se laver*!
Rejoinder: Comment! Elle **se lave** depuis ce matin à sept heures?

1. Marc est toujours en train de *s'amuser*!
   Comment! Il _____ depuis le petit déjeuner?
2. Colette est toujours en train de *s'habiller*!
   Comment! Elle _____ depuis midi?
3. On est toujours en train de *se dépêcher*!
   Comment! Vous _____ depuis hier?
4. Nous sommes toujours en train de *nous laver*!
   Comment! Vous _____ depuis ce matin?
5. Ils sont toujours en train de *s'occuper* du chien!
   Comment! Ils _____ du chien depuis la semaine dernière?

Exercice 11 Phrases originales. Compose five original sentences telling *how long* you, a member of your family, or a friend has been doing something. You may mix and match the elements suggested below in the three columns, or provide your own!

EXEMPLE: (I) Mon petit frère (II) crier (III) hier.
Mon petit frère crie depuis hier!

I	II	III
Mon frère	étudier (les maths)	hier
Ma mère	suivre (ce chemin)	ce matin
Mon grand-père	être (à l'hôpital)	huit jours
Mes cousins	demeurer (ici)	trois ans
Mon professeur	crier («Silence»)	trente minutes
Le bébé	pleurer	quelques minutes
	servir (le repas)	midi et demi

E. Les idiotismes

1. **Tenir à** + infinitive   to be anxious to (do something);
to insist on (doing something)

Je tiens à réussir.   Nous tenons à remercier nos amis.
Tu tiens à rester.   Vous tenez à rencontrer vos amis?
Il tient à partir.
Ils tiennent à crier.

Notez bien: The forms of **tenir** (to hold) are the same as those of **venir** (to come). (In the passé composé, the auxiliary verb for **tenir** is **avoir**.)

Exercice 12 Using *tenir à*, combine the elements below to form a sentence.

EXEMPLE: (Claire) (regarder les costumes africains)
Claire **tient** à regarder les costumes africains.

1. (Monique) (parler avec Armand)
2. (Le docteur) (remercier les Darmond)
3. (Je) (faire signe de la main à mon ami)
4. (Tu) (rencontrer de vrais Sénégalais?)
5. (Vous) (connaître toute l'Afrique?)
6. (Nous) (réussir aux examens)

Exercice 13 Using *tenir à*, combine the elements in Exercise 12 to form a negative intonation question.

EXEMPLE: (Claire) (regarder les costumes africains)
Claire **ne tient pas** à regarder les costumes africains?

2. **Remercier** quelqu'un **de** quelque chose   to thank someone for something

Je remercie	mon ami	**de**	toutes ses gentillesses.
I thank	my friend	*for*	all his kindnesses.

The person you thank is the direct object; the thing you thank him for comes after the preposition **de** (**de** = for).

Exercice 14 Complétez les phrases en choisissant un des articles ci-dessous.

l'appareil   la caméra   le foulard   la chéchia

la broche   le sac de couchage   le boubou   le pagne

EXEMPLE: Je remercie mon oncle _____ (le sac de couchage)
          Je remercie mon oncle **du** sac de couchage.

1.   La femme française remercie son mari _____ .
2.   La femme sénégalaise remercie son mari _____ .
3.   Nous remercions nos amis _____ .
4.   Remerciez-vous votre père _____ ?
5.   Le Sénégalais remercie-t-il son ami _____ ?
6.   La Sénégalaise remercie-t-elle la vendeuse _____ ?
7.   Remercies-tu ton frère _____ ?
8.   Les jeunes Africains remercient leurs parents _____ .
9.   Les jeunes Français remercient-ils leurs amis _____ ?

3. Remercier de + pronoms

   a. The person you thank (direct object) may be replaced by a direct
      object pronoun.

   They thank *me* for everything, etc.

On **me** remercie de tout.	On **nous** remercie de tout.
On **te** remercie de tout.	On **vous** remercie de tout.
On **le** remercie de tout.	On **les** (*masc.*) remercie de tout.
On **la** remercie de tout.	On **les** (*fem.*) remercie de tout.

Exercice 15 Supply your own subject and compose a sentence using any
tense you wish of *remercier de* and the corresponding items from Columns
I and II.

EXEMPLE:	sujet	I	II
	(au choix)	nous	nos efforts
	Georges	nous **remercie de**	nos efforts.

	I		II
1.	me		mes cadeaux
2.	nous		nos efforts
3.	te		ce que tu as offert
4.	vous		ce que vous avez offert
5.	le *or* la		ses services
6.	les		leurs gentillesses

   b. The pronoun **en** replaces **de** + a noun after **remercier**.

Il me remercie **des cadeaux**.	He thanks me *for the gifts*.
Ah, oui? Il vous **en** remercie tou-jours?	Ah, yes? Does he always thank you *for them*?
Autrefois, il m'**en** remerciait tou-jours.	Formerly he always used to thank me *for them*.

Exercice 16 Redites les phrases en remplaçant l'expression *en italique*
par le pronom *en*.

EXEMPLE: Je vous remercie *de la caméra.* ⟶ Je vous **en** remercie.

1. Je vous remercie *des timbres.*
2. Nous vous remercions *des fou-lards.*
3. Elle nous remerciait *du pagne.*
4. Je vous ai remercié *de la ca-méra.*
5. Il t'a remercié *des souvenirs?*
6. Il m'a remercié *du boubou.*

4. Le bienvenu = the person welcomed

You welcome:	You say:
un(e) camarade	Sois le (la) bienvenu(e)!
un(e) adulte	Soyez le (la) bienvenu(e)!
plusieurs personnes	Soyez les bienvenus!
plusieurs dames	Soyez les bienvenues!

310

To welcome a person or a group of persons (into your home, for example), use the imperative of **être** (**Sois** = familiar; **Soyez** = formal or plural) plus the form of **le bienvenu** appropriate to the person or persons welcomed.

Exercice 17 Give the greeting of welcome for each of the following persons or groups of persons.

1. votre cousin
2. votre cousine
3. votre professeur
4. votre voisine
5. vos camarades
6. vos professeurs
7. des amis de vos parents
8. vos voisines

Exercice 18 Composition. Ecrivez une conversation de quatre à six phrases (affirmations et questions) pour *deux* des situations suivantes.

1. Un de vos camarades a l'intention de faire un voyage en France. Il vient chez vous pour savoir ce qu'il lui faut avant de partir.
2. Vous arrivez en France. Vous êtes devant le douanier.
3. Il est quatre heures de l'après-midi, mardi. Vous êtes dans le living regardant la télé. Votre père entre.
4. Jacques et Marguerite sont amoureux (in love). Marguerite arrive à l'aéroport où Jacques l'attend.
5. Un(e) camarade vous fait un beau cadeau de Noël. Vous le (la) remerciez.

Exercice général Etudiez et apprenez ces formules de politesse.

Une lettre à un(e) ami(e)

Mots en vedette (salutations)	*Formules finales familières*	
Mon cher . . . Ma chère . . .	Bien à vous (toi)	Sincerely yours
Très cher . . . Très chère . . .	Meilleures amitiés	Friendliest wishes
Bien cher . . . Bien chère . . .		
Cher . . . Chère . . .	Votre (ton) ami(e)	Your friend

Maintenant, écrivez une lettre à un(e) ami(e), en employant les expressions suggérées ci-dessus. (Choisissez les mots en vedette et la formule finale que vous préférez.)

Dites-lui que:

1. you are anxious to thank him for the sun glasses.
   / tenir à / remercier de / lunettes de soleil /
2. you will use them a great deal during your travels.
   / me servir de / beaucoup *ou* souvent / voyages /
3. your flight was fine; the Boeing was a mechanical marvel.
   / vol / beau *ou* excellent / merveille mécanique /
4. there are always a lot of people who travel in summer.
   / beaucoup de monde / voyager /

T.S.V.P.

5. you will do your best to learn all that is important by reading and by seeing many things.
   / faire de mon mieux / pour apprendre / tout ce qui / en lisant / en voyant /

Demandez-lui:
6. how long he has been at the beach.
   / depuis quand / à la plage /
7. if he has been waiting for your letter for a long time.
   / attendre ma lettre / depuis longtemps /

Dites-lui que:
8. you have been in Africa (Europe) 10 days, and you are having fun.
   / être en Afrique / depuis / m'amuser beaucoup /
9. you will be happy to receive a letter from him.
   /être heureux / de recevoir / de toi /
10. he must write to you often because you think of him (her) often.
    / devoir / écrire / souvent / penser à / toi /

GUINÉE: Le gouvernement est propriétaire de ce magasin!

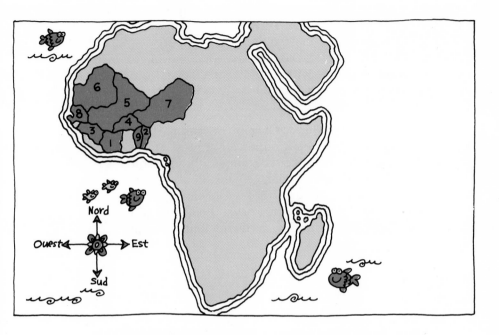

IV NOTES SUR LA CIVILISATION FRANÇAISE

L'Afrique *occidentale francophone* (I)
Groupes ethniques et langues

Western ♀ French-speaking

Savez-vous que l'Afrique est trois fois plus grande que l'Europe? Oui, l'Afrique est un très grand continent!

En Afrique occidentale il y a neuf républiques
5 qui *faisaient partie* de l'ancien empire français. used to be part
Cette région *s'appelait autrefois* l'Afrique-Occi- was formerly called
dentale Française. Parce que la langue française
est la langue officielle de tous ces pays, ce sont des
pays francophones. C'est pour cette raison qu'on
10 *pourrait bien* appeler la région, *de nos jours*, might well ♀ now-
«l'Afrique occidentale francophone». adays

Les pays   Les neuf républiques de cette région sont:

	Pays	Population		Pays	Population
15	1. Côte-d'Ivoire	4.560.000[4]	6.	Mauritanie	1.500.000
	2. Dahomey	2.530.000	7.	Niger	3.585.000
	3. Guinée	3.780.000	8.	Sénégal	3.780.000
	4. Haute-Volta	5.135.000	9.	Togo	1.760.000
	5. Mali	4.800.000			
20				Total:	31.430.000

Les groupes ethniques   Chacun de ces pays est composé de plusieurs groupes ethniques. Au Sénégal, par exemple, il y a six groupes ethniques qui s'appellent (1) les Oualof, (2) les Peul, (3) les
25 Sérère, (4) les Mandique, (5) les Douala, et (6) les Toucouleur. Dans les autres pays, il y a aussi plusieurs groupes ethniques, généralement six, sept, ou plus.

[4] 1968 estimate

TOGO: On aide les parents en s'occupant des enfants.

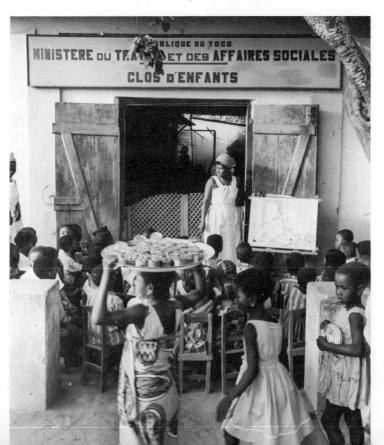

Il est intéressant de noter que certains groupes
30 ethniques *se trouvent* dans *plus d*'un pays. Par   are found ≈ more
   exemple, il y a des Peul au Sénégal, mais il y a   than
   aussi des Peul au Dahomey, au Mali, et en Côte-
   d'Ivoire! Un Peul qui est Sénégalais *pourrait* avoir   could
   des *parents* au Dahomey, au Mali, et en Côte-   relatives
35 d'Ivoire! Il y a des Malinké (un autre groupe
   ethnique) en Guinée et aussi au Mali!

Les langues Dans chaque pays, on parle plusieurs langues locales aussi bien que le français.
On parle la langue de son groupe ethnique. La
40 langue locale (qu'on appelle quelquefois un dialecte) n'a pas toujours d'alphabet écrit; ce n'est
qu'une langue parlée, une langue orale. Certaines
langues locales ont une forme écrite, d'autres n'en
ont pas.

45 Tous les habitants ne parlent pas encore *cou-*   fluently
ramment le français, mais généralement ils le comprennent assez bien. Ils vont à l'école de plus en
plus, et là, ils l'apprennent.

La langue française Parce que le français est la
50 langue officielle des neuf républiques, le français
sert à *relier* tous les pays et tous les groupes eth-   link
niques, en leur donnant un *moyen commun* de   common means
communication. La langue française a, *donc*, un   therefore
rôle très important dans le développement de
55 l'Afrique occidentale.

Questions

Faites coïncider (Match).

1. L'Afrique occidentale est francophone parce que   a. plusieurs
   _____ .   groupes eth-
2. Dans chacune des neuf républiques, il y a _____ .   niques
3. Souvent on trouve des membres d'un groupe eth-   b. la langue locale
   nique dans _____ .   c. plusieurs pays
4. Les membres du groupe ethnique parlent _____ .   d. l'on y parle
5. Les langues locales n'ont pas toujours _____ .   français
6. Un grand nombre d'habitants parlent et com-   e. d'unification
   prennent _____ .   f. le français
7. La langue française est importante dans le déve-   g. de forme écrite
   loppement de l'Afrique comme moyen _____ .

315

V AMUSONS-NOUS!

Amusons-nous à Dakar!

You have just arrived in Dakar and wish to enjoy it thoroughly. At the hotel, you pick up a folder including advertisements for various restaurants, travel agencies, stores, and other places in town. (See page 316.)

You also consult the concierge of the hotel. Your conversation goes like this:

1. You tell the concierge what you would like to do:
   Vous: Je voudrais faire une excursion.
2. The concierge will recommend a place:
   Concierge: Allez chez Socopao, Voyages.
3. You ask why he recommends it:
   Vous: Pourquoi?
4. He answers:
   Concierge: Pour les réservations! Ils ont des excursions, des spectacles . . . tout!

Here are some other suggestions for opening a conversation:

Vous	*le Concierge*
Je voudrais rencontrer des amis . . .	Allez à la Croix du Sud!
Je voudrais louer une voiture . . .	Allez chez Hertz!
Je voudrais acheter du parfum . . .	Allez au Drugstore . . .
Je voudrais voir un discothèque . . .	Allez chez Niani . . .

To play the game, divide the class into two groups. A member of Group I begins with an opening remark (see above); a member of Group II volunteers a recommendation. The Group I student then asks, *Pourquoi?* and the Group II student must give a reason. If a student can't give a reason, he's out of the game.

After Group I has started five conversations, Group II takes over and starts five more. At the end of the game, the group with the larger number of remaining players wins.

HAUTE-VOLTA: Scène typique dans une grande ville en Afrique occidentale.

35

Leçon trente-cinq

I CONVERSATION
(à livre ouvert)

Un de vos amis a fait du camping pendant le week-end. Il est allé en montagne avec des camarades. Lundi, au lycée, vous lui posez des questions.

A.

Je me lève toujours tôt (early)
quand je fais du camping.

1 Et toi, est-ce que tu t'es levé tôt
samedi?
(. . . did you get up early . . . ?)

Oui, je me suis levé tôt samedi.
(Yes, I got up early . . .)

2 Est-ce que tu t'es lavé dans le lac?
(Did you wash in the lake?)

Oui, je me suis lavé dans le lac.
(Yes, I washed in the lake.)

3 Est-ce que tu t'es couché tard?
(Did you go to bed . . . ?)

Oui, je me suis couché tard.
(Yes, I went to bed . . .)

4 Est-ce que tu t'es amusé?
(Did you enjoy yourself?)

Oui, je me suis bien amusé.
(Yes, I enjoyed myself very much.)

B.

1 Paul est allé avec toi, n'est-ce pas?

Oui, il est venu avec moi.

2 Est-ce qu'il s'est levé tôt samedi?
(Did he get up early . . . ?)

Oui, il s'est levé tôt samedi.
(Yes, he got up early . . .)

3 Est-ce qu'il s'est lavé dans le lac?
(Did he wash in the lake?)

Oui, il s'est lavé dans le lac.
(Yes, he washed . . .)

4 Est-ce qu'il s'est couché tôt ou
tard?

Il s'est couché tard (tôt).

5 Est-ce qu'il s'est amusé?

Oui, il s'est bien amusé.

C.

1 Marie n'est pas allée avec toi?

Non, elle n'est pas venue avec moi.

2 Est-ce qu'elle est restée chez
elle?

Non, elle n'est pas restée chez elle.

3 Est-ce qu'elle s'est levée tôt?

Non, elle ne s'est pas levée tôt.

4 Est-ce qu'elle s'est couchée tard?

Non, elle ne s'est pas couchée tard.

5 Est-ce qu'elle s'est amusée?

Non, elle ne s'est pas amusée.

318

Dialogue dirigé 1

1 Demandez à un camarade: «Est-ce que tu t'es levé tôt samedi?» (Réponse)

Est-ce que tu t'es levé . . . ?

2 Demandez-lui:
   a. s'il s'est couché tard.
   b. s'il s'est amusé.

3 Demandez à une camarade: «Est-ce que tu t'es levée tôt samedi?» (Réponse)

Est-ce que tu t'es levée . . . ?

4 Demandez-lui:
   a. si elle s'est couchée tard.
   b. si elle s'est amusée.

D.

1 Vous et moi nous nous sommes levés tôt samedi, n'est-ce pas? (You and I got up early . . . ?)

Oui, nous nous sommes levés tôt.

2 Nous nous sommes couchés tard, n'est-ce pas?

3 Nous nous sommes amusés, n'est-ce pas?

E.

1 Vous et Marc vous vous êtes levés tôt samedi, n'est-ce pas? (You and Mark got up early . . . ?)

Oui, nous nous sommes levés tôt.

2 Vous vous êtes couchés tard, n'est-ce pas?

Oui, nous . . .

3 Vous vous êtes amusés, n'est-ce pas?

Dialogue dirigé 2

Dites-moi que:
1 je me suis levé(e) tôt.

Vous vous êtes levé(e) très tôt.

2 je me suis lavé(e) dans le lac.

Vous vous êtes lavé(e) . . .

3 je me suis couché(e) sous un arbre.

Vous vous êtes couché(e) . . .

4 je me suis amusé(e).

Vous vous êtes amusé(e).

Dialogue dirigé 3

Demandez-moi:
1 si je me suis levé(e) tard aujourd'hui.

Vous vous êtes levé(e) tard . . . ?

2 si je me suis couché(e) tôt hier Vous vous êtes . . . ?
   soir (last night).
3 si je me suis amusé(e) hier.

F.

1 Paul et Marc se sont levés tôt Oui, ils se sont levés tôt.
   samedi, n'est-ce pas?
2 Et ils se sont lavés dans le lac? Oui, ils se sont lavés . . .
3 Est-ce qu'ils se sont bien amusés Oui, ils se sont bien amusés . . .
   pendant le week-end?

G.

1 Marie et Mimi, est-ce qu'elles se Non, elles ne se sont pas levées tôt.
   sont levées tôt samedi?
2 Et elles se sont couchées tard? Non, elles ne se sont pas cou-
                                     chées . . .
3 Est-ce qu'elles se sont amusées Non, elles ne sont pas amusées . . .
   pendant le week-end?

II SCÈNE DE LA VIE FRANÇAISE

«*Tôt ou tard*»   "Sooner or later"

Personnages: P = Papa; M = Maman; MO = Mo-
nique ; C = Claire; R = Robert; AR-
MAND;   HAMIDOU;   DR = Docteur
M'Baye; MME = Mme M'Baye

5 Scène: Dans la villa des Darmond à Dakar. Le
   soir.

P: Il est déjà huit heures et les enfants ne sont *pas* not back yet
encore de retour!

M: Je *me demande* ce qui leur *est arrivé*. . . . J'ai wonder ♀ hap-
10 téléphoné à Madame Mercier *il y a* un quart pened ♀ ago
d'heure, mais elle ne savait rien *non plus*! either

P: Je ne comprends pas. Ils savent que nous devons être chez le docteur M'Baye pour le dîner
à huit heures et demie. Nous serons sûrement
15 en retard. C'est un manque de *politesse im-* courtesy ♀ inexcus-
pardonnable! able

M: Ils *se sont perdus* dans la ville, peut-être, ou got lost
dans les petites routes de la *banlieue*. suburbs

P: Mais non! Mais non! Armand *conduit* la voiture is driving
20 et Hamidou les accompagne. Ils connaissent
bien, *tous les deux*, les routes de Dakar. both of them

320

(On entend le bruit d'une voiture, et les enfants
entrent *en vitesse*.) — quickly

MO: Maman, papa, nous sommes *désolés* . . . — terribly sorry

25 P: *Ce n'est pas trop tôt!* On vous attend depuis — It's about time!
plus *d'*une heure! — than

M: Qu'est-ce qui *vous est arrivé?* Pourquoi êtes- — happened to you
vous revenus si tard?

ARMAND: Monsieur, madame . . . c'est *entièrement* — entirely
30 de ma *faute*, et je vous demande pardon. — fault

HAMIDOU: Non, non, non! C'est moi qui suis le
grand *coupable*! — guilty (one)

P: Vous vous êtes bien amusés, sans doute, tous
les cinq?

35 C: Oh, oui, papa! Il y avait tant d'*endroits* inté- — places
ressants à voir! L'Assemblée Nationale, le Palais
du Président, l'Institut Pasteur, et la grande
Mosquée. Nous *nous sommes promenés partout!* — mosque ♀ took a drive (walk) everywhere ♀ Isle

R: Et après, nous sommes allés à l'*Ile* de Gorée
40 pour voir la Maison des *Esclaves*.[1] Autrefois — Slaves
c'était une prison; mais maintenant c'est une
sorte de musée! — kind, sort

P: Ah! Vous avez pris le bateau, alors. . . .

C: Oui, et sur le bateau, on a vu des gens qui
45 *portaient* le boubou, la chéchia, ou un beau — were wearing
pagne et des dames qui *portaient* leur enfant — were carrying
sur le dos, dans une sorte de *châle* . . . — shawl

R: Nous *nous sommes arrêtés* à un café pour *pren-* — stopped ♀ have
dre une glace . . .

50 ARMAND: Et, en revenant, il y avait beaucoup de
circulation dans le centre de la ville. Tant de — traffic
camions, de voitures de toutes sortes . . . — trucks

P: Eh bien, nous n'avons pas le temps de *bavarder* — chatter
maintenant. Monique, Claire, habillez-vous con-
55 venablement pour la soirée. Robert, toi aussi.
Dépêchez-vous *tous les trois*! — all three (of you)

● Une *demi-heure* plus tard, on entre dans la villa — half hour
du docteur M'Baye.

DR: Bonsoir! Bonsoir, mes chers amis! Entrez et
60 soyez les bienvenus chez nous!

P: Nous *nous excusons* de notre retard . . . — apologize

[1] See *Notes sur la civilisation française*, page 340.

321

DR: Mais, pas du tout! Vous arrivez au meilleur
moment possible! Ah! Vous ne connaissez pas
encore mon *épouse*. Annette, Monsieur et Ma-   = **femme**
65   dame Darmond, *dont* Hamidou a tant parlé.   of whom
MME: C'est une *véritable joie* pour moi de vous   real joy
connaître enfin.
M: Nous sommes très heureux de faire votre connaissance, Madame.
70   P: *Mes hommages*, Madame.   (I'm honored)
(Ils se serrent la main.)
MME: Nous tenons à vous remercier des beaux
cadeaux que vous avez eu la *bonté* de nous offrir.   kindness
M: Je vous en prie, madame. Ce ne sont que de
75   petits souvenirs . . .
MME: Très appréciés, soyez-en certaine, Madame.
Mon mari me dit que votre villa *vous plaît*.   is pleasing to you
M: *En effet*, la villa nous plaît *énormément*, et   Quite so ♀ = **beau-**
Dakar aussi.   **coup**
80   P: Les Sénégalais sont si polis, toujours de bonne
humeur, toujours *souriants* . . .   smiling
M: Et ils ont en même temps de la *tenue*! Les   dignity
femmes sont si élégantes dans leurs beaux
pagnes et leurs foulards, et les hommes générale-
85   ment si *bien* dans leurs *caftans* ou leurs boubous. good-looking ♀ long
P: Les Sénégalais sont, pour la *plupart*, plus   coats ♀ most part
grands que les Européens, et ils marchent la
tête haute, *fiers* de leurs traditions et de leur   proud
pays.
90   M: *A propos*, Hamidou nous a souvent parlé de   By the way
sa sœur, votre fille. N'est-elle pas à Dakar à
présent?
DR: Hélas, non! Notre fille *s'est mariée* il y a deux   got married
mois! Depuis son mariage elle habite Abidjan,
95   en Côte-d'Ivoire, avec son *époux*.   = **mari**
P: Ah! La Côte-d'Ivoire est un pays *dont* on parle   of which
beaucoup à présent.
R: Et un pays que je voudrais visiter, *car* l'on   = **parce que**
y a découvert de l'uranium! Armand m'a dit . . .
100   Mais je ne vois pas Armand. Où est-il?
C: Monique et Armand sont sortis. Ils sont probablement dans le jardin!
P: Encore?
M: Il n'y a rien à faire! Tôt ou tard, ils partent
105   ensemble, tous les deux!

322

DIALOGUE ORIGINAL

Est-ce un manque de politesse? Non! C'est un manque de communication!

Modèle	**Substitutions**
—Ah! Vous êtes enfin *de retour,* tous les *deux*! Qu'est-ce qui vous est arrivé?	(rentrer) (revenir) (trois) (quatre, etc.)
—Nous nous sommes *promenés* dans *la banlieue.*	(s'arrêter) (se perdre) (au choix[2]: l'endroit)
—Mais il y a *une heure et demie* qu'on vous attend ici!	(au choix[2]: combien de temps)
—Moi, j'ai essayé de vous téléphoner il y a *une demi-heure* pour m'excuser . . .	(au choix: heure[s] ou minutes)
—Ce n'est pas possible! Vraiment?	
—Il n'y avait pas de réponse chez vous!	

Vocabulaire actif

se demander (I) to wonder, ask oneself
se perdre (III) to get lost

se promener = **faire une promenade**
s'arrêter (I) to come to a stop
s'excuser (I) to apologize, excuse oneself

---

[2] **au choix** = your choice. Choose a place, a time.

323

arriver (I)   to happen, arrive
bavarder (I)   to chat
être de retour   to be back

plaire à (quelqu'un)   to be pleasing
   to (someone)
tôt = de bonne heure; soon

un endroit   place
le centre   center, downtown (of a
   city)
le camion   truck

la banlieue   suburbs
la circulation   traffic (vehicular)
la sorte   sort, kind

la politesse   politeness, courtesy
la bonté   kindness
désolé, –e   very sorry

tous les deux *masc.*   both
toutes les deux *fem.*   both
tous (toutes) les trois   all three

il y a (+ time expression + past
   tense)   ago
il y a . . . que (+ present tense) =
   depuis   (for)

lequel, laquelle, lesquels, lesquelles *rel. pro.*   which, whom
dont, duquel, etc.   of which, of
   whom

un quart d'heure   a quarter of an
   hour

une demi-heure   a half hour

Questions

1. Quelle heure est-il? Les enfants sont-ils à la villa?
2. Qu'est-ce que maman se demande?
3. Quand a-t-elle téléphoné à Madame Mercier? Qu'est-ce qu'elle savait?
4. Où doivent-ils aller à huit heures et demie?
5. Papa insiste-t-il sur la politesse?
6. Est-ce que les enfants se sont perdus dans la banlieue?
7. Qui connaît bien les routes de Dakar?
8. En entrant, que dit Monique pour s'excuser?
9. Depuis combien de temps attend-on les enfants?
10. Quand les enfants arrivent, quelles sont les deux questions que Maman leur pose?
11. Est-ce que les enfants se sont amusés?
12. A quels endroits sont-ils allés?
13. Où se sont-ils promenés?
14. Où se sont-ils arrêtés pour prendre une glace?
15. En revenant, qu'est-ce qu'il y avait dans le centre de la ville?
16. Papa veut-il bavarder maintenant?

● 17. Se sont-ils excusés de leur retard?
18. Selon le docteur M'Baye, sont-ils arrivés en retard au dîner?
19. Comment s'appelle l'épouse (la femme) du docteur?
20. Quelles sont les qualités des Sénégalais que papa a remarquées?
21. Pourquoi maman admire-t-elle les Sénégalais?
22. Qu'est-ce qu'on a découvert en Côte-d'Ivoire?
23. Tôt ou tard que font Armand et Monique?

Discussion

1. Est-ce que vous vous êtes réveillé(e) tôt ce matin? A quelle heure vous êtes-vous levé(e)? Où vous êtes-vous habillé(e), dans votre chambre ou dans la salle de bains?

2. Vous êtes-vous amusé(e) samedi? Où êtes-vous allé(e)? Etes-vous arrivé(e) à l'heure ou en retard? Vous êtes-vous excusé(e) quand vous êtes arrivé(e) en retard? Avez-vous bavardé avec des amis? Vous êtes-vous couché(e) tôt ou tard samedi soir?

3. Etes-vous allé(e) en ville pendant la semaine? Si vous y êtes allé(e), vous êtes-vous perdu(e) dans le centre? Vous êtes-vous promené(e)? Vous êtes-vous arrêté(e) dans un restaurant pour manger quelque chose?

4. Avez-vous vu des camions? des endroits intéressants? Quels endroits? Est-ce qu'il y avait beaucoup de circulation?

5. Depuis combien de temps apprenez-vous le français? l'histoire? Quand avez-vous commencé à apprendre les mathématiques? l'anglais?

6. Est-ce que la politesse est nécessaire dans la vie? Est-ce que la bonté est importante et nécessaire? Est-ce que la bonté vous plaît?

7. Attendez-vous l'autobus après les cours? Attendez-vous un quart d'heure? une demi-heure?

III STRUCTURES

A. Les verbes réfléchis au passé composé

1. Le verbe à la forme affirmative

    a. Le passé composé du verbe **se dépêcher**, (to hurry)

(I hurried, I did hurry, etc.)

je me suis dépêché(e)	nous nous sommes dépêché(e)s
tu t'es dépêché(e)	vous vous êtes dépêché(e)(s)
il s'est dépêché	ils se sont dépêchés
elle s'est dépêchée	elles se sont dépêchées
on s'est dépêché	*T.S.V.P.*

> 1. Reflexive verbs use **être** as the auxiliary in the compound tenses.
> 2. The reflexive pronoun (**me, te, se, nous, vous, se**) precedes the aux-iliary verb, a form of **être**.
> 3. The past participles of the reflexive verbs we are studying agree in number and gender with their *preceding direct object*, the reflexive pro-noun.

Exercice 1 Employez chacune des expressions au passé composé avec chacun des sujets indiqués.

A. se lever tôt	D. s'arrêter devant la porte
B. se coucher tard	E. se promener sur les boulevards
C. s'amuser à Paris	

1. Je . . .   3. Robert . . .   6. Nous . . .   8. Ils . . .
2. Tu . . .   4. Gigi . . .   7. Vous . . .   9. Elles . . .
              5. On . . .

Exercice 2 Redites la phrase en mettant le verbe entre parenthèses au passé composé.

EXEMPLE: (se perdre)   On _____ en voyageant.
                           On **s'est perdu** en voyageant.

1. (s'excuser)   Je _____ en arrivant.
2. (s'occuper)   Tu _____ des bagages.
3. (se perdre)   Paul _____ à l'aéroport.
4. (se servir)   Yvonne _____ d'une valise.
5. (se dépêcher) On _____ à cause de vous.
6. (s'arrêter)   Nous _____ dans le centre.
7. (se promener) Vous _____ dans un camion?
8. (s'habiller)   Elles _____ convenablement.

2.   Le verbe à la forme négative

Vous vous êtes amusés pendant le week-end, n'est-ce pas?
Non, nous **ne** nous sommes **pas** amusés pendant le week-end.

> In the negative, **ne** precedes the reflexive object pronoun, which, in turn, precedes the verb. **Pas** comes between the auxiliary verb and the past participle, as is usual in the passé composé.

Exercice 3 Mettez les phrases à la forme négative, en employant (A) *ne . . . pas*, et (B) *ne . . . jamais*.

EXEMPLES: Je me suis arrêté(e) à un café.
             (A)   Je **ne** me suis **pas** arrêté(e) à un café.
             (B)   Je **ne** me suis **jamais** arrêté(e) à un café.

1. Je me suis amusé(e) au match.
2. Tu t'es réveillé(e) tard.
3. Il s'est promené en ville.
4. Elle s'est servie d'un livret.
5. On s'est occupé de toi.

6. Nous nous sommes arrêtés.
7. Vous vous êtes perdus?
8. Ils se sont dépêchés pour nous.
9. Elles se sont chargées de tout.
10. Je me suis reposé(e) là-bas.

3. La forme interrogative

Questions avec **Est-ce que**	*Questions avec inversion*
Est-ce que je me suis perdu(e)?	Me suis-je perdu(e)?
Est-ce que tu t'es promené(e)?	T'es-tu promené(e)?
Est-ce que Paul s'est excusé?	Paul s'est-il excusé?
Est-ce que Marie s'est reposée?	Marie s'est-elle reposée?
Est-ce que nous nous sommes amusés?	Nous sommes-nous amusés?
Est-ce que vous vous êtes arrêté(e)(s)?	Vous êtes-vous arrêté(e)(s)?
Est-ce qu'ils se sont dépêchés?	Se sont-ils dépêchés?
Est-ce qu'elles se sont promenées?	Se sont-elles promenées?

1. In conversational style, the intonation question or the **Est-ce que** question is generally used. (With the **je** and **nous** forms, the **Est-ce que** question is commonly used.)
2. In formal style, the inverted question is used. The subject pronoun follows the auxiliary verb and is attached to it by a hyphen.

Exercice 4   Mettez les phrases de l'Exercice 3 à la forme interrogative, avec (A) intonation, (B) *Est-ce que*, et (C) inversion.

EXEMPLES: Il s'est promené en ville.
           (A)   Il s'est promené en ville?
           (B)   Est-ce qu'il s'est promené en ville?
           (C)   S'est-il promené en ville?

Exercice 5   Répondez aux questions au passé composé.

1. Vous êtes-vous dépêché(e) ce matin?
2. A quelle heure vous êtes-vous réveillé(e)?
3. Où vous êtes-vous habillé(e)?
4. A quelle heure vous êtes-vous couché(e)?
5. Vos amis se sont-ils amusés à la surprise-partie samedi?
6. Se sont-ils promenés dimanche après-midi? Où?
7. Se sont-ils arrêtés à un petit café?
8. Vous êtes-vous amusé(e) dimanche passé?
9. Est-ce qu'on s'est levé de bonne heure dimanche?
10. Votre mère s'est-elle reposée dimanche?

B. *Il y a* + time expressions

1. Time "for" or "since"

a. Révision: **Depuis quand** and **depuis** + present tense

—**Depuis quand** lisez-vous ce journal?	*How long* have you been reading this newspaper?
—Je lis ce journal **depuis** hier.	I've been reading this newspaper *since* yesterday.
—**Depuis combien de temps** lisez-vous ce livre?	*How long* have you been reading this book?
—Je lis ce livre **depuis** deux jours.	I've been reading this book *for* two days.

---

1. Révision: The tense
To express an action begun in the past but still going on in the present, use the *present tense* and **depuis** + a time expression.
2. The question *How long . . . ?*
Depuis quand . . . ? (*Since when . . . ?*) asks when an action that is still going on *began* in the past. **Depuis combien de temps . . . ?** (*For how much time . . . ?*) asks for the *length of time* an action has been going on. (Some Frenchmen use **Depuis quand . . . ?** all the time!)
3. The answer *for* or *since*
Both types of question are answered in the present tense + **depuis** and a time expression, because **depuis** means either *since* or *for*. (See paragraph **c**.)

---

b. Il y a . . . que = "for"

—**Depuis combien de temps** lisez-vous ce livre?	How long have you been reading this book?
—**Il y a** deux jours **que** je lis ce livre.	I've been reading this book for two days.

Time "for" may also be expressed by placing **Il y a** (+ time) **que** at the beginning of a statement in the present tense.

Duration of time	Present tense	Duration of time
	Je fais du français	depuis deux ans.
Il y a deux ans que	je fais du français.	

Both sentences say the same thing: *I've been taking French for two years.*

328

Exercice 6 Mettez les phrases à la forme alternative.

EXEMPLE: Mon père voyage *depuis huit jours.*
            Il y a huit jours que mon père voyage.

1. Nous mangeons *depuis une demi-heure.*
2. Vous étudiez l'histoire européenne *depuis un an?*
3. L'avion survole la mer *depuis un quart d'heure.*
4. On se promène *depuis longtemps.*
5. Ma mère est malade *depuis huit jours.*

c. "Clock time" vs. "hours" with **heures**

Because **heures** can mean either "o'clock" or "hours," we must distinguish between them in the answer. Study the following sentences:

Nous travaillons ici **depuis deux heures.**   We've been working here **since two o'clock.**

Il y a **deux heures que** nous travaillons ici.   We've been working here **for two hours.**

> When the time expression includes **heures** in the answer, use **depuis** (+ **heures**) to mean "o'clock," and **Il y a** (+ **heures**) **que** to mean "hours."

Exercice 7 Répondez à la question, en employant (A) *depuis,* ou (B) *Il y a . . . que.* Ajoutez le temps que vous préférez.

EXEMPLE: Depuis combien de temps êtes-vous ici?
            (A) Je suis ici **depuis trois minutes.** *ou*
            (B) **Il y a trois minutes que** je suis ici.

1. Depuis combien de temps parlez-vous français?
2. Depuis combien de temps bavardez-vous ici?
3. Depuis combien de temps dansez-vous le «jerk»?
4. Depuis combien de temps votre ami joue-t-il de la guitare?
5. Depuis combien de temps jouez-vous du piano?
6. Depuis combien de temps jouez-vous au tennis?
7. Depuis combien de temps étudiez-vous ces verbes?

2. Time "ago"

a. Past tense + il y a + time

—Avez-vous vu ce film?   Have you seen that movie?
—Je l'ai vu **il y a huit jours.**   I saw it a week *ago.*
—Moi, je l'ai vu **il y a deux mois.**   I saw it two months *ago.*

> To express time "ago," add **il y a** + time to a statement in the *past tense.*

Exercice 8 Redites la phrase en ajoutant *il y a* + l'expression entre parenthèses.

EXEMPLE: Nous nous sommes perdus. (une demi-heure)
  Nous nous sommes perdus **il y a une demi-heure.**

1. J'ai lu ce livre. (quinze jours)
2. Il a pris cette photo. (deux mois)
3. Jean lui a écrit. (trois semaines)
4. On est allé en France. (trois ans)
5. Je me suis réveillé(e). (une demi-heure)
6. Il vous a téléphoné. (un quart d'heure)
7. Je me suis lavé(e). (dix minutes)
8. Elle s'est habillée. (longtemps)
9. Il s'est arrêté. (deux heures)
10. Ils se sont excusés. (quelques minutes)

  b. Alternate: **Il y a** (+ time) **que** + past tense

—Avez-vous lu ce livre? Have you read this book?
—**Il y a deux mois que** j'ai lu ce livre. I read this book two months ago.

Time "ago" may also be expressed by placing **Il y a . . . que** at the beginning of a statement in the past tense.

Résumé

Time "ago"	Past tense	Time "ago"
	J'ai vu ce film	il y a deux mois.
Il y a deux mois que	j'ai vu ce film.	

Both sentences say the same thing: *I saw that movie two months ago.*

Exercice 9 Redites les phrases de l'Exercice 8, en employant *Il y a . . . que.*

EXEMPLE: Nous nous sommes perdus. (une demi-heure)
  Il y a une demi-heure que nous nous sommes perdus.

Exercice 10 Combine each of the elements in Column I with one of the time expressions in Column II, using (A) *il y a . . .* and (B) *Il y a . . . que.*

	I	II
	J'ai lu ce livre	trois mois
EXEMPLES:	(A) J'ai lu ce livre	**il y a trois mois.**
	(B) **Il y a trois mois**	**que** j'ai lu ce livre.

	I	II
1.	J'ai vu cette émission	huit jours
2.	Jacques est allé en Afrique	deux mois
3.	Nous avons fait les préparatifs	trois ans
4.	On a suivi cette route	un quart d'heure
5.	Vous y avez rencontré vos amis	longtemps

Exercice 11 Répondez à la question, en vous servant de *il y a* ou *Il y a . . . que*, et de l'expression entre parenthèses.

EXEMPLE: Quand avez-vous vu cette émission? (quinze jours)
        J'ai vu cette émission **il y a quinze jours.**
        Il y a quinze jours que j'ai vu cette émission.

1. Quand avez-vous visité la banlieue? (quinze jours)
2. Quand êtes-vous allé(e) au centre de la ville? (une demi-heure)
3. Quand êtes-vous arrivé(e) ici? (trois heures)
4. Quand avez-vous vu les camions? (quelques heures)

C.   Verbs with indirect objects

1.   **plaire** à (quelqu'un)   to be pleasing to someone

Français	*(Literal translation)*	*Meaning*
Ce disque me plaît.	(This record is pleasing to me.)	I like this record.
Ces disques me plaisent.	(These records are pleasing to me.)	I like these records.

Subject + **aimer**	= **Plaire** + indirect object
J'aime ce programme.	Ce programme **me** plaît.
Tu aimes ce livre?	Ce livre **te** plaît?
Il aime ces matches?	Ces matches **lui** plaisent?
Elle aime cette robe.	Cette robe **lui** plaît.
Nous aimons cet endroit.	Cet endroit **nous** plaît.
Vous aimez la circulation?	La circulation **vous** plaît?
Ils aiment ces voitures.	Ces voitures **leur** plaisent.
Elles aiment la politesse.	La politesse **leur** plaît.

Exercice 12 Redites les phrases en remplaçant l'expression *en italique* par un pronom.

EXEMPLE: Ces livres ne plaisent pas *à mes amis.*
        Ces livres ne **leur** plaisent pas.

1. Ce voyage plaît *à mon père.*
2. Il ne plaît pas *à mon frère.*
3. Le film plaît *à mes parents.*
4. Les vacances plaisent *à mes camarades.*
5. Le film ne plaît pas *à mes amis.*
6. Les cours ne plaisent pas *aux élèves.*
7. Ces gants plaisent *à ma mère.*
8. Ils ne plaisent pas *à mon oncle.*

Exercice 13 Répondez aux questions en employant le pronom entre parenthèses.

EXEMPLE: Est-ce que le voyage vous plaît? (me)
Oui, le voyage me plaît. *ou*
Non, le voyage ne me plaît pas.

1. Est-ce que le livre vous plaît? (me)
2. Est-ce que le professeur vous plaît? (nous)
3. Est-ce que les examens vous plaisent? (nous)
4. Est-ce que la bonté me plaît toujours? (te)
5. Est-ce que la politesse te plaît toujours? (me)

2. **arriver; arriver à** (quelqu'un) to happen (to somebody)

    a. **arriver** to happen

—Qu'est-ce qui **arrive** ici?	What's happening here?
—Je ne sais pas ce qui **arrive** ici.	I don't know what's happening here.
—Rien n'**arrive** ici.	Nothing is happening here.

    b. **arriver à** (quelqu'un) to happen to someone (indirect object)

—Qu'est-ce qui **t**'arrive?	What's happening to you?
—Tout **m**'arrive!	Everything's happening to me.
—Qu'est-ce qui **lui** arrivera?	What will happen to him?
—Rien ne **lui** arrivera!	Nothing will happen to him!
—Qu'est-ce qui **vous** arrivait?	What was happening to you?
—Quelque chose **nous** arrivait . . .	Something was happening to us . . .
—Qu'est-ce qui **leur** est arrivé?	What happened to them?
—Je ne sais pas ce qui **leur** est arrivé!	I don't know what happened to them!

—Oh, mon pauvre ami! Qu'est-ce qui vous est arrivé?

Exercice 14 Traduisez les phrases en français en suivant les exemples.

EXEMPLES

A. What's happening *to me?*
    Qu'est-ce qui m'arrive?

B. Something happened *to me.*
    Quelque chose m'est arrivé.

1. What's happening *to you* (fam.)?
2. What's happening *to him?*
3. What's happening *to her?*
4. What's happening *to us?*
5. What's happening *to you* (pl.)?

1. Something happened *to me.*
2. Something happened *to him.*
3. Something happened *to her.*
4. Something happened *to us.*
5. Something happened *to you.*

332

D. Pronoms relatifs: *lequel, qui, dont*

1. **lequel** = which, whom

    a. Choses

Prep.   which

Voici le stylo	avec	lequel	j'écris les lettres.
Voilà la table	sur	laquelle	j'ai mis les disques.
Où sont les cadeaux	pour	lesquels	nous devons acheter des cartes?

    b. Personnes

Prep.   whom

Voici le camarade	avec	qui	je vais au match.
C'est la cousine	pour	qui	j'ai acheté ce cadeau.
Voilà les amis	chez	qui	j'ai passé les vacances.
Les jeunes filles	avec	qui	j'ai passé les vacances sont là.

> 1. **Lequel** (or one of its forms) *must* be used *after a preposition* when referring to things (*which*).
> 2. **Qui** is generally used after a preposition when referring to persons (*whom*).[3]

Exercice 15 Combine the two sentences into one by using the proper form of *lequel* for the words *in italics*.

EXEMPLE: Où est le papier? J'ai écrit l'adresse sur *le papier*.
              Où est le papier sur **lequel** j'ai écrit l'adresse?

1. Où est la clef? Il faut ouvrir la valise avec *la clef*.
2. Voilà le magasin. Je me suis arrêté devant *le magasin*.
3. Ce sera une réunion. On va parler de l'Afrique pendant *la réunion*.
4. Avez-vous vu les belles routes? Nous nous sommes promenés sur *les belles routes*.
5. Où sont les livres? Il y a de belles photos dans *ces livres*.

Exercice 16 Combine the two sentences into one by using *qui* for the words *in italics*.

EXEMPLE: Où est le professeur? Vous apportez ce livret pour *ce professeur*.
              Où est le professeur pour **qui** vous apportez ce livret?

1. Voilà le professeur. Je prends des leçons de piano chez *le professeur*.
2. Où sont les amis? Vous allez au match avec *les amis*.   *T.S.V.P.*

---

[3] Exception: You *must* use **lesquels** or **lesquelles** after the preposition **entre** (*between* or *among*).

3. Ce sont les jeunes filles. Nous avons des billets pour *les jeunes filles*.
4. Voilà la dame. J'ai donné les renseignements à *la dame*.
5. Où sont les élèves? Robert s'est trouvé avec *les élèves* hier.

    c. Contractions: **de + lequel**, etc. of which, about which, from which

Masculin	*Féminin*
de + lequel = **duquel**	de + laquelle = **de laquelle**
de + lesquels = **desquels**	de + lesquelles = **desquelles**

—Quel livre? Le livre **duquel** je vous ai parlé!   What book? The book *of which* I spoke to you!

—Quels colis? Les colis **desquels** on a retiré ces vêtements!   What parcels? The parcels *from which* we took out these clothes.

    d. **Dont** (invariable) of which, of whom

—Voici l'ami | dont / de qui | je vous ai parlé.   Here's the friend I spoke to you about (about whom I spoke to you).

—C'est le disque | dont / duquel | on a parlé.   It's the record we spoke about (about which we spoke).

> **Dont** is generally used instead of **de qui**, or **de + lequel**, etc.

—C'est un timbre **dont** j'ai besoin.   It's a stamp I need (of which I have need).

—Voilà le tissu **dont** elle se sert.   Here's the cloth she uses (of which she makes use).

—C'est une note **dont** il a honte.   It's a mark he's ashamed of (of which he has shame).

> With verbal expressions that require **de** (**avoir besoin de, se servir de,** etc.) always use **dont** for *of which, of whom.*

Exercice 17 Combine the two sentences into one, using the relative pronoun *dont* to replace the noun *in italics*.

EXEMPLES: Voici le garçon. Je vous ai parlé *du garçon.*
              Voici le garçon **dont** je vous ai parlé.

1. Voilà le professeur. Je vous ai parlé *du professeur.*
2. Voici le passeport. Elle s'est servie *du passeport.*
3. C'est un voyage. Il a profité *du voyage.*
4. Voilà la cravate. Vous aurez besoin *de la cravate.*
5. Voilà les bagages. Il s'est occupé *des bagages.*

6. Avez-vous vu les cadeaux? Elle s'est chargée *des cadeaux.*
7. Voilà les Africaines. Il nous a parlé *des Africaines.*
8. Je porte des lunettes. J'ai honte *de mes lunettes.*

   e. Révision: **ce qui; ce que** = what

—Je veux savoir **ce qui** fait ce bruit.　　I want to know *what's* making that noise.

—Je n'entends pas **ce que** vous dites!　　I don't hear *what* you're saying!

   f. **quoi** = what (after a preposition)

—Je sais à **quoi** vous pensez.　　I know *what* you are thinking *of.*

—Ma mère demande **de quoi** tu vas te servir.　　My mother asks *what* you are going to use.

Quoi = *what* after a preposition when the antecedent is not expressed. It is often used in indirect questions, such as "Dites-moi (Demandez-moi) de quoi il a besoin."

Exercice 18 Complétez la phrase en employant *de quoi* ou *à quoi.*

1. Voilà _____ je parlais.
2. Je ne sais pas _____ vous pensez.
3. Dites-moi _____ vous avez besoin.
4. Il veut savoir _____ tu as si honte.
5. On comprend _____ vous vous servez.

Résumé des pronoms relatifs

	Subject of the verb that follows	Object of the verb that follows	After a preposition
Persons: (who, whom, that)	qui	que	qui (de qui = dont)
Things: (which, that)	qui	que	lequel (de + lequel, etc., = dont)
Things: (what)	ce qui	ce que	quoi

Exercice 19 Remplacez le tiret par le pronom relatif nécessaire.

EXEMPLE:　Montrez-moi les arbres sous _____ il y a des fleurs.
　　　　　Montrez-moi les arbres sous **lesquels** il y a des fleurs.

Hamidou raconte l'histoire de leur promenade à Dakar:

1. Je vais raconter une histoire _____ est arrivée pendant le week-end.
2. C'est une histoire _____ me plaît beaucoup et _____ est intéressante.
3. Samedi après-midi je suis parti en voiture avec des amis _____ sont venus à Dakar pour passer leurs vacances.　　　　　　　　　*T.S.V.P.*

4. Ce sont des amis _____ j'aime beaucoup et chez _____ je fais souvent des visites quand je suis en France.

5. La voiture _____ on s'est servi est une Renault. C'est la voiture des amis _____ je viens de parler.

6. D'abord, nous nous sommes promenés le long de la Corniche, une route _____ suit la mer.

7. Nous nous sommes arrêtés pendant une demi-heure, pendant _____ nous avons beaucoup bavardé.

8. Les endroits _____ nous avons visités ensuite se trouvent dans la banlieue.

9. Nous avons vu de grands arbres sous _____ il y avait des bancs (benches).

10. A Dakar nous savons _____ intéresse les voyageurs. C'est la Maison des Esclaves, un monument historique _____ tout le monde doit connaître.

11. Le bateau par _____ nous sommes allés et revenus est assez petit.

12. Les parents de mes amis ont pardonné notre retard, mais mon père, chez _____ nous sommes arrivés en retard, a dit: « Vous arrivez au meilleur moment possible!» Comme la vie est drôle!

E. Expressions utiles

1. **tous les deux** *masc*; **toutes les deux** *fem.*   both (of them)
   tous les trois *masc.*; **toutes les trois** *fem.*   all three

(les sacs)

—Vous les voulez **tous les deux?**   Do you want them *both*?
                                           (Do you want both of them?)

—Je les prendrai **tous les trois.**   I'll take them, *all three.*
                                           (I'll take all three of them.)

(les robes)

—Vous les achetez **toutes les deux?**   Are you buying them *both*?
—Je les achète **toutes les cinq!**   I'm buying them, *all five.*
                                           (I'm buying all five of them.)

Exercice 20   Complétez chaque phrase selon le chiffre (number) et le genre (gender) indiqués.

EXEMPLE: Allez-y _____! (2, *masc.*)   Go there _____!
           Allez-y, **tous les deux!**   Go there, both of you!

1. Revenez vite _____. (2, *masc.*)
2. Donnez-les-moi _____. (3, *fem.*)
3. Ils viendront _____. (4, *masc.*)
4. Vous les voulez _____? (6, *masc.*)
5. Je les attendrai _____. (5, *fem.*)
6. Je les prendrai _____. (7, *fem.*)
7. Il les achètera _____. (8, *masc.*)
8. Elles sont gentilles _____. (2, *fem.*)

2. se demander (si)   to wonder (whether)

Je me demande si ce professeur est   *I wonder if* this teacher is intelli-
   intelligent.   gent.
On se demandait s'il y avait toujours   *We wondered whether* there were
   du monde au café.   still people at the café.

Exercice 21   Complétez chaque affirmation en choisissant *le sujet* que vous
voulez et en employant *se demander* (A) au présent, ou (B) à l'imparfait.

SUGGESTIONS: *Je* me demande (me demandais) si _____.
                          Tout le monde se demande (se demandait) _____.
                          Mes parents se demandent (se demandaient) _____.

1.   _____ si la guerre (war) va bientôt finir.
2.   _____ si les hommes politiques étaient toujours sincères.
3.   _____ pourquoi la bonté n'existe pas partout.
4.   _____ si nos amis ont echoué aux examens.
5.   _____ si les petits enfants disaient toujours la vérité.

Exercice général   Ecrivez une lettre à un(e) ami(e) en France. Servez-vous
des expressions à la page 311.

Premier paragraphe
   1.   Dites-lui:
         a.   depuis combien de temps vous attendez une lettre.
         b.   que vous lui avez écrit il y a deux mois, mais vous n'avez pas
               reçu de réponse.
   2.   Demandez-lui si quelque chose est arrivé.
   3.   Dites-lui que vous espérez qu'il va bien et qu'il vous écrira bientôt.

Deuxième paragraphe
   4.   Dites-lui:
         a.   si vous vous êtes amusé(e) pendant une excursion samedi passé.
         b.   ce que vous avez fait en arrivant (vous laver, vous reposer, etc.)
   5.   Dites-lui:
         a.   qu'il y avait quelqu'un (un Canadien, un professeur, un Français)
               qui a essayé de parler français avec vous.
         b.   et si vous avez réussi à parler avec lui (ou avec elle).
   6.   Dites-lui:
         a.   si vous vous êtes promené(e) sur les petites routes.
         b.   ou si vous êtes resté(e) avec vos camarades pour bavarder avec
               eux.
   7.   Dites lui si vous préférez les merveilles mécaniques du monde mo-
         derne ou la beauté de la campagne.
   8.   Dites-lui si vous vous êtes arrêté(e) pour admirer la beauté de la
         campagne.

Troisième paragraphe
9. Dites-lui:
   a. à quelle heure vous vous êtes couché(e).
   b. si vous avez pensé à la beauté de la campagne avant de fermer les yeux.
10. Demandez-lui de vous écrire bientôt.

IV NOTES SUR LA CIVILISATION FRANÇAISE

L'Afrique *occidentale francophone* (II)

Western & French-speaking

L'indépendance Après que la Cinquième République française *fut établie* en 1958, la France *accorda* la liberté à toutes ses anciennes colonies qui la *réclamèrent*. Les neufs républiques de l'an-
5 cienne Afrique-Occidentale Française réclamè-rent, *une à une*, leur indépendance depuis cette date, et *établirent* leurs *propres* gouvernements. Etudiez la carte à la page 313.

was established
gave
claimed

one by one
established & own

SÉNÉGAL: **On se sert d'ordinateurs (computers) dans ces bureaux à Dakar.**

CÔTE-D'IVOIRE: Appartements modernes à Abidjan. Ces dames sont occupées!

Les religions Les habitants de la région sont, pour la plupart, des *musulmans* ou des *animistes.* Moslems & animists & Christians & few in number
10 Il y a aussi des *chrétiens*, mais ils sont *peu nombreux.* La majorité des chrétiens sont catholiques.

Dans les pays suivants, la majorité des habitants sont des animistes: le Dahomey, la Haute-Volta, la Côte-d'Ivoire, et le Togo. L'animisme est une
15 religion primitive qui consiste à adorer des *esprits* spirits ou des forces mystérieuses ou magiques.

La majorité des habitants des pays suivants sont des musulmans: la Guinée, le Mali, la Mauritanie, le Niger, et le Sénégal. Les musulmans *pratiquent* practice
20 la polygamie; au Sénégal, où 86 pour cent de la population est musulmane, chaque homme a le *droit* d'avoir quatre femmes! right

La *Mosquée* de Dakar Parce que la majorité de mosque la population est musulmane, on a *fait construire* had built
25 à Dakar, il y a *environ* dix ans, une très belle about mosquée. La mosquée de Dakar *ressemble* aux resembles mosquées des pays arabes, et les *Dakarois* en sont inhabitants of Dakar très *fiers.* proud

339

La Maison des *Esclaves* Sur une petite *île au* Slaves ♀ island ♀
30 *large des côtes* de Dakar, l'Ile de Gorée, se trouve   off the coast
la Maison des Esclaves. Préservée de *nos jours* nowadays
comme musée, cet édifice en pierre rose *fut*, pen- was
dant plusieurs *siècles*, une prison où les marchands centuries
des esclaves *gardèrent* les personnes qu'ils *avaient* kept ♀ had reduced
35 *réduites en esclavage*, et où les esclaves attendai-   to slavery
ent les *navires* qui les transportaient en Amérique. ships

Le *long de* la côte de l'Afrique occidentale, il along
y a plusieurs endroits où l'on trouve des édifices de
ce *genre*. kind

40 L'Afrique occidentale francophone est une
région très intéressante, n'est-ce pas?

Questions

Complétez.

1. La majorité des habitants du Sénégal sont _____ .   a. arabe
2. La majorité de la population de l'Afrique occi-   b. dix ans
   dentale francophone sont de religion _____ .   c. musulmans
3. Les neuf républiques de la région sont indépen-   d. animiste ou
   dantes depuis environ _____ .   musulmane
4. La Mosquée à Dakar est de style _____ .   e. église
5. Une mosquée est pour un mahométan ce qu'une   f. navires
   _____ est pour un chrétien.
6. A la Maison des Esclaves, les esclaves attendaient
   les _____ pour être transportés en Amérique.

V AMUSONS-NOUS!

Un poème africain

Lisons quelques vers d'un poème africain!

Il y a une littérature d'assez grande mérite écrite en français par les
Africains des pays francophones. Un des plus grands poètes d'Afrique Noire
est Léopold Sédar Senghor, le Président de la République du Sénégal!

Né (born) au Sénégal, Monsieur Senghor a fait ses études d'abord à
Dakar et ensuite à Paris au Lycée Louis-le-Grand. Ensuite il a fait des
études de lettres à l'Université de Paris. Très jeune, il a commencé à
s'intéresser à la poésie et à la politique, surtout à la liberté et à l'indépendance du peuple noir.

Voici le commencement et la fin d'un poème qui décrit le désir de son
peuple d'obéir à l'appel de la liberté. Le Guélowar est le chef qui appelle
le peuple; le poème est la réponse du peuple.

340

Au Guélowar[4]

Guélowar!
Nous t'avons écouté, nous t'avons entendu avec
   les *oreilles* de notre cœur.   ears
Lumineuse, ta voix a *éclaté* dans la nuit de notre   bright ♀ burst
   prison

           ✿   ✿   ✿

Guélowar!
Ta voix nous dit l'honneur, *l'espoir* et le combat,   hope
   et ses *ailes s'agitent* dans notre *poitrine*   wings ♀ beat ♀
Ta voix nous dit la République, que nous *dresse-*   breast ♀ will
   rons la *Cité* dans le jour bleu,   erect ♀ City
Dans l'*égalité* des peuples fraternels. Et nous *nous*   equality ♀ to our-
   répondrons, «Présents, ô Guélowar!»   selves

[4] Camp d'Amiens, septembre 1940; Collection *Hosties noires*. Editions du Seuil, Paris.

DAHOMEY: Un médecin africain fait des visites. Il n'est pas loin d'un téléphone!

Révision Générale VII

Leçons 31–35

I RÉVISION DE GRAMMAIRE

A. Les verbes

1. L'imparfait

Etudiez la formation de l'imparfait (pp. 230–233).

Choisissez *trois* verbes différents et aussi le verbe **être**. Pour chaque verbe, écrivez un petit dialogue de deux lignes (une question et la réponse).

2. Le participe présent

Etudiez la formation du participe présent (pp. 284 et 285).

Ensuite complétez la phrase suivante en employant **en** + le participe présent de *trois* verbes de votre choix: **Je chante** _____ .

3. Le passé composé des verbes réfléchis

Etudiez la formation du passé composé des verbes réfléchis (p. 325).

Choisissez *deux* verbes. Pour chaque verbe, composez *une* question originale au passé composé, et répondez-y. Employez des sujets différents et écrivez *une* des réponses à la forme négative.

Etudiez bien le tableau de phrases à la page 260, "Verbs followed by a reflexive infinitive." Choisissez *trois* de ces affirmations, et écrivez *une* question pour chacune. (Write the question which would have each statement you chose as its *answer*.)

4. Les verbes «irréguliers»

Etudiez bien les verbes suivants (1) au présent, (2) à l'imparfait, (3) au futur, et (4) au passé composé. (Et n'oubliez pas d'en apprendre le participe présent!)

ouvrir, couvrir, découvrir (p. 256)   **envoyer** (p. 234)
offrir (p. 256)   **servir** (p. 279)
connaître (p. 303)   **suivre** (p. 279)

Ensuite, pour chacun des verbes écrivez *une* phrase originale (1) à l'imparfait, et (2) au passé composé.

Study the difference in the use of the verbs **connaître** and **savoir**. Ensuite, écrivez *une* phrase originale (une question ou une réponse) en employant **connaître** et une phrase originale en employant **savoir**.

B. Les pronoms

1. Les pronoms interrogatifs

Etudiez les pronoms interrogatifs **Qu'est-ce qui** et **Qu'est-ce que**, et aussi les pronoms **ce qui** et **ce que**, pp. 250–251.

Ensuite écrivez *une* question originale en employant **Qu'est-ce qui** et *une* question originale en employant **Qu'est-ce que**. Ensuite repondez à vos questions.

2. Lequel

Etudiez le pronom interrogatif **lequel**, etc. à la page 304. Ecrivez *une* question originale en employant la forme *féminine* au *singulier*, ou *une* des formes du *pluriel*. Ensuite répondez à votre question.

3. Les pronoms relatifs

Etudiez les pronoms relatifs **lequel** et **qui** à la page 333. Employez chacune dans *une* phrase originale *après une préposition*, une phrase pour une *chose* et l'autre pour une *personne*.

Ensuite étudiez l'emploi du pronom **dont** à la page 334, et employez-le dans *une* phrase originale.

4. Celui-ci

Etudiez l'emploi de **celui-ci**, etc. à la page 305. Employez *le pluriel* (du masculin *ou* du féminin) dans *une* question originale, et répondez à votre question.

5. Double object pronouns

Study the double object pronouns (indirect object pronoun + en) (pp. 281–283). Then compose a question whose answer will include both object pronouns. Exemple: Vous **me** donnez **de la glace**? Oui, je **vous en** donne.

C. *Ne . . . rien* et *ne . . . que*

Etudiez l'emploi des expressions **ne . . . rien** et **ne . . . que** (au temps simples et au temps composé), pp. 253, 255. Ensuite composez pour chaque expression *une* phrase *au présent* et *une* phrase *au passé composé*.

D. Les noms géographiques

Etudiez l'emploi des noms géographiques (continents, pays et villes) (pp. 274–277). Ensuite complétez les phrases de l'exercice ci-dessous en remplaçant *France* par chacun des noms entre parenthèses.

EXEMPLE: — Je voudrais voir *la France*.
— Pourquoi n'allez-vous pas *en France*?

1. — Je voudrais voir _____ .
2. — Pourquoi n'allez-vous pas _____ ?
(Europe) (Belgique) (Japon) (Paris) (La Nouvelle-Orléans)

E. *Depuis* et *il y a*

First study the use of **Depuis quand . . . ?** and **depuis** as they are used with the present tense of the verb on pages 306 and 328. Then compose a question using **Depuis quand** followed by the present tense. Write the answer to your question, using **depuis**.

Now study the expression **Il y a . . . que** followed by the present tense of the verb (time "for") on page 328. Then compare it with the expressions **Il y a** and **Il y a . . . que** used with the passé composé (time "ago") on pages 329 and 330.

Compose *two* statements, one using **il y a . . . que** + the present tense (time "for") and one using **il y a . . . que** + the passé composé (time "ago").

F. Les idiotismes

Trouvez dans la colonne II la réponse ou la remarque pour chaque question ou affirmation de la colonne I.

I	II
1. Il fait très frais dehors!	a. Je n'en ai pas besoin, merci, car je porte un imperméable.
2. Voilà la lettre et le colis!	
3. Cette chemise ne vous va pas du tout.	b. Mettez-les tout de suite à la poste!
4. Sont-ils prêts à partir?	c. Ne t'en va pas sans mettre ton manteau.
5. Travaille-t-il de temps en temps?	d. Oui. Ils s'en vont dans un instant.
6. Vous servez-vous d'un parapluie (umbrella)?	e. Il sera toujours le bienvenu chez nous.
7. Nous étions très bien chez ma tante quand il faisait chaud.	f. Il travaille du matin au soir.
8. Mon camarade joue de la guitare à merveille.	g. Vous avez raison, et j'en ai honte.
	h. Il y avait la climatisation chez Tante Hélène!

G. Les prépositions

Complétez chaque phrase en employant la préposition **à** ou **de**.

1. Nous commençons _____ apprendre l'histoire de l'Afrique.
2. D'habitude on s'amuse _____ lire des histoires.
3. Avez-vous fini _____ poser des questions?
4. Non. J'ai quelque chose _____ important _____ demander.
5. Je suis prêt _____ dire quelque chose _____ intelligent.
6. Il n'y avait rien _____ intéressant _____ faire ici hier.
7. Nous faisons _____ notre mieux, monsieur.
8. Nous vous remercions _____ votre réponse.
9. Est-ce qu'on se sert _____ tous ces livres?
10. Nous tenons _____ lire les meilleurs livres.

344

11. Avez-vous honte _____ votre composition?
12. Oui, et j'ai besoin _____ une bonne note!
13. Est-ce que les leçons plaisent _____ ces élèves? Oh, oui, beaucoup!
14. Qu'est-ce qui est arrivé _____ vos amis? Ils ne sont pas encore arrivés!
15. Ce pantalon vous va mal. Oui, mais il va bien _____ ma sœur!
16. Avez-vous oublié _____ prendre son adresse?
17. Oui. Je vais demander son adresse _____ ma mère.
18. Est-ce que ces gants-ci sont _____ vous? Oui, ils sont _____ moi.
19. Profitons _____ cette occasion pour parler français!

II ÉTUDE DE VOCABULAIRE

A. Les synonymes

Choisissez dans la colonne II le synonyme de chaque mot ou de chaque expression de la colonne I.

I	II
le colis	employer
convenablement	la gentillesse
quelquefois	être important
se servir de	du matin au soir
indiquer	partir
la bonté	faire une promenade
s'en aller	dire, expliquer
compter	le paquet
se promener	comme il faut
toute la journée	parfois

B. Les contraires

Choisissez dans la colonne II le contraire de chaque mot ou de chaque expression de la colonne I.

I	II
quelque chose	rester
d'habitude	arrêter
fâché	le silence
large	léger
envoyer	rien
s'en aller	content
commencer	recevoir
le bruit	au-dessus de
au-dessous de	étroit
lourd	rarement

C. Les associations

Choisissez dans la colonne II le mot ou l'expression associé avec chaque mot ou chaque expression de la colonne I.

I	II
le porteur	la réunion
une émission	le douanier
la douane	les bagages
ensemble	la télévision
faire signe de la main	la banlieue
la politesse	revoir des amis
un endroit	être comme il faut

Essayons encore des associations!

I	II
les camions	le remerciement
causer avec quelqu'un	Je vous en prie!
la reconnaissance	aimer
rencontrer	des amis
plaire	la circulation
Merci beaucoup!	bavarder

D. Le vocabulaire

Consultez le Vocabulaire actif à la page indiquée, et écrivez les listes suivantes:

1. 4 choses qu'il faut mettre dans sa valise quand on part en voyage en été (p. 248)
2. 3 choses qu'il faut faire quand on écrit une lettre importante (p. 228)
3. Les choses dont on a besoin et les personnes qu'il faut chercher quand on arrive dans un pays étranger (p. 301)

III PETIT THÉÂTRE IMPROMPTU

Prepare 5 or 6 questions which you would ask if you were in each of the situations described below. To help you prepare your questions, consult the **Vocabulaire actif**, the **Scène de la vie française** or the **Dialogue original** of the lesson indicated in parentheses. When you arrive in class, act out a scene in front of the class by asking the questions of one of your class-mates who will answer them impromptu.

1. A classmate has just received a beautiful gift from his grandfather. Ask him about the gift and offer to help write a thank-you note. (31)
2. You are preparing an article for your school newspaper on interesting personalities. You interview a student who has just returned from a year in a foreign country. You ask him (or her) about his life there. (Use the imparfait for "used to.") (32)

3. A friend has just returned from a transatlantic trip on a jumbo jet. You ask him (or her) questions about the trip, such as what he did and saw during the flight, whether the plane stopped, etc. (33)
4. You go to meet someone at an international airport but you arrive late. You ask your friend how long he (or she) has been waiting, whether he passed through (*passer par*) customs, etc. You offer to help with the baggage. (34)
5. A neighbor of yours has returned from college to spend the holidays at home. His college is in a very small town in a different part of the country. You ask him how long he's been home, when he arrived, and what he does when he doesn't have to study, etc. (35)

IV VRAI OU FAUX?

Si l'affirmation est fausse, corrigez-la en français! (The number in parentheses next to each statement is the page you may consult to help you find the answer.)

1. La Normandie est située dans la partie sud de la France. (239)
2. Le fromage Roquefort est un produit célèbre de la Normandie. (239)
3. Il y a un grand nombre de mots d'origine française dans la langue anglaise à cause de la conquête (conquest) de l'Angleterre par Guillaume le Conquérant en 1066. (240)
4. Selon «l'horloge de 24 heures» on dit «dix-sept heures» au lieu de (instead of) six heures du soir. (263)
5. En France il y a des émissions à la télévision toute la journée et toute la soirée de chaque jour de la semaine, comme aux Etats-Unis. (265)
6. Les Français ont trois chaînes (channels) de télévision. (264)
7. Le système métrique est d'origine anglaise. (289)
8. Le système métrique est basé sur la distance entre l'équateur et le pôle Nord. (289)
9. De nos jours tous les pays du monde se servent du système métrique pour la recherche scientifique. (290)
10. Les neuf républiques en Afrique occidentale sont des pays francophones parce que la langue française y est la langue officielle. (313)
11. Dans chacun de ces pays il y a plusieurs groupes ethniques. (314)
12. Les habitants de ces pays parlent leur langue locale et généralement ils comprennent aussi le français. (315)
13. La France accorda la liberté à toutes ses anciennes colonies après 1958. (338)
14. Dans tous les pays de l'Afrique occidentale que nous étudions, la majorité des habitants sont des musulmans ou des animistes. (339)
15. A Dakar il y a une belle mosquée et un monument historique appelé la Maison des Esclaves. (339–40)

36

Leçon trente-six

I CONVERSATION
(à livre ouvert)

A.

1 Aimerais-tu aller au Canada?
(Would you like to go to . . . ?)

Oui, j'aimerais aller . . .
(Yes, I'd like to go . . .)

2 Aimerais-tu aller à Québec?

3 Si tu allais à Québec, parlerais-tu français?
(If you went to Quebec, would you speak French?)

Oui, je parlerais . . .
(Yes, I'd speak . . .)

4 Trouverais-tu des amis canadiens?
(Would you find . . . ?)

Oui, je trouverais . . .
(Yes, I'd find . . .)

5 Mangerais-tu des plats canadiens?
(Would you eat Canadian dishes?)

6 Obéirais-tu aux lois canadiennes?
(Would you obey . . . ?)

7 Lirais-tu des journaux canadiens?
(Would you read . . . ?)

B.

1 Si Paul allait à Québec, parlerait-il français?
(If Paul went to Quebec, would he speak . . . ?)

Oui, il parlerait . . .
(Yes, he'd speak . . .)

2 Comprendrait-il les Québecois?
(Would he understand the natives of Quebec?

Oui, il comprendrait . . .
(Yes, he'd understand . . .)

3 Etudierait-il l'histoire du Canada français?
(Would he study . . . ?)

4 Ferait-il des promenades?
(Would he take walks or drives?)

5 Verrait-il les beaux monuments?
   (Would he see . . . ?)
6 Serait-il enchanté de sa visite?
   (Would he be . . . ?)

Dialogue dirigé 1

Demandez à un camarade:
1 s'il aimerait aller à Québec.   Aimerais-tu aller à Québec?
2 s'il parlerait français à Québec.
3 s'il verrait des monuments historiques à Québec.

C.

1 Paul et Jean aimeraient aller au   Oui, ils aimeraient . . .
   Canada, n'est-ce pas?   (Yes, they'd like . . .)
   (Paul and John would like to
   go . . . ?)
2 S'ils allaient à Québec, voyage-   Oui, ils voyageraient . . .
   raient-ils en voiture?
   (. . . would they travel by . . . ?)
3 Partiraient-ils ensemble?
   (Would they leave . . . ?)
4 Iraient-ils à Montréal?
   (Would they go . . . ?)
5 Verraient-ils le fleuve Saint-
   Laurent?
6 Si Marie et Janine allaient à   Oui, elles verraient . . .
   Québec, verraient-elles le
   Saint-Laurent?
7 Parleraient-elles français?
8 Seraient-elles enchantées?

D.

1 Vous et moi, nous aimerions aller   Oui, nous aimerions . . .
   au Canada, n'est-ce pas?   (Yes, we'd like . . .)
2 Aimerions-nous les grandes forêts
   et les grands lacs?
3 Verrions-nous le Saint-Laurent?
4 Ferions-nous de belles promenades?
5 Irions-nous à un petit village?
6 Vous iriez aussi, n'est-ce pas?   Oui, nous irions . . .
   (You would go too . . . ?)
7 Feriez-vous de belles promenades?

349

8 Feriez-vous du camping?
9 Seriez-vous enchantés?

Dialogue dirigé 2

Demandez-moi si:
1 je serais enchanté(e).   Seriez-vous . . . ?
2 je ferais du camping.
3 je parlerais français.

II SCÈNE DE LA VIE FRANÇAISE

Robert a des *ennuis*   problems

Personnages: M = Maman; P = Papa; R = Robert;
           C = Claire; MO = Monique
Scène: Le soir, après dîner. Maman et papa sont
    seuls dans *la salle de séjour*.   = le living

5 M: Charles, je suis si *inquiète*.   worried
   P: Ah! Voilà une *réflexion* que tu fais *assez* rare-   remark ♀ rather
      ment! Qu'est-ce qu'il y a?
   M: Robert n'est plus le même. Depuis que nous
      sommes de retour d'Afrique, il me *semble* qu'il   seems
10   change *de* jour *en* jour. *Petit à petit*, une sorte de   from ♀ to ♀ Little
      lassitude, un manque d'*intérêt* semblent le pren-   by little ♀ weari-
      dre . . . il devient *de plus en plus renfermé* . . .   ness ♀ interest ♀
   P: Renfermé? Robert? C'est *bien* curieux! Il avait   more and more ♀
      le *caractère* si *franc*, si ouvert . . . . Ton père a   uncommunicative
                                                      = très
15   remarqué, il n'y a pas très longtemps, *en fait*,   disposition ♀ frank
      que Robert disait tout ce qu'il pensait.   in fact
   M: Oui, mais maintenant . . .
   P: Il est peut-être *fatigué*. Tu sais bien qu'il tra-   tired
      vaille dur au lycée. L'année dernière il était
20   premier en mathématiques et en sciences natu-
      relles et en *physique* . . . . Et, *d'après* ce que   physics ♀ accord-
      Claire me dit, *au lieu d'*aller au match, il va tou-   ing to ♀ instead
      jours à la *bibliothèque*.   of ♀ library
   M: Ce qui n'est pas du tout naturel à son âge!
25 P: Si on pouvait l'*empêcher* de se *noyer* dans ses   prevent ♀ drown-
      études! Ce serait un commencement . . .   ing
   M: Si on parlait à ses professeurs, ou au *proviseur*   headmaster
      du lycée?
   P: Tu *crois*, vraiment, qu'ils *pourraient* nous aider?   believe ♀ could
30 M: Si on parlait à Robert lui-même?

350

P: Ce soir *j'ai très sommeil.* Mais si tu *as envie de*   I'm very sleepy
     lui parler maintenant ...   ♀ feel like

M: Non! Ne le *dérangeons* pas ce soir. Attendons   disturb
     jusqu'à demain. Nous aurons le temps de lui en
35   parler à midi.

●   Le *lendemain* à midi. La famille est à table.   next day

P: Hier soir, *pendant que* vous étiez en train de   while
     faire vos devoirs, votre mère et moi avons vu
     une assez bonne *émission* à la télé.   broadcast
40 MO: Toi, papa? Non! Je ne le crois pas!
     P: Mais si, mes chers enfants! Et l'émission était
     ... intéressante, un peu *bête*, mais intéres-   silly
     sante!
     C: Qu'est-ce que c'était?
45 P: J'ai oublié le *titre* de l'émission, mais on in-   title
     terviewait des personnes qui *avaient gagné* un   had won
     concours. Ils avaient bien répondu à la question,   contest
     «Que *feriez*-vous si vous aviez le temps et un
     million de francs?»
50 C: Moi, je pourrais te dire tout de suite ce que je
     ferais si j'avais le temps et un million ... et la
     permission de papa!
     MO: Et moi aussi! Mais à moi *il me faudrait en*   I'd need ♀ in ad-
     plus la permission du père d'Armand.   dition
55 R: Et moi, si j'avais le temps et l'argent j'irais aux
     Etats-Unis pour apprendre à être astronaute!
     M: Comment? Tu voudrais partir *à l'étranger*?   abroad
     R: Si je pouvais, oui ... je partirais! J'ai envie
     d'apprendre l'anglais aussi vite que possible et
60 d'étudier *à fond* les sciences astrophysiques!   thoroughly
     P: Mais nous avons ici en France un grand pro-
     gramme de *recherches* dans ces *domaines.* Nous   research ♀ areas
     avons des *fusées* et des satellites ...   rockets
     M: *D'ailleurs*, tu n'as pas encore appris assez   Besides
65 d'anglais pour faire des études aux Etats-Unis.
     P: Est-ce que tu voudrais aller au Canada? A
     Montréal, par exemple? C'est une ville où l'on
     parle français et anglais, une ville très moderne.
     R: Tu veux dire ... pour y rester?
70 P: Non ... pour apprendre l'anglais! Et si tu
     étais au Canada, tu pourrais faire tes études en
     français et tu pourrais facilement visiter les
     Etats-Unis.

R: Tu *plaisantes*, papa!   are joking

75 P: Mais non, je ne plaisante pas! Dans la vie il
      faut toujours *envisager* toutes les possibilités.   look at
      En voici une: Si tu avais la chance de passer les
      dix mois de l'année scolaire au Canada, vou-
      drais-tu y aller?

80 R: Mais bien sûr . . . j'irais avec grand plaisir!
   C: Oh, ça alors, c'est sensationnel!
   MO: Mais, papa, un séjour de dix mois *coûtera* une   will cost
       fortune! A-t-on les *moyens* . . . ?   means
   P: *Malgré* cela, et malgré tout, je vais aujourd'hui   In spite of

85   prendre des renseignements à ce sujet, et nous
      en reparlerons ce soir!

DIALOGUE ORIGINAL

Modèle	Substitutions
—Où *irais-tu* si *tu avais* le temps et les moyens?	/ iriez-vous / . . . / vous aviez /
—*J'irais* (en France) (au Canada).	/ Nous irions / . . . / (Complétez au choix) /
—Qu'est-ce que *tu y ferais?*	/ vous y feriez /
—*Je* (visiterais) (verrais) . . . (les forêts) (les lacs) (les villes).	/ Nous / . . . / (Complétez au choix) /
—*Aurais-tu* envie de (voir) (visiter) (faire . . .)?	/ Auriez-vous / . . . / (Complétez au choix) /
—Bien sûr, et *je verrais* aussi (les cathédrales) (les montagnes), si cela ne coûtait pas cher!	/ nous verrions / . . . / (Complétez au choix) /

352

Vocabulaire actif

de jour en jour   from day to day
de plus en plus   more and more
petit à petit   little by little
l'intérêt *masc.*   interest

inquiet, inquiète   worried
fatigué, –e   tired
franc, franche   frank, open
renfermé, –e   uncommunicative

---

coûter (I)   to cost
déranger (I)   to disturb
empêcher (I)   to prevent
sembler (I)   to seem

avoir envie de + infinitive   to feel
   like (doing something)
avoir sommeil   to be sleepy
la bibliothèque   library

---

le caractère   disposition, character
les moyens *masc.*   the means
à l'étranger   in a foreign land,
   abroad

au lieu de   instead of
malgré   in spite of
en plus   in addition

Questions

1. Qui est très inquiet? A cause de qui est-elle inquiète?
2. Qui semble changer de jour en jour?
3. Qu'est-ce qui semble le prendre?
4. Comment devient-il?
5. Quel caractère Robert avait-il toujours?
6. Qui était premier en maths et en sciences l'année dernière?
7. Où Robert va-t-il au lieu d'aller au match?
8. Qui a sommeil? Qui ne veut pas déranger Robert?
9. Qu'est-ce que maman et papa ont vu hier soir à la télé?
10. Quelle était la question du concours (contest)?
11. Qui pourrait dire tout de suite ce qu'elle ferait si elle avait un million de francs?
12. Qu'est-ce qu'il faudrait en plus à Monique?
13. Qu'est-ce que Robert ferait s'il avait un million de francs?
14. Où voudrait-il partir? Qu'est-ce qu'il a envie d'apprendre le plus vite possible? Pourquoi?
15. Quelle question papa pose-t-il à Robert? Pourquoi choisit-il la ville de Montréal?
16. Est-ce que Robert va rester longtemps au Canada? Qu'est-ce qu'il pourrait faire à Montréal?
17. S'il avait la chance, où Robert irait-il avec grand plaisir?
18. Qu'est-ce qui coûtera une fortune?
19. Qu'est-ce que papa va prendre?

Discussion

1. Etes-vous inquiet (inquiète) de temps en temps? Pourquoi êtes-vous inquiet (inquiète)?

2. Avez-vous bon caractère? Avez-vous un caractère franc et ouvert? Etes-vous renfermé(e)? Devenez-vous parfois de plus en plus triste? de plus en plus heureux? Changez-vous de jour en jour? Changez-vous petit à petit?

3. Avez-vous sommeil le matin? Avez-vous envie de dormir dans la classe de français? Etes-vous souvent fatigué(e)? Voulez-vous dormir au lieu de travailler? Allez-vous souvent à la bibliothèque?

4. Etes-vous quelquefois de mauvaise humeur? Dérangez-vous souvent vos parents? vos frères et vos sœurs? Empêchez-vous votre mère de travailler? Avez-vous toujours raison? Avez-vous souvent tort?

5. Aimez-vous aller à l'étranger? Est-ce que les voyages coûtent cher? Malgré cela, fait-on des voyages? Peut-on voyager sans argent? Faut-il toujours avoir de l'argent en réserve?

6. Est-ce que le professeur semble triste de temps en temps? Voudrait-il voyager? A-t-il les moyens de voyager?

III STRUCTURES

A. Le conditionnel

1. Formation: les Trois Groupes

Groupe:	I	II	III
Infinitive:	**parler**	**choisir**	**répondre**
1st sing. fut.	je parlerai	je choisirai	je répondrai
Fut. stem (base):	*parler–*	*choisir–*	*répondr–*
Conditionnel:	je parlerais	je choisirais	je répondrais
	(I'd speak, etc.)	(I'd choose, etc.)	(I'd answer, etc.)
	tu parlerais	tu choisirais	tu répondrais
	il parlerait	il choisirait	il répondrait
	ils parleraient	ils choisiraient	ils répondraient
	nous parlerions	nous choisirions	nous répondrions
	vous parleriez	vous choisiriez	vous répondriez

To obtain the *conditional* for all verbs, use the *future stem* (the base) of the verb and add the endings **ais, ais, ait, aient, ions, iez.**

Notez bien: 1. The endings are the same as those of the *imparfait.* Only the *base* is different. (See **parler–** above.) The term *base* will be used from now on to indicate the part of the verb to which the *endings* are added.
2. All the singular forms and the third person plural form (**ils**) sound the same.
3. The meaning of the conditional is always I (you, he, we, etc.) *would* (do something).

2. Formation: les verbes «irréguliers»

Infinitive:	être ✓	avoir ✓	aller ✓	~~faire~~
1st sing. fut:	je serai	j'aurai	j'irai	fer
Fut. stem (base):	ser–	aur–	ir–	
Conditionnel:	je serais	j'aurais	j'irais	
	(I'd be, etc.)	(I'd have, etc.)	(I'd go, etc.)	
	tu serais	tu aurais	tu irais	
	il serait	il aurait	il irait	
	ils seraient	ils auraient	ils iraient	
	nous serions	nous aurions	nous irions	
	vous seriez	vous auriez	vous iriez	

Questions: How do you find the *base* on which you form the *conditional* of "irregular" verbs?

Does this procedure differ from the one you use to find the base for the conditional of "regular" verbs?

What endings do you add to the base? Are they different from those of "regular" verbs?

What letter do you always find right before the ending?

Notez bien: Once you find the base, all verbs form the conditional the same way! And the conditional is always translated as *would.*

Exercice 1 Donnez le conditionnel de chaque verbe en employant les sujets indiqués.

EXEMPLE: (je) (tu) aimer, finir
                          j'aimerais, tu aimerais
                          je finirais, tu finirais

1. (je) (tu) (il) donner, punir, attendre, être, avoir, aller
2. (on) (ils) voler, réussir, rendre, être, avoir, aller
3. (nous) (vous) attacher, obéir, perdre, être, avoir, aller

Exercice 2 A. Formez le conditionnel sur le futur de chaque verbe.

EXEMPLE: (prendre) ils prendront ⟶ **Ils prendraient**

1. (lire) je lirai
2. (écrire) tu écriras
3. (apprendre) il apprendra
4. (comprendre) elle comprendra
5. (partir) on partira
6. (sortir) nous sortirons
7. (faire) vous ferez
8. (dire) ils diront
9. (pouvoir) je pourrai
10. (savoir) tu sauras
11. (falloir) il faudra
12. (connaître) nous connaîtrons
13. (suivre) vous suivrez
14. (servir) ils serviront
15. (voir) je verrai
16. (envoyer) il enverra
17. (devoir) vous devrez
18. (recevoir) ils recevront

B. Maintenant, les verbes réfléchis!

EXEMPLE: (se coucher) je me coucherai ⟶ je me **coucherais**

1. (s'amuser) je m'amuserai
2. (se lever) tu te lèveras
3. (s'en servir) il s'en servira
4. (s'en aller) on s'en ira
5. (se laver) nous nous laverons
6. (s'arrêter) elle s'arrêtera

C. Et les verbes qui changent d'orthographe!

EXEMPLE: (nager) je nagerai ⟶ je **nagerais**

1. (placer) je placerai
2. (voyager) tu voyageras
3. (payer) il paiera
4. (essayer) on essaiera
5. (acheter) nous achèterons
6. (emmener) vous emmènerez

B. **Emploi du conditionnel I**

—Moi, je dis qu'il arrivera.
—Il **a dit** qu'il **arriverait**.

I say he'll arrive.
He *said* he *would* arrive.

—Sais-tu qu'il le fera?
—Je savais hier qu'il le **ferait**.

Do you know that he'll do it?
I *knew* yesterday that he *would* do it.

> The conditional is used to express an action that happened or would happen after a verb in the past tense. It is introduced by the conjunction **que** in these sentences.

Exercice 3 Complétez en employant (a) le futur, et (b) le conditionnel.

EXEMPLE: (faire) (a) Je suis sûr qu'il le _____.
Je suis sûr qu'il le **fera**.

(b) J'étais sûr qu'il le _____.
J'étais sûr qu'il le **ferait**.

1. (faire) (a) Il est sûr qu'on le _____.
(b) Il était sûr qu'on le _____.

2. (être) (a) Je sais qu'elle _____ ici.
        (b) Je savais qu'elle _____ ici.
3. (aller) (a) Tu es certain qu'il _____.
        (b) Tu étais certain qu'il _____.
4. (prendre) (a) Je suis sûr qu'il le _____.
        (b) J'étais sûr qu'il le _____.
5. (pouvoir) (a) Il dit qu'il _____ le faire.
        (b) Il a dit qu'il _____ le faire.
6. (falloir) (a) On dit qu'il _____ le faire.
        (b) On a dit qu'il _____ le faire.
7. (savoir) (a) Elle est sûre que vous _____ le faire.
        (b) Elle était sûre que vous _____ le faire.
8. (voir) (a) Vous êtes sûr que nous _____ la cathédrale.
        (b) Vous étiez sûr que nous _____ la cathédrale.

C. *Vouloir* et *venir* au futur et au conditionnel

1. **vouloir**

   a. *Au futur* (I'll want, you'll want, etc.)

Base:
voudr–   je voudrai   tu voudras   il voudra
            nous voudrons   vous voudrez   ils voudront

   b. *Au conditionnel* (I'd want, I'd like, you'd want, you'd like, etc.)

Base:
voudr–   je voudrais   tu voudrais   il voudrait
            nous voudrions   vous voudriez   ils voudraient

2. **venir**

   a. *Au futur* (I'll come, you'll come, etc.)

Base:
viendr–   je viendrai   tu viendras   il viendra
            nous viendrons   vous viendrez   ils viendront

   b. *Au conditionnel* (I would come, you would come, etc.)

Base:
viendr–   je viendrais   tu viendrais   il viendrait
            nous viendrions   vous viendriez   ils viendraient

Notez bien: The verb **vouloir** has two meanings in the conditional: *I would want*, etc., and *I would like*, etc. The latter (*I would like*, etc.) is the *conditional of courtesy.* We'll learn more about it later in this lesson (see page 360).

The verb **revenir** (to come back) is like the verb **venir**. The base of the future and conditional tenses is **reviendr–**

Exercice 4 A. Employez chacune des expressions au futur avec tous les sujets indiqués.

EXEMPLE: (venir en voiture) (Je, Tu)
Je **viendrai** en voiture.
Tu **viendras** en voiture.

   a. venir en taxi   b. revenir bientôt   c. vouloir une chambre

1. Je . . .   3. Jacques . . .   6. Ils . . .   8. Nous . . .
2. Tu . . .   4. Mireille . . .   7. Les dames . . .   9. Vous . . .
            5. On . . .

       B. Employez chacune des expressions ci-dessus au conditionnel avec tous les sujets indiqués.

EXEMPLE: (vouloir une chambre) (Jacques, Nous)
Jacques **voudrait** une chambre.
Nous **voudrions** une chambre.

Exercice 5 Complétez la question en employant le conditionnel du verbe entre parenthèses. Ensuite, répondez à la question.

EXEMPLE: (venir) Savais-tu qu'il _____ à l'heure?
               Savais-tu qu'il **viendrait** à l'heure?
               Oui, je savais qu'il viendrait à l'heure.

1. (venir) Saviez-vous que vos amis _____ à la surprise-partie?
2. (vouloir) Dans quel pays _____-vous voyager?
3. (revenir) A-t-il dit qu'il _____ bientôt?
4. (vouloir) Il pensait qu'on _____ recevoir ses amis.

D. **Emploi du conditionnel II**

—S'il **faisait** beau, **irais**-tu à la plage?   If the weather *were* nice, *would you go* to the beach?

—Je **jouerais** au tennis s'il **faisait** du soleil.   I'd *play* tennis if the weather *were* sunny.

—Si vous **aviez** l'argent, **feriez**-vous un voyage en France?   If you *had* the money, *would you take* a trip to France?

—Si je **pouvais** voyager, j'**irais** peut-être à Hawaii.   If I *were able* to travel, maybe I'd *go* to Hawaii.

In this kind of "if" sentence, there are generally two verbs: the verb that follows **si** is in the imperfect; the other verb (the result clause) is in the conditional. These are "contrary to fact" sentences.

Notez bien: In a "contrary to fact" sentence, the facts are contrary to what really exists: "I *would* travel *if I had* the money" implies that I'm *not* traveling because I don't have the money.

358

Si clause	"Result" clause
Si j'avais le temps, (had) *imparfait*	je regarderais la télé. (would look at) *conditionnel*

"Result" clause	Si clause
Mon père jouerait au golf (would play) *conditionnel*	s'il faisait beau. (were) *imparfait*

Exercice 6 Complétez les phrases en employant chaque expression entre parenthèses ou au conditionnal ou à l'imparfait.

EXEMPLE: S'il faisait beau, je _____. (aller au jardin public)
S'il faisait beau, j'**irais** au jardin public.

1. S'il faisait beau, nous _____.
   (faire une promenade) (aller à la plage) (avoir envie de sortir) (être moins fatigués) (jouer au base-ball)
2. Si on avait le temps, on _____.
   (venir chez vous) (causer avec des camarades) (envoyer des cadeaux à nos amis)
3. Si je pouvais, je _____.
   (déranger le directeur) (empêcher les enfants de sortir) (aller à la bibliothèque) (demeurer à Paris) (venir tous les jours)
4. Tu ne pourrais pas sortir si tu _____.
   (avoir sommeil) (avoir envie de dormir) (être malade)
5. S'ils voulaient, ils _____.
   (avoir le temps de venir) (revenir demain) (voir leurs amis) (dire la vérité) (écrire des lettres) (réussir aux examens)

Exercice 7 Faites une réflexion (remark)! Pour chaque situation faites une réflexion *de votre choix* (choice) en employant «Si . . .».

EXEMPLE: Situation: Votre camarade vous dit: «Ah! Tu ne viens pas au cinéma avec nous!»
Réflexion: Si j'avais le temps, j'irais avec plaisir!

1. Votre père vous dit: «Tu vas faire une promenade avec moi et maman cet après-midi.»
2. Votre mère vous dit: «Il nous faut de la viande. Je me demande comment je vais en avoir. Je suis si occupée!»
3. Votre professeur vous dit: «Vous n'avez pas eu de bonne note cette semaine.»
4. Votre grand(e) ami(e) vous dit: «Nous irons au match ensemble samedi après-midi!»

E. The conditional of courtesy

> The *conditional* of certain verbs is often used instead of the present to *soften* a statement or a request.

vouloir
Présent: Je **veux** de l'argent.   I *want* some money.
Conditionnel: Je **voudrais** de l'argent.   I'*d like* some money.

pouvoir
Présent: **Pouvez**-vous me dire son nom?   *Can* you tell me . . . ?
Conditionnel: **Pourriez**-vous me dire son nom?   *Could* you tell me . . . ?

savoir
Présent: Je ne **sais** pas vous dire . . .   I *don't know* how to tell you . . .

Conditionnel: Je ne **saurais** pas vous dire . . .   I *wouldn't know* how to tell you . . .

Exercice 8   Redites les phrases au conditionnel. (Restate the sentences in the conditional to *soften* the impact.)

1. Paul *veut* partir tout de suite.
2. *Veux*-tu l'accompagner?
3. Yvonne *peut* aller avec lui.
4. Elle ne *sait* pas dire «Non».
5. *Savez*-vous toutes les réponses?
6. Je ne *sais* pas vous le dire.
7. Nous *pouvons* refuser son invitation.
8. *Voulez*-vous l'accepter?

F. Le pronom y

—Voilà vos amis! Vous les emmenez **au cinéma?**   Here are your friends! Are you taking them *to the movies?*

—Oui! Je **les y** emmène à l'instant.   Yes, I'm taking *them there* right now.

—**Y** a-t-il de bons films à la télé?   Are there *some good films* on TV?
—Non, il n'**y en** a pas ce soir.   No, *there* aren't *any* this evening.

> When a double object pronoun includes **y**, **y** goes *last* except for the pronoun **en**, which it precedes. (Remember: Il y en a.)

Révision
Place des pronoms objets (Questions et Affirmations)

me te se nous vous		le la les		lui leur		y		en
	before		before		before		before	

360

Exercice 9 Redites chaque phrase en remplaçant l'expression *en italique* par le pronom *y.*

EXEMPLE: On me trouve toujours *à la bibliothèque.*
  On m'y trouve toujours.

1. Il me trouvera *au café.*
2. Il te cherchera *en ville.*
3. Elle s'amusera *au match.*
4. On nous verra *au restaurant.*
5. Il vous rencontrera *au lycée.*

6. Je le mettrai *sur la table.*
7. Tu la chercheras *à l'école.*
8. On les trouvera *au magasin.*
9. On ne les verra pas *à la plage.*
10. Nous ne les rencontrerons pas *à la bibliothèque.*

Exercice 10 Redites chaque phrase en remplaçant l'expression *en italique* selon l'indication.

EXEMPLES

A. (en) Il y trouvera *des livres.*
  Il y **en** trouvera.

B. (y) Il en trouvera *à Paris.*
  Il y en trouvera.

A. (en)
1. J'y chercherai *des amis.*
2. Tu y trouveras *des cadeaux.*
3. Il leur enverra *des cartes.*
4. On lui envoie *des colis.*

B. (y)
5. J'en chercherai *à la plage.*
6. Tu en trouveras *à la boutique.*
7. Il en enverra *à la maison.*
8. Nous en envoyons *à Paris.*

G. Les idiotismes

1. **de jour en jour** (from day to day)
 de plus en plus (more and more)
 petit à petit (little by little)

Répondez en français:

1. Votre professeur devient-il plus intelligent de jour en jour?
2. Devient-il de plus en plus intéressant de jour en jour?
3. Devenez-vous de plus en plus intéressant(e)?
4. Etes-vous de plus en plus fatigué(e) le soir?
5. Apprenez-vous les verbes petit à petit?
6. Qu'est-ce que vous apprenez petit à petit?
7. Voici un proverbe français que vous pourrez facilement apprendre. Qu'est-ce qu'il veut dire?

  Petit à petit
  L'oiseau[1] fait son nid.[2]

8. Travaillez-vous dur de jour en jour pour apprendre de plus en plus?
9. Que veut dire le proverbe français: «Vouloir, c'est pouvoir»?

[1] bird [2] nest (In English: Rome was not built in a day!)

2. More nouns followed by **de** + infinitive

avoir envie de + infin.	(to feel like [doing something])
avoir le temps de + infin.	(to have the time to [do something])
au lieu de + infin.	(instead of [doing something])

1. Avez-vous envie de sortir le samedi?
2. Avez-vous le temps de sortir le lundi?
3. Avez-vous envie de sortir malgré votre travail?
4. Voulez-vous sortir au lieu de travailler?

Notez bien: The expression **au lieu de** (*instead of*) can also be followed directly by a noun. *Exemples:*

1. J'ai gagné dix francs au lieu de quinze francs hier.
2. Voudriez-vous ces disques-ci au lieu de ces disques-là?

3. empêcher quelqu'un de + infinitive (to prevent someone from [doing something])

—Pourquoi avez-vous toujours sommeil?	Why are you always sleepy?
—Parce que le bébé m'empêche de dormir!	Because the baby prevents me from sleeping!
—Qu'est-ce qui empêche le bébé de dormir?	What prevents the baby from sleeping?
—La télé!	Television!

Répondez en français:

1. Est-ce que le bébé vous empêche de travailler?
2. Qui vous empêche de travailler? de dormir? de danser?
3. Est-ce que le professeur empêche les élèves de s'amuser?
4. Est-ce que vous empêchez quelqu'un de se reposer? Qui?

4. un million de + noun = 1,000,000 (noun)

—J'ai **mille** dollars. Combien en avez-vous?	I have a *thousand* dollars. How much have you?
—J'ai **un million de** dollars!	I have a *million* dollars!

	mille	dollars
a	thousand	dollars

un	million	de	dollars
a	million		dollars

Notez bien: **Million** is a *noun*, and is followed by the preposition **de** before another noun.

mille francs	un million **de** francs
deux mille francs	deux millions **de** francs
quatre mille élèves	six millions **de** voitures

362

Mille does not have s in the plural. When you say a thousand (1,000) the indefinite article a is not expressed as it is in English.

Dites en français:

1. Here's a thousand dollars.
2. Have you five thousand dollars?
3. They have four million francs.
4. There are six million cars on the road (sur la route).

Exercice général   Ecrivez une lettre à votre correspondant(e) français(e) pour l'inviter à venir aux Etats-Unis l'été prochain. (Employez *tu*.)

1. Dites-lui que s'il (si elle) voulait venir aux Etats-Unis, il (elle) serait le bienvenu (la bienvenue) chez vous.
2. Demandez-lui:
   a. s'il a réussi ses examens l'année passée.
   b. s'il a envie de venir cet été.
   c. ce qui l'empêcherait de venir.
3. Dites-lui:
   a. comment les Américains le recevraient s'il venait.
   b. ce qu'il verrait dans les villes (*suggestions:* circulation, camions, édifices, etc.).
   c. à quels endroits il pourrait aller et ce qu'il pourrait faire dans votre village.
   d. ce qu'il découvrirait en traversant le pays (*suggestions:* montagnes, fleuves, grands lacs, grandes fermes, changements de climat, etc.).
   e. qu'il y aurait toujours quelque chose d'intéressant à voir.
   f. comment il pourrait voyager (*suggestions:* en avion, en autocar).
   g. ce qu'il ferait s'il voyageait dans un Boeing.
4. Dites-lui enfin:
   a. qu'il n'a qu'à dire «Oui».
   b. qu'il n'aurait rien à perdre.
   c. que vous attendez sa visite depuis deux ans.
   d. que vous espérez qu'il aura les moyens de faire le voyage.

NIGER: Une dame Touareg (peuple nomade) voyage avec son entourage.

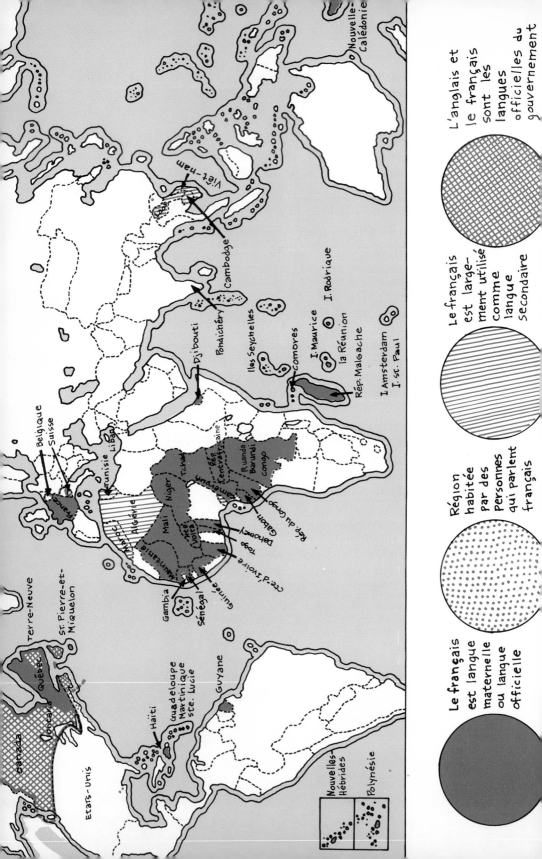

Viêt-nam

Cambodge

Pondichéry

Djibouti

Ilas Seychelles

Comores

I Maurice
la Réunion   I Rodrique

Rép. Malgache

I Amsterdam
I st. Paul

Belgique
Suisse

France

Tunisie   Liban

Maroc   Algérie

Mauritanie

Niger   Tchad

Mali

Rép.
Centrafricaine

Ruanda
Burundi

Congo

Guinée

Sénégal

Gambie

Côte-d'Ivoire

Haute-
Volta

Togo

Dahomey

Cameroun

Gabon   Rép. du Congo

Nouvelle-
Calédonie

Terre-Neuve

St. Pierre-et-
Miquelon

Louisiane

Québec

Canada

Etats-Unis

Haïti

Guadeloupe
Martinique
ste. Lucie

Guyane

Nouvelles-
Hébrides

Polynésie

Le français
est langue
maternelle
ou langue
officielle

Région
habitée
par des
Personnes
qui parlent
français

Le français
est large-
ment utilisé
comme
langue
Secondaire

L'anglais et
le français
sont les
langues
officielles du
gouvernement

La grande communauté d'expression française

Les pays indépendants Nous avons déjà appris que le français est la langue officielle ou une des langues officielles des pays indépendants suivants:

En Europe

5 la France	le Luxembourg
la Belgique	Monaco
la Suisse	

En Amérique

le Canada[3]	Haïti

10 En Afrique

le Cameroun	le Mali
la République	la Mauritanie
Centrafricaine	le Niger
le Congo (ex-fran.)	le Tchad
15 la Côte-d'Ivoire	le Sénégal
le Dahomey	le Togo
le Gabon	le Congo (ex-belge)
la Guinée	le Ruanda (ex-belge)
la Haute-Volta	le Burundi (ex-belge)
20 la République Malgache	
(Madagascar)	

Les nations où la langue française est une langue secondaire étaient autrefois des colonies, des *man-* mandates
dats, ou des *protectorats* de la France. Ces nations protectorates
25 sont:

En Afrique:	l'Algérie	la Tunisie
	le Maroc	
Au *Proche-*	le *Liban*	Near East ♀ Leb-
Orient:		anon
30 En Asie:	le Laos	le Nord-Viêt-nam
	le Cambodge	le Sud-Viêt-nam

Possessions françaises *outre-mer* Le français est overseas
la langue officielle dans les régions qui ont toujours des *liens* politiques avec la France. Les links, ties
35 régions suivantes *font partie de* la France: are part of

---

[3] Le français est la langue d'environ 33% de la population du Canada.

En Amérique

Saint-Pierre-et-Miquelon, un *archipel* situé au sud   archipelago
de *Terre-Neuve* au Canada. Français depuis 1536.   Newfoundland

La Martinique et la Guadeloupe, deux *îles* situées   islands
40 dans la Mer des *Caraïbes.* Françaises depuis 1635.   Caribbean

La Guyane française, située sur la *côte* nord de   coast
l'Amérique du Sud. (Autrefois site de la colonie
pénitentiaire «Ile *du Diable».*) Française depuis   Devil's
1610.

45   En Afrique et dans l'Océan Indien
Territoire des Afars et des Issas (capitale: Djibouti), situé dans l'est de l'Afrique, *le long du*   along
Golfe d'Aden, près de la Mer Rouge. Français
depuis 1896.

CÔTE-D'IVOIRE: Etudiants de la nouvelle université à Abidjan, la capitale.

50 **La Réunion,** une île située dans l'Océan Indien à l'est de la République Malgache (Madagascar). Française depuis 1642.

Les Iles Comores, un archipel situé dans l'Océan Indien au nord-ouest de la République Malgache.
55 Françaises depuis 1886.

Dans l'Océan Pacifique
La Polynésie française, composée de quatre archipels, dont l'île Tahiti est la plus importante. Tahiti est une île de l'archipel «*les Iles de la Société.*» Society Islands

60 **La Mélanésie française,** composée des Iles *Loyauté,* de la Nouvelle-Calédonie et des Nouvelles-Hébrides. Loyalty

On parle français dans beaucoup d'autres endroits aussi. Trouvez-les sur la carte à la page 364.

Questions

Faites coïncider (Match).

1. On parle français comme langue officielle dans un grand nombre de pays indépendants et dans les _____ françaises.
2. Un grand pays indépendant en Amérique du Nord où le français est une des deux langues officielles est _____.
3. Le français est une langue secondaire dans plusieurs pays en Asie et en Afrique. Ces pays étaient autrefois des mandats, des protectorats, ou des _____.
4. La Polynésie et la Mélanésie sont des possessions françaises situées dans l'Océan _____.
5. Saint-Pierre-et-Miquelon est un archipel français situé près du Canada dans l'Océan _____.
6. La Martinique et la Guadeloupe sont des îles françaises situées dans la _____.
7. La Guyane française est située dans _____.
8. Le français est la langue officielle de 18 pays de l'_____.
9. La Réunion et les Iles Comores sont des possessions françaises près de l'Afrique dans l'Océan _____.
10. Tahiti est une île splendide en _____.

a. colonies
b. Polynésie
c. Indien
d. Afrique
e. le Canada
f. l'Amérique du Sud
g. possessions
h. Pacifique
i. Mer des Caraïbes
j. Atlantique

Quel est son trait principal?

Vous pourrez facilement savoir ce que veulent dire les mots dans la liste ci-dessous! Remplacez la terminaison –té (français) par la terminaison –ty (anglais)! Voici quelques exemples:

la capacité	capacity	la liberté	liberty
l'électricité	electricity	la quantité	quantity

1. l'activité
2. l'amabilité
3. l'amitié
4. la cordialité
5. l'égalité
6. la férocité
7. la fraternité
8. la gravité
9. l'humilité
10. l'infériorité
11. la médiocrité
12. la partialité
13. la passivité
14. la qualité
15. la rapidité
16. la rigidité
17. la supériorité
18. la timidité

After your teacher has read the words to you and you have repeated them aloud, you can play the game *Quel est son trait principal?*

Divide the class into two teams. A member of Team A will mention the name of a person most everyone knows, a teacher, a classmate, the custodian, the neighborhood policeman, etc. He'll then call on a member of Team B to mention the principal characteristic (*le trait principal*) of the individual mentioned. Exemple: Team A says, "Mr. Wentworth (le directeur)". Team B answers, "la gravité". After five individuals have been mentioned by Team A, Team B gets the ball, and the game begins again.

MAURITANIE: Technologie moderne, costume traditionnel. Travailleur de l'Entreprise Miferma (française-italienne-allemande) et la grue (crane) pour le minerai de fer.

37

Leçon trente-sept

I CONVERSATION

A.

1 Qui est absent aujourd'hui?
   (Who . . . ?)
2 Qui est-ce qui était absent hier?
   (Who . . . ?)
3 Qui a fait ses devoirs?
4 Qui est-ce qui n'a pas fait ses
   devoirs?
5 Qui a découvert l'Amérique?   Christophe Colomb a découvert . . .
6 Qui est-ce qui a découvert le   Henry Hudson a découvert . . .
   fleuve Hudson?

Dialogue dirigé 1

1 Demandez-moi qui a découvert le   Qui a découvert . . . ? *ou*
   Canada.   Qui est-ce qui a découvert . . . ?
2 Demandez-moi qui a découvert le
   lac Champlain.

B.

1 Etes-vous allé(e) au match?   Oui, je suis allé(e) . . .
2 Qui avez-vous rencontré en ar-   J'ai rencontré . . .
   rivant?
   (Whom . . . ?)
3 Qui est-ce que vous avez rencontré?
   (Whom . . . ?)
4 Qui avez-vous vu au match?
5 Qui est-ce que vous avez vu après
   le match?

Dialogue dirigé 2

1 Demandez-moi qui j'ai rencontré   Qui avez-vous rencontré . . . ? *ou*
   au match.   Qui est-ce que vous avez . . . ?
2 Demandez à un camarade qui il a   Qui as-tu vu . . . ? *ou*
   vu au match.   Qui est-ce que tu as vu . . . ?

C.

1 A qui avez-vous parlé?   J'ai parlé à . . .
  (To whom . . . ?)
2 Avec qui étiez-vous assis(e)?   J'étais assis(e) avec . . .
3 Chez qui êtes-vous allé(e) après
  le match?

D.

1 Qu'est-ce qui fait du bruit?   Les avions (Les voitures, etc.) font
  (What . . . ?)   du bruit.
2 Qu'est-ce qui tombe souvent en   Les livres (Les cahiers, etc.) . . .
  classe?
3 Qu'est-ce que le professeur dit? . . . «Silence!»
  (What . . . ?)
4 Que dit-il ensuite?   . . . «Attention à la leçon!»
  (What . . . ?)
5 Que dites-vous?   Je dis, «Je m'excuse.»
6 Que faites-vous tout de suite?   Je fais attention.

Dialogue dirigé 3

1 Demandez-moi ce qui fait du   Qu'est-ce qui . . . ?
  bruit en ville.
2 Demandez à un camarade ce qui
  tombe en classe.
3 Demandez-moi ce que je dis.   Qu'est-ce que vous dites? *ou*
                                    Que dites-vous?
4 Demandez à une camarade ce
  qu'elle dit.

E.

1 Avec quoi écrivez-vous?   Nous écrivons avec . . .
  (With what . . . ?)
2 Sur quoi écrivez-vous?   J'écris sur . . .
  (On what . . . ?)
3 A quoi pensez-vous?   Je pense à . . .
  (Of what . . . ?)

Dialogue dirigé 4

1 Demandez à un camarade avec   Avec quoi . . . ?
  quoi il écrit.
2 Demandez-lui à quoi il pense.
3 Demandez-lui sur quoi il est
  assis.

370

Robert part pour le Canada

Personnages: M = Maman; R = Robert; P = Papa;
  C = Claire

Scène: Dimanche matin, dans la chambre de
  Robert.

5 M: Alors, tes bagages sont prêts, Robert?

R: Pas *tout à fait*, maman.   entirely

M: Il faut *peser* tes valises. On n'*a droit* qu'*à* vingt   weigh ♀ is allowed
kilos.   kilo = 2.2 lbs.

R: Je vais vérifier le *poids* de chacune dans un   weight

10 instant. Regarde, maman, j'ai de la *barbe*!   beard

M: En effet! Il te faudra un *rasoir*! Tu *grandis*!   razor ♀ are growing
    up ♀ shave

R: Avec quoi est-ce que je vais *me raser*?

M: Je demanderai un rasoir à ton père. . . . *Rap-*   Remember
pelle-toi, mon chéri, qu'il fait très froid en hiver

15 au Canada. Tu te couvriras bien, n'est-ce pas,
mon *chou* . . .?   pet (cabbage)

R: Oui, maman. Ne *t'inquiète* pas. J'achèterai tout   worry
ce qu'il me faudra en arrivant—des *bottes*, et . . .   boots

P: (Arrivant *tout à coup* dans la chambre) Alors,   suddenly

20 mon *vieux*! Tu *as* vraiment *de la chance*! Voilà   old man ♀ are lucky
l'adresse où tu vas *te loger*: Madame Bontemps,   live
7978 Sherbrooke Street Est. Elle est *veuve*, et   widow
elle a un fils de ton âge . . .

R: Oui, oui, je me rappelle le nom et l'adresse, et

25 que je *partagerai* la chambre avec lui, une cham-   will share
bre avec *lavabo* . . . .   sink (running water)

C: Robert, *laquelle* de ces valises veux-tu peser   which one
d'abord?

R: D'abord, celle-là, la beige; ensuite celle de

30 maman, la bleue; et finalement celle de papa, la
noire.

P: Tu iras à l'école avec son fils, René. Il te présentera à des camarades, et l'année prochaine,
René viendra en France pour *vivre* avec nous   to live

35 pendant un an. Mais, qu'est-ce qu'il y a? Tu
n'*as* pas *peur* de quitter ta famille, j'espère!   afraid

R: Je *ne* connais *personne* au Canada. Il *n'*y a   nobody
aucun membre de la famille à qui je pourrais   no
m'adresser si j'étais malade, par exemple!   call upon

40 P: Mais si! Tu connais bien Madame Dubois, la
fille de mon *patron* qui a épousé un Canadien — employer (boss)
il y a deux ans! Elle n'est pas de la famille, mais
elle s'occupera de toi!

R: *Tu le crois*, vraiment? — Do you believe so

45 P: Sans aucun doute. Et Madame Bontemps aussi!
Ce sont des *gens* de *confiance*! Quand tu connaî- — people ♀ respon-
tras mieux les Canadiens français, tu sauras que — sible
l'on peut toujours compter sur eux.

C: Canada est un nom d'origine indienne.

50 R: Qu'est-ce que tu dis, Claire?

● C: Le mot indien est vraiment «Kanata», avec un
ka, et signifiait «un *amas* de *cabanes*», ou un — group ♀ cabins
petit village. L'histoire du Canada est sensationnelle!

55 R: Je cherche la valise où j'ai mis mon complet
gris. S'il te plaît, papa, passe-moi cette valise-
là . . . celle qui est près de Claire.

C: Ce sont les Français qui *découvrirent* les — discovered
Grands Lacs entre les Etats-Unis et le Canada
60 . . . et le fleuve Mississippi.

R: Ah! Et comment le sais-tu?

C: O Canada, pays de contrastes! Pays de *rudes* — rugged
montagnes, de lacs et de rivières *innombrables*, — countless
pays de villes populeuses et de vastes plaines
65 *inhabitées* . . . — uninhabited

P: Mais, qu'est-ce qui *te prend*, Claire? Tu fais un — has come over you
discours? — speech

C: Non, papa! J'ai écrit un résumé de l'histoire du
Canada pour mon cours d'histoire, et j'ai tout
70 *appris par cœur*! Le professeur va le lire demain — memorized
devant la classe. Je voudrais vous le lire maintenant! Vous permettez, toi et Robert?

P: Si ton histoire n'est pas trop longue, oui!

C: (*Sortant* une feuille de papier de sa poche) La — Taking out
75 voilà! Ecoutez!

Premières *découvertes* et explorations — discoveries
En 1524, le *roi* de France, François Premier, — king
jaloux du succès des rois d'Espagne et d'Angle- — jealous
terre, *envoya* en Amérique le navigateur Jean de — sent
80 Verrazane. Verrazane *découvrit* la *côte* des Etats- — discovered ♀ coast
Unis *depuis* les Carolines jusqu'au Maine et — from
nomma ces terres *lointaines* «Francesca» en — named ♀ far-away
l'honneur du roi de France.

372

Il n'y eut aucune exploration *à la suite de* ces
85 découvertes. — There was no ♀ following

Dix ans plus tard, le roi *choisit* comme chef de — chose
l'expédition le capitaine Jacques Cartier, un na-
vigateur et *topographe* célèbre. Cartier *fit* trois — geographer ♀ made
voyages. En 1524, il découvrit le grand fleuve
90 auquel il *donna* le nom de Saint-Laurent; et *planta* — gave ♀ planted
sur la péninsule de la Gaspésie[1] une grande *croix* — cross
portant l'inscription VIVE LE *ROY* DE FRANCE. — Long live ♀ King

Cartier *remonta* le Saint-Laurent jusqu'au vil- — went back up
lage indien de Stadaconné (près de la ville *ac-* — present
95 *tuelle* de Québec) et celui d'Hochelaga, aujour-
d'hui la ville de Montréal.

Cartier *ramena* avec lui en France des Hurons — brought back
qui *aidèrent* les Français à apprendre la langue — helped
des *Peaux-Rouges* de la région. — redskins (Indians)
100 En 1603, Samuel de Champlain, qui *fut* le véri- — was
table *fondateur* et *colonisateur* du Canada fran- — founder ♀ colo-
çais, commença à *établir* des colonies de *pion-* — nizer ♀ establish
niers français du Canada. Avec ses compagnons, — ♀ pioneers
il explora les états de Maine et de New York. Ils
105 découvrirent aussi le lac Champlain et les Grands
Lacs Ontario et Huron. Plus tard, les *coureurs* — fur trappers ♀ hunt-
de bois, chassant les animaux pour des *fourrures,* — ing ♀ furs
explorèrent le lac Michigan et même l'état de
Wisconsin. Un des coureurs de bois épousa une
110 princesse indienne de la *tribu* Shoshone. Cette
princesse aida Lewis et Clark pendant qu'ils
cherchaient le chemin jusqu'à l'océan Pacifique ...
P: Très intéressant, Claire. Mais, ma chérie, nous
devons *nous presser.* Tu nous en liras le reste — = **nous dépêcher**
115 à l'aéroport.

[1] Voir la carte à la page 390.

DIALOGUE ORIGINAL

Modèle

On entend un grand bruit qui vient
de la rue.

—*Qu'est-ce qui* est arrivé?

—*Un accident entre deux voitures.*

Substitutions

On sonne chez vous un dimanche
après-midi. Votre père vous pose
des questions.

/ Qui est-ce qui /

/ Des camarades du lycée / *T.S.V.P.*

—*Qui est-ce qui* va appeler la police? / Qu'est-ce qu'ils / (Complétez au choix.) /

—*Personne*, probablement. / Rien /

—*Lequel de ces messieurs est* le chauffeur de la voiture blanche? / Laquelle de ces jeunes filles / (Complétez au choix.) /

—*Celui* qui a la barbe blonde. / Celle / (Complétez au choix.) /

—*Et ces gens-là*, que font-ils? / Et les autres / (Complétez au choix.) /

—Rien. Ce sont des spectateurs. / (Complétez au choix.) /

Vocabulaire actif

avoir peur to be afraid	**vivre** to live
avoir de la chance to be lucky	**croire** to believe
partager (I) to share	**se rappeler** (*elle*)[2] to remember
nommer (I) to name	**se presser** = **se dépêcher**
peser (*èse*)[2] to weigh	**se raser** to shave
le poids weight	**la barbe** beard
le kilo = **le kilogramme** (2.2 lbs.)	**le rasoir** razor
les gens *masc. and fem.* people	**ne . . . personne** nobody
quoi what	**ne . . . aucun, –e** not any, no
tout à fait entirely	**celui, celle** the one
tout à coup suddenly	**ceux, celles** *pro.* the ones (these, those)

[2] The letters in parentheses next to these verbs tell you how the verb changes in spelling in the present tense (except for the **nous** and **vous** forms), and in the future and conditional. See pages 162, 354, 385–86.

1.   Qu'est-ce qu'il faudra peser?
2.   A combien de kilos a-t-on droit?
3.   Robert a-t-il de la barbe?
4.   Qu'est-ce qu'il lui faudra pour se raser?
5.   Qui entre tout à coup dans la chambre?
6.   Qu'est-ce que Robert se rappelle?
7.   Avec qui partagera-t-il la chambre?
8.   Avec qui ira-t-il à l'école?
9.   Qui viendra en France pour vivre avec les Darmond?
10. Robert a-t-il peur de partir?
11. Connaît-il quelqu'un au Canada?
12. Madame Dubois s'occupera-t-elle de Robert? Robert le croit-il? Papa le croit-il?
13. Comment sont les Canadiens français?
●14. Que veut dire le nom *Canada*?
15. Qu'est-ce que Claire a écrit?
16. Quel roi envoya Verrazane en Amérique?
17. Qu'est-ce que Verrazane découvrit?
18. Combien de voyages Cartier fit-il?
19. Quel nom donna-t-il au grand fleuve qu'il découvrit?
20. Quelle ville se trouve aujourd'hui à l'emplacement (site) du village indien de Stadaconné? d'Hochelaga?
21. Qui Cartier ramena-t-il en France?
22. Qu'est-ce que les Hurons aidèrent les Français à faire?
23. Qui fut le véritable fondateur et colonisateur du Canada?
24. Quels états explora-t-il? Quels lacs découvrit-il?

Discussion

1.   Avez-vous peur de voyager? Auriez-vous peur à l'étranger? de vivre à l'étranger?

2.   Avez-vous fait un voyage en avion? Avez-vous pesé votre valise? Quel est le poids d'une valise? 20 livres (pounds)? 22 livres? Combien de livres y a-t-il dans un kilo?

3.   (Pour les garçons seulement) Avez-vous de la barbe? Oui? Vous vous rasez, n'est-ce pas? Non? Alors vous ne vous rasez pas! Avec quoi vous rasez-vous? avec un rasoir? un rasoir électrique?

4.   Avez-vous de la chance? Vos amis ont-ils de la chance? Faut-il avoir de la chance dans la vie?

5.   Est-ce que vous vous rappelez le vocabulaire tous les jours? Qui se rappelle un synonyme pour l'expression *de bonne heure*? pour l'expression *se presser*?

T.S.V.P.

6. Partagez-vous votre chambre avec votre sœur? avec votre frère? A midi, partagez-vous vos sandwichs avec vos amis? Partagent-ils leurs sandwichs avec vous?

7. Vos amis sont-ils tout à fait aimables? Vos professeurs sont-ils toujours sympathiques? De temps en temps disent-ils tout à coup, «Aujourd'hui vous allez passer un examen!»?

III STRUCTURES

A. Les pronoms interrogatifs

Interrogative pronouns *begin* a question! You already know most of them! Now you are going to discover that you sometimes have a choice!

1. Les personnes (Who?, Whom?)

    a. Subject of the verb (Choix!)

Qui arrivera à l'heure?	*Who* will arrive on time?
Qui est-ce qui arrivera à l'heure?	*Who* will arrive on time?

    b. Object of the verb (Choix!)

Qui verrez-vous au match?	*Whom* will you see at the game?
Qui est-ce que vous verrez au match?	*Whom* will you see at the game?

    c. After a preposition (Pas de choix!)

Avec qui vas-tu au cinéma?	With *whom* do you go to the movies?
Chez qui iras-tu?	To *whose* house will you go? (To the house of *whom* . . . ?)

2. Les choses (What?)

    a. Review: subject of the verb (Pas de choix!)

Qu'est-ce qui est arrivé?	*What* happened?
Qu'est-ce qui fait ce bruit?	*What's* making that noise?

    b. Object of the verb (Choix!)

Que dites-vous?	*What* are you saying?
Qu'est-ce que vous dites?	*What* are you saying?

    c. After a preposition (Pas de choix!)

De quoi avez-vous besoin?	*What* do you need? (Of *what* do you have need?)
De quoi se sert-on pour écrire?	*What* do we use for writing? (Of *what* do we make use?)

376

1. When *Who?* is subject, you can use *either* **Qui?** or **Qui est-ce qui?**
2. When *What?* is subject, you can use *only* **Qu'est-ce qui?**
3. Notice the form of the verb when *Whom?* or *What?* is *object*:

	est-ce que form	*inverted form*
(*Whom?*)	**Qui** est-ce que vous voyez?	**Qui** voyez-vous?
(*What?*)	**Qu'**est-ce que vous voyez?	**Que** voyez-vous?

Résumé des pronoms interrogatifs

	Subject of the verb	*Object of the verb*	*After a preposition*
Persons (Who? Whom?)	Qui? Qui est-ce qui?	Qui? Qui est-ce que?	qui?
Things (What?)	Qu'est-ce qui?	Que? Qu'est-ce que?	quoi?
Persons or things (Which one[s]?)	Lequel, etc.?	Lequel, etc.?	lequel, etc.? auquel, etc.? duquel, etc.?

Exercice 1   Complétez en employant le pronom interrogatif nécessaire.

A.   Personnes (Who? Whom?)
1. Avec _____ êtes-vous allé(e) au match?
2. _____ vous a invité(e) à la surprise-partie?
3. _____ avez-vous rencontré dans l'autobus?
4. _____ est venu avec des amis chez Carole?
5. _____ verront-ils demain?
6. _____ avait envie d'y aller?
7. _____ l'a empêché d'y aller?
8. Chez _____ travaille-t-elle?

B.   Choses (What?)
1. _____ on voit à la campagne?
2. _____ voit-on en ville?
3. _____ on achètera au magasin?
4. _____ coûte cher?
5. _____ dérange le professeur?
6. _____ l'empêche de parler?
7. Avec _____ écrivons-nous?
8. De _____ vous servez-vous?

C.   Personnes et choses
1. (Who) a sommeil en classe?
2. (What) l'empêche de dormir?
3. (What) on dit quand on a faim?
4. (What) dit-on quand on a soif?
5. Avec (whom) sortez-vous?
6. Avec (what) écrivez-vous?
7. A (what) pensez-vous?
8. A (whom) téléphonez-vous?
9. (Who) bavarde toujours?
10. (What) plaît à nos parents?

3. Révision

    a. **Lequel?** (Which one?)

—**Lequel** de ces garçons aime le français?   *Which one* of these boys likes French?

—**Lesquelles** de ces jeunes filles avez-vous vues?   *Which ones* of these girls did you see?

Lequel, etc. can be used as subject, object, or after a preposition!

    b. Contractions with **de** and **à**

Masculin		*Féminin*	
duquel	auquel	de laquelle	à laquelle
desquels	auxquels	desquelles	auxquelles

Exercice 2 Complétez la phrase en employant la forme appropriée du pronom *lequel*.

EXEMPLE: _____ (*sing.*) de ces livres voulez-vous voir?
            Lequel de ces livres voulez-vous voir?

1. _____ (*sing.*) de ces garçons a le caractère renfermé?
2. _____ (*pl.*) de ces jeunes filles sont toujours franches?
3. _____ (*pl.*) de ces élèves nous empêchent de travailler?
4. _____ (*à* + *sing.*) de ces enfants voulez-vous parler?
5. _____ (*de* + *pl.*) de ces stylos avez-vous besoin?
6. _____ (*à* + *pl.*) de ces dames avez-vous donné des fleurs?

B. Le passé simple

1. Emploi

The *passé* simple is a past tense used almost exclusively in written form. It tells a story or relates a series of actions completed entirely in the past without any reference at all to present time. The passé simple is rarely used in conversation.

Because the passé simple is used in narration, the most important forms to recognize are the third person singular (**il**) and plural (**ils**) forms.

Compare the use of the passé simple with that of the passé composé:

Passé simple	*Passé composé*
Cartier **fut** un grand explorateur.	Mon père *a été* soldat.
Il **alla** jusqu'à Montréal en 1534.	Il *est allé* en Europe en 1944.
Il **passa** l'hiver à Québec en 1535.	Il *a passé* deux ans en Italie.
Il **voyagea** aussi en Gaspésie.	Il *a voyagé* aussi en France.
Il **vit** les beautés de la nature.	Il *a vu* des châteaux et des palais.
Il **ramena** des Hurons en France.	Il *a rapporté* des souvenirs.
Cartier **naquit** (was born) à Saint-Malo.	Mon père *est né* (was born) à New York.
Il **mourut** (died) à Saint-Malo.	Il n'*est* pas *mort* . . . heureusement!

378

2. Formation

a. Les verbes des Trois Groupes (verbes «réguliers»)

	Groupe I	Groupe II	Groupe III
Infinitive:	aider	choisir	descendre
Base:	aid–	chois–	descend–
Passé simple:	j'aidai	je choisis	je descendis
	(I helped, etc.)	(I chose, etc.)	(I descended, etc.)
	tu aidas	tu choisis	tu descendis
	il aida	il choisit	il descendit
	ils aidèrent	ils choisirent	ils descendirent
	nous aidâmes	nous choisîmes	nous descendîmes
	vous aidâtes	vous choisîtes	vous descendîtes

---

1. To find the base, drop the ending –er, –ir, or –re of the infinitive.
2. The endings of the First Group are –ai, –as, –a, –èrent, –âmes, –âtes.
3. The endings of the Second and Third Groups are the same. They are –is, –is, –it, –irent, –îmes, –îtes.

Exercice 3 Donnez le passé simple de chacun des verbes en employant chacun des sujets indiqués.

EXEMPLES: (il) (elle) (on) trouver ⟶ il trouva, elle trouva, on trouva
(ils) (elles) rendre ⟶ ils rendirent, elles rendirent

1. (il) (elle) (on) parler, demeurer, nommer, finir, punir, rendre
2. (ils) (elles) toucher, arriver, nommer, choisir, réussir, vendre

Exercice 4 Complétez la phrase en employant la forme appropriée du passé simple du verbe entre parenthèses.

EXEMPLE: (arriver) Cartier _____ au Canada au mois de juillet.
Cartier **arriva** au Canada au mois de juillet.

1. (arriver) Les Français _____ en Amérique en 1534.
2. (quitter) Le roi ne _____ pas la France.
3. (apporter) Les Peaux-Rouges _____ des fourrures (furs) aux Européens.
4. (vendre) Les coureurs de bois (trappers) _____ des fourrures aux Européens.
5. (donner) Jacques Cartier _____ le nom de «Mont-Royal» à la montagne.
6. (nommer) Verrazane _____ la région «Francesca».
7. (aider) Les Hurons _____ les Français à apprendre beaucoup de mots indiens.

b. Les autres verbes (verbes «irréguliers»)

You must learn to recognize the *base* of the passé simple of each irregular verb. Here are some hints to help you:

Aller and **envoyer** follow the pattern of the First Group:

aller, to go	**envoyer,** to send
Base: *all–*	*envoy–*
il alla he went	il envoya he sent
ils allèrent they went	ils envoyèrent they sent

These common verbs have a base which must be learned:

être, to be	**dire,** to say, tell
Base: *fu–*	*di–*
il fut he was	il dit he said, told
ils furent they were	ils dirent they said, told
faire, to do, make	**ouvrir,**[3] to open
Base: *fi–*	*ouvri–*
il fit he did, made	il ouvrit he opened
ils firent they did, made	ils ouvrirent they opened
écrire, to write	**voir,** to see
Base: *écrivi–*	*vi–*
il écrivit he wrote	il vit he saw
ils écrivirent they wrote	ils virent they saw

venir,[4] to come
Base: *vin–*
il vint   he came
ils vinrent   they came

Exercice 5 Dites en anglais.

1. Champlain *fut* le fondateur du Canada français.
2. Il *alla* avec les pionniers jusqu'au lac Ontario.
3. Il *envoya* son aide-de-camp Brulé jusqu'au lac Huron.
4. Il *écrivit* ses mémoires en 1632.
5. Les coureurs de bois *furent* très courageux.
6. Ils *firent* des voyages jusqu'au Wisconsin.
7. Ils *virent* les Grands Lacs et les plaines.
8. Beaucoup de pionniers *vinrent* de France pour vivre au Canada.

[3] Like ouvir: **couvrir, découvrir** and **offrir.**
[4] Like venir: **devenir, revenir, tenir,** etc.

Many verbs use the *past participle* as the base. You will have no difficulty recognizing the forms of the **passé simple** of these verbs:

Infinitive	Past part.	3rd sing.	3rd pl.	English
avoir	eu	il eut	ils eurent	(had)
boire	bu	il but	ils burent	(drank)
connaître	connu	il connut	ils connurent	(knew)
devoir	dû[5]	il dut	ils durent	(had to)
falloir	fallu	il fallut	*no form*	(it was necessary)
lire	lu	il lut	ils lurent	(read)
pouvoir	pu	il put	ils purent	(were able)
recevoir	reçu	il reçut	ils reçurent	(received)
savoir	su	il sut	ils surent	(knew)
vouloir	voulu	il voulut	ils voulurent	(wanted)
partir	parti	il partit	ils partirent	(left)
servir	servi	il servit	ils servirent	(served)
sortir	sorti	il sortit	ils sortirent	(went out)
suivre	suivi	il suivit	ils suivirent	(followed)

Verbs which have past participles ending in –s, drop the –s to form the base:

	Past part.	Passé simple		
mettre	mis	il mit	ils mirent	(put)
prendre	pris	il prit	ils prirent	(took)
apprendre	appris	il apprit	ils apprirent	(learned)

Exercice 6 Dites en anglais.

1. Les premiers explorateurs *eurent* beaucoup de difficultés.
2. Ils *connurent* bien les Peaux-Rouges.
3. Ils *apprirent* un grand nombre de mots indiens.
4. Ils *voulurent* rester au Canada.
5. Ils *partirent* après un hiver très difficile en 1535.
6. Ils *suivirent* le fleuve Saint-Laurent.
7. Ils *apprirent* beaucoup sur la vie des Peaux-Rouges.
8. Ils *purent* faire plusieurs explorations.

C. *Celui*, the one; *Ceux*, the ones

1. **Celui de**

—Voulez-vous celui-ci ou celui-là? Do you want this one or that one?

—Je voudrais celui de maman. I want Mother's (the one of Mother).

—Choisirez-vous celles-ci ou celles-là? Will you choose these or those?

—Je choisirai celles de la dame. I'll choose the lady's (the ones or those of the lady). *T.S.V.P.*

[5] The accent on **dù** is dropped in the passé simple. The base is **du–**.

> To express possession, use **celui**, **celle**, **ceux** or **celles** + **de** and the name of the possessor. Notez bien: Be sure to omit **–ci** or **–là** when you use **de** after a form of **celui**!

Exercice 7 Complétez la réponse en remplaçant le mot *en italique* par la forme appropriée de *celui de*.

1. Voulez-vous *ce livre-ci*? Non, je préfère _____ mon frère.
2. Ont-ils peur de *mon chien*? Non, ils ont peur de _____ votre voisine.
3. Partagerez-vous *les sandwichs* (masc.) de vos amis? Non, nous partagerons _____ nos parents.
4. Pèsera-t-il *les valises* de sa fille? Non, il pèsera _____ son fils.
5. Se servira-t-il de *son rasoir*? Non, il se servira de _____ son père.
6. Vivront-ils près de *la maison* des Darmond? Non, ils vivront près de _____ leurs cousins.

2. Celui qui; celui que

—Mettrez-vous cette chemise-ci ou cette chemise-là?	Will you put on this shirt or that shirt?
—Je mettrai celle qui est dans ma chambre.	I'll put on the one which is in my room.
—Achèterez-vous ces gants-ci ou ces gants-là?	Will you buy these gloves or those gloves?
—J'achèterai ceux que vous préférez.	I'll buy the ones which you prefer.

> Use a form of **celui** before **qui** or **que** to mean *the one(s) who, whom* or *which*. Notez bien: Here, too, remember to omit **–ci** or **–là** when **qui** or **que** follows **celui**, etc.

Exercice 8 Complétez la réponse en remplaçant le mot *en italique* par la forme appropriée de *celui qui* ou *celui que*.

EXEMPLE: Quelles *matières* préférez-vous? _____ sont intéressantes!
Celles qui sont intéressantes!

1. Quel *disque* voulez-vous? Je voudrais _____ est sur la table.
2. Quelles *chaussures* mettrez-vous? Je mettrai _____ j'ai emportées!
3. A quels *cours* pensez-vous? Je pense à _____ j'ai choisis!
4. Quelle *chambre* partagerons-nous? Nous partagerons _____ se trouve au deuxième étage.
5. Quel *élève* réussira toujours? _____ travaille bien tous les jours!
6. Quels *garçons* ne se rasent jamais? _____ ont la barbe longue.
7. Quelle *valise* pèse dix kilos? _____ je porterai moi-même.
8. Quels *messieurs* partageront l'argent? _____ vous avez vus hier.

382

D. Les verbes *vivre* et *croire*

1. Vivre, to live

Infinitif	*Part. passé*	*Présent*	*Part. prés.*
vivre	vécu (avoir)	je vis	(en) vivant
	j'ai vécu, etc.	tu vis	
Futur		il vit	
je vivrai	*Passé simple*	ils vivent	*Imparfait*
tu vivras	je vécus		je vivais
il vivra	tu vécus	nous vivons	tu vivais
ils vivront	il vécut	vous vivez	il vivait
	ils vécurent		ils vivaient
nous vivrons			
vous vivrez	nous vécûmes		nous vivions
	vous vécûtes		vous viviez
Conditionnel			
je vivrais, etc.			

Vivre, *to live*, is regular except in the present tense, the past participle, and the passé simple.

Exercice 9 Remplacez le pronom *en italique* par chacun des sujets.

EXEMPLE: *On* vit selon ses moyens. (présent) (Je) (nous)
Je vis selon mes moyens; **Nous vivons** selon nos moyens.

A. *On* vit selon ses moyens. (prés.)
B. *Je* vivrai près de la plage. (fut.)
C. *Il* vivait avec des amis. (imp.)
D. *Il* a vécu deux ans à Rome. (p.c.)
E. *Elle* a dit qu'*elle* vivrait dans la banlieue. (cond.)

   1. Je ...   3. Il ...   5. Ils ...   7. Nous ...
   2. Tu ...   4. Elle ...   6. Elles ...   8. Vous ...

2. Croire, to believe

Infinitif	*Part. passé*	*Présent*	*Part. prés.*
croire	cru (avoir)	je crois	(en) croyant
	j'ai cru, etc.	tu crois	
Futur	*Passé simple*	il croit	
je croirai	je crus	ils croient	*Imparfait*
tu croiras	tu crus		je croyais
il croira	il crut	nous croyons	tu croyais
ils croiront	ils crurent	vous croyez	il croyait
			ils croyaient
nous croirons	nous crûmes		
vous croirez	vous crûtes		nous croyions
			vous croyiez
Conditionnel			
je croirais, etc.			

Croire, *to believe*, is regular except in the present tense (where it is like **voir**, *to see*), and in the past participle and passé simple.

Exercice 10 Redites la phrase en remplaçant le sujet *en italique* par chacun des sujets indiqués.

EXEMPLE: *Je* ne crois pas cette histoire. (présent) (Nous)
  Nous ne **croyons** pas cette histoire.

A. *Je* crois la vérité. (prés.)
B. *Il* ne croira pas tout le monde. (fut.)
C. *Nous* avons cru ce qu'il a dit (p.c.)
D. *On* ne croyait pas son histoire. (imp.)
E. Le croirais-*tu*? (cond.)

1.	Je . . .	3.	Il . . .	6.	Ils . . .	8.	Nous . . .
2.	Tu . . .	4.	Elle . . .	7.	Elles . . .	9.	Vous . . .
		5.	On . . .				

E.   *ne . . . personne; ne . . . aucun(e)*

1. Ne . . . personne nobody

Au présent

—Vois-tu quelqu'un à la plage?	Do you see anyone at the beach?
—Je ne vois personne à la plage.	I see nobody (I don't see anyone) at the beach.
—Personne n'est ici.	Nobody is here.

Au passé composé

—As-tu vu quelqu'un au musée?	Did you see someone at the museum?
—Je n'ai vu personne au musée.	I saw nobody at the museum.
—Personne n'est venu.	Nobody came.

Nobody is expressed by **ne** before the verb and **personne** after the verb (temps simples) or after the past participle (passé composé). **Personne** can also be used as the subject of a verb. **Ne** must precede the verb when **Personne** is used as the subject.

Used alone

—Qui avez-vous vu à l'école?	Whom did you see at school?
—Personne.	Nobody.

Personne can also stand alone, without a verb and without **ne**, as a one-word answer.

Exercice 11 Mettez les phrases à la forme négative en employant *ne . . . personne.*

EXEMPLES: Je vois quelqu'un. $\longrightarrow$ Je **ne** vois **personne**.
  J'ai vu quelqu'un. $\longrightarrow$ Je n'ai vu **personne**.

384

1. Tu vois quelqu'un?
2. Tu as vu quelqu'un au musée?
3. Elle aime quelqu'un.
4. Elle a aimé quelqu'un.
5. Vous connaissez quelqu'un ici?
6. Est-ce que quelqu'un reviendra?
7. Est-ce que quelqu'un est arrivé?
8. Est-ce que quelqu'un est parti?

Exercice 12 Répondez à la question en employant *ne . . . personne.*

EXEMPLE: Y a-t-il des gens chez vous? ⟶ Il n'y a **personne** chez moi.

1. Y a-t-il des gens au café?
2. Y avait-il quelqu'un à la gare?
3. Croyez-vous tout le monde?
4. Croyait-il les gens de la ville?
5. Dérangeons-nous ces gens-là?
6. Qui empêchait-il de travailler?
7. Qui était inquiet?
8. Y avait-il quelqu'un au match?

2. Ne . . . aucun(e) not any (at all)

—Je ne vois aucun cheval ici.
—Et moi, je ne vois aucune vache.
  Quel drôle de ferme!

I see no horse (at all) here.
And I see no cow (at all).
  What a strange farm!

To express *no* before a noun (*no* friend, *no* book, *no* country), use **ne** before the verb and **aucun(e)** before the noun. **Ne . . . aucun(e)** means *not any (at all)*. (We'll use it only before a singular noun.)

Exercice 13 Remplacez les mots *en italique* par *aucun(e)*.

EXEMPLE: Je n'ai *pas de* livre. ⟶ Je n'ai **aucun** livre.
  Je n'ai *pas* trouvé *de* livre. ⟶ Je n'ai trouvé **aucun** livre.

1. Je ne trouve *pas de* disque ici.
2. Elle ne veut *pas de* sandwich.
3. Il n'a *pas de* chance.
4. Vous n'entendez *pas de* voix.
5. On n'a *pas* cherché *de* rasoir.
6. Les élèves n'ont *pas* eu *d'*examen.

F. Un verbe qui change d'orthographe

appeler to call

Infinitif	*Part. passé*	*Présent*	*Part. prés.*
appeler	appelé (avoir)	j'appelle	(en) appelant
Futur	j'ai appelé, etc.	tu appelles	
j'appellerai		il appelle	*Imparfait*
tu appelleras	*Passé simple*	ils appellent	j'appelais
il appellera	il appela		tu appelais
ils appelleront	ils appelèrent	nous **appel**ons	il appelait
		vous appelez	ils appelaient
nous appellerons			
vous appelleront			nous appelions
Conditionnel			vous appeliez
j'appellerais, etc.			*T.S.V.P.*

385

> The verbs **appeler**, *to call*, and **rappeler**, *to call again, to remind*, have a double l in (1) the present tense (except the **nous** and **vous** forms), (2) throughout the future tense, and (3) throughout the conditional. (The double l occurs when the l is followed by a silent **e**.) Notez bien: The reflexive verb **s'appeler** means *to be called, to call oneself*: Je m'appelle . . . Comment vous appelez-vous?

Exercice 14 Redites la phrase en remplaçant le sujet *en italique* par chacun des sujets entre parenthèses.

EXEMPLE: *Mon cousin* me rappellera demain. (Mes amis) (On)
   Mes amis me **rappelleront** demain.
   On me **rappellera** demain.

1. *Mon frère* appelle ses amis au téléphone. (Je) (Tu) (Ils) (Vous)
2. *Je* rappellerai ce monsieur demain. (Tu) (Il) (On) (Nous)
3. Il a dit qu'*il* nous appellerait. (Elle) (Tu) (Vous)
4. *Ils* ont appelé le livre «Le Copain». (Il) (Nous) (On) (Vous)
5. *Je* m'appelle (Donald) Voorhies. (Tu) (Il) (Elles) (Nous) (Vous)

G.   Des locutions à retenir

1. **Se rappeler** (quelque chose)   to remember (something)

—Vous rappelez-vous son nom? | Do you remember his name?
—Non, je ne me rappelle pas son nom, malheureusement. Mais mon frère se rappelle son adresse. | No, I don't remember his name, unfortunately. But my brother remembers his address.

Exercice 15 Répondez en français.

1. Te rappelles-tu le nom de la rue?
2. Te rappelles-tu tous les mots du vocabulaire? (*Non,* . . .)
3. Ton nouvel ami se rappellera-t-il ton numéro de téléphone?
4. Votre professeur se rappelle-t-il le nom de chaque élève?
5. Nous rappelons-nous tous les verbes difficiles?
6. Est-ce que je me rappelle tous les verbes difficiles? (*Vous* . . .)

2. **Tout à fait**   entirely, completely

—Est-elle gentille? | Is she nice?
—Elle est tout à fait gentille. | She is completely nice.

Exercice 16 Redites la phrase en ajoutant (adding) l'expression *tout à fait* devant l'adjectif ou après le verbe *en italique*.

EXEMPLE: Elle est *charmante*. ⟶ Elle est **tout à fait** charmante.

1. Cette histoire est *vraie*.
2. Ce sont des études *nécessaires*.

3. Mes parents sont des gens *sympathiques*.
4. Cette robe me *va*.

3. Tout à coup   suddenly

—Est-il parti?   Has he left? (Did he leave?)
—Oui. Il est parti tout à coup.   Yes. He left suddenly.

—Tout à coup il est revenu.   Suddenly he returned.
—Il est vraiment drôle.   He's certainly odd.

> **Tout à coup** may be placed at the beginning of a clause or after the verb (temps simples) or after the past participle (temps composé).

Exercice 17   Redites la phrase en employant *tout à coup.*

EXEMPLE: Elle est arrivée. ⟶ Elle est arrivée **tout à coup.**
                              ⟶ **Tout à coup** elle est arrivée.

1. Mon père est sorti.   3. Le meeting a eu lieu.
2. Le professeur a crié «Silence!»   4. On a entendu un grand bruit.

4. Avoir peur (de)   to be afraid (of)

—Avez-vous peur de ce bruit?   Are you afraid of that noise?
—Oui, j'en ai peur.   Yes, I'm afraid *of it.*

—Avez-vous peur de quelqu'un?   Are you afraid of someone?
—Non. Je n'ai peur de personne.   No. I'm afraid of nobody.

—Avez-vous peur de quelque   Are you afraid of something?
chose?
—Non. Je n'ai peur de rien.   No. I'm afraid of nothing.

Exercice 18   Répondez dans une phrase complète.

1. Avez-vous peur des examens?   5. Votre petit frère a-t-il peur de
2. De quoi avez-vous peur?   papa?
3. Avez-vous peur du professeur?   6. A-t-il peur de quelque chose?
4. De qui avez-vous peur?   7. A-t-on peur d'une guerre (war)
                                           atomique?

Exercice général   Situation: Vous êtes arrivé(e) à Montréal pendant les vacances de Noël. Vous avez l'intention de faire du ski (go skiing). Vous posez des questions à un jeune Canadien et il vous répond. Ecrivez la conversation que vous avez avec le jeune Canadien en forme de dialogue.

Vous demandez . . .   *Il répond que . . .*
1. qui pourrait vous dire où vous   un employé d'une agence de voy-
   pourrez faire du ski.   ages vous le dira avec plaisir.
2. s'il se rappelle le nom d'une   il y en a beaucoup dans la région de
   station de ski (ski resort).   Sainte-Agathe.   *T.S.V.P.*

3. à qui vous devez parler pour prendre des leçons de ski.

dans les grandes stations de ski il y a toujours des moniteurs de ski (ski instructors).

4. qui pourrait vous vendre des skis.

vous trouverez des skis dans les grands magasins de la rue Sainte-Catherine.

5. ce qu'il faudra acheter comme vêtements.

des vêtements chauds pour le ski!

6. s'il voudrait vous accompagner.

il n'a pas le temps de faire du ski, parce qu'il travaille tous les jours.

IV NOTES SUR LA CIVILISATION FRANÇAISE

Le Canada français

Histoire Après les explorations de Samuel de Champlain et d'autres Français *intrépides*, les *pionniers* français continuèrent à *établir* des colonies où l'agriculture et le commerce des four-
5 rures furent les principales occupations.

    Les pionniers eurent de grandes difficultés. *Pourtant* ils montrèrent leur volonté et leur courage en *luttant* sans *trêve* contre les *rigueurs* du climat, contre les Iroquois, et plus tard contre les
10 Anglais. En 1759, sur les plaines d'Abraham à Québec, la France perdit enfin la *bataille* contre l'Angleterre. *A la suite de la défaite* française, la Nouvelle-France fut placée sous la domination britannique.
15   Les Canadiens français gardèrent *quand même* leur langue, leur religion et leurs institutions, *grâce au* «Quebec Act» de 1774 du Parlement Britannique. Cette loi garantit au peuple français du Canada toutes ces libertés. Voilà pourquoi le
20 Québec est toujours français!

fearless

pioneers ♀ establish

However

fighting ♀ truce ♀ severity

battle

Following the defeat

anyhow

thanks to the

388

Le peuple *La plupart* des Canadiens français   Most
habitent la Province de Québec, mais il y en a un
grand nombre dans d'autres régions du Canada,
surtout en Ontario, au Nouveau-Brunswick et au
25 Manitoba. Parce que les Canadiens français ont
conservé leur langue, leurs traditions et leurs
coutumes, ils ont une culture *particulière*. Dans la   customs & special
Province de Québec *de nos jours*, cette culture est   nowadays
dominante. Les Canadiens français ont leurs *pro-*   own
30 *pres* journaux, livres, *chaînes* de télévision . . .   networks
tout.

La Province de Québec Aujourd'hui la Province
de Québec est une des provinces les plus importantes du Canada. En voilà les raisons principales:

35   1. C'est la plus grande province par son *éten-*   area
     due.
  2. C'est la deuxième province du Canada par
     sa population:
     La Province d'Ontario — 7.000.000 d'habi-
40   tants
     La Province de Québec — 6.000.000 d'habi-
     tants, *dont* 5.000.000 sont Canadiens fran-   of whom
     çais.
  3. C'est une des provinces les plus riches du
45   Canada, par ses *ressources* minérales, fores-   resources

Scène de la Voie maritime (Seaway) du Saint-Laurent, Province de Québec.

tières, et agricoles. On trouve aussi dans
la province beaucoup d'*énergie hydraulique*   water power
à bon marché pour les grandes industries.
Quelques-uns des *produits* industriels de la   Some ♀ products
50   province sont *l'acier*, le papier, le bois, les   steel
métaux, le pétrole, et les textiles.   metals

La Belle Province   On appelle le Québec «la
belle province» pour deux bonnes raisons: (1) la
beauté naturelle (arbres, rivières, montagnes, lacs,
55   forêts, etc.) y est extraordinaire; (2) pour les Canadiens français c'est le *foyer* d'une culture à la-   home
quelle ils restent attachés.

Nous reparlerons du Canada dans la leçon
suivante.

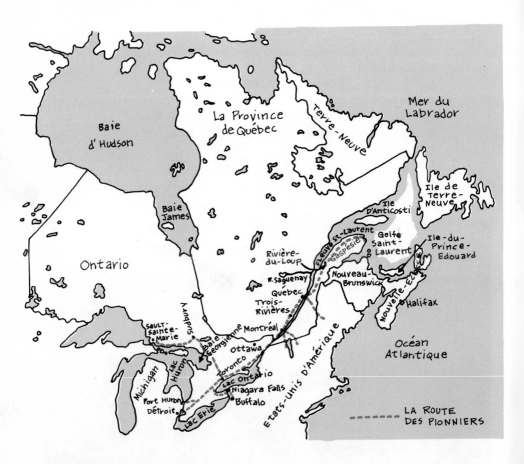

Questions

Toutes les affirmations suivantes sont fausses! Corrigez-les en français!

1. Les pionniers français établirent des colonies au Canada avec grande facilité.
2. Ils ne devaient pas lutter contre les Indiens, le climat ou les Anglais.
3. Ils gagnèrent la bataille de Québec en 1759.
4. Par le «Quebec Act» de 1774 ils perdirent leur langue, leur religion et leur culture.
5. Les Canadiens français de nos jours se trouvent seulement dans la Province de Québec.
6. Les Canadiens français n'ont pas le droit de faire ce qu'ils veulent; ils n'ont pas de journaux, d'écoles, d'églises, de chaînes de télévision. Ils n'ont rien.
7. La Province de Québec est petite par son étendue.
8. La Province de Québec est la troisième province du Canada par sa population.
9. Il y a très peu de richesses naturelles dans la Province de Québec.
10. *La Belle Province* n'est pas belle et elle n'a pas d'industries importantes.

V AMUSONS-NOUS!

Le français sans larmes!   (French without tears!)

Many nouns that end in **–eur** in French closely resemble English words that end in *–or* or *–er*. In French the suffix **–eur** (or, in the feminine, **–euse**) is like the English suffixes *–or* and *–er*, which often mean *one who* or *that which* does the action. Study the following:

> acteur   actor (one who acts)
> skieur   skier (one who skis)
> employeur   employer (one who employs)
> directeur   director (one who directs)

As your teacher reads the following words aloud, repeat them and think of what they mean:

agresseur	contrôleur	administrateur	libérateur
ambassadeur	cultivateur	annonceur	navigateur

Now the game can begin!

Each of the nouns in the list below is based on a verb you have learned in the **Vocabulaire actif.** You are going to give the definition of each word *in French*, saying **celui qui** (*the one who* or *he who*) or **celle qui** (*the one who* or *she who*) plus the action included in the word. Divide

391

the class into two teams. Each member of Team A in turn calls out a word from the list, and asks a member of Team B to give its definition. Follow the order in which the words are listed.

After ten words, Team B gets the ball and calls out the words!

EXEMPLE: *Team A*   *Team B*
          vendeur ⟶ celui qui vend
          vendeuse ⟶ celle qui vend

1. acheteur	8. fumeur	15. ouvreuse	22. travailleuse
2. chanteur	9. joueur	16. parleur	23. vendeur
3. chanteuse	10. joueuse	17. penseur	24. vendeuse
4. chercheur	11. laveur	18. porteur	25. voyageur
5. danseur	12. laveuse	19. serveur	26. voyageuse
6. danseuse	13. nageur	20. serveuse	27. découvreur
7. guérisseur	14. ouvreur	21. travailleur	28. amateur

Beau village en Gaspésie: scène typique de la «Belle Province».

38

Leçon trente-huit

(à livre ouvert)

A.

1 Voici un stylo noir. C'est mon stylo, n'est-ce pas?   Oui, c'est votre stylo.

2 C'est **le mien**, n'est-ce pas?   Oui, c'est **le vôtre**.
(It's *mine* . . . ?)   (Yes, it's *yours*.)

3 Voici une serviette. C'est ma serviette, n'est-ce pas?   Oui, c'est votre serviette.

4 C'est **la mienne**, n'est-ce pas?   Oui, c'est **la vôtre**.
(It's *mine* . . . ?)   (Yes, it's *yours*.)

5 Voici des crayons. Ce sont mes crayons, n'est-ce pas?   Oui, ce sont vos crayons.

6 Ce sont **les miens**, n'est-ce pas?   Oui, ce sont **les vôtres**.
(They are *mine* . . . ?)   (Yes, they're *yours*.)

7 Regardez mes lunettes.

8 Ce sont **les miennes**, n'est-ce pas?   Oui, ce sont **les vôtres**.
(They're *mine*, . . . ?)   (Yes, they're *yours*.)

B.

1 Est-ce que cet argent est le vôtre ou le mien?   C'est **le mien** (*mine*).

2 Est-ce que cette serviette est la vôtre ou la mienne?   C'est la mienne.

3 Est-ce que ces cahiers sont les vôtres ou les miens?   Ce sont les miens.

4 Est-ce que ces chaussures sont les vôtres ou les miennes?   Ce sont les miennes.

5 Est-ce que ces lunettes sont les miennes ou les vôtres?   Ce sont les . . .

6 Est-ce que cette montre est la vôtre ou la mienne?   C'est la . . .

7 Est-ce que ce sac est le mien ou le vôtre?   C'est le . . .

C.

1 Voici notre livre.
C'est **le nôtre**, n'est-ce pas?   Oui, c'est le nôtre.
(It's *ours*. . . . ?)

2 Voici notre carte de géographie.
Est-ce **la nôtre**?   Oui, c'est la nôtre.
(Is it *ours*?)

3 Voici nos examens. Est-ce que ce   Oui, ce sont les nôtres.
sont **les nôtres**?
(Are they *ours*?)

4 Voici nos cartes de géographie.   Oui, ce sont les nôtres.
Est-ce que ce sont les nôtres?

D.

1 Voici le pantalon de Geoges.
C'est son pantalon, n'est-ce pas?   Oui, c'est son pantalon.
C'est **le sien** (*his*), n'est-ce pas?   Oui, c'est le sien.

2 Voici le sac de Gisèle.
C'est son sac, n'est-ce pas?   Oui, c'est son sac.
C'est **le sien** (*hers*), n'est-ce pas? Oui, c'est le sien.

3 Voilà la chemise de David.
C'est sa chemise, n'est-ce pas?   Oui, c'est sa chemise.
Est-ce la sienne (*his*)?   Oui, c'est la sienne.

4 Voilà la robe de Gisèle.
C'est sa robe, n'est-ce pas?   Oui, c'est sa robe.
Est-ce la sienne (*hers*)?   Oui, c'est la sienne.

5 Voilà les vêtements de Jacques.
Ce sont **les siens** (*his*), n'est-ce   Oui, ce sont les siens.
pas?

6 Et voilà les vêtements d'Arlette.
Est-ce que ce sont **les siens**   Oui, ce sont les siens.
(*hers*)?

7 Voilà les chaussures de Michel.
Est-ce que ce sont **les siennes**   Oui, ce sont les siennes.
(*his*)?

8 Et voici les chaussures d'Arlette.
Est-ce que ce sont **les siennes**   Oui, ce sont les siennes.
(*hers*)?

E.

1 Voilà un pantalon. Est-ce le vôtre   C'est . . .
ou le sien?

2 Voilà une chemise. Est-ce la si-   C'est . . .
enne ou la vôtre?

3 Voici des livres. Est-ce que ce sont les siens ou les vôtres?   Ce sont . . .

4 Voilà des règles. Est-ce que ce sont les siennes ou les vôtres?

F.

1 Voici un pied. Est-ce le mien ou **le tien** (*yours,* fam.)?   C'est le tien (mien).

2 Voilà une main. Est-ce la mienne ou **la tienne** (*yours,* fam.)?   C'est la tienne (mienne).

3 Voici deux yeux. Est-ce que ces yeux sont les miens ou **les tiens** (*yours*)?   Ces yeux sont les tiens (miens).

4 Voici deux mains. Est-ce que ces mains sont les miennes ou **les tiennes** (*yours*)?   Ces mains sont les tiennes (les miennes).

G.

1 Voilà du travail. Est-ce mon travail ou leur travail?   C'est leur travail.

  C'est **le leur** (*theirs*), n'est-ce pas?   Oui, c'est le leur.

2 Voici de la monnaie. Est-ce ma monnaie ou leur monnaie?   C'est leur monnaie.

  C'est **la leur** (*theirs*), n'est-ce pas?   Oui, c'est la leur.

3 Voilà des bonbons. Est-ce que ce sont mes bonbons ou leurs bonbons?   Ce sont leurs bonbons.

  Ce sont **les leurs** (*theirs*), n'est-ce pas?   Oui, ce sont les leurs.

4 Voilà des clefs.

  Est-ce que ces clefs sont les miennes ou **les leurs** (*theirs*)?   Ces clefs sont les leurs.

II SCÈNE DE LA VIE FRANÇAISE

Robert écrit une lettre

Scène: Robert est à Montréal depuis dix jours. Il écrit une longue lettre à ses parents.

le 1ᵉʳ septembre, 19–

Très chers maman et papa:

5   *Ça fait* déjà dix jours que je suis à Montréal et je   = il y a
dois dire que je *m'y plais* énormément! Je *me porte*   I like it here ⚲
à merveille; malheureusement je suis toujours   = vais

395

si occupé que je *n'*ai *guère* le temps d'écrire — hardly
une lettre. Il va falloir que j'*apprenne* à *taper à la* — learn ♀ type
10 *machine* pour pouvoir vous *décrire* tout ce que je — describe
fais et tout ce que je vois dans ce beau pays.

René Bontemps, avec qui je partage la chambre,
m'a déjà fait voir la ville. Il m'a emmené *partout.* — everywhere
Ce matin, quand il a posé la question habituelle,
15 «Veux-tu aller *quelque part* aujourd'hui?» j'ai dû — somewhere
répondre, «Non, merci. *Nulle part.* Pas aujour- — nowhere
d'hui! Et toi?» Il a répondu *«Moi non plus!»* Nous — Neither do I!
sommes tous les deux *morts* de fatigue, et *n'*avons — dead
ni le désir *ni* le courage de *faire un tour de plus.* — neither ♀ nor ♀ / take another trip
20 D'ailleurs, René m'a emmené dans des endroits
qu'il *avait* déjà vus une *centaine de* fois! — had ♀ about 100 / = formidable

René est un garçon *épatant.* Si Claire le connaissait, elle dirait, «C'est un chic type, ce René!» Il
ressemble à son père qui *est mort* il y a cinq ans. — resembles ♀ died
25 Nous *nous accordons* parfaitement, René et moi. — get along
Chose curieuse: il n'y a déjà plus de «mien» ni de
«tien» entre nous! Quand il me prête quelque
chose, j'ai l'impression qu'il me le donne. Et moi,
quand je lui prête mes affaires, dans mon cœur je
30 *sens* que je les lui ai données. C'est le *genre* de — feel ♀ type
relation qu'on trouve *plutôt* entre frères *qu'*entre — rather, more so ♀ than
amis, n'est-ce pas?

Quant à sa mère, Madame Bontemps, elle fait — As for
tout pour moi, et *de si bon cœur.* Elle ne pourrait — willingly
35 pas faire *autrement, car* le dévouement et la sin- — otherwise ♀ = parce que ♀ sweet
cerité caractérisent sa nature. Elle est très *douce*
et en même temps si dynamique. Après *avoir*
nettoyé la maison, par exemple, elle commence à — cleaning
repasser mes chemises; après *être revenue* de — to iron ♀ returning
40 toutes ses *courses,* elle est prête à *ressortir* pour — errands ♀ go out again
me procurer un gâteau ou un fruit!

Les Bontemps sont des catholiques *pratiquants,* — practicing
comme le sont la plupart des Canadiens français.
Dimanche matin je *dormais paisiblement* dans — was sleeping ♀ peacefully
45 mon lit quand René m'a *brusquement* réveillé, en — abruptly
disant, «Lève-toi, mon vieux! C'est l'heure d'aller
à la *messe!»* Je me suis vite *brossé* les dents, je me — mass ♀ brushed
suis lavé la *figure* et les mains, et je me suis ha- — face
billé—tout en moins *de* cinq minutes! Ensuite je — than
50 me suis *précipité* dans la rue où René et sa mère — rushed
m'attendaient déjà! Je ne leur avais pas dit qu'en
France je vais assez rarement à la messe.

Nous demeurons dans ce qu'on appelle ici un «duplex», *c'est-à-dire* une maison pour deux

55 familles. Notre appartement occupe le *rez-de-chaussée*. *En bas*, il y a un *sous-sol*, où l'on met toutes sortes de choses. *En haut* il y a un autre appartement *pareil* au nôtre. Mais . . . chose curieuse encore . . . l'escalier qui *réunit* les deux

60 appartements se trouve à l'extérieur de la maison! Presque toutes les maisons du quartier sont *construites* de la même façon!

Au bout de notre rue se trouve un *arrêt* d'autobus! C'est bien *commode*, n'est-ce pas?

65 La ville de Montréal est une véritable merveille. Située dans une île *au milieu du* fleuve Saint-Laurent, et dominée par le Mont-Royal, c'est la plus grande ville du Canada, ayant une population de deux millions et demi d'habitants. Au sommet

70 du Mont-Royal se trouve une grande *croix*, visible *de jour* à cause de sa *hauteur* et illuminée *de nuit*.

Dans le centre de la ville, il y a des *gratte-ciel* de style américain, des immeubles de style anglais, et des magasins, des hôtels, des galeries d'art, et

75 des musées de tous les styles d'architecture. Mais ce qui m'a le plus impressionné c'est le *mélange* de deux cultures et de deux langues. *Tout* près d'un quartier qui s'appelle «Westmount» il y a un quartier qui s'appelle «Outremont»; un des grands

80 ponts s'appelle le «Pont Champlain», et le pont suivant s'appelle «Victoria Bridge»; une des rues principales s'appelle «Dorchester Boulevard», et la grande rue suivante s'appelle la «rue Sainte-Catherine». Et tous les *panneaux de signalisation*

85 sont en anglais et en français!

Oui, on *entend parler* anglais et français partout. Et ce peuple, si *honnête*, si *voué* à la liberté et à la *paix*, me *remplit* d'*espoir* pour l'*avenir* du monde. Aurons-nous une nation universelle dans

90 une époque pas trop *lointaine*?

A partir de mardi prochain, je ne *courrai* plus dans tous les *coins* de la ville, car c'est la *rentrée*.

Je *m'ennuie de* vous tous; autrement je *ne m'ennuie pas*. Embrassez bien Claire et Monique *de ma*

95 *part*, et pour vous deux, mille *baisers* affectueux.

Votre fils *dévoué*,
Robert

Marginal glosses:

that is to say
ground (1st) floor ≏ Downstairs ≏ basement ≏ Upstairs ≏ similar

joins

constructed

At the end of ≏ stop
convenient

in the middle of

cross
by day ≏ height ≏ by night
skyscrapers

mixture
= très

road signs

hear spoken
honest ≏ dedicated
peace ≏ fills ≏ hope ≏ future
far away
Beginning with ≏ will run ≏ corners ≏ opening of school ≏ miss ≏ am not bored
for me
kisses
devoted

397

DIALOGUE ORIGINAL

Modèle	Substitutions
—*Ça fait* une heure que *je t'attends en bas.* Où *étais-tu?*	/ Il y a / (au choix) / . . . / on vous attend / en haut / . . . / étiez-vous /
—Dans ma chambre. Après *avoir fini mes devoirs,* j'ai *écouté* quelques *disques.*	/ (au choix) / . . . / être rentré(e) / / regardé (lu) / / photos (revues) /
—*As-tu écouté* les *miens, ceux* que je *t'ai prêtés* hier?	/ Avez-vous vu (lu) / nôtres / celles / / . . . / on vous a données /
—Non, ni les *tiens* ni les *miens.* J'ai *écouté ceux* de Colette!	/ vôtres / . . . / miennes / / vu (lu) / . . . / celles /

Vocabulaire actif

ne . . . **guère** hardly, scarcely	**partout** everywhere
ne . . . **ni** . . . **ni** neither . . . nor	**quelque part** somewhere
Moi non plus! Neither do I!	ne . . . **nulle part** nowhere
Ça fait (time) . . . **que** It's been . . . since . . .	**plutôt** rather
	autrement otherwise

le rez-de-chaussée ground floor	**se brosser** (les dents) to brush (one's teeth)
en bas downstairs	**se porter** (bien) = aller (bien)
en*haut upstairs	

dormir to sleep	**nettoyer** (*oie*) to clean
courir to run	**s'ennuyer** (*uie*) to be bored or
sentir to feel, to smell	lonesome
faire un tour to take a little trip	**s'ennuyer de** (quelqu'un) to miss
	(someone)

la nuit night, at night	**la figure** face
la paix peace	**le coin** corner

pareil, –le similar, like	**honnête** honest
doux, douce sweet, mild	**commode** convenient
mort, –e died, dead	**le mien, le tien,** etc. mine, yours,
	etc.

Questions

1. Ça fait combien de jours que Robert est à Montréal?
2. Est-ce que Montréal lui plaît?
3. Comment Robert se porte-t-il?
4. Pourquoi n'a-t-il guère le temps d'écrire une lettre?
5. Qui lui a déjà fait voir la ville?
6. Est-ce qu'ils sont déjà allés partout?
7. Quand René a demandé, «Veux-tu aller quelque part aujourd'hui?», qu'est-ce que Robert a dû répondre?
8. Pourquoi n'a-t-il ni le désir ni le courage de faire un tour aujourd'hui?
9. Qu'est-ce que René avait vu (had seen) une centaine de fois?
10. Quand le père de René est-il mort?
11. Une relation sans «tien» ni «mien» existe plutôt entre frères qu'entre amis, n'est-ce pas?
12. Madame Bontemps fait tout pour Robert. Pourquoi ne pourrait-elle pas faire autrement?
13. Où Robert dormait-il quand René l'a réveillé?
14. Qu'est-ce qu'il a vite fait après s'être réveillé?
15. Est-ce que l'appartement des Bontemps se trouve au rez-de-chaussée ou en haut du «duplex»?
16. Qu'est-ce qu'il y a en bas?
17. Qu'est-ce que Robert dit au sujet de l'escalier?
18. Pourquoi l'arrêt d'autobus est-il commode?
19. La croix au sommet de Mont-Royal est-elle visible de nuit et de jour?

T.S.V.P.

399

20. Est-ce que les Canadiens sont honnêtes? Aiment-ils la liberté et la paix?

21. Est-ce que Robert courra dans tous les coins de Montréal après la rentrée?

22. Est-ce qu'il s'ennuie de sa famille? Est-ce qu'il s'ennuie autrement?

Discussion

1. Comment vous portez-vous aujourd'hui, bien ou mal? Est-ce que les membres de votre famille se portent bien?

2. Etes-vous très occupé pendant la journée? Avez-vous le temps d'écrire des lettres? Pourquoi n'avez-vous guère le temps de déjeuner? Est-ce que quelquefois vous n'avez ni le temps ni le désir de manger? Dormez-vous bien la nuit? Dormez-vous bien quand il fait du vent?

3. Avez-vous un(e) grand(e) ami(e)? Est-ce plutôt un frère (une sœur)?

4. Est-ce que vous vous brossez les dents tous les matins? Est-ce que vous vous lavez la figure aussi? Chez vous, où se trouve la salle de bains, en haut ou au rez-de-chaussée? Dans votre chambre y a-t-il un coin où vous faites vos devoirs? Votre chambre est-elle commode? Votre frère a-t-il une chambre pareille à la vôtre?

5. Quand vous êtes à l'étranger, faites-vous un tour de la ville ou de la région? Faites-vous constamment des excursions?

6. Parlons de votre maman. Est-elle douce et sincère? Est-elle honnête? Est-ce qu'elle veut bien tout faire pour vous? Pourrait-elle faire autrement?

7. Est-ce que tout le monde est honnête? Est-ce que tout le monde aime la paix et la liberté?

8. Allez-vous toujours quelque part le samedi? Le dimanche n'allez-vous nulle part? Allez-vous partout avec votre meilleur(e) ami(e)?

9. Est-ce que vos parents s'ennuient quelquefois? Quand s'ennuient-ils? Est-ce que vous vous ennuyez quelquefois? Quand?

André s'ennuie.

Il s'ennuie de Carole.

400

III STRUCTURES

A. Les pronoms possessifs

1. Formation

Object possessed	mine	yours (fam.)	his or hers
Masculine	le mien	le tien	le sien
	les miens	les tiens	les siens
Feminine	la mienne	la tienne	la sienne
	les miennes	les tiennes	les siennes

	ours	yours	theirs
Masculine	le nôtre	le vôtre	le leur
	les nôtres	les vôtres	les leurs
Feminine	la nôtre	la vôtre	la leur
	les nôtres	les vôtres	les leurs

2. Emploi

—Ces poupées (dolls) sont les vôtres, n'est-ce pas? — Those dolls are yours, aren't they?

—Celle qui chante est **la mienne**, mais celle qui danse est **la sienne**. — The one that sings is *mine*, but the one that dances is *hers*.

Notez bien: The possessive pronoun has the same number and gender as the noun it replaces. It is most frequently used to denote distinction of ownership.

Exercice 1 Répondez à la question en employant la forme appropriée du pronom possessif.

1. A qui sont ces rasoirs?
   (mine) Celui-ci est _____; (his) celui-là est _____.
2. Je vais remettre ces sacs de couchage (*masc.*) en place.
   (mine) Rangez _____; (hers) ne rangez pas _____, s'il vous plaît.
3. «Donnez-moi ces bijoux (*masc.*)», a dit le gangster.
   (mine) «Prenez _____; (theirs) mais ne prenez pas _____», a répondu la dame courageuse.
   (yours, pl.) «Quels sont _____?» a demandé le gangster.
4. Qui est-ce qui a laissé ces écharpes?
   (mine) Cette écharpe-là est _____; (hers) mais celles-ci sont _____.
5. Ces ceintures sont à vous, n'est-ce pas?
   (ours) Non. Celles-ci sont _____; (his) mais celle-là est _____.

3. Contractions

à + le = **au**	à + les = **aux**	de + le = **du**	de + les = **des**
au mien	aux miens	du mien	des miens
au tien	aux tiens	du tien	des tiens
au sien	aux siens	du sien	des siens
etc.	etc.	etc.	etc.

> The prepositions **à** and **de** combine with **le** and **les**, as usual. Par exemple: au nôtre; du nôtre; aux vôtres, des vôtres; au leur, des leurs.

—A quoi pensez-vous, tous les deux?
What are you both thinking of?

—Moi, je pense à mes examens, et Bob pense **aux siens**.
I'm thinking of my exams, and Bob is thinking *of his.*

—De quels amis parlez-vous?
What friends are you talking about?

—Moi, je parle de mes amis, et mes parents parlent **des leurs**.
I'm talking about my friends, and my parents are talking *of theirs.*

Exercice 2 Complétez la réponse en employant le pronom possessif nécessaire. Faites les changements nécessaires.

EXEMPLES: Desquels de ces voyages parlerez-vous?
(Mine) Moi, je parlerai **des miens**; (his) Jean parlera **des siens.**

1. Desquels de ces peignes avez-vous besoin?
   a. (mine, *sing.*) Moi, j'ai besoin de _____.
   b. (hers, *sing.*) Carole a besoin de _____.
2. Auxquels de ces professeurs parlerez-vous?
   a. (ours, *sing.*) Nous parlerons à _____.
   b. (theirs, *sing.*) Mes camarades parleront à _____.
3. Desquelles de ces valises nous servirons-nous?
   a. (yours, *pl.*) Nous nous servirons de _____.
   b. (his, *pl.*) Vous vous servirez de _____.

4. L'expression «of mine, etc.»

—Voilà un de mes amis!
There's a friend of mine (one of my friends)!

—Ah! Il a un de mes disques!
Ah! He has one of my records (a record of mine)!

—C'est un de vos professeurs?
Is he a teacher of yours?

—Non, un de nos voisins.
No, a neighbor of ours.

The expression *of mine, of yours, of his,* etc. is not rendered in French by a possessive pronoun. One must use the expression *one of my* _____, instead.

402

Exercice 3 Traduisez en français selon l'exemple donné.

A. Here's a cousin (*masc.*) of mine. B. She's a friend of mine.
Voilà un de mes cousins. C'est une de mes amies.

1. Here's a cousin of yours (*fam.*) 1. She's a friend of yours.
2. Here's a cousin of his. 2. She's a friend of hers.
3. Here's a cousin of ours. 3. She's a friend of theirs.

B. *Après* + the past infinitive

Après	avoir parlé,	elle est partie.		Après	être entrée,	elle a chanté.
After	speaking,	she left.		After	entering,	she sang.

> The preposition **après** is followed by the *past infinitive*, that is, by the auxiliary **avoir** or **être** plus the past participle. Notez bien: With verbs that take **être** as the auxiliary, the past participle must agree with the person referred to.

Exercice 4 Complétez la phrase en employant *après avoir* ou *après être* + le participe passé du verbe entre parenthèses.

EXEMPLE:
(faire ses devoirs) Après _____, il s'est couché.
Après **avoir fait ses devoirs**, il s'est couché.

1. (frapper) Après _____ à la porte, il est entré.
2. (descendre) Après _____, elles ont parlé de nous.
3. (remercier) Après _____ leurs parents, ils sont partis.
4. (réussir) Après _____ son examen, il était de bonne humeur.
5. (arriver) Après _____ au Canada, ils ont fait un tour.
6. (aller) Après _____ jusqu'au coin, elle a attendu l'autobus.

C. La négation

1. Ne . . . nulle part nowhere

—Vont-ils **partout** avec vous? Do they go *everywhere* with you?
—Ils ne vont **nulle part** avec nous. They go *nowhere* with us.

—Etes-vous allé **quelque part**? Did you go *someplace*?
—Je ne suis allé **nulle part**. I went *no place*.

> Remember to use **ne** before the verb, and **nulle part** after the verb. Notez bien: **nulle part** means *no place, nowhere*.

Exercice 5 Répondez négativement en employant *ne . . . nulle part.*

EXEMPLE: A-t-il voulu aller quelque part?
Non, il n'a voulu aller **nulle part**.

1. Iront-ils partout?
2. Voulait-il aller quelque part?
3. Etes-vous allé partout?
4. Se sont-ils promenés partout?

2. Ne . . . ni . . . ni neither . . . nor

—A-t-il des parents?
Has he any parents?

—Non. Il n'a **ni** mère ni père.
No. He has *neither* mother *nor* father.

—Avez-vous vu la croix et le fleuve?
Did you see the cross and the river?

—Non, je n'ai vu **ni** la croix **ni** le fleuve.
No, I saw *neither* the cross *nor* the river.

> Remember to place **ne** before the verb when you use **ni** . . . **ni**. Notez bien: **ni** is placed after the past participle in the compound tenses when **ni** comes before a noun object. Il n'a vu **ni** ses professeurs **ni** ses amis.

Exercice 6 Répondez négativement en employant *ne . . . ni . . . ni.*

EXEMPLE: Cherchez-vous le peigne et la brosse à dents?
Non, je **ne** cherche **ni** le peigne **ni** la brosse à dents.

1. Cherchez-vous les bagages et les passeports?
2. Avez-vous vu les gens et les belles routes de la province?
3. Dansons-nous le «jerk» et le «fox» en classe?
4. Est-elle honnête et douce?

3. Moi non plus! Neither do I!

Je n'étudie pas assez!	I don't study enough!
Toi non plus!	Neither do *you* (fam.)!
Lui non plus!	Neither does *he*!
Elle non plus!	Neither does *she*!
Nous non plus!	Neither do *we*!
Vous non plus!	Neither do *you*!
Eux non plus!	Neither do *they* (masc.)!
Elles non plus!	Neither do *they* (fem.)!

> The expression . . . **non plus**! starts with a stress pronoun.

4. Ne . . . guère hardly, seldom, scarcely

—Regardez-vous souvent la télé?
Do you often look at TV?

—Je **ne** regarde **guère** la télé!
I *scarcely* look at TV!

—Etes-vous souvent sorti le soir?
Did you often go out at night?

—Je **ne** suis **guère** sorti le soir.
I *seldom* went out at night.

404

Notez bien: **Ne . . . guère** takes the same position in the sentence as **ne . . . pas** or **ne . . . plus**. **Ne** precedes the verb and **guère** follows the verb (temps simples) or the auxiliary (temps composés).

Exercice 7 Redites la phrase en employant *ne . . . guère*. (Remplacez le mot *pas* par le mot *guère*.)

EXEMPLE: Il *n'*a *pas* lu de journaux.
              Il **n'a guère** lu de journaux.

1. Nous n'avons pas le temps d'écrire.
2. Nous ne nous servons pas d'un rasoir.
3. On ne se couche pas avant minuit.
4. Nous n'avons pas eu le temps de manger.
5. Il ne s'est pas réveillé avant neuf heures.
6. Il n'est pas honnête.
7. Elle n'est pas douce de caractère.
8. Ce train n'est pas commode.
9. Ces pays ne sont pas pareils.
10. Elle ne peut pas faire autrement.

D. **Les verbes qui changent d'orthographe**

        y ⟶ i: **nettoyer**   to clean
                s'ennuyer   to be bored

Verbs ending in **–oyer** and **–uyer** act like verbs ending in **–ayer**. (Par exemple: **payer, essayer**.) The **y** of the base changes to **i** in (1) the *present* tense (except in the **nous** and **vous** forms) and (2) all forms of the *future* and *conditional*.

    In all other respects, they act like verbs of the First Group.

nettoyer   to clean

Au présent: je nettoie	tu nettoies	il nettoie
nous nettoyons	vous nettoyez	ils nettoient
Au futur: je nettoierai	tu nettoieras	il nettoiera
nous _____	vous _____	ils _____
Au cond.: je nettoierais	tu nettoierais	il nettoierait
nous _____	vous _____	ils _____

s'ennuyer   to be bored

Au présent: je m'ennuie	tu t'ennuies	il s'ennuie
nous nous ennuyons	vous vous ennuyez	ils s'ennuient
Au futur: je m'ennuierai	tu t'ennuieras	il s'ennuiera
nous nous _____	vous vous _____	ils s'_____
Au cond.: je m'ennuierais	tu t'ennuierais	il s'ennuierait
nous nous _____	vous vous _____	ils s'_____

Exercice 8 Répondez à chaque question en employant tous les sujets entre parenthèses.

EXEMPLE: Qui nettoie la maison? (Maman) (Moi, je)
Maman nettoie la maison.
Moi, je nettoie la maison.

1. Qui nettoie la maison? (Toi, tu) (Nous) (Vous) (Mes sœurs)
2. Qui nettoiera le jardin? (Mon père) (Mes frères) (Nous)
3. Qui s'ennuie le dimanche? (Moi, je) (Mes parents) (Vous)
4. Qui s'ennuierait sans moi? (Ma mère) (Le prof) (Personne)

E. Les adverbes

Masculine adjective	Adverb	
constant	constamment	(constantly)
courant (current, fluent)	couramment	(currently, fluently)
évident	évidemment	(evidently)
intelligent	intelligemment	(intelligently)

> If an adjective ends in **–ant** or **–ent** in the masculine singular, the adverb is usually formed by changing the ending **–nt** to **–mment**.

Exercice 9 Complétez la phrase en employant l'adverbe formé sur l'adjectif *en italique*.

1. Il est *intelligent*.   Il parlera _____.
2. Cela est *évident*.   Tout est vrai, _____.
3. C'est du français *courant*.   Nous voulons parler français _____.
4. C'est un bruit *constant*.   Je l'entends _____.

F. Les verbes «irréguliers» *sentir*, *dormir* et *courir*

1. Dormir to sleep; and **sentir** to feel, to smell

The verbs **dormir** and **sentir** are like the verb **servir**. They are *irregular* in the present tense. They have past participles like verbs of the Second Group.

Au présent
dormir to sleep

Sing. base:	dor–	je dors	tu dors	il dort
Pl. base:	dorm–	nous dormons	vous dormez	ils dorment

Au présent
sentir to feel, to smell

Sing. base:	sen–	je sens	tu sens	sent
Pl. base:	sent–	nous sentons	vous sentez	ils sentent

A l'imparfait

dormir: je dormais, tu dormais, il _____, nous _____, etc.

sentir: je sentais, tu sentais, il _____, nous _____, etc.

406

Au passé composé

Part. passé: **dormi**   j'ai dormi, tu _____ , il _____ , etc.
Part. passé: **senti**   j'ai senti,   tu _____ , il _____ , etc.

Exercice 10   Remplacez le sujet *en italique* par chacun des sujets entre parenthèses.

1. Ça fait deux ans qu'*il* dort dans cette chambre. (tu) (je) (vous) (nous) (ils)
2. Ça fait trois heures que *je* sens cette odeur. (tu) (Jacques) (nous) (vous)
(les enfants)
3. *Je* ne dormais bien nulle part en voyage. (Mon père) (Mes amis) (Nous)
4. *Il* ne sentait jamais ma présence. (Tu) (Vous) (Les professeurs)
5. *Tu* n'as guère dormi pendant la nuit? (Il) (Ils) (Nous) (Vous)
6. *Il* n'a guère senti mon parfum. (Elle) (Tu) (Vous)

2.   Courir   to run

Courir is *irregular* in the present, the future and the conditional.

Présent:		
je cours	tu cours	il court

Base: cour–   nous courons   vous courez   ils courent

   In the future and conditional there are two r's:

Futur: je courrai   tu courras   il courra
Base: courr–   nous courrons   vous courrez   ils courront

Conditionnel: je courrais   tu courrais   il courrait
              nous courrions   vous courriez   ils courraient

   The participe passé ends in –u: **couru**:
Passé composé: j'ai couru, tu as couru, il a couru, etc.

Exercice 11   Remplacez le sujet *en italique* par chacun des sujets entre parenthèses.

1. *Je* cours jusqu'au coin de la rue. (Tu) (Les garçons) (Nous)
2. *Tu* courras dans tous les coins de la ville. (Je) (Il) (Vous) (Ils)
3. *Nous* avons couru partout. (Vous) (Je) (Jacques)

G.   The reflexive pronoun as indirect object

—Je me suis lavé la figure.   I washed my face.
—Et moi, je me suis brossé les   And I brushed my teeth.
     dents.

A reflexive pronoun can often be an *indirect object* as well as a *direct object*. Compare the following:

herself — direct object	*herself — indirect object*
S'est-elle lavée?	Elle s'est lavé les mains.
(Did she wash *herself*?)	(She washed the hands *for herself.*)

Notez bien: When the reflexive pronoun is an indirect object, the past participle does *not* agree.

Exercice 12 Mettez au passé composé.

EXEMPLE: Elle se brosse les dents. ⟶ Elle s'est brossé les dents.

1. Elle se lave la figure.
2. Nous nous lavons les mains.
3. Ils se rasent la barbe.

4. Elles se brossent les cheveux.
5. Vous (*fem.*) vous brossez les dents?

H. Le plus-que-parfait (For recognition)

1. Emploi

—Il **avait fini** son travail quand il est parti, n'est-ce pas?

—Oui, et il **était** déjà **parti** quand son ami a téléphoné.

He *had finished* his work when he left, hadn't he?

Yes, and *he had* already *left* when his friend phoned.

> The **plus-que-parfait** is the tense used to express an action which hap-
> pened *before* another past action happened: He *had* finished his work
> *before* he left; He *had* left *before* his friend phoned.

2. Formation

Le verbe auxiliaire — avoir
(I had finished, etc.)

j'avais fini
tu avais fini
il avait fini

nous avions fini
vous aviez fini
ils avaient fini

Le verbe auxiliare — être
(I had left, etc.)

j'étais parti(e)
tu étais parti(e)
il était parti
elle était partie

nous étions partis(es)
vous étiez parti(e) (s)
ils étaient partis
elles étaient parties

> The plus-que-parfait is composed of the auxiliary **avoir** or **être** in the
> *imperfect tense* plus the past participle of any verb. It is like the English
> past perfect: *had* + the past participle. Example: He had spoken.

Exercice 13 Mettez les phrases suivantes au plus-que-parfait.

EXEMPLES: Elle a bien parlé. ⟶ Elle **avait** bien parlé.
Elle est vite sortie. ⟶ Elle **était** vite sortie.

1. J'ai obéi à la loi.
2. Tu as bien choisi.
3. Il a attaché la ceinture.
4. Nous avons gardé l'argent.
5. Vous avez bien dormi.
6. Ils ont couru chez vous.

7. Je suis partie après vous.
8. Tu es entré chez lui.
9. Elle est venue chez moi.
10. Nous sommes allés chez eux.
11. Vous êtes sorti sans moi.
12. Elles sont restées chez elles.

408

I. Des locutions à retenir

1. mort dead

Il est mort. He is dead.	Elle est morte. She is dead.
Il est mort. He died.	Elle est morte. She died.

Mort, –e is the past participle of the verb **mourir** whose auxiliary verb is **être**. *He is dead* and *He died* are the same in both idea and in expression.

Exercice 14 Dites que chacun des personnages suivants n'existe plus.

EXEMPLE: Le roi _____ .   The king _____ .
         Le roi **est mort.**   The kind is dead (died).

1. Le président Kennedy _____ .
2. La liberté à Cuba _____ .
3. La paix n' _____ pas _____ .
4. Les soldats (soldiers) _____ .
5. Un ami de mon père _____ .
6. Les dames _____ .

2. S'ennuyer to be bored, to be lonesome
s'ennuyer de quelqu'un to be lonesome for or to miss someone

—Je m'ennuie terriblement.	I'm terribly bored (or lonesome).
—Vous vous ennuyez de votre fiancé, sans doute.	You miss your fiancé, no doubt.

When **de** + person is added to the verb **s'ennuyer** (*to be bored or lonesome*), it means *to miss someone*.

Exercice 15 Répondez à la question en remplaçant l'expression *en italique* par l'expression entre parenthèses.

EXEMPLE: Tu t'ennuies *ici*? (de mes parents)   Are you bored here?
         Je m'ennuie **de mes parents.**   I miss my parents.

1. Tu t'ennuies *à la campagne*?   (de toi)
2. S'ennuiera-t-il *au Canada*?   (de sa famille)
3. Vous vous ennuyez *chez nous*?   (de mes anciens amis)
4. Ils s'ennuient *beaucoup*.   (de leurs parents)
5. Nous nous ennuyons *ici*.   (de vous)

Exercice général Votre voisin est en voyage. Il veut vendre sa maison. Avant de partir, il vous a donné les clefs de la maison et il vous a demandé de montrer sa maison aux clients. Vous lui écrivez une lettre en français en répondant aux questions suivantes:

1. Leur ferez-vous voir le rez-de-chaussée?
2. Iront-ils en bas et en haut pour voir toutes les pièces?
3. Leur montrerez-vous la voiture et le poste de television? (Répondez en employant *Non, je ne . . . ni . . . ni . . .*)
4. Leur direz-vous:
   a. qu'ils dormiront bien en haut? (*Oui . . .*)
   b. qu'ils sentiront les fleurs du jardin? (*Oui . . .*)

T.S.V.P.

409

c. qu'ils ne s'ennuieront pas dans le quartier? (*Oui . . .*)

d. que les salles de bains sont très commodes? (*Oui . . .*)

e. que la maison est moins jolie que la vôtre? (*Non . . .*)

f. que la cuisine est plutôt petite? (*Non . . .*)

g. qu'on ne peut guère ouvrir les fenêtres? (*Non . . .*)

h. qu'il n'y a nulle part une maison pareille à meilleur marché? (*Oui . . .*)

5. Après leur avoir montré la maison, irez-vous quelque part avec les clients? (*Non, je ne . . . nulle part.*)

IV NOTES SUR LA CIVILISATION FRANÇAISE

Le Canada

Par son *étendue*, le Canada est le deuxième pays du monde. C'est le plus grand pays de l'Amérique du Nord et il occupe plus de *la moitié* de ce continent. Sa population est de 20.000.000 d'habitants, 5 dont *environ* 33 pour cent est francophone!

area

half

approximately

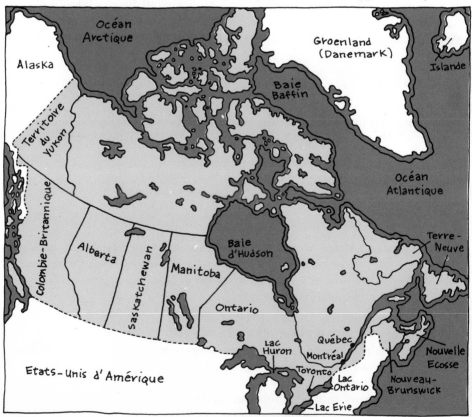

«Combien de litres d'essence, Monsieur?» «Deux kilos de pommes, s'il vous plaît».

Le Canada est un pays très développé dans tous les domaines. Il est très riche en ressources naturelles, en industries, en culture. Tous les arts et tous les sports y sont pratiqués. Les Canadiens sont
10 connus pour leurs sports d'hiver, surtout pour le hockey sur *glace* et le ski.   ice

Loi concernant les langues

Nous savons déjà que l'anglais et le français sont les deux langues officielles du Canada. La loi cana-
15 dienne qui le *décrète* fut adoptée par *la Chambre des Communes* du Canada le 7 juillet, 1969. En voici quelques paragraphes: decrees ♀ House of Commons

«1re Session, 28e Législature, 17–18 Elizabeth II
1968–1969
20 Chambre des Communes du Canada   Bill C-120
Sa Majesté, sur l'*avis* et du consentement du Sénat et de la Chambre des Communes du Canada, décrète: opinion, judgment

1. La présente loi peut être *citée* sous le *titre*:   cited ♀ title
25   LOI SUR LES LANGUES OFFICIELLES
    Déclaration du *statut* des langues   status

2. L'anglais et le français sont les langues officielles du Canada pour tout ce qui *relève du Parlement* et du Gouvernement du Canada; elles   pertains to Parliament
30 ont un statut, des *droits* et des privilèges *égaux quant à* leur emploi dans toutes les institutions du Parlement et du Gouvernement du Canada.»   rights ♀ equal ♀ as to

411

Le système métrique: poids et volume

Au Canada on se sert du système anglais et
35 américain de poids et *mesures.*   measures

Nous avons déjà étudié le système métrique
pour les mesures de *longueur* dont se servent les   length
Français et les habitants de la plupart des pays du
monde. (Voir la page 289.) Comparons maintenant
40 le système métrique pour les poids et volumes
avec le système dont se servent les Anglais, les
Canadiens, et les Américains!

Unité de mesure	Abrévia- tion	Equivalent anglais-américain	
45 un litre	1	1.06 liquid qts.	
un kilogramme (ou un kilo)	kg	2,2 *livres*	pounds[1]
un gramme	g	0,035 *onces*	ounces

(1 kilogramme est l'équivalent de 1.000 grammes!)

50   Il est intéressent de noter ces différences:

		Etats-Unis
France:	1 litre	= 1.06 liquid quarts
Canada:	1 imperial quart	= 1.2 liquid quarts

Questions

1.   Quand une Française achète des légumes, elle en achète souvent
     500 grammes. Environ combien de livres en achète-t-elle?
2.   Une Américaine voudrait acheter 5 livres de bifteck. Environ combien
     de kilos demandera-t-elle?
3.   Un Français voyage aux Etats-Unis et voudrait acheter de l'essence
     (gasoline) pour sa voiture. Environ combien de litres demandera-t-il
     s'il désire 5 gallons?
4.   Combien de litres français demanderait-il (environ) s'il voulait 5
     gallons d'essence au Canada?
5.   Quelles sont les deux langues officielles du Canada?
6.   Comment s'appelle la loi adoptée par la Chambre des Communes du
     Canada le 7 juillet, 1969?
7.   Pour quels sports d'hiver le Canada est-il célèbre?
8.   Pourquoi le Canada est-ce un pays important en Amérique du Nord?
9.   En quoi le Canada est-il riche?
10. Quel pourcentage des Canadiens sont francophones?

---

[1] **la livre** = the pound.

412

Vive la Canadienne

Voici une très vieille chanson canadienne toujours chère aux Canadiens français. Vous pourrez l'apprendre sans aucune difficulté!

Chanson populaire

Arranged by
Edmond Cadoux

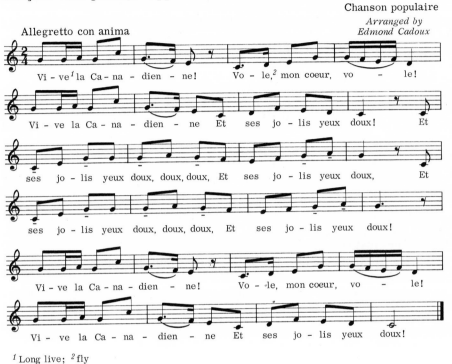

Allegretto con anima

Vi - ve¹ la Ca - na - dien - ne! Vo - le,² mon coeur, vo - le!

Vi - ve la Ca - na - dien - ne Et ses jo - lis yeux doux! Et

ses jo - lis yeux doux, doux, doux, Et ses jo - lis yeux doux, Et

ses jo - lis yeux doux, doux, doux, Et ses jo - lis yeux doux!

Vi - ve la Ca - na - dien - ne! Vo - le, mon coeur, vo - le!

Vi - ve la Ca - na - dien - ne Et ses jo - lis yeux doux!

¹ Long live; ² fly

413

39

Leçon trente-neuf

I CONVERSATION
(à livre ouvert)

A.

Il faut que je parle français en
classe.
(It is necessary that I speak,
I must speak . . .)
Tu parles français en classe,
n'est-ce pas?

1 Il faut que tu parles français,
n'est-ce pas?
(You must speak . . . ?)

Oui, il faut que je parle . . .
(Yes, I must speak . . .)

2 Est-ce qu'il faut que Jacques
parle français?

Oui, il faut que Jacques parle . . .

3 Est-ce qu'il faut que Janine
parle français?

4 Il faut que tous les élèves parlent français, n'est-ce pas?

Oui, il faut que tous les élèves parlent français.

5 Il faut que nous parlions français, n'est-ce pas?

Oui, il faut que nous parlions . . .

6 Il faut que vous parliez français,
n'est-ce pas?

Oui, il faut que nous parlions . . .

7 Faut-il que je parle français?

Oui, il faut que vous parliez . . .

8 Il faut que tu arrives à l'école à
l'heure?

Oui, il faut que j'arrive . . .

9 Faut-il que nous arrivions à
l'école à l'heure?

Oui, il faut que nous arrivions . . .

10 Faut-il que vous arriviez à
l'heure?

Oui, il faut que j'arrive . . .

11 Faut-il que nous arrivions à
l'heure?

Oui, il faut que nous arrivions . . .

Dialogue dirigé 1

Demandez-moi s'il faut:
1 que j'arrive à l'heure.
2 que je parle français.

Faut-il que vous arriviez . . . ?

414

B.

1 Faut'il que tu finisses tes devoirs? (Must you finish . . . ?)	Oui, il faut que je finisse . . . (Yes, I must finish . . .)
2 Faut-il que tu choisisses un copain?	Oui, il faut que je choisisse . . .
3 Faut-il que tu obéisses à tes parents?	Oui, il faut que j'obéisse . . .
4 Faut'il que tu réussisses[1] ton examen?	Oui, il faut que je réussisse[1] . . .
5 Faut-il que Robert réussisse son examen?	
6 Faut-il qu'il obéisse à ses parents?	
7 Faut-il qu'il choisisse un cadeau?	
8 Faut-il qu'il finisse ses devoirs?	

Dialogue dirigé 2

Demandez à un camarade:

1 s'il faut qu'il finisse ses devoirs.	Faut-il que tu finisses . . . ?
2 s'il faut qu'il obéisse à ses parents.	
3 s'il faut qu'il réussisse son examen.	

C.

1 Faut-il que nous finissions nos devoirs?	Oui, il faut que nous finissions . . .
2 Faut-il que nous obéissions à nos parents?	Oui, il faut que nous obéissions . . .
3 Faut-il que nous réussissions nos examens?	
4 Il faut que vous réussissiez votre examen, n'est-ce pas?	Oui, il faut que je réussisse . . .
5 Faut-il que je réussisse mon examen aussi?	Oui, il faut que vous réussissiez . . .
6 Faut-il que j'obéisse au directeur?	Oui, il faut que vous obéissiez . . .
7 Faut-il que je choisisse de bons amis?	Oui, il faut que vous choisissiez . . .
8 Faut-il que je finisse mon travail?	Oui, il faut que vous finissiez . . .

Dialogue dirigé 3

Demandez-moi s'il faut:

1 que je finisse mon travail.	Faut-il que vous finissiez . . . ?
2 que je choisisse de bons amis.	

[1] Students generally say *réussir un examen* instead of *réussir à un examen*. Both may be used. (See Leçon 28.)

415

D.

1 Il faut que j'attende mes amis.
   (I must wait for . . .)
2 Faut-il que tu attendes tes amis?   Oui, il faut que j'attende . . .
3 Faut-il que tu rendes tes livres?   Oui, il faut que je rende . . .
4 Faut-il que tu répondes au pro-   Oui, il faut que je réponde . . .
   fesseur?
5 Faut-il que tu descendes en ville?   Oui, il faut que je descende . . .
6 Faut-il que tu entendes le bruit   Oui, il faut que j'entende . . .
   des voitures?
7 Faut-il que tu perdes tes livres?   Non, il ne faut pas que je perde . . .
                                        (I must not . . .)

E.

1 Faut-il que nous perdions nos   Non, il ne faut pas que nous per-
   livres?   dions . . .
2 Faut-il que nous entendions ce
   bruit?
3 Faut-il que nous descendions en
   ville?
4 Faut-il que nous répondions au
   prof?
5 Faut-il que nous attendions nos
   amis?
6 Faut-il que vous attendiez vos   Oui, il faut que nous (je) . . .
   amis?   Non, il ne faut pas que nous (je) . . .
7 Faut-il que vous répondiez au
   prof?
8 Faut-il que vous entendiez le
   bruit?
9 Faut-il que vous descendiez en
   ville?
10 Faut-il que vous perdiez votre
   argent?

Dialogue dirigé 4

Demandez-moi s'il faut que je:
1 perde mes affaires.   Faut-il que vous perdiez vos af-
                                        faires?
2 descende en ville.
3 réponde au directeur.
4 attende mes amis.

416

Mère et fils s'écrivent avec *tendresse*

to each other ♀
tenderness

Fontenay-aux-Roses
le 5 septembre

Mon très cher fils,

Il y avait huit jours que j'étais sans *nouvelles* de
5 toi quand le facteur est arrivé ce matin avec ta
bonne lettre. J'avais *à peine* fini de lire ta longue
missive quand ton père m'a téléphoné *afin de*
savoir si tu nous avais écrit. Quel *bonheur* de te
savoir heureux, en bonne santé, et *plein d'*en-
10 thousiasme pour ta *vie* au Canada!

Chez nous la vie est calme; tout est *bien tran-*
quille. Nous nous ennuyons beaucoup de toi. Mais
il faut que je te dise très *franchement* que tu ne
nous écris pas assez souvent. Papa voudrait que
15 tu nous *écrives* au moins deux fois par semaine,
même si tu n'écris que trois ou quatre phrases,
comme, par exemple, «Je me porte bien. Tout va
bien. Je vous embrasse.» Cela *suffira* pour nous
rassurer.

20 Nous allons annoncer les *fiançailles* de Monique
et Armand à Noël. Ils voudraient *se marier* l'année
prochaine, mais Papa n'est pas d'accord avec eux.
Le soir où ils nous ont annoncé leurs intentions,
Papa leur a dit *carrément*, «Il faut qu'Armand
25 finisse ses études à la Faculté et qu'il *ait* un *poste*
avant que je donne mon consentement.» Armand
devant faire encore deux ou trois années d'études,
Papa espère encourager Monique à continuer, elle
aussi, ses études. Elle est en classe terminale en
30 ce moment, et quand elle aura réussi son baccalauréat, elle pourra *entreprendre* une *licence* de
lettres.[1] Elle dit que le *professorat* l'intéresse, et
*puisqu'*elle est première en espagnol, il est possible qu'elle devienne professeur de langues
35 *vivantes*.

Quant à Claire, il *paraît* qu'elle a le *don*
d'écrire. Quand son professeur de français nous a
dit qu'elle est *douée*, nous n'avons pas été *étonnés*.

news

hardly
= lettre ♀ = pour
happiness
full of
life
= très ♀ quiet

frankly

(écrire)
even if

will suffice
reassure

engagement
to get married

bluntly
(avoir) ♀ job

having

undertake ♀ gradu-
ate degree ♀
teaching
= parce que

living (modern)

As for ♀ appears ♀
gift
gifted ♀ surprised

[1] Voir *Notes de la civilisation française*, p. 435.

417

Voilà, mon petit, toutes les nouvelles. Tu me
40 permettras, avant de terminer ma lettre, de te don-
ner les *conseils* suivants: pour *ne pas attraper de*   advice ♀ not to
rhume, mets toujours un pull de laine avant de   catch a cold
mettre ta veste; pour ne pas avoir faim, aie tou-
jours un fruit ou des *biscuits* dans ta chambre; et   crackers
45 surtout *ne te fatigue pas à* faire trop d'excursions!   don't get tired
Tu auras tout le temps de voir la Belle Province.
Je *te serre* contre mon cœur et je t'embrasse.   hold you close
                                         Maman

●   Montréal
50   le 10 septembre
Bien chère maman,
     Je viens *à l'instant* de recevoir ta bonne lettre,   this instant
dont je te remercie, et je *me hâte de* te rassurer: hasten
je ferai *tout mon possible* afin de ne pas avoir faim   everything I can
55 et de ne pas attraper de rhume. Quant à ne pas me
fatiguer à faire des excursions, je le regrette, mais
je ne peux vraiment pas faire de promesse! Je *m'in-*   am interested
téresse tellement à tout ce qui *se passe* de ce côté   so much ♀ = arrive
de l'Atlantique! Tout est *passionnant!*   exciting
60   Pendant le week-end passé René et moi avons
fait une excursion en *car* jusqu'à la ville de   = autocar
Québec où nous avons vu ce qui *reste* des vieilles   remains
maisons des pionniers, les plaines d'Abraham,
l'Université de Laval, et le bel hôtel, le Château
65 Frontenac. Au lieu de rentrer à Montréal par le
même chemin, nous sommes allés aux Etats-Unis,
en suivant la route qu'avaient prise autrefois beaucoup de Canadiens français quand ils cherchaient
du travail dans les entreprises américaines. Nous
70 avons traversé le Maine et le Massachusetts, et
nous sommes revenus au Canada en traversant le
Vermont. *Pas mal* de Canadiens français (ou leurs   Quite a few
descendants) y demeurent toujours, et continuent
à parler français entre eux. J'ai eu aussi la chance
75 de parler anglais avec des Américains et de voir
un peu la Nouvelle-Angleterre. *Inutile* de t'écrire   Needless
toutes mes impressions, car le dynamisme du
peuple américain est bien *connu*. Mais il faut   known
avouer que j'ai eu l'impression qu'aux *E.U.*, il y a   confess ♀ = Etats-
80 *autant* d'automobiles *que de citoyens!*   Unis ♀ as many ♀
                                                             as ♀ citizens

418

Je t'avais dit dans une de mes lettres que les Canadiens parlent français avec un petit accent charmant. J'ai aussi remarqué pendant ce petit voyage que *plus* on *s'éloigne* des grandes villes, *the more* ♀ *goes away* ♀ *notices it*
85 plus on *s'en aperçoit.* Ils emploient quelquefois des expressions *anciennes,* ce que je trouve aussi très charmant. *old-fashioned*

Mais le français qu'on entend à la radio ou à la télé est généralement d'*une telle* perfection qu'on *such (a)*
90 se croirait parfois à la Comédie-Française.[2] Et les émissions françaises sont *épatantes. A vrai dire,* j'ai *du mal* à ne pas rester devant l'*écran* du matin au soir. *= **formidables** ♀ To tell the truth ♀ = difficulty ♀ screen*

Les cours au lycée—je veux dire à l'école *poly-* *comprehensive*
95 *valente*—sont assez intéressants. Les élèves sont *high school* comme les gosses de partout. Mes professeurs *semblent* être un peu moins sévères qu'en France *seem* . . . mais ils sont sévères *quand même!* *anyhow*

Hier soir on *venait de* rentrer du lycée quand *had just*
100 Madame Bontemps nous a annoncé quelque chose de fantastique! Nous pourrons, René et moi, passer les vacances de Noël à la Martinique en y travaillant. On a besoin de *chasseurs* à l'Hôtel *bellhops* Martinique. La *direction* veut bien payer le voyage *management*
105 et aussi une rémunération! J'ai tout de suite dit «Oui»! René aussi! Aurai-je la permission de papa? *J'espère que oui!* *I hope so!*

Je t'embrasse, ma chère petite maman.
Ton fils qui t'aime
110 Robert

DIALOGUE ORIGINAL

Modèle   Substitutions

—La vie est pleine de surprises!

—Pourquoi dis-tu cela?

—On *se fatigue à faire du camping.*   / s'intéresse à / maigrir / . . . / partir en voyage /

—Et après?

—On ne *s'amuse* pas toujours.   / maigrit / . . . / part /   *T.S.V.P.*

[2] The Comédie-Française is a theater group subsidized by the French Government.

—Faut-il que tu *fasses du camping?* | maigrisses / . . . / partes en voyage /

—Non, mais . . .

—Ta mère veut que tu *fasses du camping?* | maigrisses / . . . / partes en voyage /

—Non, mais moi je veux *en faire!* | maigrir / . . . / partir en voyage /

—*Je n'y comprends rien!* | Ce n'est pas un grand problème! |

Vocabulaire actif

le **bonheur** happiness
la **vie** life
le **poste** job
le **don** talent, gift
les **nouvelles** *fem. pl.* news

plein, –e full
tranquille quiet
vivant, –e living; **les langues vivantes** modern languages
étonné, –e surprised

---

avoir du mal à + inf. to have difficulty (in doing something)
se fatiguer to get tired; **se fatiguer à** + infin. to get tired (doing something)

s'intéresser à to be interested in
se hâter = se dépêcher to hurry; **se hâter de** + inf. to hasten to
attraper (un rhume) to catch (a cold)
se passer = arriver to happen

---

franchement frankly
quand même anyway, anyhow
même si even if, even though
afin de = pour in order to

à peine scarcely, hardly
autant . . . que as much, as many . . . as

---

un tel, une telle such a
tout mon (ton, etc.) possible all I (you, etc.) can

J'espère que oui I hope so
J'espère que non I hope not
le conseil advice, counsel

Questions

1. Combien de temps y avait-il que maman était sans lettre?
2. Qu'est-ce que maman avait à peine fini de faire quand papa a téléphoné?
3. Qu'est-ce que maman écrit pour montrer son bonheur?
4. Pourquoi maman trouve-t-elle que la vie est calme chez eux?
5. Qu'est-ce qu'elle dit franchement à Robert?
6. Qu'est-ce que Robert doit faire au moins deux fois par semaine?
7. Quand va-t-on annoncer les fiançailles d'Armand et Monique?
8. Faut-il qu'Armand ait un poste avant le mariage?
9. Quelle matière Monique aime-t-elle beaucoup?
10. Quel don Claire a-t-elle? Est-ce que maman en est étonnée?
11. Qu'est-ce que maman donne à Robert avant de terminer sa lettre?
●12. Qu'est-ce que Robert se hâte de dire à sa mère?
13. Est-ce que Robert fera tout son possible afin de ne pas se fatiguer?
14. A quoi s'intéresse-t-il beaucoup?
15. Comment les deux garçons sont-ils allés à Québec?
16. Quelle impression Robert a-t-il eu aux Etats-Unis?
17. Est-ce que Robert se croit parfois à la Comédie-Française? Quand? Pourquoi?
18. A-t-il du mal à ne pas regarder la télé du matin au soir?
19. Les professeurs à Montréal semblent être moins sévères que les professeurs en France. Sont-ils sévères quand même?
20. Quand ils venaient de rentrer après les cours, qu'est-ce que Madame Bontemps a annoncé aux garçons?

Discussion

1. Avez-vous toujours des nouvelles de vos amis? Etes-vous tranquille quand vous n'avez pas de leurs nouvelles? Donnez-vous des conseils à vos amis?

2. Est-ce que votre vie est pleine de bonheur? Est-ce que la vie est parfois difficile? Est-ce que vous vous amusez quand même? Avez-vous un(e) camarade à qui vous pouvez parler franchement? Un tel ami est formidable, n'est-ce pas?

3. Allez-vous chercher un poste pendant les vacances? un poste comme vendeur ou vendeuse? comme chasseur (bellhop)? comme babysitter? Même si vous ne gagnez pas beaucoup d'argent? Gagnerez-vous autant que votre camarade? Gagnera-t-il (elle) autant que vous?

4. Avez-vous le don d'écrire? de jouer de la guitare? de danser? Avez-vous un don pour la musique? pour les langues vivantes? Est-ce que vous vous fatiguez à danser? à étudier?

T.S.V.P.

5. Est-ce que vous vous intéressez à la musique? au sport? aux langues vivantes? à tous vos cours? Avez-vous du mal à finir vos devoirs? Est-ce que vous vous couchez quand vous avez à peine fini votre travail?

6. Faut-il se dépêcher le matin? Est-ce que vous vous fatiguez quand vous vous dépêchez? Faut-il se hâter d'arriver à l'école à l'heure?

7. Que faites-vous afin de ne pas avoir faim? afin de ne pas avoir froid? Attrapez-vous facilement un rhume? Faites-vous tout votre possible afin de ne jamais attraper de rhume?

III STRUCTURES

A. General view of the subjunctive

The subjunctive is a very important part of the French language. "Subjunctive" indicates a *mood*, not a tense, because it is used to reflect the speaker's *attitude* toward the actions he is expressing rather than the time the action takes place.

There are several *tenses* of the subjunctive mood, but, to begin with, we shall concentrate only on the *present* subjunctive.

The subjunctive exists in the English language, too, although most of the time we are not aware of it! That is because in English the subjunctive often has the same *form* as the indicative "mood." Occasionally, though, a subjunctive form shows up in English that is recognizable, such as in the expressions "if he *were*," "that we *be*," or a verb used with the auxiliaries *may* or *might*.

Let's take a look at some of the ways we use the subjunctive in *both* English and French!

1. When a person or group expresses its will that someone else *do*[3] something:

I demand that she *come* here. (*not* comes here)
They recommend that we *be* there early.
May the New Year *bring* you happiness and peace!

2. When the situation involves unreality, that is, something indefinite, uncertain, or contrary to fact:

I wish Jack *were* here (but he's not!).
We worked so that we *might pass* the exam. (We haven't passed it yet!)

In French we have additional uses of the subjunctive, but let's leave those for future lessons!

---

[3] This is a subjunctive form in English!

422

1. Formation: les verbes des Trois Groupes

The present subjunctive of "regular" verbs is very easy to form! Use the *base* of the third person plural of the present tense, and *always* add the endings **–e, –es, –e, –ent, –ions, –iez.**

	Groupe I	*Groupe II*	*Groupe III*
Infinitive:	aider	finir	entendre
3rd pl. pres.:	aident	finissent	entendent
Base:	aid–	finiss–	entend–
Present subjunctive:	(que) j'aide	finisse	entende
	(que) tu aides	finisses	entendes
	(qu') il aide	finisse	entende
	(qu') ils aident	finissent	entendent
	(que) nous aidions	finissions	entendions
	(que) vous aidiez	finissiez	entendiez

Notez bien: Did you notice that the **nous** and **vous** forms are like those of the imperfect tense? The remaining forms all sound like the third person plural forms (**ils**) of the present that we know so well (the "present indicative" or le présent de l'indicatif).

2. Emploi

Our first concept of the subjunctive will be that of *will*. If someone or people or society *wills* that you (or anybody) *do* something, they are giving an indirect or implied command that you do it.

Par exemple: Il faut que tu **finisses** tes devoirs.

It is necessary that you *finish* your homework.

Je veux que tu fasses tes devoirs!

If "it is necessary," then the school, your teacher, or society desires, requires that you do it, and is therefore expressing its *will*. Now notice how *will*, an indirect or implied command, is expressed in these sentences:

423

Je veux que tu finisses le travail.	I want you to finish the work (I want; You must finish the work)
Papa désire que nous aidions maman.	Dad wants us to help mother. (Dad wants; We have to help)
Le professeur préfère que nous cherchions les livres.	The teacher prefers that we look for the books. (The teacher prefers; We have to look for)

No matter how strong or how weak the indirect or implied command may be (**préférer, aimer mieux**), some *will* is still exerted on someone else to do something. The verb that tells what the other person is to do is in the subjunctive form. The subjunctive form usually comes after the conjunction **que**. It is generally the *second* verb in the sentence.

Exercice 1 Change each of the statements below to expressions of necessity (*will*) by using *Il faut que* + each of the subjects indicated.

EXEMPLES: Ils déjeunent ici. They're lunching here.
   1. *Il faut que* je déjeune ici. It is necessary that I . . .
   5. *Il faut que* nous déjeunions ici. It is necessary that we . . .

   A. Ils déjeunent à midi.
   B. Ils finissent le travail.
   C. Ils descendent à la gare.

1. Il faut que je . . .	3. Il faut qu'on . . .	5. Il faut que nous . . .
2. Il faut que tu . . .	4. Il faut qu'ils . . .	6. Il faut que vous . . .

Exercice 2 Complétez les phrases en employant la forme appropriée du subjonctif du verbe *en italique*.

EXEMPLE: Ils *choisissent* un poste. Il faut que ma mère _____ aussi.
   Il faut que ma mère **choisisse un poste** aussi.

Présent de l'indicatif	*Présent du subjonctif*
1. Ils *choisissent* une voiture.	Il faut que mon père _____ aussi.
2. Ils *réussissent* l'examen.	Il faut que je _____ aussi.
3. Ils *obéissent* au professeur.	Il faut que tu _____ aussi.
4. Ils *vendent* la maison.	Il faut qu'on _____ aussi.
5. Ils *attendent* des amis.	Il faut qu'elle _____ aussi.
6. Ils *jouent* de la guitare.	Il faut que nous _____ aussi.
7. Ils *passent* l'examen.	Il faut que vous _____ aussi.
8. Ils *gardent* ce passeport.	Il faut que nous _____ aussi.
9. Ils *entendent* cette musique.	Il faut que vous _____ aussi.
10. Ils *maigrissent* bien vite.	Il faut qu'elle _____ aussi.

424

Exercice 3 Complétez les phrases selon les indications.

A. Il voudrait que nous l'arrêtions.
1. _____ que vous l'_____.
2. Je désire que tu l'_____.
3. Elle préfère que je l'_____.
4. Maman veut que Claire l'_____.
5. Il faudra qu'ils l'_____.

B. Il faut que tu le choisisses.
1. Je voudrais que Marc le _.
2. Veut-il que nous le _____?
3. Tu désires que je le _____?
4. Nous préférons qu'ils le _.
5. Il empêche que vous le _.

C. Il ne veut pas que je l'entende.
1. Je _____ que tu l'_____.
2. Maman _____ que vous fumiez.
3. Il ne faut pas que nous bavardions.
4. _____ que nous criions.

D. Préfère-t-il que j'étudie?
1. _____ que tu _____?
2. _____ qu'on _____?
3. _____ que nous _?
4. _____ que vous _?
5. _____ qu'ils _____?

3. Formation: les verbes «irréguliers»

Most irregular verbs and all spelling-changing verbs, except those ending in –ger and –cer, derive their present subjunctive forms in the following way:

1. To obtain the **nous** and **vous** forms, add an –i before the –**ons** and –**ez** endings of the present indicative, as you do to obtain the *imparfait*.

2. To obtain the remaining forms (**je, tu, il, ils**), add the endings –**e**, –**es**, –**e**, –**ent** to the base of the *third person plural* of the *present indicative*, the "mood" we have been learning.

Irregular verbs		Spelling-changing verbs	
prendre		**appeler**	
Pres. ind.	*Pres. subj.*	*Pres. ind.*	*Pres. subj.*
nous **prenons** →	que nous pren**ions**	nous **appelons** →	que nous appel**ions**
vous **prenez** →	que vous pren**iez**	vous **appelez** →	que vous appel**iez**
ils **prennent** →	que je prenne	ils **appellent** →	que j'appelle
	que tu prennes		que tu appelles
	qu'il prenne		qu'il appelle
	qu'ils prenn**ent**		qu'ils appell**ent**
recevoir		**payer**	
Pres. ind.	*Pres. subj.*	*Pres. ind.*	*Pres. subj.*
nous **recevons** →	que nous recev**ions**	nous **payons** →	que nous pay**ions**
vous **recevez** →	que vous recev**iez**	vous **payez** →	que vous pay**iez**
ils **reçoivent** →	que je reçoive	ils **paient** →	que je paie
	que tu reçoives		que tu paies
	qu'il reçoive		qu'il paie
	qu'ils reçoivent		qu'ils paient

T.S.V.P.

Notez bien: –**ger** verbs drop the **e** and –**cer** verbs drop the cedilla in the **nous** form of the present subjunctive.

Exemples: Présent de l'indicatif: nous mangeons   nous commençons
           Présent du subjonctif: nous mangions   nous commencions

Exercice 4 Complétez la phrase «Le professeur veut _____» en employant chacun des éléments indiqués ci-dessous. Ajoutez *quelque chose de votre choix* pour compléter le sens. (The *ils* form of the present indicative will give you the *base* for each verb.)

EXEMPLE

Le professeur veut _____.
(ils sortent)   que je . . .   Le professeur veut **que je sorte à midi.**

For the base   *For the base*

1. (ils **sortent**)	que je . . .	12. (nous **apprenons**)	que nous . . .
2. (ils **partent**)	que je . . .	13. (ils **apprennent**)	qu'elle . . .
3. (ils **lisent**)	que tu . . .	14. (nous **recevons**)	que nous . . .
4. (ils **mettent**)	qu'il . . .	15. (ils **reçoivent**)	qu'on . . .
5. (ils **dorment**)	qu'on . . .	16. (vous **buvez**)	que vous . . .
6. (ils **servent**)	qu'elle . . .	17. (ils **boivent**)	qu'il . . .
7. (ils **ouvrent**)	qu'on . . .	18. (vous **venez**)	que vous . . .
8. (ils **connaissent**)	qu'on . . .	19. (ils **viennent**)	que tu . . .
9. (ils **écrivent**)	qu'ils . . .	20. (nous **comprenons**)	que nous . . .
10. (ils **courent**)	qu'elles . . .	21. (ils **comprennent**)	qu'on . . .
11. (ils **disent**)	qu'on . . .	22. (vous **voyez**)	que vous . . .
		23. (ils **voient**)	qu'on . . .

Exercice 5 Complétez la phrase «Papa ne veut pas _____» en employant chacun des éléments indiqués ci-dessous. Ajoutez *quelque chose de votre choix* pour compléter le sens.

EXEMPLE

Papa ne veut pas _____.
(ils paient)   qu'on . . .   Papa ne veut pas **qu'on paie ces chaussures.**

For the base   *For the base*

1. (ils **achètent**)	que je . . .	7. (nous **achetons**)	que nous . . .
2. (ils **emmènent**)	que tu . . .	8. (vous **emmenez**)	que vous . . .
3. (ils **essaient**)	qu'il . . .	9. (nous **essayons**)	que nous . . .
4. (ils **nettoient**)	qu'elle . . .	10. (vous **nettoyez**)	que vous . . .
5. (ils **répètent**)	qu'on . . .	11. (nous **rangeons**)	que nous . . .
6. (ils **remplacent**)	qu'ils . . .	12. (vous **répétez**)	que vous . . .

Exercice 6 Posez la question et répondez-y! Choose an expression from column I and an action from column III. Join them by a subject of your choice (your friend, your sister, brother, anyone, or even a pronoun like **je, tu,** etc.) Be sure to use the verb in column III in the subjunctive. Then answer the question!

426

EXEMPLE: (I) Ne veut-elle pas que . . .   (III) servir le goûter
Question: Ne veut-elle pas **que Janine serve** le goûter? *ou*
Ne veut-elle pas **que nous servions** le goûter?

Réponse: Non, elle ne veut pas **que Janine serve** le goûter. *ou*
Mais si, elle veut **que nous servions** le goûter.

I	II	III
1. Faut-il que . . .	Qui?	partir tout de suite
2. Désirez-vous que . . .	(au choix)	lire des journaux français
3. Est-ce que Maman		dire la vérité
voudrait que . . .		mettre la table
4. Ne veut-elle pas que . . .		dormir en haut
5. Préfères-tu que . . .		revenir ce soir
		voir toute la ville
		boire du lait
		prendre l'autocar
		servir le goûter

4.   Quelques verbes très irréguliers!

Some verbs are so irregular in the present subjunctive that they don't follow the rules at all! There are only a few such verbs, however. Let's learn three of them right now!

avoir   to have

Base: ai–   j'aie   tu aies   il ait   ils aient
        ay–   nous ayons   vous ayez

être   to be

Base: soi–   je sois   tu sois   il soit   ils soient
        soy–   nous soyons   vous soyez

faire   to do, make

Base: fass–   je fasse   tu fasses   il fasse
        nous fassions   vous fassiez   ils fassent

Exercice 7   Complétez les phrases en employant la forme appropriée du verbe *en italique* de la première phrase de chaque groupe.

A.   Il faut qu'il *ait* une bonne note.
1.   Voulez-vous que j'_____ honte de vous?
2.   Il ne faut pas que tu _____ peur.
3.   Ils préfèrent que nous n'_____ pas faim.
4.   Veulent-ils que vous _____ soif?
5.   Ils ne voudront pas qu'ils _____ trop chaud.
6.   Il ne faut pas qu'Armand _____ sommeil.
7.   Je ne veux pas que vous _____ mal à la tête.
8.   Tout le monde veut qu'on _____ de bonnes notes.

B. Faut-il que tu y *sois* avant midi?
1. Il ne faut pas que j'y _____ .
2. Votre père veut-il que vous y _____ ?
3. Il faut qu'ils y _____ .
4. Le prof voudrait que nous y _____ .
5. Nous voulons que vous y _____ .

C. Voulez-vous qu'il le *fasse*?
1. Je voudrais que tu le _____ .
2. Mòn frère préfère que je le _____ .
3. J'empêcherai qu'ils le _____ .
4. Il ne faut pas que nous le _____ .
5. Faudra-t-il que vous le _____ ?

Exercice 8 Faites une réflexion! Make a remark in which you express a natural reaction of wanting, preferring, or needing (an indirect expression of your *will*) to each of the statements below.

EXEMPLE: Un ami vous dit: «Votre mère est malade.»
Votre réflexion: Je ne veux pas que ma mère **soit** malade! *ou*
Il ne faut pas que ma mère **soit** malade!

(Employez aussi, si vous voulez, *je voudrais, Je préfère, Il faut, Il faudra,* etc.)

1. Quelqu'un vous dit: «Ton frère aura une mauvaise note en français.»
2. Votre mère vous dit: «Papa fera un tour de la ville sans toi.»
3. Un copain vous annonce: «Le prof te donnera une bonne note.»
4. Un autre copain dit: «Tes parents n'auront pas honte de toi.»
5. Le prof vous dit: «Vos camarades seront fiers (proud) de vous.»

B. *Ne pas* devant l'infinitif

Conversations entre deux étudiants

—Avez-vous peur de voyager?
—J'ai peur de **ne pas** voyager!

Are you afraid to travel?
I'm afraid *not* to travel!

—Pourquoi as-tu décidé de **ne plus** fumer?
—Afin d'être en bonne santé!

Why did you decide *no longer* to smoke?
In order to be in good health!

—As-tu décidé aussi de **ne jamais** te raser?
—Je n'ai pas encore pris de décision à ce sujet!

Did you also decide *never* to shave?
I haven't yet made a decision on on that subject!

When an infinitive is negative, both **ne** and **pas** (or **plus** or **jamais**) precede the infinitive.

Exercice 9 Dites la vérité! Mettez l'expression *ne pas, ne plus,* ou *ne jamais* devant l'infinitif *en italique*!

EXEMPLE: Nous avons l'intention d'*étudier* à Noël.
Nous avons l'intention de **ne pas** étudier à Noël.

1. Il met un pardessus pour *avoir* froid.
2. On boit du café pour *avoir* sommeil.

3. Il se rase afin d'*avoir* la barbe longue.
4. Nous allons essayer d'*oublier* les verbes.
5. Tenez-vous à *perdre* vos affaires? Remettez-les en place!
6. Nous mangeons bien chez vous. Nous commençons à *avoir* faim.
7. Les élèves ont envie de *faire* leurs devoirs.

C. *C'est* vs. *Il est*

1. C'est + nom; Il est + adjectif

Nom	*Adjectif*
C'est mon frère. (It's [That's, He's] my brother.)	Il est intelligent. (He's intelligent.)
C'est ma sœur.	Elle est charmante.
C'est mon stylo.	Il est noir.
Ce sont mes amis.	Ils sont gentils.

> **Ce** is used before **être** to mean *It's, That's, He's,* etc. when a *noun* follows. **Il, Elle (Ils, Elles) est (sont)** are used to refer to a noun already mentioned when an adjective follows.

Exercice 10 Complétez la phrase en employant *Ce* ou *Il* (*Elle, Ils, Elles*).

1. _____ est ma tante.
2. _____ est intéressante.
3. _____ était mon professeur.
4. _____ était assez dynamique.
5. _____ sont mes camarades.
6. _____ sont très sympathiques.

2. With adjectives

C'est + *adjectif*	*Il est* + *adjectif*
Referring to a general idea or to a general situation	Referring to (a) specific person(s) or thing(s)
C'est formidable ici! (It's great here!)	Votre ami? Il est formidable! (Your friend? He's terrific!)
C'est sensationnel! (It's [That's] sensational!)	Marie? Elle est sensationnelle! (Mary? She's sensational!)
C'est épatant!	Vos disques? Ils sont épatants!
C'est impossible!	Vos phrases? Elles sont impossibles!
C'est vrai? Non, c'est faux!	Cette histoire? Elle est vraie!

Exercice 11 Complétez la phrase en employant *Ce* ou *Il* (*Elle, Ils, Elles*).

1. Votre frère? _____ est impossible!
2. _____ est passionnant au Canada!
3. Ta composition? _____ était formidable!
4. _____ n'est pas vrai!
5. _____ est mon oncle François qui parle.
6. _____ est épatant, mon oncle.
7. En France? _____ était épatant!
8. Son histoire? _____ est vraie.

429

3. With adverbs

Referring to a general idea	Referring to (a) specific person(s) or thing(s)
—Vous voulez attendre vos amis?	—Vous cherchez la gare?
—C'est là. (qu'on attend.)	—Elle (It) est là.
—Vous voulez acheter des billets?	—Vous voulez des billets?
—C'est ici. (qu'on les achète.)	—Ils sont ici.

Notez bien: In the following commonly used expressions, ce refers to a general situation or a general idea.

C'est beaucoup!   (It's [That's] a lot!)
C'est trop!   (It's [That's] too much!)
C'est très peu.   (It's [That's] very little.)

4. With nouns of nationality or profession

Employé comme nom	*Employé comme adjectif*	*Signification*
C'est un Français.	= Il est Français.	He's a Frenchman.
C'est une Américaine.	= Elle est Américaine.	She's an American.
C'est un médecin.	= Il est médecin.	He's a doctor.
C'est une étudiante.	= Elle est étudiante.	She's a student.
Ce sont des avocats.	= Ils sont avocats.	They're lawyers.
Ce sont de bons avocats.		They're good lawyers.

> Nouns of nationality or profession form a special group because they can act like adjectives when they are used with the verbs **être** or **devenir**. (Il est ingénieur *or* Il devient ingénieur; Elle est avocate *or* Elle devient avocate, etc.)
> 1. When they act like adjectives, use **Il est**, etc. *without* the article **un, une,** or **des**.
> 2. When they act like nouns, use **C'est** or **Ce sont** + **un, une,** or **des**.
> 3. When the word of nationality or profession is modified by an adjective, such as **bon, excellent**, etc., use only **C'est** or **Ce sont**. (C'est un bon médecin; Ce sont des médecins formidables.)

Exercice 12   Complétez la phrase en employant *C'est*, etc., or *Il est*, etc.

1. Hamidou? _____ un Sénégalais.
2. Mon père? _____ Américain.
3. Mon oncle? _____ ingénieur.
4. Mon frère? _____ un très bon ingénieur.
5. M. Lepont? _____ médecin.
6. Sa femme? _____ un professeur excellent.
7. _____ sont Canadiens.
8. _____ des amis de mon père.

D. Révision du plus-que-parfait

Quand je suis arrivé, il **était parti** (had left).
Il m'a remercié parce que je lui **avais donné** (had given) un cadeau.

> The plus-que-parfait is formed by using the *imparfait* of the auxiliary verb **être** or **avoir**, and the past participle. It is used to denote an action that happened *before another past action took place.*

Exercice 13 Redites chaque phrase en commençant par l'expression entre parenthèses + que, et en employant le plus-que-parfait du verbe *en italique.*

EXEMPLE: Elle *a attrapé* un rhume en ville. (Elle a dit)
Elle a dit qu'elle **avait attrapé** un rhume en ville.

1. Elle *a* déjà *étudié* une langue vivante. (Elle a dit)
2. Leurs amis lui *ont parlé* franchement. (Ils ont dit)
3. Il *a fait* tout son possible. (Il a dit)
4. Tu *as eu* du mal à finir ta composition. (Tu as dit)
5. Vous n'*avez* jamais *vu* de tels monuments. (Vous avez dit)

E. *Venir de* + infinitif (emploi à l'imparfait)
Révision: **venir de** + infinitif (emploi au présent)

Je **viens de** passer un examen.   I *have just* taken an exam.

> When **venir** is in the present tense (in the expression **venir de** + infinitif) it means to *have just* done something.

—Lui avez-vous dit «Bonjour»?   Did you say "Hello" to him?
—Je **venais de** lui dire «Bonjour»   I *had just* said "Hello" to him when
   quand le professeur est entré.   the teacher entered.

> When **venir** is in the imparfait (in the expression **venir de** + infinitif) it means *had just.* It is used when another past action is expressed or implied.

Exercice 14 Complétez la phrase en employant le verbe *venir* au présent ou à l'imparfait.

1. Le professeur _____ de me parler franchement.
2. Les élèves _____ de s'intéresser à ma composition quand le directeur est entré.
3. Mon père _____ de me donner de bons conseils.
4. Mes parents _____ de me parler tranquillement quand le téléphone a sonné.
5. Je _____ de leur dire que je n'ai pas le don d'écrire.

431

F. Le futur antérieur (for recognition only)

—Quand pourra-t-il sortir?

When will he be able to go out?

—Quand il **aura fini** son travail.

When he *will have finished* his work.

Formation du futur antérieur

Auxiliaire: **avoir** (I shall have finished, etc.)	Auxiliaire: **être** (I shall have left, etc.)
j'aurai fini	je serai parti(e)
tu auras fini	tu seras parti(e)
il aura fini	il sera parti
ils auront fini	elles seront parties
nous aurons fini	nous serons partis
vous aurez fini	vous serez parti(e)(s)(es)

> The futur antérieur is like the English future perfect, and denotes an action to be completed in the future *before* the completion of another future action. Just put the auxiliary verb **avoir** or **être** in the *future* tense!

Exercice 15 Combine the two sentences into one by using the expression in parentheses, and then changing the verb *in italics* to the futur antérieur.

EXEMPLE: Je rentrerai. (quand) J'*ai fini* de voyager.
Je rentrerai **quand j'aurai fini** de voyager.

1. Nous partirons. (quand) Nous *avons fini* ce travail.
2. (Quand) Il *a réussi*. Tu lui offriras un cadeau.
3. Je t'épouserai. (quand) Tu *as trouvé* un poste.
4. Vous ferez leur connaissance. (aussitôt que) Ils *sont descendus*.
5. (Aussitôt que) J'*ai déjeuné*. Je commencerai mon travail.
6. (Dès que) Vous *êtes partis*. Nous nettoierons le salon.
7. Je l'emmènerai au musée. (quand) Il *a grandi* un peu.
8. Irez-vous au théâtre avec moi? (aussitôt que) Vous *avez gagné* assez d'argent?

G. Révision

Verbs followed by à, **de** or no preposition before an infinitive

No preposition	*à*	*de*
vouloir	aider à	avoir envie de
désirer	s'amuser à	avoir l'intention de
devoir	avoir à	avoir honte de

432

No preposition	à	de
aimer (mieux)	commencer à	avoir peur de
préférer	continuer à	se charger de
	se fatiguer à	empêcher quelqu'un de
savoir	s'intéresser à	essayer de
pouvoir	inviter à	finir de
falloir	réussir à	oublier de

—*Voulez-vous* travailler?

—Je *commence* à travailler à l'instant!

—*Sait-il* jouer au football?

—Il *a* toujours *envie de* jouer au football!

Exercice 16 Complétez la phrase en employant la préposition *à* ou *de*, où il le faut.

1. Je voudrais ____ partir.
2. Tu préfères ____ rester?
3. Elle essaie ____ apprendre les mots.
4. Il réussit ____ comprendre la leçon.
5. Nous devons ____ répéter la phrase.
6. Vous m'invitez ____ faire un tour?
7. Ils sauront ____ parler français.
8. On a peur ____ sortir la nuit.
9. Je m'amuse ____ danser le «jerk».
10. J'ai honte ____ danser ici.
11. Tu commences ____ t'ennuyer?
12. Il a envie ____ dormir.
13. Elle se charge ____ écrire les noms.
14. Nous nous fatiguons ____ jouer.
15. Il faudra ____ vivre loin d'ici.
16. Nous pourrons ____ survoler l'océan.
17. Vous oubliez ____ écrire son adresse.
18. Ils nous empêchent ____ sortir?
19. On a l'intention ____ réussir.
20. Elle continue ____ parler de vous.
21. Nous aurons beaucoup ____ lire.

Exercice général Your French class is going on a field trip to see a French play in a nearby town. Your French teacher gives you a list of what you will all do before and during the trip. She asks you to make sure your classmates follow the directions. You therefore rewrite the instructions using an expression of *necessity* or *will* before each, and changing the future tense of the verb *in italics* to the present subjunctive. (See pages 424 and 425 for some expressions of will and necessity.)

EXEMPLE

Le prof a écrit: On *ira* au coin de la rue.

Vous écrivez: **Il faut qu'on aille** au coin de la rue. *ou*

Le prof voudrait qu'on aille au coin de la rue.

Le professeur a écrit:

1. On *fera* des préparatifs avec soin (care).
2. Tout le monde *sera* prêt à l'heure.

T.S.V.P.

3. Chacun *aura* son billet.
4. Chaque élève *obéira* aux règlements.
5. Ils *demanderont* au professeur la permission de quitter le groupe.
6. Ils *s'arrêteront* à un café pour prendre une glace.
7. Tout le monde *se servira* d'un cahier pour prendre des notes.
8. Ils *sauront* les noms des personnages de la pièce (play).
9. Ils *pourront* écrire un résumé de la pièce.
10. On ne *dérangera* pas les gens au théâtre.
11. On ne *fumera* pas. (Le prof ne veut pas qu'on . . .)
12. On ne *causera* pas avec ses amis pendant le spectacle.

Ci-dessus: A la Faculté de Nanterre, près de Paris, les étudiants prennent un snack.

A gauche: Les mamans, les frères, et les sœurs viennent chercher les enfants à l'Ecole Maternelle.

Les écoles de France

Importance Parce que les Français *attribuent* — attribute
une très grande *valeur* à l'instruction, ils font de — value
leur mieux pour avoir les meilleures écoles pos-
5 sibles. Ils font aussi tout leur possible pour
donner à chaque enfant *l'occasion* d'apprendre — opportunity
le plus possible et *d'assister* à l'école aussi — to attend
longtemps que possible.

Enseignement gratuit Nous savons déjà que la — instruction ⚬ free
10 *scolarité* en France est *obligatoire* de l'âge de six — school attendance
ans à seize ans. Les écoles sont gratuites aux — ⚬ obligatory
niveaux élémentaire et secondaire. Si un enfant — levels
doué est trop pauvre pour continuer ses études — gifted
secondaires, *l'Etat* lui *accorde* une *bourse* pour — State ⚬ grants ⚬
15 payer (totalement ou partiellement) ses *frais* de — scholarship ⚬ ex-
logement, de *nourriture* et de livres. Au niveau uni- — penses ⚬ lodging
versitaire, les sommes que doivent payer les étu- — ⚬ food
diants sont *minimes* (environ $18.00 par an!). A — minimal
peu près la *moitié* des étudiants ne paient rien! — half
20 Les étudiants doués peuvent aussi recevoir des
bourses.

L'organisation scolaire Il y a en France des écoles
publiques et des écoles privées. Les *établisse-* — institutions ⚬ be-
ments privés *appartiennent* à des *particuliers*, à — long ⚬ individuals
25 des associations, ou à des organisations religieuses.
La *direction* des écoles publiques et le contrôle — management
des écoles privés sont *exercés* par le *Ministère* — exercised ⚬ Minis-
d'éducation nationale à Paris. Les niveaux de — try
l'enseignement sont:

30 Enseignement	Etablissement	Age
Pré-scolaire	Ecole Maternelle (pas obligatoire)	2–6 ans
Primaire	Ecole primaire élémentaire	6–11 ans
Secondaire	Lycée ou Collège	11–17, 18 ans
Supérieur	Université ou Grande Ecole	18–? ans

35 **L'enseignement secondaire** Pendant les quatre
premières années du niveau secondaire, les professeurs observent les élèves avec *soin*, afin de les — care
orienter vers les études qui *conviennent* le mieux — guide toward ⚬ suit
à leurs aptitudes. Les élèves peuvent changer
40 d'école ou de cours *d'après* les conseils des pro- — according to

435

fesseurs ou en réussissant à un examen officiel. Il est intéressant de noter que, dans la désignation des classes en France, le numéro des classes descend *à mesure que* l'on avance:

as

45   sixième (6th grade)   deuxième (10th grade)
     cinquième (7th grade)   première (11th grade)
     quatrième (8th grade)   classe terminale
     troisième (9th grade)   (12th grade)

Le «bac»   A la fin de la classe terminale, les élèves
50 des lycées doivent passer un examen très difficile, le baccalauréat. Pas mal d'élèves y échouent la première fois, et doivent essayer d'y réussir l'année suivante. Ceux qui réussissent au «bac» peuvent *s'inscrire* pour des études universitaires.

register

55 **L'enseignement supérieur**   Il y a environ 61 universités en France (1970–1971) où les étudiants peuvent se préparer pour toutes les professions. L'université *comprend* plusieurs *facultés*, telles que Lettres, Sciences, *Droit*, Médecine, Pharma-
60 cie, etc. Chaque université n'a pas toutes les facultés.

includes & schools
Law

L'enseignement supérieur comprend aussi les Grandes Ecoles. Celles-ci sont ouvertes sur *concours* aux étudiants qui ont réussi au baccalauréat
65 et qui ont fait un ou deux ans d'études supplémentaires dans des classes préparatoires. *Parmi* les Grandes Ecoles les plus *connues*, se trouvent:

competition

Among
known

    les Ecoles normales supérieures (pour les professeurs)
70 l'Ecole polytechnique et l'Ecole des Mines (pour les ingénieurs)
    l'Ecole Inter-Armes et l'Ecole Navale (pour les militaires)
    le Conservatoire national de musique
75 le Conservatoire national d'art dramatique

Les écoles de France sont parmi les meilleures écoles du monde entier.

Questions

Vrai ou Faux? Si l'affirmation est fausse, corrigez-la en français!

1.   Les Français pensent que l'instruction n'a pas d'importance.

2. Les écoles de France ne sont pas bonnes.
3. Les professeurs veulent que les enfants terminent leurs études à l'âge de 16 ans.
4. L'enseignement est gratuit aux niveaux élémentaire et secondaire.
5. Tous les enfants doivent aller à l'Ecole Maternelle.
6. En France il n'y a pas d'école privée; il n'y a que des écoles publiques.
7. Il faut réussir à l'examen du baccalauréat pour devenir étudiant à l'université.
8. L'Etat accorde des bourses aux élèves et aux étudiants qui sont doués mais qui sont pauvres.
9. Seulement les meilleurs étudiants sont admis aux Grandes Ecoles.
10. Il n'y a pas de Grande Ecole pour les acteurs et les musiciens.

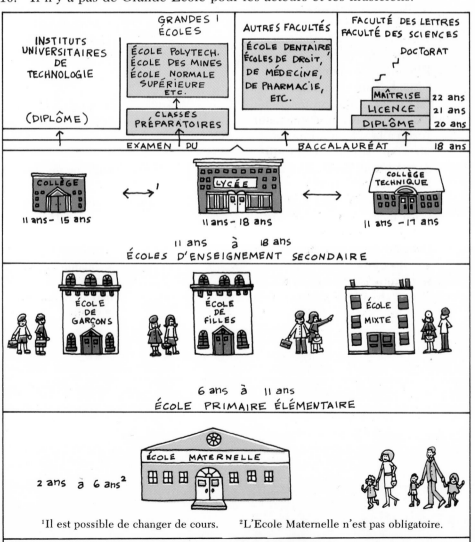

L'Enseignement en France

Une fable célèbre

Etes-vous une cigale ou une fourmi? Lisez cette fable, célèbre dans toutes les langues, et vous saurez tout de suite la réponse!

La fable que voici est un des chefs-d'œuvre (masterpieces) de la littérature. Elle fut écrite par Jean de La Fontaine, un grand écrivain français du dix-septième siècle.

La *Cigale* et la *Fourmi*

La cigale ayant chanté

Tout l'été,

Se trouva *fort dépourvue*

Quand la *bise* fut venue.

5 Pas un seul petit *morceau*

De *mouche* ou de *vermisseau*.

Elle alla crier famine

Chez la fourmi sa voisine,

La *priant* de lui prêter

10 Quelque grain pour subsister

Jusqu'à la saison nouvelle.

«Je vous paierai, lui dit-elle,

Avant l'août, *foi* d'animal,

Intérêt et principal.»

15 La fourmi n'est pas *prêteuse*;

C'est là son *moindre défaut*.

«Que faisiez-vous au temps chaud?»

Dit-elle à cette *emprunteuse*.

«Nuit et jour, à *tout venant*

20 Je chantais, *ne vous déplaise.*»

«Vous chantiez? J'en suis fort *aise*.

Eh bien, dansez maintenant.»

cicada   (grasshopper) ♀ ant

= très ♀ destitute
cold north wind
morsel
fly ♀ little worm

begging

faith (on my word)

= **celle qui prête**
the least of her faults

borrower
= **chaque** ♀ passerby
may it please you
= **content**

438

40

Leçon quarante

I CONVERSATION
(à livre ouvert)

A.

Je suis heureux d'être ici.
1 Je suis heureux que vous soyez ici.
(I'm glad that you are here.)
2 Paul, êtes-vous heureux que je sois ici?   Oui, je suis heureux que vous soyez ici.
(. . . are you happy that I'm here?)
3 Jean, êtes-vous heureux que je sois votre professeur de français?   Oui, je suis heureux que . . .
4 Margot, êtes-vous heureuse que Jean soit en classe?   Oui, je suis heureuse que Jean soit . . .
5 Jody, êtes-vous heureuse que vos amis soient en classe?   Oui, je suis heureuse que mes amis soient . . .
6 Etes-vous heureux que nous soyons tous en classe?   Oui, nous sommes heureux que nous soyons . . .

B.

Georges est absent, n'est-ce pas?   Oui . . .
1 Etes-vous heureux qu'il soit absent?   Non, je ne suis pas heureux qu'il soit absent.
2 Regrettez-vous qu'il soit absent?   Oui, je regrette . . .
(Are you sorry that he's absent?)
3 Regrettez-vous qu'il n'apprenne pas le vocabulaire?
4 Regrettez-vous qu'il soit malade?
5 Regrettez-vous qu'il ne soit pas en classe?   Oui, je regrette qu'il ne soit pas . . .

C.

Vous avez vos livres, n'est-ce pas?   Oui ...

1 Je suis ravi que vous ayez vos livres.
(I'm delighted that you have your books.)

2 Etes-vous content que moi j'aie le mien?   Oui, je suis content que vous ayez le vôtre.

3 Etes-vous content que Pierre ait le sien?   Oui, je suis content que Pierre ait le sien.

4 Etes-vous contents que nous ayons les nôtres?   Oui, nous sommes contents que nous ayons ...

D.

Vous faites toujours vos devoirs, n'est-ce pas?   Oui, nous faisons ...

1 Je suis content(e) que vous fassiez toujours vos devoirs.
(I'm happy that you always do . . .)
Je fais toujours mes devoirs aussi, n'est-ce pas?   Oui, vous faites ...

2 Etes-vous content(e) que je fasse mes devoirs?   Oui, je suis content(e) que vous fassiez ...

3 Etes-vous content(e) que Jacques fasse ses devoirs?   Oui, je suis content(e) que Jacques fasse ...

4 Etes-vous ravi(e) qu'il ait de bonnes notes?   Oui, je suis ravi(e) qu'il ait ...

5 A-t-il toujours de bonnes notes?   Oui, il a ... (Non, il n'a pas ...)

E.

1 Est-il important que je fasse la leçon?   Oui, il est important que vous fassiez ...
(Is it important that I teach . . . ?)

2 Est-il important que tu fasses attention?   Oui, il est important que je fasse ...

3 Est-il important que tu apprennes les verbes?

4 Est-il essentiel que tu comprennes les structures?

5 Est-il essentiel que nous commencions la leçon tout de suite?
Commençons donc à l'instant!

440

La France est *toute* spéciale

= très

Personnages: P = Papa; M = Maman; C = Claire;
R = Robert; MO = Monique; AR-
MAND

Scène: Chez les Darmond. Samedi après le dîner.
5   *Vers* la fin du mois de juin. Robert est de retour   Toward
depuis hier.

M: (à Robert) *Que* je suis heureuse, mon chéri, de   = comme
te voir encore une fois à ta place à table! Je suis
ravie de vous avoir tous *à la fois autour de* la   = en même temps
10   table.   ♀ around

P: Et nous sommes contents que tu sois rentré et
que tu sois en bonne santé. C'est le *principal*!   principal thing

MO: Tu *t'es* beaucoup *plu* à la Martinique, *paraît-*   enjoyed ♀ seems
il!

15   R: Et aussi à la Guadeloupe, où je suis allé passer
un jour de *congé* pendant que je travaillais à la   leave (vacation)
Martinique! Ce sont deux *îles* fantastiques!   islands

C: La Martinique et la Guadeloupe furent découvertes par Christophe Colomb et *devinrent*   became
20   françaises officiellement en 1674. Ce sont des
Départements d'*Outre-mer* dont les principaux   Overseas
produits sont la *canne à sucre* et les bananes.   products ♀ sugar
cane
MO: Claire! Tu parles comme un livre de géographie!

25   C: A la Martinique on cultive aussi beaucoup
d'*ananas.*   pineapples

P: Tu avais *pas mal* de congés pendant l'année,   quite a few
n'est-ce pas?

R: Oh, oui, assez . . .

30   C: Et pendant un de ces congés tu t'es *cassé* la   broke
jambe en *faisant du ski*!   skiing

R: Il faut bien qu'on se casse la jambe au moins
une fois, n'est-ce pas?

C: And you speak English!

35   R: What's this? Can you speak English now?

C: I speak very well English. Thank you very
much. You're welcome. Et voilà *à peu près* tout   about
ce que je peux dire sans mon livre!

R: (*riant*) Il va *falloir* que tu ailles en Amérique   laughing ♀ to be
40   ou en Angleterre, toi aussi!   necessary

441

P: *Il* est important qu'on *fasse* tout de suite des projets pour la semaine prochaine. J'ai déjà *prévenu* le *proviseur* du lycée que tu es rentré. Il faudra que tu passes des examens pour être
45 *admis* en deuxième.[1] J'ai demandé au proviseur de nous dire les *résultats aussitôt que possible.*

C: Oh, il *sera reçu . . . surtout* en anglais!

(On sonne. Monique ouvre. C'est Armand.)

50 ARMAND: Ah! Robert! *Ça fait plaisir* de te voir! Comment ça va, mon vieux? (Ils s'embrassent sur les deux joues.) Je regrette de ne pas être allé à l'aéroport, mais . . .

R: Oh, cela n'a aucune importance. Moi aussi, je
55 suis heureux de te revoir. A propos, on me dit que j'aurai bientôt un *beau-frère . . .*

C: Et peu après, probablement, un *neveu* ou une *nièce . . .*

M: Claire!

60 ARMAND: Je *doute* beaucoup que cela soit pour bientôt! *Il* me *reste* encore un an d'études à la Faculté, et ensuite je dois faire mon service militaire!

R: Alors le mariage n'aura pas lieu avant deux
65 ans?

ARMAND: A peu près . . . .

P: En attendant, Monique pourra faire ses études pour le *professorat . . .*

MO: Moi? Non. *J'ai changé d'avis.*

70 C: Tu pourrais devenir *interprète!* Il y a des écoles spéciales pour les interprètes . . .

MO: Ce serait plus *à mon goût . . . pourvu que* je sois toujours près d'Armand!

ARMAND: Tu voudrais vraiment, Monique, être
75 interprète?

MO: Mais oui, certainement!

P: Ah! J'en suis *bien* heureux! *En ce cas* il est possible que vous *puissiez* vous marier plus tôt! Je vais proposer au père d'Armand que nous
80 vous aidions tous les deux pour la question de finances.

Glossary (right column):

It ⚥ (faire)
plans
notified ⚥ head-master
admitted
results as soon as possible
will pass ⚥ especially
= Je suis heureux
brother-in-law
nephew
niece
doubt
There remains
teaching
I changed my mind.
interpreter
to my taste ⚥ provided
= très ⚥ In that case (pouvoir)

---

[1]Voir la page 436, *Notes sur la civilisation française.*

● MO: Oh, papa! Vraiment? Tu es trop *bon*!   kind

ARMAND: C'est trop généreux de ta part . . .
mais . . .

85 P: N'en parlons plus! *Pour le moment*, parlons de   Right now
l'Amérique.

ARMAND: A propos, Robert, dis-nous franchement
ce que tu penses *de* ton *séjour* . . . et aussi ce   of ♀ stay
que tu penses de l'Amérique!

90 R: Ce que j'en pense? Mes parents m'ont *appris* à   taught
ne pas *mentir*. Ce serait *donc* un grand *men-*   to lie ♀ therefore ♀
songe si je disais que l'Amérique me *déplaît*!   lie ♀ displeases
Au contraire! Je pourrais y vivre pour toujours!

P: Si tu en avais eu l'occasion, est-ce que tu y
95 *serais resté*?   would have stayed

R: Sans ma famille? *Encore une* année, peut-être,   Another
c'est tout. Et j'aurais du mal à vous *expliquer* ce   to explain
que c'est qui m'*attire* . . .   attracts

ARMAND: C'est la *taille* de tout, probablement.   size
100 Tout est plus grand, n'est-ce pas? Les villes, les
arbres, les fleuves . . . même les gens!

R: C'est quelque chose *au-delà des* dimensions.   beyond
Il y a là-bas une sorte d'*audace*, une sorte de   audacity, daring ♀
défi. C'est *comme si* l'homme s'était adressé à   challenge ♀ as
105 la nature en disant, «Je vous *défie* de m'em-   though
pêcher de faire ce que je veux!» Et il a *con-*   defy
struit des édifices qui *s'élancent vers* le ciel   built ♀ thrust them-
avec audace, des usines où l'on fabrique tout en   selves ♀ toward
quantité astronomique avec la même audace. . . .
110 L'homme y a réussi à dominer la nature et il
respire maintenant librement.   breathes

P: Pas tout à fait! Le cœur humain a besoin de
plus que les produits d'usine; l'*âme* humaine   soul
demande plus que le matérialisme.

115 ARMAND: Et c'est en France qu'on trouve des
qualités d'âme dont tout le monde a besoin. Avec
l'audace, il faut aussi avoir de la *tendresse*! Les   tenderness
Français comprennent bien le cœur humain. La
France est la mère des arts. La France est . . .

120 R: La France? La France est toute spéciale sur
cette *terre*.   earth

M: Oui! Et rappelle-toi toujours, mon cher fils, que
la France . . . est à toi!

443

DIALOGUES ORIGINAUX

Modèles	Substitutions

A.

—Que pensez-vous de mon *ami* Jean-Pierre Picot?

/ amie / (le nom: au choix) /

—*Il* me *plaît beaucoup! Il* est intelligent et *il ne ment jamais.*

/ Elle ne / . . . / plaît pas / . . . / Elle / / (l'adjectif: au choix) / et elle dit parfois de petits mensonges /

B.

—Etes-vous heureux de *faire du ski* avec *eux?*

/ visiter cette usine / / nous /

—Oui, *mais je regrette* que *l'on s'y casse* souvent *la jambe.*

/ et je suis heureux / . . . / vous / / y fabriquiez / . . . / des scooters /

C.

—Quels *projets* feriez-vous si vous aviez un million?

/ voyages /

—Je ferais *de longs séjours en Europe, en Afrique et en Asie.*

/ un long voyage / . . . / (au choix) /

Vocabulaire actif

prévenir *(avoir)* to notify, warn
mentir to (tell a) lie
respirer (I) to breathe
fabriquer (I) to manufacture

le résultat result
le mensonge falsehood, lie
la taille size
une usine factory

penser de (I) to think (have an opinion) of
jeter *(ette)* to throw

la terre earth
une île island

se casser (I) la jambe, le bras, etc. to break one's leg, arm, etc. **pas mal (de)** quite a few (of)	**surtout** especially **à peu près** nearly, about **autour de** around

le projet project, plan **le congé** leave, time off **le séjour** stay, sojourn	**le neveu** nephew **la nièce** niece **la tendresse** tenderness, affection

Questions

1. Depuis quand Robert est-il de retour en France?
2. Quelles sont les personnes autour de la table?
3. Comment s'appellent les îles que Robert a visitées?
4. Quel navigateur célèbre a découvert ces îles?
5. Pourquoi Monique dit-elle que Claire parle comme un livre de géographie?
6. Est-ce qu'on a pas mal de congés au Canada?
7. Comment Robert s'est-il cassé la jambe?
8. Qu'est-ce qu'il faut faire tout de suite?
9. Qui a prévenu le proviseur du lycée que Robert était rentré?
10. Qu'est-ce qu'il faut que Robert fasse?
11. Quand veut-on en connaître les résultats?
12. Qu'est-ce qu'Armand regrette?
13. Qu'est-ce que Monique voudrait devenir?
14. Qui va aider Monique et Armand pour la question de finances?
●15. Qu'est-ce que Monsieur et Madame Darmond ont-ils appris à Robert? Est-ce qu'il dit des mensonges?
16. Est-ce que l'Amérique plaît à Robert? Qu'est-ce qu'il pense de l'Amérique en général?
17. Quelle est la qualité qu'il a beaucoup admirée?
18. Comment a-t-on construit les édifices en Amérique?
19. Comment fabrique-t-on tout dans les usines?
20. Comment l'homme y respire-t-il, selon Robert?
21. Avec l'audace, qu'est-ce qu'il faut aussi avoir?
22. Pourquoi la France est-elle toute spéciale sur la terre?

Discussion

1. Veux-tu faire un voyage autour du monde? Aimes-tu avoir tes camarades autour de toi? As-tu pas mal d'amis? As-tu pas mal de congés pendant l'année? Fais-tu des projets pour chaque jour de congé? Aimerais-tu un séjour au Canada? en France? Dans quels pays aimerais-tu faire un séjour? Est-ce que tu t'intéresses à voir les pays francophones?

445

2. Fais-tu du ski de temps en temps? Est-ce qu'on se casse souvent la jambe en faisant du ski? Est-ce qu'on respire bien quand il fait froid? quand on fait du ski? Est-ce qu'on respire bien surtout à la campagne?

3. Est-ce que tu aimes les examens? Est-ce que le professeur prévient les élèves quand il y aura un examen? As-tu de bonnes notes? En quel cours surtout?

4. As-tu un neveu? une nièce? Aimerais-tu avoir un neveu ou une nièce? Votre mère a-t-elle des neveux et des nièces?

5. Qu'est-ce que vous pensez d'une personne qui dit des mensonges? Est-ce que tout le monde ment de temps en temps?

6. Montrez-vous de la tendresse aux membres de votre famille? Est-ce qu'ils vous montrent aussi de la tendresse? Faut-il avoir de la tendresse dans la vie?

7. Avez-vous beaucoup d'amis? Combien en avez-vous à peu près? Sont-ils de grande taille (very tall)?

III STRUCTURES

A. Le présent du subjonctif

1. Révision

We've already learned that the subjunctive mood is used for an action that is an implied or indirect expression of *someone's will*, that is, an action that *someone* or *something* wants *someone else* to do:

—Qu'est-ce qu'il veut, le prof?	What does the teacher want?
—Il veut qu'on fasse attention!	He wants us to pay attention! (*He* wants that *we* pay attention.)
—Faut-il qu'on fasse attention?	Do we have to pay attention? (Is *it* necessary that *we* pay . . . ?)
—Il faut bien qu'on apprenne le subjonctif!	We have to learn the subjunctive. (*It's* necessary that *we* learn . . .)
—Ah, oui! Il est essentiel qu'on sache toutes les règles!	Oh, yes! It's essential that we know all the rules.

2. Le subjonctif après les expressions comme Il faut que . . .

Il est nécessaire
Il est important
Il est essentiel
Il est convenable
Il est temps
} que je fasse mon travail.

446

The above expressions, including **Il faut**, are called "impersonal expressions" because they begin with the words **Il est** (*It's*). In each of the above impersonal expressions, the verb that follows **que** is in the subjunctive because the *will* of society, of the school, or of someone, or something, must be done.

Exercice 1 Remplacez *Il faut* par l'expression entre parenthèses.

EXEMPLE: *Il faut* que tu viennes ici mardi. (Il est important)
        Il est important que tu viennes ici mardi.

1. *Il faut* que tu prennes le car. (Il est important)
2. *Il faut* qu'il réussisse les examens. (Il est essentiel)
3. *Il faut* que nous soyons à l'heure. (Il est nécessaire)
4. *Il faut* que vous lisiez le journal. (Il est temps)
5. *Il faut* que nous invitions nos amis. (Il est convenable)

Exercice 2 Composez une phrase en employant chacune des expressions de la colonne I avec une des expressions de la colonne III. Employez un sujet de votre choix, comme, par exemple, *mon camarade, on, nous.*

EXEMPLE:
I	II	III
Il est convenable		*faire* le nécessaire.

Il est convenable que **nous fassions** le nécessaire.

	I	II	III
1.	Il faut que	Qui?	*finir* (ses) devoirs
2.	Il est important que	(au choix)	*choisir* bien (ses) amis
3.	Il est essentiel que		*mettre* ici (ses) affaires
4.	Il est nécessaire que		*apprendre* le vocabulaire
5.	Il est convenable que		*faire* le nécessaire
6.	Il est temps que		*boire* du lait

3. More "irregular" verbs in the present subjunctive

pouvoir, to be able

Base: puiss– (que)

je puisse	tu puisses	il puisse
nous puissions	vous puissiez	ils puissent

savoir, to know, know how to

Base: sach– (que)

je sache	tu saches	il sache
nous sachions	vous sachiez	ils sachent

aller, to go

Base: aill– (que)
all–, aill–

j'aille	tu ailles	il aille
nous allions	vous alliez	ils aillent

vouloir, to wish, want

Base: veuill– (que)
voul–, veuill–

je veuille	tu veuilles	il veuille
nous voulions	vous vouliez	ils veuillent

447

Exercice 3 Combine the expressions into one sentence, using each of the subjects in parentheses.

EXEMPLE: Il est important que   *pouvoir* venir (je, vous)
         Il est important que **je puisse** venir.
         Il est important que **vous puissiez** venir.

1. Il est nécessaire que   *aller* à l'aéroport (je, on, nous, ils)
2. Il est important que   *savoir* l'heure (tu, elle, vous, ils)
3. Il est essentiel que   *pouvoir* y aller (je, on, nous, elles)
4. Il est temps que   *vouloir* le faire (tu, il, vous, ils)

4. The subjunctive after expressions of emotion

—Etes-vous heureux d'être en France?   Are you happy to be in France?

—Oui. Je suis heureux que vous y **soyez** aussi.   Yes. I'm happy that you are here, too.

Here are some expressions of emotion that you already know. Do you remember what each of them means?

être heureux que	avoir peur que
être content que	avoir honte que
être déçu que	regretter que
être désolé que	être triste que
être ravi que	

Papa a honte qu'on soit habillé comme tous nos copains!

Exercice 4 Dites la phrase en employant le présent du subjonctif du verbe *en italique.*

EXEMPLE: Nous sommes heureux que vous (vouloir) bien venir.
         Nous sommes heureux que vous **vouliez** bien venir.

1. Je suis heureux que vous (sortir) avec eux.
2. Maman est contente que tu (venir) chez nous.
3. Nous sommes ravis que Marie-Claire (aller) à Paris.
4. Papa a honte que nous (être) si mal habillés.
5. Vous ne regrettez pas qu'ils (savoir) toutes les réponses.
6. As-tu peur qu'on (boire) du champagne?
7. Je suis désolé que vous (partir) si tôt.
8. Etes-vous triste qu'ils (aller) en Afrique?

Exercice 5 Phrases presque originales! Choose 3 expressions of emotion from among those listed on page 448. Combine each of them with either of the clauses you find in the example below. Select any person or persons you wish as subject of your expression.

EXEMPLE

Subject	*Expressions*	*Clauses*
(au choix)	être heureux	que Jacques n'*aille* pas au match
	regretter	que vous ne *sachiez* pas les réponses

Georges **est heureux** que Jacques n'**aille** pas au match.
Le prof **regrette** que vous ne **sachiez** pas les réponses.

B. L'infinitif vs. le subjonctif

—Elle est heureuse d'aller en France?

—Oui. Et moi je suis heureux qu'elle y **aille**.

—Je voudrais aller avec elle.

—Maman voudrait bien que tu **ailles** avec elle!

After expressions of will or emotion, if the *same* person does *both* actions, use the infinitive as the *second* verb. If a different person does each of the actions, use the subjunctive in the *second* verb.

Notez bien: The preposition **de** is omitted after the adjective when it is followed by **que** and the subjunctive. Par exemple: Je suis content **que** (not **de**) vous soyez ici.

Exercice 6 Redites les phrases en employant les deux sujets entre parenthèses et le subjonctif du verbe *en italique*.

EXEMPLE: Monique est contente d'*aller* à Paris. (Monique . . . tu)
Monique est contente que **tu ailles** à Paris.

1. Ma sœur est heureuse de *partir*. (Ma sœur . . . je)
2. Monique est désolée de *savoir* la vérité. (Monique . . . tu)
3. Robert a honte de *porter* ces vêtements. (Robert . . . ses amis)
4. Nous avons peur de *suivre* cette route. (Nous . . . Jacques)
5. Maman est contente de *pouvoir* rentrer. (Maman . . . on)
6. La dame regrette d'*aller* en ville. (La dame . . . vous)
7. Il est important de *boire* du lait. (Il . . . les enfants)
8. Il faut *écrire* une lettre à maman. (Il . . . vous)
9. Il est essentiel de *comprendre* les phrases. (Il . . . nous)
10. Il est temps de *connaître* notre pays. (Il . . . vous)
11. Nos parents sont ravis d'*être* de retour. (Nos parents . . . elle)

C. Deux nouveaux verbes

1. mentir to (tell a) lie (un verbe désagréable!)

The verb **mentir** acts just like **sentir**.

Prés.:   je mens   tu mens   il ment
          nous mentons   vous mentez   ils mentent

Prés. du subj.:	je mente	*Part. prés.:*	(en) mentant
Part. passé:	menti	*Imparf.:*	je mentais
Passé composé:	j'ai menti	*Futur:*	je mentirai
Plus-que-parf.:	j'avais menti	*Cond.:*	je mentirais

2. jeter *(ette)* to throw (un verbe qui change d'orthographe)

Prés.:   je jette   tu jettes   il jette
          nous jetons   vous jetez   ils jettent

Prés du subj.:	je jette	*Part. prés.:*	(en) jetant
Part. passé:	jeté	*Imparf.:*	je jetais
Passé composé:	j'ai jeté	*Futur:*	je jetterai
Plus-que-parf.:	j'avais jeté	*Cond.:*	je jetterais

> Notez bien: **Jeter** doubles the **t** in the present indicative and subjunctive (except in the **nous** and **vous** forms), in the future and in the conditional. Otherwise it is *regular* (like verbs of the First Group).

Exercice 7 Employez chacune des expressions dans chaque phrase. Mettez chacune dans la forme appropriée.

EXEMPLE: A. ne pas mentir   B. jeter les vieux papiers

              A.1. Aujourd'hui je ne mens pas.
              B.1. Aujourd'hui je jette les vieux papiers.

              A.5. Il a dit qu'il ne mentirait pas.
              B.5. Il a dit qu'il jetterait les vieux papiers.

1. Aujourd'hui je . . .
2. Hier vous . . .
3. Autrefois ils . . .
4. Demain il . . .
5. Il a dit qu'il . . . (conditionnel)
6. J'ai pensé qu'il . . . (plus-que-parfait)
7. Elle est contente qu'il . . . (subj.)

D. Le conditionnel antérieur (For recognition)

1. Formation

—Si j'avais voyagé aux Etats-Unis, j'aurais vu des merveilles.   If I had traveled to the U.S., I *would have seen* some marvels.

—Je serais allé avec vous si j'avais eu les moyens.   I *would have gone* with you if I had had the means.

450

The *conditionnel antérieur* is the conditional perfect, or past conditional, and means *would have* (done something). It's a *temps composé*, composed of the conditional of the auxiliary verb **avoir** or **être** plus the past participle. Here is how it looks:

Le conditionnel antérieur
garder, to keep
(I would have kept, etc.)

j'aurais gardé	nous aurions gardé
tu aurais gardé	vous auriez gardé
il aurait gardé	
ils auraient gardé	

aller, to go
(I would have gone, etc.)

je serais allé	nous serions allés
tu serais allé	vous seriez allés
il serait allé	
ils seraient allés	

2. Emploi

The conditionnel antérieur is used in much the same way as it is in English.

Il	aurait essayé de	danser.
He	would have tried	to dance.

It is frequently used in the "result" clause when the si clause is in the pluperfect.

Plus-que-parfait   Conditionnel antérieur

Si elle	avait eu	le temps,	elle	aurait accompagné	son amie.
If she	had had	the time,	she	would have accompanied	her friend.

Exercice 8 Complete the sentence beginning with "S'il avait fait beau temps . . ." by using the subject indicated and the conditionnel antérieur of the expression in parentheses. (Hint: change the auxiliary *avoir* or *être* to the conditionnel!)

EXEMPLE: S'il avait fait beau temps, je (avoir fait) une promenade
S'il avait fait beau temps, j'**aurais fait** une promenade.

S'il avait fait beau temps . . .

1. je (*avoir* gardé) la voiture
2. tu (*avoir* demandé) la permission de sortir
3. il (*avoir* accompagné) ses amis
4. ils (*être* allés) à la campagne samedi
5. nous (*être* restés) ici
6. vous (*être* partis) très tôt

E. Introduction to the "passive voice"

1. Emploi

Thus far the verbs we have studied have all been in what is called the "active voice." The active voice is a term which indicates that the *subject* of the verb *does the action* of the verb. Study the sentences below. (The arrows represent the direction of the action in each case.)

Active voice

	Subject	Verb	Direct object	Indirect object
1.	Paul	jette	la balle	à Marc.
2.	Gisèle	a offert	les disques	à Nathalie.

Passive voice

	Subject	Verb	Agent
1.	La balle The ball	est jetée is thrown	par Paul. by Paul.
2.	Les disques The records	ont été offerts were offered (have been . . .)	par Gisèle. by Gisèle.

> Notez bien: The passive voice in French is exactly like the English: the subject *receives* the action, and the person who *does* the action becomes the *agent*. In other words, the direct object in the active voice becomes the subject in the passive voice.
>
> But what has happened to Marc and Nathalie? In French, the *indirect object* (à Marc, à Nathalie) is never used as subject of a verb in the passive voice.

2. Formation

To form the passive voice, use the verb **être** and the past participle of the verb whose action you are expressing. Remember: the past participle must agree with the *subject*!

Active voice   Passive voice

Au présent

Les enfants | jettent / throw | les balles.   Les balles | **sont jetées** / are thrown | par les enfants.

Au futur

Le garçon | attrapera / will catch | la balle.   La balle | **sera attrapée** / will be caught | par le garçon.

Le prof | posera / will ask | les questions.   Les questions | **seront posées** / will be asked | par le prof.

452

	Active voice		Passive voice

A l'imparfait

Anne | remplaçait / replaced | la vendeuse.   La vendeuse | était remplacée / was replaced | par Anne.

Les garçons | servaient / served | les dîners.   Les dîners | étaient servis / were served | par les garçons.

Au passé composé

La concierge | a puni / punished | le chien.   Le chien | a été puni / was punished | par la concierge.

Les maris | ont pris / took | des billets.   Les billets | ont été pris / were taken | par les maris.

Exercice 9 Mettez au passif. (Put the sentences into the passive voice. Begin your sentence with the word *in italics*.)

EXEMPLE: Le fleuve traverse | *la ville.*
            | La ville | est traversée par le fleuve.

Au présent
1. La route traverse *ce village.*
2. La police arrête *les voyageurs.*
3. Mes amis invitent *tout le monde.*
4. Le père appelle *les enfants.*

Au futur
5. Le touriste visitera *la France.*
6. La dame servira *le dîner.*

A l'imparfait
7. Le médecin guérira *le monsieur.*
8. Le boucher vendra *la viande.*

F.   Des locutions à retenir

1. penser à vs. penser de

Au cinéma

—A quoi **pensez**-vous?   What are you thinking about?
—Je **pense** à ce film.   I'm thinking about this movie.
—Que **pensez**-vous **de** ce film?   What do you think of this movie?
—Ce que j'**en pense**? Je pense qu'il   What I think of it? I think that it's
   est ridicule!   ridiculous!

> Explication: The expression **penser** à indicates that the process of thinking is going on regarding a person or a situation. The expression **penser de** indicates an *opinion* of some kind.

Exercice 10 (process of thinking)   Complétez la phrase en employant la préposition appropriée.

1. ____ qui pensez-vous?
2. Nous pensons ____ vous.
3. ____ quoi pense-t-il?
4. Il pense ____ Noël.
5. Penserez-vous ____ ce projet?
6. Je ne penserai ____ rien.

Exercice 11 (having an opinion) Complétez la phrase en employant la préposition appropriée.

1. Que pensez-vous _____ cette musique?
2. Qu'est-ce que votre camarade pense _____ nouveau professeur?
3. Qu'est-ce qu'il pense _____ moi?
4. Ne me demandez pas ce qu'il pense _____ vous!

Exercice 12 (*penser à* ou *penser de*) Complétez la phrase en employant la préposition *à* ou *de*.

1. Pensez-vous quelquefois _____ la Martinique?
2. Qu'est-ce que vous pensez _____ votre séjour à la Martinique?
3. Pensez-vous parfois _____ la taille de tout ce que l'on voit en Amérique?
4. Qu'est-ce que votre frère pensait _____ cette grandeur?
5. Que pensez-vous _____ une personne qui dit des mensonges?

2. Pas mal (de) quite a few (of)

—Avez-vous assez d'amis au lycée?   Do you have enough friends at the lycée?

—Oui, j'ai **pas mal d**'amis au lycée.   Yes, I have *quite a few* friends at the lycée.

Exercice 13 Redites la question en remplaçant l'expression *en italique* par l'expression *pas mal*. Ensuite répondez à la question.

EXEMPLE: Avez-vous *beaucoup* de disques?
Question: Avez-vous **pas mal** de disques?
Réponse: J'en ai **pas mal**.

1. Avez-vous *assez* de congés pendant l'année?
2. Votre père a-t-il *beaucoup* de neveux?
3. Avons-nous *beaucoup* de projets?
4. Y a-t-il *assez* d'usines dans votre village?

Exercice général Vos parents vont bientôt annoncer les fiançailles de votre sœur. Ecrivez une lettre à votre cousin(e) l'invitant à venir à la réception. Dites-lui:

1. l'heure, la date, et le lieu (place) de la réception.
2. le nom du fiancé et sa description. (Dites s'il a fait son service militaire.)
3. ce qu'il (ou elle) doit porter comme vêtements pour venir à la réception. (*Il est convenable que tu portes . . .*)
4. ce que l'on va servir (gâteaux, bonbons, champagne, etc.).
5. quels rythmes l'orchestre va jouer (valses? tangos? du rock?).
6. vous voulez qu'il (elle) fasse la connaissance du fiancé et de sa famille.

454

7. qu'il sera reçu avec tendresse par tout le monde.
8. vos parents seront ravis qu'il vienne passer quelque jours chez vous.

IV NOTES SUR LA CIVILISATION FRANÇAISE

Liberté, Egalité, Fraternité

Inscrites ou *gravées* sur la façade d'un grand nombre d'édifices publics en France sont les *paroles* «Liberté, Egalité, Fraternité.» C'est la *de-*
5 *vise* de la République française. On la voit aussi sur les *pièces de monnaie*, sur des documents, et *ailleurs.*

Comme les Etats-Unis, la France est une démocratie, gouvernée par ses *citoyens* qui montrent
10 leur volonté par un système d'élections. Le *pouvoir* en France, donc, comme celui aux Etats-Unis, est basé sur la volonté du peuple.

Written & carved

words & motto

coins
elsewhere

citizens
power

L'Assemblée Nationale, l'ancien Palais Bourbon, lieu de réunion des Députés.

Les départements   Avant la Révolution française de 1789, la France était *divisée* en plus de trente
15 provinces. Ces anciennes provinces étaient alors gouvernées par un noble (un comte, un duc, un marquis, etc.). Pendant la Révolution, on *abolit* les provinces comme *unités* politiques, et on les remplaça par les départements, qui sont les subdivi-
20 sions administratives de nos jours. Les vieilles provinces gardent quand même leur identité culturelle.

divided

abolished
units

Le gouvernement central   Le gouvernement central, dont le *siège* est à Paris, *comprend*
25 1. Le pouvoir législatif
l'Assemblée Nationale, composée de Députés
le Sénat, composé de Sénateurs
2. Le pouvoir exécutif
30 le Président de la République, qui est *élu* pour sept ans
le *Conseil* des Ministres, dont le chef est le Président du Conseil, souvent appelé le *Premier Ministre*

headquarters & includes

elected

Council

Prime Minister

35 **Le gouvernement local**   La France est divisée en 95 départements et la ville de Paris. Dans chaque département il y a un *préfet* qui a des pouvoirs exécutifs très limités et un *Conseil Général* qui administre ce qui *appartient* au département et
40 vote le budget.

Les Français ont tous les *droits*, et les femmes ont les mêmes droits que les hommes!

prefect (chief official

General Council
belongs

rights

Questions

Faites coïncider (Match).

1. Liberté, Egalité, Fraternité est _____ de la République française.
2. La France est une _____.
3. La devise est inscrite ou gravée sur la façade des _____ publics.
4. La France est gouvernée par _____.
5. Les Français montrent leur volonté par un système _____.
6. Les Français ont tous les _____.
7. L'Assemblée Nationale et le Sénat constituent _____.

a. sept ans
b. 95 départements
c. d'élections
d. le peuple
e. édifices
f. droits
g. le pouvoir législatif
h. mêmes droits
i. démocratie

456

8. La France est divisée en _____ et la ville de   j.   la devise
   Paris.
9. Le Président de la République est élu pour _____.
10. Les femmes ont les _____ que les hommes.

Bourse de Travail: lieu de réunion des syndicats ouvriers (labor unions)

V AMUSONS-NOUS!

La Marseillaise

La Marseillaise est l'hymne national français. Il est célèbre partout au monde. Composé en 1793 par un soldat français, ce chant patriotique représente la volonté du peuple français de garder à tout prix leur liberté précieuse. Vous y trouverez vos propres (own) sentiments!

Paroles et Musique de
ROUGET DE LISLE
(1792)
Arranged by
Edmond Cadoux

Mouvement de marche

Al-lons, en-fants de la pa-tri-e, Le jour de gloire est ar-ri-vé; Con-tre nous, de la ty-ran-ni-e, L'é-ten-dard san-glant[1] est le-vé, L'é-ten-dard san-glant est le-vé. En-ten-dez-vous dans les cam-pa-gnes, Mu-gir[2] ces fé-ro-ces sol-dats? Ils vien-nent jus-que dans nos bras, E-gor-ger[3] nos fils, nos com-pa-gnes! Aux ar-mes, ci-toy-ens! For-mez vos ba-tail-lons! Mar-chons, mar-chons! Qu'un sang im-pur[4] a-breu-ve nos sil-lons![5]

[1] *étendard sanglant:* bloody standard (flag)

[2] *mugir:* roar

[3] *égorger:* to slaughter

[4] *qu'un sang impur:* lest an impure blood

[5] *abreuve nos sillons:* flood our fields

Révision Générale VIII
Leçons 36–40

I RÉVISION DE GRAMMAIRE

A. Les verbes

1. Le conditionnel

a. L'emploi

Etudiez la formation et l'emploi du conditionnel à la page 354–55. Ensuite complétez le petit dialogue ci-dessous. Employez 4 expressions de votre choix. Mettez le verbe au temps indiqué.

Le Petit Dialogue

(expression) *faire* une promenade
(au futur) —Est-ce que Georges (**fera** une promenade) ?
(au cond.) —Il a dit qu'il (**ferait** une promenade).

Expressions à employer

parler français	*finir* son travail
aller à l'étranger	*attendre* ses amis
venir de bonne heure	*être* de bonne humeur
faire un voyage	*avoir* envie de partir
envoyer une lettre	*courir* au marché

b. Conditional of courtesy

Now, *soften* the following statements by using the conditional of courtesy (instead of the present tense) of the verbs *in italics*:

1. Je *veux* partir tout de suite.
2. *Pouvez-vous* me passer le pain, s'il vous plaît?
3. *Savez*-vous toutes les réponses à mes questions?
4. *Avez*-vous la bonté de venir avec moi?

2. Le plus-que-parfait

Etudiez la formation et l'emploi du plus-que-parfait (pp. 408 et 431). Ensuite complétez le petit dialogue ci-dessous en employant le plus-que-parfait du verbe et les expressions suggérées.   *T.S.V.P.*

Le Petit Dialogue

(expression) *voir* le film

— Qu'est-ce qu'ils ont dit?

— Ils ont dit qu'ils (avaient vu le film).

Expressions à employer

regarder une émission   *recevoir* l'argent

finir le travail   *aller* à l'église

entendre le bruit   *monter* chez vous

faire le nécessaire   *descendre* chez nous

3. Le futur antérieur et le conditionnel antérieur

a. Le futur antérieur

Etudiez la formation et l'emploi du futur antérieur à la page 432. Maintenant, faites coïncider (match) la question et la réponse!

Question	*Réponse*
1. Quand partira-t-on de l'école?	a. Quand nous aurons fait un voyage en Europe!
2. Quand lui offrira-t-elle un cadeau?	b. Aussitôt qu'ils seront arrivés chez eux!
3. Quand connaîtrons-nous mieux la France?	c. Dès qu'on aura fini la leçon!
4. Quand téléphonerons-nous à nos amis?	d. Aussitôt qu'il aura réussi ses examens!

b. Le conditionnel antérieur

Etudiez la formation et l'emploi du conditionnel antérieur à la page 451. Ensuite faites coïncider:

I	II
1. Si elle avait reçu vos lettres,	a. on serait venu vous voir.
2. Si j'avais gagné l'argent,	b. vous n'auriez pas porté d'imperméable.
3. Si nous avions appelé vos camarades,	c. je l'aurais perdu.
4. Si vous aviez vu la Belle Province,	d. elle vous aurait répondu.
5. S'il avait fait beau temps,	e. ils seraient venus avec nous.
6. Si on avait su votre adresse,	f. vous en auriez eu une bonne impression.

4. Les verbes qui changent d'orthographe

Etudiez les verbes suivants à la page indiquée:

appeler (385)   nettoyer (405)

jeter (450)   ennuyer (405)

Ensuite complétez les phrases ci-dessous en employant chacune des expressions.

Phrases à compléter

(expression)	*appeler* ses amis
(au présent)	Je suis sûr qu'elle <u>(appelle ses amis)</u>.
(au futur)	Si elle veut le faire, elle <u>(appellera ses amis)</u>.
(au cond.)	Si elle voulait le faire, elle <u>(appellerait ses amis)</u>.

Expressions à employer

se rappeler le nom	*nettoyer* la chambre
jeter la balle	*s'ennuyer* beaucoup

5. Les verbes «irréguliers»

Etudiez chacun des verbes suivants à la page indiquée:

vivre (383)	croire (383)	courir (407)
dormir (406)	mentir (451)	

Ensuite complétez le petit dialogue ci-dessous en employant chacune des expressions indiquées.

Le Petit Dialogue

(expression)	*vivre* à la campagne
(au présent)	—Il ne <u>(vit)</u> plus <u>(à la campagne)</u> ?
(au p.c.)	—Il n'<u>(a)</u> jamais <u>(vécu à la campagne)</u> !

Expressions à employer

vivre en France	*croire* ses mensonges
dormir en bas	*mentir* à ses parents
courir partout	

6. Le présent du subjonctif

Etudiez le formation du présent du subjonctif (voir pp. 423, 425, et 426). Etudiez aussi la formation du présent du subjonctif des verbes «très irréguliers» (pp. 427 et 447). Relisez l'emploi du subjonctif (pp. 423 et 446).

Ensuite complétez le petit dialogue ci-dessous en employant 4 expressions de votre choix. (Vous pouvez employer les expressions suggérées ci-dessous si vous voulez!)

Le Petit Dialogue

(expression) *venir* plus tard

—Voulez-vous que je <u>(vienne plus tard)</u>?

—Je serai heureux que vous <u>(veniez plus tard)</u>. Il est important que tous les élèves <u>(viennent plus tard)</u>.

Expressions à employer

rencontrer des amis	*avoir* des disques
obéir à la loi	*être* de bonne humeur
descendre tout de suite	*aller* au magasin
faire un tour	

7. L'infinitif

   a. **Après** + l'infinitif passé

Etudiez l'emploi d'**après avoir** + le participe passé et **après être** + le participe passé, à la page 403.

Ensuite complétez la phrase suivante en employant chacune des expressions suggérées ci-dessous.

Phrase à compléter

(expression) *partager* son argent
Après <u>(**avoir partagé** son argent)</u>, il était content.

Expressions à employer

peser les valises	*partir* à l'étranger
courir partout	*devenir* président
faire ses projets	

   b. La négation devant l'infinitif

Etudiez l'emploi de **ne pas, ne plus,** et **ne jamais** devant l'infinitif à la page 428.

Ensuite complétez la phrase suivante en employant chaque expression suggérée ci-dessous, précédée de (1) **ne pas,** ou (2) **ne plus,** ou (3) **ne jamais.**

Phrase à compléter

(expression) avoir faim
Je voudrais <u>(**ne jamais**)</u> avoir faim.

Expressions à employer

avoir peur	aller à l'étranger
avoir sommeil	déranger mes parents
avoir l'air déçu	sentir ce parfum
être fâché(e)	empêcher le professeur de partir

8. La négation

Trouvez dans la colonne II la réponse à chaque question de la colonne I.

I	II
1. Allez-vous quelque part demain?	a. Je sens la paix. Mais je ne sens ni les fleurs ni les animaux.
2. Va-t-on souvent au théâtre dans votre village?	b. Il n'y a personne maintenant.
3. Nous ne voulons pas dormir à la belle étoile. Et vous?	c. Je n'en vois aucun.
4. Sentez-vous quelque chose ici à la campagne?	d. On n'y va guère.
5. Y a-t-il quelqu'un à la porte?	e. Nous non plus!
6. Combien de camions voyez-vous?	f. Nous n'allons nulle part.

9. Le passé simple

Etudiez la formation et l'emploi du passé simple à la page 378. Ensuite mettez les phrases suivantes au passé composé.

EXEMPLE: (aller) Les pionniers *allèrent* au Lac Huron.
Les pionniers **sont allés** au Lac Huron.

1. (arriver) Le Premier Ministre *arriva* à Paris.
2. (aller) Le roi *alla* en Angleterre.
3. (venir) Les Peaux-Rouges *vinrent* à Hochelaga.
4. (faire) Le pionnier *fit* un long voyage.
5. (choisir) Le général *choisit* un lieutenant.
6. (être) Les Anglais *furent* victorieux.
7. (écrire) Le capitaine *écrivit* cette histoire après la guerre.
8. (voir) Le navigateur *vit* une grande étoile dans le ciel.
9. (revenir) Le président *revint* avec ses ministres.

B. Les pronoms

1. Les pronoms interrogatifs

Etudiez les pronoms interrogatifs (pp. 376 et 377). Ensuite composez les phrases suivantes:

2 phrases en employant **Qui?**
1 phrase en employant **Que?**
1 phrase en employant **Quoi?**
2 phrases en employant une forme de **lequel**

2. Les pronoms démonstratifs

Etudiez les pronoms démonstratifs **celui**, etc. + **de**, ou **celui** + **qui** ou **que** à la page 381. Ensuite composez 3 phrases originales, une phrase en employant **celui de**, une en employant **celui qui**, et une en employant **celui que**.

3. Les pronoms possessifs

Etudiez les pronoms possessifs à la page 401. Ensuite écrivez 2 phrases en employant deux pronoms différents.

4. Ce vs. il

Etudiez **ce** vs. **il**, à la page 429. Ensuite complétez les phrases suivantes en employant **ce** ou **il**.

1. a. _____ est mon frère. b. _____ est très intelligent.
2. _____ est étudiant.
3. a. _____ veut devenir ingénieur. b. _____ sera un excellent ingénieur!
4. _____ (la situation) est sensationnel!
5. Faire toutes ces études? _____ est trop pour moi!
6. a. _____ est Américain. b. _____ un Américain riche et beau.

A. Les synonymes

Faites coïncider!

I	II
penser de	la situation, la place
le poste	assez de
pas mal de	le talent
le don	presque, environ
le congé	l'intention
prévenir	les vacances
le projet	avoir une opinion de
à peu près	informer

Continuons à faire coïncider les synonymes!

I	II
étonnée	arriver
se hâter, se presser	s'enrhumer
attraper un rhume	pour
afin de	il y a (huit jours) que ...
se passer	faire une promenade
faire un tour	se dépêcher
Ça fait (huit jours) que . . .	avoir de la difficulté à
avoir du mal à	surprise

Et encore des synonymes!

I	II
tout à fait	au centre de
le kilo	désirer
au milieu de	2,2 livres (fem.)
avoir envie de	entièrement

B. Les contraires

Trouvez dans la colonne II le contraire de chaque mot de la colonne I.

I	II
le mensonge	franc
se rappeler	reposé
en haut	tranquille
mort	oublier
renfermé	en bas
fatigué	la vérité
inquiet	vivant

C. Les associations

Choisissez dans la colonne II le mot ou l'expression associé avec chaque mot ou expression de la colonne I.

I	II
se raser	l'argent
se casser la jambe	une usine
le poids	l'air
fabriquer	le rasoir
une île	peser
coûter	la rue
respirer	la terre
le rez-de-chaussée	le ski

Essayons encore quelques associations!

I	II
jeter	les personnes
le séjour	rester
le coin	les bonbons
doux	franc
honnête	l'angle
les gens	le papier

D. Les idiotismes

Trouvez dans la colonne II la réponse à chaque question de la colonne I.

I	II
1. Que pensez-vous de ma robe?	a. Surtout le base-ball!
2. Il va me prévenir avant son arrivée, n'est-ce pas?	b. J'espère que oui!
	c. Il devient de plus en plus fort.
3. Vous aimez le sport?	d. Pourquoi? Je dors bien la nuit!
4. Fait-il des progrès de jour en jour?	e. Oui, et elle s'est lavé la figure.
	f. Elle est très belle!
5. Avez-vous souvent sommeil?	g. Il est tout à fait poli.
6. Est-ce qu'elle s'est brossé les dents avant de sortir?	
7. Tu te rappelleras son nom et son adresse?	

III PETIT THÉÂTRE IMPROMPTU

Ecrivez 4 ou 5 questions que vous pourriez poser à quelqu'un si vous étiez dans chacune des situations suivantes. Quand vous êtes en classe, demandez à un(e) de vos camarades de répondre à vos questions devant la classe! Consultez le Vocabulaire actif, la Scène de la vie française, ou le Dialogue original de la leçon dont le numéro est entre parenthèses.

1. Un de vos amis est malade. Il est absent depuis huit jours. Il est très triste parce qu'il ne guérit pas vite. Vous allez chez lui et vous essayez de l'encourager (you try to cheer him up!). (36)
2. Un de vos amis va partir à l'étranger. Vous allez chez lui juste avant son départ. Posez-lui des questions et donnez-lui des conseils. (37)
3. Un(e) de vos camarades vient chez vous pour passer trois jours. Vous lui montrez votre maison (ou appartement) et la chambre où il (elle) va dormir. Vous lui posez des questions en lui faisant voir ces endroits. (38)
4. Un(e) de vos camarades vient d'échouer à son examen. Il est découragé (discouraged). Vous lui posez des questions en essayant de l'encourager à travailler plus dur. Par exemple: Tu voudrais avoir un bon poste, n'est-ce pas? As-tu du mal à apprendre les langues vivantes? Tu t'intéresses à réussir, n'est-ce pas? Feras-tu tout ton possible?, etc. (39)
5. Un de vos cousins revient d'un long voyage pendant lequel il a vu plusieurs grandes villes et des montagnes très hautes. Vous lui demandez de vous donner ses impressions des montagnes, des villes, des usines, etc. (40)

IV VRAI OU FAUX?

Si l'affirmation est fausse, corrigez-la en français! Consultez la page dont le numéro est entre parenthèses.

1. De nos jours on parle français comme langue officielle ou secondaire dans les pays situés en Europe, en Amérique, en Afrique, en Asie et en Australie. (365–66)
2. La Martinique et la Guadeloupe sont deux îles qui sont des possessions françaises dans la Mer des Caraïbes. (366)
3. Dans l'Océan Pacifique, il y a pas mal de possessions françaises parmi (among) les îles de la Polynésie et de la Mélanésie. (367)
4. La France gagna la bataille contre les Anglais sur les plaines d'Abraham à Québec en 1759. (388)
5. Sous la domination britannique, les Français du Canada gardèrent leur langue, leur religion, et leurs institutions. (388)
6. Par son étendue, la Province de Québec est la plus grande province du Canada. (389)
7. Environ 33% de la population du Canada est francophone. (410)
8. Selon le système métrique, un kilogramme ou un «kilo» est l'équivalent de 2,2 livres (pounds). (412)
9. Il y a 900 grammes dans un kilogramme. (412)
10. Il y a en France environ (about) 60 universités. (436)
11. Dans les universités de France, les étudiants français peuvent se préparer pour toutes les professions. (436)

12. Il faut que tous les étudiants paient des sommes considérables pour suivre les cours de l'université. (435)
13. Le gouvernement français est basé sur la devise «Liberté, Egalité, Pouvoir». (455)
14. Les citoyens français montrent leur volonté par un système d'émissions à la télévision. (455)
15. En France les femmes ont les mêmes droits que les hommes. (456)
16. Il n'y a pas de gouvernement local en France. (456)
17. Les Français n'ont pas beaucoup de droits civils. (456)

Appendix A:

Group I	Group II	Group III
Infinitif: parler *to speak*	finir *to finish*	vendre *to sell*
Participe présent: parlant *speaking*	finissant *finishing*	vendant *selling*
Participe passé: parlé *spoken*	fini *finished*	vendu *sold*

SIMPLE TENSES (temps simples)

Indicative

Présent

Group I	Group II	Group III
I speak;	*I finish;*	*I sell;*
I am speaking	*I am finishing*	*I am selling*
je parle	je finis	je vends
tu parles	tu finis	tu vends
il parle	il finit	il vend
nous parlons	nous finissons	nous vendons
vous parlez	vous finissez	vous vendez
ils parlent	ils finissent	ils vendent

Imparfait

I was speaking;	*I was finishing;*	*I was selling;*
I used to speak;	*I used to finish;*	*I used to sell;*
I spoke	*I finished*	*I sold*
je parlais	je finissais	je vendais
tu parlais	tu finissais	tu vendais
il parlait	il finissait	il vendait
nous parlions	nous finissions	nous vendions
vous parliez	vous finissiez	vous vendiez
ils parlaient	ils finissaient	ils vendaient

Futur

I shall (will)	*I shall (will)*	*I shall (will)*
speak	*finish*	*sell*
je parlerai	je finirai	je vendrai
tu parleras	tu finiras	tu vendras
il parlera	il finira	il vendra
nous parlerons	nous finirons	nous vendrons
vous parlerez	vous finirez	vous vendrez
ils parleront	ils finiront	ils vendront

Conditionnel

I would speak	*I would finish*	*I would sell*
je parlerais	je finirais	je vendrais
tu parlerais	tu finirais	tu vendrais
il parlerait	il finirait	il vendrait
nous parlerions	nous finirions	nous vendrions
vous parleriez	vous finiriez	vous vendriez
ils parleraient	ils finiraient	ils vendraient

Subjunctive

Présent

(that) I speak; *(that) I may speak*	*(that) I finish;* *(that) I may finish*	*(that) I sell;* *(that) I may sell*
(que) je parle	je finisse	je vende
(que) tu parles	tu finisses	tu vendes
(qu') il parle	il finisse	il vende
(que) nous parlions	nous finissions	nous vendions
(que) vous parliez	vous finissiez	vous vendiez
(qu') ils parlent	ils finissent	ils vendent

COMPOUND TENSES (temps composés)

Passé composé

I spoke; did speak; *I have spoken*	*I finished; did finish;* *I have finished*	*I sold; did sell;* *I have sold*
j'ai parlé	j'ai fini	j'ai vendu
tu as parlé	tu as fini	tu as vendu
il a parlé	il a fini	il a vendu
nous avons parlé	nous avons fini	nous avons vendu
vous avez parlé	vous avez fini	vous avez vendu
ils ont parlé	ils ont fini	ils ont vendu

Plus-que-parfait

I had spoken	*I had finished*	*I had sold*
j'avais parlé	j'avais fini	j'avais vendu
tu avais parlé	tu avais fini	tu avais vendu
il avait parlé	il avait fini	il avait vendu
nous avions parlé	nous avions fini	nous avions vendu
vous aviez parlé	vous aviez fini	vous aviez vendu
ils avaient parlé	ils avaient fini	ils avaient vendu

Futur antérieur

I shall (will) *have spoken*	*I shall (will)* *have finished*	*I shall (will)* *have sold*
j'aurai parlé	j'aurai fini	j'aurai vendu
tu auras parlé	tu auras fini	tu auras vendu
il aura parlé	il aura fini	il aura vendu
nous aurons parlé	nous aurons fini	nous aurons vendu
vous aurez parlé	vous aurez fini	vous aurez vendu
ils auront parlé	ils auront fini	ils auront vendu

Conditionnel antérieur

I would *have spoken*	*I would* *have finished*	*I would* *have sold*
j'aurais parlé	j'aurais fini	j'aurais vendu
tu aurais parlé	tu aurais fini	tu aurais vendu
il aurait parlé	il aurait fini	il aurait vendu
nous aurions parlé	nous aurions fini	nous aurions vendu
vous auriez parlé	vous auriez fini	vous auriez vendu
ils auraient parlé	ils auraient fini	ils auraient vendu

469

COMPOUND TENSES OF VERBS CONJUGATED WITH ETRE

Infinitif: rester *to stay*
Participe passé: resté *stayed*
Participe présent: restant *staying*
Infinitif passé: après être resté(e)(s)(es) *after staying*

Passé composé

I stayed; I have stayed;
I did stay

je suis resté(e)
tu es resté(e)
il est resté
elle est restée

nous sommes restés(es)
vous êtes resté(e)(s)(es)
ils sont restés
elles sont restées

Plus-que-parfait

I had stayed

j'étais resté(e)
tu étais resté(e)
il était resté
elle était restée

nous étions restés(es)
vous étiez resté(e)(s)(es)
ils étaient restés
elles étaient restées

Futur antérieur

I shall (will) have stayed

je serai restée(e)
tu seras resté(e)
il sera resté
elle sera restée

nous serons restés(es)
vous serez resté(e)(s)(es)
ils seront restés
elles seront restées

Conditionnel antérieur

I would have stayed

je serais resté(e)
tu serais resté(e)
il serait resté
elle serait restée ·

nous serions restés(es)
vous seriez resté(e)(s)(es)
ils seraient restés
elle seraient restées

REFLEXIVE VERBS

Infinitif: se laver *to wash oneself* (se = direct object)

Présent de l'indicatif

je me lave
tu te laves
il se lave
elle se lave

nous nous lavons
vous vous lavez
ils se lavent
elles se lavent

Présent du subjonctif

que je me lave
que tu te laves
qu'il se lave
qu'elle se lave

que nous nous lavions
que vous vous laviez
qu'ils se lavent
qu'elles se lavent

Imparfait

je me lavais
tu te lavais
il se lavait
elle se lavait

nous nous lavions
vous vous laviez
ils se lavaient
elles se lavaient

Futur

je me laverai
tu te laveras
il se lavera
elle se lavera

nous nous laverons
vous vous laverez
ils se laveront
elles se laveront

Conditionnel

je me laverais
tu te laverais
il se laverait
elle se laverait

nous nous laverions
vous vous laveriez
ils se laveraient
elles se laveraient

Passé simple

je me lavai
tu te lavas
il se lava
elle se lava

nous nous lavâmes
vous vous lavâtes
ils se lavèrent
elles se lavèrent

Passé composé	Plus-que-parfait
je me suis lavé(e)	je m'étais lavé(e)
tu t'es lavé(e)	tu t'étais lavé(e)
il s'est lavé	il s'était lavé
elle s'est lavée	elle s'était lavée
nous nous sommes lavés(es)	nous nous étions lavés (es)
vous vous êtes lavé(e)(s)(es)	vous vous étiez lavé(e)(s)(es)
ils se sont lavés	ils s'étaient lavés
elles se sont lavées	elles s'étaient lavées

Futur antérieur	Conditionnel antérieur
je me serai lavé(e)	je me serais lavé(e)
tu te seras lavé(e)	tu te serais lavé(e)
il se sera lavé	il se serait lavé
elle se sera lavée	elle se serait lavée
nous nous serons lavés(es)	nous nous serions lavés(es)
vous vous serez lavé(e)(s)(es)	vous vous seriez lavé(e)(s)(es)
ils se seront lavés	ils se seraient lavés
elles se seront lavées	elles se seraient lavées

Appendix B:

VERBS WITH SPELLING CHANGES

1. Verbs like *acheter (ète)*

Most verbs whose infinitive ends in e + consonant + **er** follow the pattern of the verb **acheter**, that is, a grave accent is added to the **e** of the base wherever an *unpronounced* **e** follows the consonant of the infinitive.

Infinitif:	acheter	*to buy*
Participe passé:	acheté	*bought*
Participe présent:	achetant	*buying*

Présent de l'indicatif	Présent du subjonctif	Futur (all change)	Conditionnel (all change)
j' achète	achète	achèterai	achèterais
tu achètes	achètes	achèteras	achèterais
il achète	achète	achètera	achèterait
ils achètent	achètent	achèteront	achèteraient
nous achetons	achetions	achèterons	achèterions
vous achetez	achetiez	achèterez	achèteriez

Impératif: Achète! Achetons! Achetez!

NOTEZ BIEN: All other tenses are formed regularly on the pattern of Group I.

Other verbs we have learned which follow the pattern of **acheter** are:

emmener (ène)	*to take along*	peser (èse)	*to weigh*
lever (ève)	*to raise, lift*	se promener (ène)	*to take a walk, drive*

471

2. Verbs like *appeler* (*elle*)

Several verbs whose infinitive ends in **e** + consonant + **er** double the consonant wherever an *unpronounced* **e** follows the consonant of the infinitive.

Infinitif:	appeler	*to call*
Participe passé:	appelé	*called*
Participe présent:	appelant	*calling*

	Présent de l'indicatif	Présent du subjonctif	Futur (all change)	Conditionnel (all change)
j'	appelle	appelle	appellerai	appellerais
tu	appelles	appelles	appelleras	appellerais
il	appelle	appelle	appellera	appellerait
ils	appellent	appellent	appelleront	appelleraient
nous	appelons	appelions	appellerons	appellerions
vous	appelez	appeliez	appellerez	appelleriez

Impératif: Appelle!   Appelons!   Appelez!

NOTEZ BIEN: All other tenses are formed regularly on the pattern of Group I.

Other verbs we have learned which follow the pattern of **appeler** are:

jeter (ette) *to throw*;   se rappeler (elle) *to remember*

3. Verbs like *espérer* (*ère*)

Verbs whose infinitive ends in **é** + consonant + **er** change the **é** of the stem to **è** in the present indicative, subjunctive and imperative, *only* when the ending has an *unpronounced* **e**.

NOTE: The future and conditional are included in the table below, but notice that the **é** of the infinitive is *not* changed.

Infinitif:	espérer	*to hope*
Participe passé:	espéré	*hoped*
Participe présent:	espérant	*hoping*

	Présent de l'indicatif	Présent du subjonctif	Futur (no changes)	Conditionnel (no changes)
j'	espère	espère	espérerai	espérerais
tu	espères	espères	espéreras	espérerais
il	espère	espère	espérera	espérerait
ils	espèrent	espèrent	espéreront	espéreraient
nous	espérons	espérions	espérerons	espérerions
vous	espérez	espériez	espérerez	espéreriez

Impératif: Espère!   Espérons!   Espérez!

NOTEZ BIEN: The accent changes only in the present tense of the indicative and subjunctive, and in the familiar imperative. All other tenses are formed regularly on the pattern of Group I.

Other verbs we've learned which follow the pattern of **espérer** are:

compléter (ète) *to complete*   répéter (ète) *to repeat*
préférer (ère) *to prefer*

472

4. Verbs like *nettoyer* (*oie*)

Most verbs whose infinitive ends in –yer change the y of the stem to i wherever it is followed by an *unpronounced* e.

Infinitif:	nettoyer	*to clean*
Participe passé:	nettoyé	*cleaned*
Participe présent:	nettoyant	*cleaning*

Présent de l'indicatif	Présent du subjonctif	Futur (all change)	Conditionnel (all change)
je nettoie	nettoie	nettoierai	nettoierais
tu nettoies	nettoies	nettoieras	nettoierais
il nettoie	nettoie	nettoiera	nettoierait
ils nettoient	nettoient	nettoieront	nettoieraient
nous nettoyons	nettoyions	nettoierons	nettoierions
vous nettoyez	nettoyiez	nettoierez	nettoieriez

Impératif: Nettoie! Nettoyons! Nettoyez!

NOTEZ BIEN: All other tenses are formed regularly on the pattern of Group I.

Other verbs which follow the pattern of **nettoyer** are:

employer (oie)	*to use*	essayer° (aie or aye)	*to try*
s'ennuyer (uie)	*to be bored*	payer° (aie or aye)	*to pay (for)*

° Verbs whose infinitive ends in –ayer may retain the y throughout all the tenses:
je **paie** or je **paye**; tu **paies** or tu **payes**, etc.
je **paierai** or je **payerai**; tu **paieras** or tu **payeras**, *etc.*
je **paierais** or je **payerais**, *etc.*

5. Verbs like *manger*

Verbs whose infinitive ends in –ger add an e after the g in all forms where it is followed by o or a.

Infinitif:	manger	*to eat*
Participe passé:	mangé	*eaten*
Participe présent:	mangeant	*eating*

Présent de l'indicatif	Impératif	Imparfait	Passé simple
je mange		mangeais	mangeai
tu manges	Mange!	mangeais	mangeas
il mange		mangeait	mangea
ils mangent		mangeaient	mangèrent
nous mangeons	Mangeons!	mangions	mangeâmes
vous mangez	Mangez!	mangiez	mangeâtes

NOTEZ BIEN: All other tenses are formed regularly on the pattern of Group I.

Other verbs we've learned which follow the pattern of **manger** are:

se charger de	*to be responsible for*	nager	*to swim*
changer	*to change*	partager	*to share*
corriger	*to correct*	ranger	*to put away*
déranger	*to disturb*	voyager	*to travel*

6. Verbs like *commencer*

Verbs whose infinitive ends in –cer add a cedilla to the **c** in all forms where it is followed by **o** or **a**.

Infinitif:	commencer	*to begin*
Participe passé:	commencé	*begun*
Participe présent:	commençant	*beginning*

	Présent de l'indicatif	Impératif	Imparfait	Passé simple
je	commence		commençais	commençai
tu	commences	Commence!	commençais	commenças
il	commence		commençait	commença
ils	commencent		commençaient	commencèrent
nous	commençons	Commençons!	commencions	commençâmes
vous	commencez	Commencez!	commenciez	commençâtes

NOTEZ BIEN: All other tenses are formed regularly on the pattern of Group I.

Other verbs we've used which follow the pattern of **commencer** are:

annoncer	*to announce*	remplacer	*to replace, substitute for*
prononcer	*to pronounce*	placer	*to place*

474

Appendix C:

IRREGULAR VERBS
Pattern for Irregular Verbs

Infinitif / Futur / Conditionnel	Participe passé (aux.) / Passé composé / Plus-que-parfait / Infinitif passé	Présent de l'indicatif / Impératif	Participe présent / Imparfait	Présent du subjonctif	Passé simple
finir / *to finish* / je finirai / *I shall (will) finish* / je finirais / *I would finish*	fini (avoir) / j'ai fini / *I finished; I have finished; I did finish* / j'avais fini / *I had finished* / après avoir fini / *after finishing*	finis · finissons / finis · finissez / finit · finissent / *I finish; I am finishing; I do finish, etc.* / finis! · finissons! · finissez! / *finish; let's finish*	(en) finissant / *while (by) (in) finishing* / je finissais / *I was finishing; I used to finish; I finished*	finisse · finissions / finisses · finissiez / finisse / finissent / *(that) I finish; may finish, etc.*	il finit / ils finirent / *he finished, etc.*
1. aller / *to go* / j'irai / j'irais	allé (être) / je suis allé(e) / j'étais allé(e) / après être allé(e)(s)	vais · allons / vas · allez / va · vont / va! · allons! · allez!	(en) allant / j'allais	aille · allions / ailles · alliez / aille / aillent	il alla / ils allèrent
2. **apprendre**, *to learn*, conjugated like <u>prendre</u>					
3. avoir / *to have* / j'aurai / j'aurais	eu (avoir) / j'ai eu / j'avais eu / après avoir eu	ai · avons / as · avez / a · ont / aie! · ayons! · ayez!	(en) ayant / j'avais	aie · ayons / aies · ayez / ait / aient	il eut / ils eurent

Infinitif Futur Conditionnel	Participe passé (aux.) Passé composé Plus-que-parfait Infinitif passé	Présent de l'indicatif Impératif	Participe présent Imparfait	Présent du subjonctif	Passé simple
4. **boire** *to drink* boirai boirais	bu (avoir) j'ai bu j'avais bu après avoir bu	bois buvons bois buvez boit boivent bois buvons buvez	(en) buvant buvais	boive buvions boives buviez boive boivent	il but ils burent
5. **comprendre**, *to understand*, conjugated like **prendre**					
6. **connaître** *to know* connaîtrai connaîtrais	connu (avoir) j'ai connu j'avais connu après avoir connu	connais connaissons connais connaissez connaît connaissent connais connaissons connaissez	(en) connaissant connaissais	connaisse connaissions connaisses connaissiez connaisse connaissent	il connut ils connurent
7. **courir** *to run* je courrai je courrais	couru (avoir) j'ai couru j'avais couru après avoir couru	cours courons cours courez court courent cours! courons! courez!	(en) courant je courais	coure courions coures couriez coure courent	il courut ils coururent
8. **couvrir**, *to cover*, conjugated like **ouvrir**					
9. **croire** *to believe* je croirai je croirais	cru (avoir) j'ai cru j'avais cru après avoir cru	crois croyons crois croyez croit croient crois! croyons! croyez!	(en) croyant je croyais	croie croyions croies croyiez croie croient	il crut ils crurent
10. **découvrir**, *to discover*, conjugated like **ouvrir**					
11. **devenir**, *to become*, conjugated like **venir**					

476

Infinitif Futur Conditionnel	Participe passé (aux.) Passé composé Plus-que-parfait Infinitif passé	Présent de l'indicatif Impératif	Participe présent Imparfait	Présent du subjonctif	Passé simple
12. **devoir** to owe, must je devrai je devrais	dû, due, f. (avoir) j'ai dû j'avais dû après avoir dû	dois devons dois devez doit doivent *Lacking*	(en) devant je devais	doive devions doives deviez doive doivent	il dut ils durent
13. **dire** to say, tell je dirai je dirais	dit (avoir) j'ai dit j'avais dit après avoir dit	dis disons dis dites dit disent dis! disons! dites!	(en) disant je disais	dise disions dises disiez dise disent	il dit ils dirent
14. **dormir** to sleep je dormirai je dormirais	dormi (avoir) j'ai dormi j'avais dormi après avoir dormi	dors dormons dors dormez dort dorment dors! dormons! dormez!	(en) dormant je dormais	dorme dormions dormes dormiez dorme dorment	il dormit ils dormirent
15. **écrire** to write j'écrirai j'écrirais	écrit (avoir) j'ai écrit j'avais écrit après avoir écrit	écris écrivons écris écrivez écrit écrivent écris! écrivons! écrivez!	(en) écrivant j'écrivais	écrive écrivions écrives écriviez écrive écrivent	il écrivit ils écrivirent
16. **envoyer** to send j'enverrai j'enverrais	envoyé (avoir) j'ai envoyé j'avais envoyé après avoir envoyé	envoie envoyons envoies envoyez envoie envoient envoie! envoyons! envoyez!	(en) envoyant j'envoyais	envoie envoyions envoies envoyiez envoie envoient	il envoya ils envoyèrent

477

Infinitif Futur Conditionnel	Participe passé (aux.) Passé composé Plus-que-parfait Infinitif passé	Présent de l'indicatif Impératif	Participe présent Imparfait	Présent du subjonctif		Passé simple
17. **être** *to be* je serai je serais	été (avoir) j'ai été j'avais été après avoir été	suis es est sois!	sommes êtes sont soyons! soyez!	(en) étant j'étais	sois sois soit soient	soyons soyez	il fut ils furent
18. **faire** *to do, make* je ferai je ferais	fait (avoir) j'ai fait j'avais fait après avoir fait	fais fais fait fais!	faisons faites font faisons! faites!	(en) faisant je faisais	fasse fasses fasse fassent	fassions fassiez	il fit ils firent
19. **falloir** *to be neces-sary* il faudra il faudrait	fallu (avoir) il a fallu il avait fallu après avoir fallu	il faut *Lacking*		*Lacking* il fallait	il faille		il fallut
20. **lire** *to read* je lirai je lirais	lu (avoir) j'ai lu j'avais lu après avoir lu	lis lis lit lis!	lisons lisez lisent lisons! lisez!	(en) lisant je lisais	lise lises lise lisent	lisions lisiez	il lut ils lurent
21. **mentir** *to lie* je mentirai je mentirais	menti (avoir) j'ai menti j'avais menti après avoir menti	mens mens ment mens!	mentons mentez mentent mentons! mentez!	(en) mentant je mentais	mente mentes mente mentent	mentions mentiez	il mentit ils mentirent

Infinitif / Futur / Conditionnel	Participe passé (aux.) / Passé composé / Plus-que-parfait / Infinitif passé	Présent de l'indicatif / Impératif	Participe présent / Imparfait	Présent du subjonctif	Passé simple
22. **mettre** *to put* je mettrai je mettrais	mis (avoir) j'ai mis j'avais mis après avoir mis	mets mettons mets mettez met mettent mets! mettons! mettez!	(en) mettant je mettais	mette mettions mettes mettiez mette mettent	il mit ils mirent
23. **mourir** *to die* je mourrai je mourrais	mort (être) je suis mort(e) j'étais mort(e) après être mort(e)(s)	meurs mourons meurs mourez meurt meurent meurs! mourons! mourez!	(en) mourant je mourais	meure mourions meures mouriez meure meurent	il mourut ils moururent
24. **naître** *to be born* je naîtrai je naîtrais	né (être) je suis né(e) j'étais né(e) après être né(e)(s)	nais naissons nais naissez naît naissent nais! naissons! naissez!	(en) naissant je naissais	naisse naissions naisses naissiez naisse naissent	il naquit ils naquirent
25. **offrir** *to offer* j'offrirai j'offrirais	offert (avoir) j'ai offert j'avais offert après avoir offert	offre offrons offres offrez offre offrent offre! offrons! offrez!	(en) offrant j'offrais	offre offrions offres offriez offre offrent	il offrit ils offrirent
26. **ouvrir** *to open* j'ouvrirai j'ouvrirais	ouvert (avoir) j'ai ouvert j'avais ouvert après avoir ouvert	ouvre ouvrons ouvres ouvrez ouvre ouvrent ouvre! ouvrons! ouvrez!	(en) ouvrant j'ouvrais	ouvre ouvrions ouvres ouvriez ouvre ouvrent	il ouvrit ils ouvrirent

Infinitif / Futur / Conditionnel	Participe passé (aux.) / Passé composé / Plus-que-parfait / Infinitif passé	Présent de l'indicatif / Impératif	Participe présent / Imparfait	Présent du subjonctif	Passé simple
27. partir *to leave* je partirai je partirais	parti (être) je suis parti(e) j'étais parti(e) après être parti(e)(s)	pars, pars, part, partons, partez, partent *Impératif:* pars! partons! partez!	(en) partant je partais	parte, partes, parte, partions, partiez, partent	il partit ils partirent
28. plaire *to please* je plairai je plairais	plu (avoir) j'ai plu j'avais plu après avoir plu	plais, plais, plaît, plaisons, plaisez, plaisent *Impératif:* plais! plaisons! plaisez!	(en) plaisant je plaisais	plaise, plaises, plaise, plaisions, plaisiez, plaisent	il plut ils plurent
29. pouvoir *to be able* je pourrai je pourrais	pu (avoir) j'ai pu j'avais pu après avoir pu	peux, peux, peut, pouvons, pouvez, peuvent *Impératif:* Lacking	(en) pouvant je pouvais	puisse, puisses, puisse, puissions, puissiez, puissent	il put ils purent
30. prendre *to take* je prendrai je prendrais	pris (avoir) j'ai pris j'avais pris après avoir pris	prends, prends, prend, prenons, prenez, prennent *Impératif:* prends! prenons! prenez!	(en) prenant je prenais	prenne, prennes, prenne, prenions, preniez, prennent	il prit ils prirent

31. **prévenir**, *to warn*, conjugated like **venir**, except that **avoir** instead of **être** is used as the auxiliary verb

Infinitif / Futur / Conditionnel	Participe passé (aux.) / Passé composé / Plus-que-parfait / Infinitif passé	Présent de l'indicatif / Impératif	Participe présent / Imparfait	Présent du subjonctif	Passé simple
32. recevoir / to receive / je recevrai / je recevrais	reçu (avoir) / j'ai reçu / j'avais reçu / après avoir reçu	reçois, reçois, reçoit / reçois! — recevons, recevez, reçoivent / recevons! recevez!	(en) recevant / je recevais	reçoive, reçoives, reçoive, reçoivent — recevions, receviez	il reçut / ils reçurent
33. revenir, *to come back*, conjugated like **venir**					
34. savoir / to know, know how / je saurai / je saurais	su (avoir) / j'ai su / j'avais su / après avoir su	sais, sais, sait / sache! — savons, savez, savent / sachons! sachez!	(en) sachant / je savais	sache, saches, sache, sachent — sachions, sachiez	il sut / ils surent
35. sentir, *to feel or to smell*, conjugated like **mentir**					
36. servir / to serve / je servirai / je servirais	servi (avoir) / j'ai servi / j'avais servi / après avoir servi	sers, sers, sert / sers! — servons, servez, servent / servons! servez!	(en) servant / je servais	serve, serves, serve, servent — servions, serviez	il servit / ils servirent
37. sortir, *to go out*, conjugated like **partir**					
38. suivre / to follow / je suivrai / je suivrais	suivi (avoir) / j'ai suivi / j'avais suivi / après avoir suivi	suis, suis, suit / suis! — suivons, suivez, suivent / suivons! suivez!	(en) suivant / je suivais	suive, suives, suive, suivent — suivions, suiviez	il suivit / ils suivirent

Infinitif / Futur / Conditionnel	Participe passé (aux.) / Passé composé / Plus-que-parfait / Infinitif passé	Présent de l'indicatif / Impératif	Participe présent / Imparfait	Présent du subjonctif	Passé simple
39. **tenir** / *to hold* / je tiendrai / je tiendrais	tenu (avoir) / j'ai tenu / j'avais tenu / après avoir tenu	tiens / tiens / tient / tiens! — tenons / tenez / tiennent / tenons! / tenez!	(en) tenant / je tenais	tienne tiennes tienne tiennent — tenions teniez	il tint / ils tinrent
40. **venir** / *to come* / je viendrai / je viendrais	venu (être) / je suis venu(e) / j'étais venu(e) / après être venu(e)(s)	viens / viens / vient / viens! — venons / venez / viennent / venons! / venez!	(en) venant / je venais	vienne viennes vienne viennent — venions veniez	il vint / ils vinrent
41. **vivre** / *to live* / je vivrai / je vivrais	vécu (avoir) / j'ai vécu / j'avais vécu / après avoir vécu	vis / vis / vit / vis! — vivons / vivez / vivent / vivons! / vivez!	(en) vivant / je vivais	vive vives vive vivent — vivions viviez	il vécut / ils vécurent
42. **voir** / *to see* / je verrai / je verrais	vu (avoir) / j'ai vu / j'avais vu / après avoir vu	vois / vois / voit / vois! — voyons / voyez / voient / voyons! / voyez!	(en) voyant / je voyais	voie voies voie voient — voyions voyiez	il vit / ils virent
43. **vouloir** / *to wish*, *to want* / je voudrai / je voudrais	voulu (avoir) / j'ai voulu / j'avais voulu / après avoir voulu	veux / veux / veut — voulons / voulez / veulent / veuillez!	(en) voulant / je voulais	veuille veuilles veuille veuillent — voulions vouliez	il voulut / ils voulurent

482

Appendix D:

VERBS WHICH CAN BE FOLLOWED BY AN INFINITIVE

1. These verbs are followed directly by an infinitive:

aimer	*to like*	falloir	*to be necessary*
aimer mieux	*to prefer*	pouvoir	*to be able*
aller	*to go*	préférer	*to prefer*
désirer	*to want*	savoir	*to know how*
devoir	*ought; must*	vouloir	*to wish, want*

EXAMPLES: Les enfants vont jouer après les cours.
Je voudrais rester ici.
Il ne peut pas sortir.
Savez-vous nager?

2. These verbs require à before the infinitive which follows:

aider à	*to help*	se fatiguer à	*to tire oneself*
s'amuser à	*to enjoy*	s'intéresser à	*to be interested*
avoir à	*to have to*	inviter à	*to invite*
commencer à	*to begin*	réussir à	*to succeed*
continuer à	*to continue*	tenir à	*to insist upon*

EXAMPLES: Il se fatigue à étudier.
Paul a invité Marie à danser.
On a du mal à faire attention.
Papa tient à payer les billets.

3. These verbs and verbal expressions require **de** before the infinitive which follows:

A. Verbs

se charger de	*to be responsible*	finir de	*to finish*
empêcher de	*to hinder, prevent*	oublier de	*to forget*
essayer de	*to try*	venir de	*have (had) just*

B. Verbal expressions

avoir envie de	*to feel like*
avoir l'habitude de	*to be in the habit of*
avoir l'intention de	*to intend to*
avoir peur de	*to be afraid of*
avoir le temps de	*to have the time to*
être en train de	*to be engaged in*

EXAMPLES: Je me chargerai de reprendre les bagages.
Le bruit m'a empêché de travailler.
La dame a peur de tomber.
Il était en train de faire ses devoirs.

Appendix E:

TABLES OF PRONOUNS

1. Personal Pronouns

Subject		Direct object		Indirect object	
je	*I*	me*	*me*	me*	*to me*
tu	*you, fam.*	te	*you, fam.*	te	*to you, fam.*
il	*he*	le	*him, it*	lui	*to him*
elle	*she*	la	*her, it*	lui	*to her*
nous	*we*	nous	*us*	nous	*to us*
vous	*you, pol. and pl.*	vous	*you, pol. and pl.*	vous	*to you, pol. and pl.*
ils	*they, m.*	les	*them*	leur	*to them*
elles	*they, f.*	les	*them*	leur	*to them*
		en	*some, any, of it, of them*	y	*to it, to them, in (on, at) it or them; there*

*In an affirmative command, **me** becomes **moi**

Reflexive object. pro.		Stress pronouns		Compound stress pronouns	
me	*(to)(for) myself*	moi	*me, I*	moi-même	*myself*
te*	*(to)(for) yourself*	toi	*you, **you***	toi-même	*yourself*
se	*(to)(for) himself*	lui	*him, **he***	lui-même	*himself*
	(to)(for) herself	elle	*her, **she***	elle-même	*herself*
				soi-même	*oneself*
nous	*(to)(for) ourselves*	nous	*us, **we***	nous-mêmes	*ourselves*
vous	*(to)(for) yourself (selves)*	vous	*you, **you***		
				vous-même(s)	*yourself(-ves)*
se	*(to)(for) themselves*	eux	*them, **they**, m.*	eux-mêmes	*themselves, m.*
		elles	*them, **they**, f.*	elles-mêmes	*themselves, f.*

* In an affirmative command, **te** becomes **toi**.

Order of Object Pronouns

A. In statements, questions and negative commands; before the verb

me, te, se, nous, vous *before* le, la, les *before* **lui, leur** *before* y *before* **en**

Statements	*Questions*
Elle nous les donne.	Nous les donne-t-elle?
Elle les lui a donnés.	Les lui a-t-elle donnés?
On ne les y cherche pas.	Ne les y cherche-t-on pas?
On n'y en a pas trouvé.	N'y en a-t-on pas trouvé?

484

Negative Commands

Ne nous les donnez pas!
Ne les lui donnez pas!
Ne les y cherchez pas!
N'y en trouve pas!

B. In affirmative commands

$$verb + \begin{Bmatrix} le \\ la \\ les \end{Bmatrix} \quad before \quad \begin{Bmatrix} moi° \\ toi° \\ lui \\ nous \\ vous \\ leur \end{Bmatrix} \quad before \quad y \quad before \quad en$$

° *moi* and *toi* become *m'* and *t'* before *en*: Montrez-m'en! Sers t'en!

Prêtez-les-moi!	Servez-vous-en!
Prêtez-les-nous!	Placez-les-y!
Prêtez-leur-en!	Placez-y-en!

2. Interrogative Pronouns

	Subject		Object		After a preposition	
Persons:	Qui?	Who?	Qui?	Whom?	qui?	whom?
	Qui est-ce qui?	Who?	Qui est-ce que?	Whom?		
Things:	———		Que?	What?	quoi?	what?
	Qu'est-ce qui?	What?	Qu'est-ce que?	What?		
Persons and Things:	Lequel?	Which	Lequel? *etc.*	Which	lequel?	which
	Laquelle?	one?		one(s)?	*etc.*	one(s)?
	Lesquels?	Which				
	Lesquelles?	ones?				

Persons	*Things*
Qui fait ce bruit?	———
Qui est-ce qui fait ce bruit?	**Qu'est-ce qui** fait ce bruit?
Qui voyez-vous?	**Que** voyez-vous?
Qui est-ce que vous voyez?	**Qu'est-ce que** vous voyez?
Avec **qui** jouez-vous?	Avec **quoi** jouez-vous?
Lequel de ces garçons ira avec vous?	**Lequel** de ces livres est intéressant?
Laquelle de ces dames aimez-vous?	**Laquelle** de ces robes préférez-vous?
Avec **lesquels** de ces élèves étudiez-vous?	Dans **lesquels** de ces livres trouverons-nous l'histoire de l'Afrique?

Contractions with lequel

		de + lequel, etc.	à + lequel, etc.
lequel	*m. s.*	duquel	auquel
lesquels	*m. pl.*	desquels	auxquels
laquelle	*f. s.*	de laquelle	à laquelle
lesquelles	*f. pl.*	desquelles	auxquelles

485

3. Relative Pronouns

	Subject		Object		After a preposition	
Persons:	qui	*who, that*	que	*whom, that*	qui	*whom*
					dont	*of whom*
Things:	qui	*which, that*	que	*which, that*	lequel, etc.	*which*
					dont	*of which*
	ce qui	*what (that which)*	ce que	*what (that which)*	quoi	*what*

Persons (who, whom)

Subject: Voilà l'élève **qui** réussit toujours.

Object: C'est un élève **que** je connais bien.

After a prep: Le garçon avec **qui** je vais à l'école est malade.
Le professeur **dont** nous parlons est gentil.

Things (which, that)

Subject: Le livre **qui** est sur la table est à moi.

Object: C'est le livre **que** je cherche.

After a prep: Le livre dans **lequel** je trouve les mots est un dictionnaire.
Les mots **dont** nous avons besoin y sont.

Things (what)

Subject: Dites seulement **ce qui** compte.

Object: Je ne sais pas **ce que** vous dites.

After a Prep: Il ne sait pas de **quoi** il parle.

4. Possessive Pronouns

	Masculine		Feminine	
	Singular	Plural	Singular	Plural
mine	le mien	les miens	la mienne	les miennes
yours, fam.	le tien	les tiens	la tienne	les tiennes
his or *hers*	le sien	les siens	la sienne	les siennes
ours	le nôtre	les nôtres	la nôtre	les nôtres
yours	le vôtre	les vôtres	la vôtre	les vôtres
theirs	le leur	les leurs	la leur	les leurs

Ce n'est pas **ma raquette?** Mais si, c'est **la mienne!**
Ce n'est pas **ton disque?** Mais si, c'est **le tien!**

Ce ne sont pas **ses livres?** Mais si, ce sont **les siens!**
Ce ne sont pas **ses raquettes?** Mais si, ce sont **les siennes!**

Ce n'est pas **notre lycée?** Mais si, c'est **le nôtre!**
Ce n'est pas **votre école?** Mais si, c'est **la vôtre!**

5. Demonstrative Pronouns

Meaning of both forms	Singular Masculine	Singular Feminine	Meaning of both forms	Plural Masculine	Plural Feminine
the one	celui	celle	*the ones*	ceux	celles
this one	celui-ci	celle-ci	*these*	ceux-ci	celles-ci
that one	celui-là	celle-là	*those*	ceux-là	celles-là
the one of	celui de	celle de	*the ones of*	ceux de	celles de
the one {*who* / *which*}	celui qui	celle qui	*the ones* {*who* / *which*}	ceux qui	celles qui
the one {*whom* / *which*}	celui que	celle que	*the ones* {*whom* / *which*}	ceux que	celles que

Masculine singular

Voulez-vous **celui-ci** ou **celui-là**?
Je voudrais **celui du** professeur.
Celui qui est sur la table?
Non, **celui que** vous avez à la main.

Feminine plural

Elle choisira **celles-ci**, pas **celles-là**.
Vous croyez? Elle préfère **celles de** sa cousine.
Celles qui sont dans l'armoire?
Non, **celles que** vous avez apportées hier.

Appendix F:

IRREGULAR ADJECTIVES

	Masculin Singulier	*Féminin Singulier*
active	actif	active
former	ancien	ancienne
attentive	attentif	attentive
beautiful, handsome	beau° (bel)	belle
white	blanc	blanche
good	bon	bonne
Canadian	canadien	canadienne
dear	cher	chère
curious	curieux°°	curieuse
dangerous	dangereux	dangereuse
delicious	délicieux	délicieuse
last	dernier	dernière
sweet	doux	douce
foreign	étranger	étrangère
European	européen	européenne
false	faux	fausse
proud	fier	fière
fresh	frais	fraîche
frank	franc	franche
nice	gentil	gentille

487

IRREGULAR ADJECTIVES

	Masculin Singulier	*Féminin Singulier*
happy	heureux	heureuse
anxious	inquiet	inquiète
Italian	italien	italienne
light	léger	légère
long	long	longue
unhappy	malheureux	malheureuse
marvelous	merveilleux	merveilleuse
average	moyen	moyenne
natural	naturel	naturelle
brand new	neuf	neuve
new	nouveau	nouvelle
	(nouvel)	
official	officiel	officielle
Parisian	parisien	parisienne
personal	personnel	personnelle
first	premier	première
which, what	quel	quelle
dry	sec	sèche
sensational	sensationnel	sensationnelle
serious	sérieux	sérieuse
such	tel	telle
all	tout (*pl.* **tous**)	toute
old	vieux	vieille
	(vieil)	

° Words whose masculine singular ends in –eau add –x to form the masculine plural.

°° Words whose masculine singular ends in –x *stay the same* in the masculine plural.

488

Vocabulaire General

All the words contained in the text are included in the French-English vocabulary, except for words already glossed in the NOTES SUR LA CIVILISATION FRANÇAISE and the AMUSONS-NOUS! sections. The words in the guessing games of the AMUSONS-NOUS! sections are not included in the vocabulary, as their meanings are meant to be inferred.

Active vocabulary is shown in blue. Active vocabulary from VOUS ET MOI is marked with a ●. The English-French section contains only active vocabulary from both VOUS ET MOI and NOTRE MONDE.

No attempt has been made to include all the meanings of a word; meanings given are those employed in the text material.

An asterisk (°) before a word beginning with an *h* indicates that the *h* is *aspiré*; there is neither elision nor liaison with the word that precedes it.

Notes on verbs: Verbs belonging to Group I, Group II or Group III are followed by parentheses indicating to which Group they belong. Verbs which undergo a spelling change in some of their forms have the change noted in parentheses, as in *acheter(ète)* or *commencer* (ç). Only the infinitive of irregular verbs are included in the vocabulary. Forms of irregular active verbs will be found in Appendix C.

The following abbreviations are used:

abbr.	abbreviation		*inv.*	invariable
adj.	adjective		*m.*	masculine
adv.	adverb		*n.*	noun
art.	article		*part.*	participle
colloq.	colloquial or		*pl.*	plural
	popular speech		*pol.*	polite
conj.	conjunction		*poss.*	possessive
d. o.	direct object		*prep.*	preposition
exclam.	exclamatory		*pro.*	pronoun
f.	feminine		*reflex.*	reflexive
fam.	familiar		*rel.*	relative
indef.	indefinite		*s.*	singular
inf.	infinitive		*v.*	verb
inter.	interrogative			

FRENCH-ENGLISH

A

● à   to, at, in, on, with; être − to belong to; tenir − to insist upon; −faire   to do, to be done −l'intérieur   inside

une **abbaye**   abbey
abolir (II)   to abolish
abord: d'−   first, in the first place
absent, −e   absent
accepter (I)   to accept
accompagner (I)   to accompany
l'**accord** *m.*   agreement;   ● d'− agreed, OK
un **accordéon**   accordion
accorder (I)   to grant; s'−   to get along with one another
● un **achat**   purchase
● **acheter (ète)**   to buy
l'**acier** *m.*   steel
actif, active   active
actuel, −le   present
actuellement   at present
un **adjectif**   adjective
admis, −e   admitted
adorable   adorable

adorer (I)   to adore
une **adresse**   address
s'adresser (I) à   to call upon
un(e) **adulte**   adult
un **adverbe**   adverb
aérien, −ne *adj.*   aerial, air
une **aérogare**   air terminal
● un **aéroport**   airport
● les **affaires** *f,*   possessions, "things"; business; **un homme d'−**   business man
affectueusement   affectionately
affecteux, affectueuse   affectionate
une **affirmation**   statement
afin de   in order to
● un **Africain,** une **Africaine**   an African
  ● l'**Afrique** *f.*   Africa
  ● l'**âge** *m*   age;   ● **Quel − avez-vous?**   How old are you?
une **agence de voyages**   travel agency
agréable   agreeable
agricole   agricultural
un **agriculteur**   farmer
l'**aide** *f.*   help, aid; à l'−de   with the help of

489

un **aide-de-camp**   military aide
● aider (**I**) à   to help
Aie! Have!
ailleurs: d' —   besides
● aimable   friendly
● aimer (**I**)   to like, love; ● — bien
to be fond of; ● — mieux   to prefer, to like more
ainsi   thus
● l'air *m.*   air; avoir l' — + *adj.*   to look,
seem; en l' —   in the air
ajouter (I)   to add
l'**alimentation** *f.*   food
● l'Allemagne *f.*   Germany
● l'allemand *m.*   German (language)
● aller   to go; to be (health); ● Comment allez-vous? How are you?;
— à (quelqu'un)   to fit, suit (someone); s'en —   to go away
allô   hello (telephone)
● alors   then, therefore
l'**altitude** *f.*   altitude
un **amas**   group, mass
une **âme**   soul
● américain, –e   American
● un Américain, une Américaine   an
American
l'**Amérique** *f,*   America; — du **Nord**
North America; — du **Sud**   South
America
● un **ami**, une **amie**   friend
amitiés: meilleures —   friendliest
wishes
un **amoureux**, une **amoureuse**   person
in love
amuser (I)   to amuse; ● s' — (à)   to
enjoy oneself (by)
● un **an**   year; ● avoir . . . ans   to be . . .
years old
un **ananas**   pineapple
● ancien, –ne   former
un **ange**   angel
● l'anglais *m.*   English (language)
un **angle**   angle, corner (of street)
● l'Angleterre *f.*   England
● un **animal**   animal
animiste   animist (believing in
spirits)
● une **année**   year; ● l' — prochaine   next
year
● un **anniversaire** (**de naissance**)   birthday
une **annonce**   announcement
annoncer (ç)   to announce
annuel, –le   annual
un **antiquaire**   antique dealer
● août   August
s'**apercevoir**   to notice
● un **apéritif**   drink before meals
● apparaître   to appear
● un **appareil** (**photographique**)   camera;
equipment
● un **appartement**   apartment
un **appel**   call
appeler (elle)   to call; s' — to be
named, called; ● je m'appelle . . .
my name is . . .

l'**appétit**   appetite
applaudir (II)   to applaud
appliqué, –e   applied
● apporter (**I**)   to bring, fetch
apprécier (I)   to appreciate
● apprendre   to learn; teach
approprié, –e   appropriate
● après *prep.*   after; — que *conj.*
after; d' — according to
● l'après-midi *m.* and *f.*   afternoon; in
the afternoon
arabe   Arabian
une **arachide**   peanut; l'huile d' — peanut oil
● un **arbre**   tree
un **archipel**   archipelago
● l'argent *m.*   money; silver; — de
poche   pocket money
l'**Argentine** *f.*   Argentina
arranger (ge)   to arrange
un **arrêt**   stop; — d'autobus   bus stop
● arrêter (**I**)   to stop; turn off (TV);
s' — to come to a stop
● une **arrivée**   arrival
● arriver (**I**)   to arrive; to happen
un **artiste**   artist
l'**Asie** *f.*   Asia
l'**aspirine** *f.*   aspirin
● Asseyez-vous! Sit down!
● assez   enough; rather
assied: il s' — he sits down
● une **assiette**   plate
● assis, –e   seated
associé, –e   associated
assurément   of course
un **astronaute**   an astronaut
un **atelier**   shop
attacher (I)   to attach
● attendre (**III**)   to wait (for)
attentif, attentive   attentive
attention: faire — à   to pay attention to
atterrir (II)   to land (plane)
attirer (I)   to attract
attraper (I)   to catch; — un **rhume**
to catch a cold
● au (à + le)   to the, at the, in the;
● — revoir   good-bye, see you
again
au-dessous de   below
au-dessus de   above
aucun, –e: *adj.*   ne . . . — no, none
l'**audace** *f.*   daring, boldness
une **augmentation**   raise, increase
augmenter (I)   to increase
● aujourd'hui   today; ● Quel jour
sommes-nous — ? What day is
today?
● aussi   also, too; — . . . que   as . . .
as; — bien que   as well as
aussitôt que   as soon as; — **possible**
as soon as possible
l'**Australie** *f.*   Australia
autant . . . que   as much . . . as
● un **autobus**   bus (local)
● un **autocar** *abbr.* le **car**   bus (intercity)

490

● l'automne *m.* and *f.* autumn; ● en − in the autumn
une **autoroute** expressway
l'auto-stop: faire de − to hitchhike
autour de around
● **autre** other; − **chose** something else
autrefois formerly
autrement otherwise
● **aux (à + les)** to the, at the, in the
un **auxiliaire** auxiliary
● **avance: en −** ahead of time, early; **d'−** in advance, early
● **avant** before; − **de** + *inf.* before (doing something)
● **avec** with: − **plaisir** with pleasure
l'avenir *m.* future
● une **avenue** avenue
● un **avion** airplane
avis\ changer (ge) d'− to change one's mind
● un(e) **avocat(e)** lawyer
● **avoir** to have;
 − **à** + *inf.* to have to (do something);
 − **l'air** + *adj.* to look, seem;
● − **besoin de** to need (have need of);
 − **de la chance** to be lucky;
● − **chaud** to be warm (person);
 − **envie de** + *inf.* to feel like (doing something);
● − **faim** to be hungry;
● − **froid** to be cold (person);
● − **l'habitude de** + *inf.* to be in the habit of (doing something);
 − **honte de** to be ashamed of;
● − **l'intention de** + *inf.* to intend to (do something);
 − **lieu** to take place;
 − **mal à la tête,** *etc.* to have a headache, *etc.*;
 − **du mal à** + *inf.* to have difficulty in (doing something);
 − **l'occasion de** + *inf.* to have the opportunity to (do something);
 − **peur** to be afraid;
● − **raison** to be right;
 − **soif** to be thirsty;
 − **sommeil** to be sleepy;
 − **le temps de** + *inf.* to have the time to (do something);
 − **tort** to be wrong;
● **Qu'est-ce qu'il y a?** What's the matter?;
● **Qu'est-ce que tu as?** What's the matter with you?;
● **il y a** there is, there are;
 il y avait there was, there were;
● **Quel âge avez-vous?** How old are you?;
● **J'ai quatorze ans** I'm 14 years old
avouer (I) to confess
● **avril** April
Ayez! Have!

B

le **baccalauréat** baccalaureate (comprehensive exams at end of lycée)
les **bagages** *m.* baggage
● la **bague** ring
bains: ● **la salle de −** bathroom
baiser (I) to kiss (the hand)
le **baiser** kiss
baisser (I) to lower
la **balle** ball
le **banc** bench
la **bande sonore** sound track
la **banlieue** suburbs
la **banque** bank
la **barbe** beard
bas: en − downstairs
● le **bas** stocking
● le **base-ball** baseball
● le **basket (-ball)** basketball
basse: à voix − in a low voice
la **bataille** battle
● le **bateau** boat; − **de pêche** fishing boat
le **bâton** stick
bavarder (I) to chat
● **beau (bel), belle** beautiful, handsome
le **beau-frère** brother-in-law
● **beaucoup** very much, a lot
la **beauté** beauty
les **beaux-arts** *m.* fine arts
le **bébé** baby
● **beige** beige
● **bel (beau), belle** beautiful, handsome
belge Belgian
● la **Belgique** Belgium
● **belle, beau (bel)** beautiful, handsome
le **béret** beret
● **besoin: avoir − de** to need
bête silly
● **beurré, -e** buttered
la **bibliothèque** library
la **bicyclette** bicycle
● **bien** well; ● **aimer −** to be fond of; **Eh −** ! Well!; **être −** to be comfortable; **vouloir −** to be willing; ● **− sûr** of course
● **bientôt** soon; ● **à −** see you soon
le(la) **bienvenu(e)** welcome (person); **Soyez le (la) bienvenu(e)** Welcome!
la **bière** beer
● le **bifteck** steak
le **bijou** (*pl.* bijoux) jewel; − **fantaisie** costume jewel
bilingue bilingual
le **billet** ticket
● la **biologie** biology
le **biscuit** cracker
● **blanc, blanche** white
● **bleu, -e** blue
● **blond, -e** blond
● la **blouse** blouse
● **boire** to drink

491

le **bois**   wood; woods
● **bon, bonne**   good; ● **de bonne heure**   early; ● **être de bonne humeur**   to be in a good humor; ● **bon marché** *inv.*   cheap, inexpensive
● le **bonbon**   piece of candy
le **bonheur**   happiness
● **bonjour**   hello, good morning, good afternoon
● la **bonne**   maid
bonsoir   good evening
la **bonté**   kindness; **avoir la − de +** *inf.*   to have the kindness to (do something)
bord: à −   on board, aboard
le **bord**   edge; ● **− de la mer**   seashore
la **botte**   boot
le **boubou**   man's flowing outer garment (Africa)
● la **bouche**   mouth
● le **boucher**   butcher
● la **boucherie**   butcher shop
les **boucles d'oreilles** *f.*   earrings
● le **boulanger**   baker
● la **boulangerie**   bakery (bread)
● le **boulevard**   boulevard
la **bourse**   scholarship
bout: au − de   at the end of
● la **bouteille**   bottle
● la **boutique**   shop
le **bracelet-montre**   wristwatch
● le **bras**   arm, branch
le **Brésil**   Brazil
le **Breton**   Breton (inhabitant of Brittany)
le **brevet**   diploma
le **briquet**   ciagrette lighter
la **brise**   breeze
britannique   British
la **broche**   brooch
la **brochure**   brochure, pamphlet
● **bronzé, −e**   suntanned
la **brosse**   brush; **− à dents**   toothbrush
se **brosser (I) les dents**   to brush one's teeth
le **bruit**   noise
brûler (I)   to burn
● **brun, −e**   brown; brunette
brusquement   abruptly
Bruxelles   Brussels
le **but**   aim

C

● **ça** *abbr.* of **cela**   that; **Comment − va?**   How are things?
la **cabane**   hut, cabin
● le **cachet**   pill, tablet
● le **cadeau**   gift; ● **faire un −**   to give a gift
● le **café**   coffee; café; **− au lait**   coffee with hot milk
le **caftan**   long coat (Africa)
● le **cahier**   notebook

Le **Caire**   Cairo
le **calcul**   arithmetic
calculer (I)   to calculate
● le **calendrier**   calendar
calme   calm, quiet
● le(la) **camarade**   buddy, pal, friend
le **Cambodge**   Cambodia
la **caméra**   movie camera
le **camion**   truck
le **camp**   camp
● la **campagne**   country (as opposed to the city)
le **camping: camping;   faire du −**   to go camping
le **Canada**   Canada
canadien, −ne   Canadian
le **Canadien, la Canadienne**   Canadian (person)
la **canne à sucre**   sugar cane
le **capitaine**   captain
car *conj.*   for, because, since
le **car**   intercity bus = autocar
le **caractère**   disposition
caractériser (I)   to characterize
Caraïbe   Caribbean; **la Mer des −s**   Caribbean Sea
cardinaux: les nombres −   cardinal numbers
le **carnet**   notebook; **− de tickets**   book of tickets
la **carotte**   carrot
carré, −e *adj.*   square
carrément   bluntly
la **carrière**   career
● la **carte**   card; map; **− de visite**   visiting card; **− de vœux**   greeting card; **− postale**   postcard
cas: en ce −   in that case
se **casser (I) la jambe**   to break one's leg
● la **cathédrale**   cathedral
cause: ●à − de   because of
causer (I)   to chat
● **ce** *pro.*   it, this, that; they
● **ce (cet), cette** *adj.*   this, that
ce que   what (object)
ce qui   what (subject)
ceci *pro.*   this (in general)
la **ceinture**   belt
● **cela** *pro. (abbr.* ça)   that (in general); **− suffit**   that's enough
célèbre   famous
celle *f. pro.*   this, that, the one; **− -ci**   this one; **− -là**   that one
celles *f. pro.*   these, those, the ones; **− -ci**   these; **− -là**   those
celui *m. pro.*   this, that, the one; **− -ci**   this one; **− -là**   that one
● **cent**   one hundred; ● **− un**   one hundred and one; ● **deux −s**   two hundred; ● **deux − un**   two hundred and one
la **centaine**   about a hundred
le **centre**   center, downtown (of city)
● la **cerise**   cherry
certain, −e   certain, sure

492

● ces *adj.* these, those
c'est-à-dire that is to say
● **cet** *adj. m.* this, that
● **cette** *adj. f.* this, that
ceux *m. pro.* these, those, the ones;
— -ci these; — -là those
chacun, chacune each one
la **chaîne** chain, network, TV channel
● la **chaise** chair
le **châle** shawl
● la **chambre** (à coucher) bedroom
la **Chambre des Communes** House of
Commons (Canada)
● le **champ** field
● le **champagne** champagne
chance: avoir de la — to be lucky
le **changement** change
● **changer (ge)** to change
la **chanson** song
le **chant** song; singing
● **chanter (I)** to sing
la **chanteuse** singer (woman)
● le **chapeau** hat
● **chaque** each
le **charbon** coal
se **charger (ge) de** to be responsible
for
● **charmant, -e** charming
chasser (I) to hunt
● le **chasseur** bell-hop
● le **chat** cat
le **château** château, castle
● **chaud, -e** how, warm; ● il fait —
it's warm; avoir ● — to be warm
(person)
● la **chaussette** sock
● la **chaussure** shoe
la **chéchia** round, box-like men's cap
(Africa)
le **chef** chief, head
● le **chemin** road, route, way
● la **chemise** shirt
le **chèque** check
● **cher, chère** dear; expensive
● **chercher (I)** to look for
● le(la) **chéri(e)** darling, dear
● le **cheval** (*pl.* chevaux) horse
● les **cheveux** *m.* hair
● **chez** at the home (office, place of
business) of
● **chic** stylish; ● un — type *(colloq.)*
a "great guy"; ● — alors! *(colloq.)*
great!
● le **chien** dog
le **chiffre** number, digit
chimique chemical
la **Chine** China
● le **chocolat** chocolate (drink)
● **choisir (II)** to choose
le **choix** choice; au — at your choice
● la **chose** thing
chou: mon — my pet
chouette *(colloq.)* great, terrific
le **chrétien** Christian
● **-ci:** as in ce chapeau-ci this hat
(as opposed to that hat)

ci-dessous *adv.* below
ci-dessus *adv.* above
le **cidre** cider
cie. abbreviation for **compagnie**
company (business firm)
● le **ciel** (*pl.* cieux) sky
● le **cinéma** movies
● **cinq** five
● **cinquante** fifty; ● — et un fifty-
one; ● — -cinq fifty-five
● **cinquième** fifth
la **circulation** traffic
le **citoyen** citizen
civil, -e civil
la **clarinette** clarinet
● la **classe** class; ● — de français
French class
classique: ● la musique — classical music
● la **clef** key; **le trousseau de** —s
bunch of keys
le (la) **client(e)** customer
le **climat** climate
la **climatisation** air-conditioning
climatisé, -e air-conditioned
le **clos** enclosed area
coco: mon — my pet
● le **cœur** heart; **apprendre par** — to
memorize; **de bon cœur** willingly
la **coiffe** headdress, cap
● le **coiffeur; la coiffeuse** hairdresser
le **coin** corner
coïncider: faire — to match
le **colis** parcel
le **collège** secondary school (France)
● la **colonie** colony
le **colonisateur** colonizer
la **colonne** column
● **combien** (de) how many, how
much; — de temps how long;
depuis — de temps for how long
commander (I) to order
● **comme** like, as; how *(exclam.)*; —
il faut well behaved; ● — ci, —
ça so-so
le **commencement** beginning
● **commencer (ç)** to begin
● **comment** how; what? *(colloq.)*; ●
— vous appelez-vous? What is
your name?
commode convenient
la **Communauté** Community (French
government)
la **communication** communication
la **compagne** feminine companion
le **compagnon** companion
● le **complet** suit (men's)
compléter (ète) to complete
composer (I) to compose; — des
vers to write poetry; — le numéro
to dial the number
la **composition** composition
● **comprendre** to understand
compter (I) to count
concernant concerning
le **concert** concert

493

● le (la) concierge concierge, building superintendent
le **concours** contest
le **conditionnel** conditional; — anté-rieur past conditional
confiance: gens de — responsible people
conforme à comforming with
le **congé** leave, time off
le **congélateur** freezer
le **Congo** Congo
je (tu) connais I (you) know
la **connaissance** acquaintance; enchanté(e) de faire votre — delighted to meet you
connaître to know, be acquainted or familiar with
connu, –e well known
la **conquête** conquest
le conseil advice, counsel
le **Conseil de Sécurité** Security Council (UN)
le **conseiller** counselor
le **consentement** consent
conserver (I) to conserve
consister (I) **en** to consist of
consommer (I) to consume
constamment constantly
construire to construct, build
● **content, –e** happy
le **continent** continent
● continuer (I) (à) to continue (to do something)
le **contraire** opposite; **au —** on the contrary
● contre against
● convenable proper, suitable
convenablement properly, suitably
la **conversation** conversation
● le **copain** *colloq.* pal, good friend
la **Corée** Korea
la **correspondance** correspondence
le (la) **correspondant(e)** correspondent, pen-pal
corriger (ge) to correct
la **côte** coast; **la Côte-d'Ivoire** Ivory Coast
côté: ● **à — de** next to, beside
le **côté** side
le **coton** cotton
couchage: le sac de — sleeping bag
couché, –e lying down
coucher: ● **la chambre à —** bedroom
● se **coucher** (I) to go to bed
● la **couleur** color; ● **De quelle — est . . . ?** What color is . . . ?
● **coup: tout à —** suddenly
● le **coup de téléphone** telephone call; **donner un —** to make a phone call
coupable guilty
couper (I) to cut
le **courage** courage
courageux, courageuse courageous

couramment fluently, currently
le **coureur de bois** fur trapper
courir to run
courrier: long- — long distance; **moyen- —** intermediate distance
● le **cours** course, class; ● **— de français** French course
la **course** errand; **le garçon de —s** errand boy
● **court, –e** short
● le (la) **cousin(e)** cousin
● le **couteau** knife
coûter (I) to cost
la **coutume** custom
couvrir to cover
la **craie** chalk
● la **cravate** necktie
● le **crayon** pencil
● la **crème** cream
la **crémerie** dairy store
crier (I) to shout
croire to believe
le **croissant** crescent-shaped roll
la **croix** cross
● la **cuiller** spoon
le **cuir** leather
● la **cuisine** kitchen
cultiver (I) to cultivate
curieux, curieuse curious

D

● la **dame** lady
le **Danemark** Denmark
dangereux, dangereuse dangerous
● dans in, into; entrer (I) — to enter (a place)
● **danser** (I) to dance
le **danseur** dancer (man)
● la **date** date; ● **Quelle est la —d'aujourd'hui?** What's today's date?
● de of, from; in (after superlatives); **pas —** not any; ● **— rien** you're welcome
debout standing (position)
● décembre December
décider (I) to decide
le **décollage** take-off (plane)
découragé, –e discouraged
la **découverte** discovery
découvrir to discover
décrire to describe
déçu, –e disappointed
dedans *adv.* inside
le **défi** defiance; challenge
défier (I) to defy
la **définition** definition
dehors *adv.* outside
● déjà already
● **déjeuner** (I) to have lunch
● le **déjeuner** lunch; ● **le petit —** breakfast
delà: au-— de beyond
délicieux, délicieuse delicious
● demain tomorrow; **à —** see you tomorrow
● demander (I) à to ask (person); se

494

/ — to wonder, ask oneself
- demeurer (I) to live
demi, –e half; une demi-heure a half hour; • il est huit heures et demie it's half past eight
la démocratie democracy
- la dent tooth; la brosse à —s toothbrush; se brosser (I) les —s to brush one's teeth; • avoir mal aux —s have a toothache
dentaire dental
la dentelle lace
le dentiste dentist
- le départ departure
le département department (governmental division of France)
se dépêcher (I) to hurry
dépend: cela — de . . . that depends on . . .
dépenser (I) to spend (money)
déposer (I) to set down
depuis (+ time expression) for, since; — quand since when; how long; — combien de temps for how long; — que conj. since
déranger (ge) to disturb
- dernier, dernière last
- derrière behind
- des (de + les) of the, from the, some, any
dès que as soon as
désagréable disagreeable
le désastre disaster
- descendre (III) to descend, go down; — de to get off
le désir desire
- désirer (I) to desire, want
désolé, –e very sorry
- le dessert dessert
- le dessin drawing
dessous: au-– (de) below
dessus: au-– (de) above
le détail detail
détester (I) to hate
le détroit strait
- deux two
- deuxième second (of several)
- devant in front of
le développement development
développer (I) to develop
- devenir to become
deviner (I) to guess
la devinette guessing game
la devise motto
devoir to owe, to have to
- les devoirs m. homework
dévoué, –e devoted
le dévouement devotion
le dialecte dialect
le dialogue dialogue
la dictée dictation
le dictionnaire dictionary
Dieu God
différent, –e different
- difficile difficult
- dimanche Sunday

la dimension dimension, size
dîner (I) to dine, have dinner
- le dîner dinner
- dire to say, tell; • vouloir — to mean
- le directeur director; — de l'école school principal
la direction management
les directives f. instructions
le discours speech
discuter (I) to discuss
disparaître to disappear
- le disque record (phonograph); • passer des —s to play records
les distractions f. amusements
divers various
- dix ten; — -huit eighteen
- dixième tenth
- le docteur doctor
le domaine area, field
dommage: • C'est — That's too bad; • Quel — What a pity!
le don gift, talent
donc then, therefore
- donner (I) to give; • — un coup de téléphone to make a phone call
dont of which, of whom
- dormir to sleep; — à la belle étoile to sleep outdoors
le dos back; mal au — backache
la douane customs
le douanier customs officer
doué, –e gifted
doute: sans — without doubt
douter (I) to doubt
doux, douce sweet, mild
- douze twelve
- douzième twelfth
dressé, –e erected
droit, –e right; • à droite to or on the right; • tout droit straight ahead
le droit right, privilege; law (profession); avoir — à to be entitled to, be allowed; les —s civils civil rights
- drôle funny, strange
drôlement strangely
- du (de + le) of the, from the, some, any
le duc duke
duquel of which, of whom
dur hard; un œuf — hard-boiled egg; • travailler (I) — to work hard
durer (I) to last
- dynamique dynamic

E
- l'eau f. water; — minérale mineral water
une écharpe scarf
échouer (I) à to fall (in)
- une école school
un écolier schoolboy
une écolière schoolgirl

495

économique economic
● écouter (I) to listen to
un écouteur headphone
un écran screen
● écrire to write
l'écriture f. writing; scripture
un écrivain writer
● un édifice building
l'éducation civique f. civics
effet: en — quite so
un effort effort
égaler I) to equal
l'égalité f. equality
● une église church
Eh bien! Well!
s'élancer (ç) to thrust oneself
● un électrophone record player
un élément element
élémentaire elementary
élever (ève) to raise
● un(e) élève pupil
l'élision elision
● elle she; her; —s they; them
s'éloigner (I) to move (go) away
● embrasser (I) to embrace, kiss
une émission broadcast, telecast
● emmener (ène) to take along
empêcher (I) de to prevent
un emplacement site, location
l'emploi m. use
un employé employee, clerk
employer (oie) to use
emporter (I) to take along
● en prep. in, to; ● — français in
French; ● — France in (to)
France; — plus in addition; ● —
ville in town ● pro. some, any,
of it, of them
● enchanté, -e (de) delighted (to)
● encore again; still; yet; ● pas —
not yet; — un(e) another, one
more
encourager (ge) to encourage,
cheer up
un endroit place
● un(e) enfant child
● enfin finally
une énigme puzzle
les ennuis m. worries, problems
s'ennuyer (uie) to be bored; —
de(quelqu'un) to miss (someone)
énormément enormously
enrhumé, -e: être — to have a
cold
l'enseignement m. teaching
● ensemble together
● un ensemble outfit
● ensuite then, next
● entendre (III) to hear
entendu: bien — of course
entièrement entirely
● entre between, among; — temps
meanwhile; — parenthèses in
parentheses
une entrée entrance; entrance fee
entreprendre to undertake

● entrer (I) to enter; ● — dans to
enter (a place)
une enveloppe envelope
envers towards, to (people)
envie: avoir — de + inf. to feel
like (doing something)
environ about, approximately
les environs m. surroundings, vicinity
envisager (ge) to look at, look over
envoyer (oie) to send
épatant, -e terrific
une épaule shoulder
● une épicerie grocery
● un épicier grocer
une époque era
une épouse wife
● épouser (I) to marry
un époux husband
l'équateur m. equator
un équivalent equivalent
une erreur mistake, error
● un escalier staircase, stairs
un esclave slave
● l'Espagne f. Spain
● l'espagnol m. Spanish (language)
espérer (ère) to hope; j'espère que
oui I hope so; j'espère que non
I hope not
un espoir hope
essayer (aie) de + inf. to try to (do
something)
l'essence f. gasoline
essentiel, -le essential
l'est m. east
● Est-ce que (introducing a question)
Is it that . . . ?
estomac: ● avoir mal à l'— to
have a stomach ache
● et and
établir (II) to establish
un établissement establishment
● un étage floor, story
un état state
● les Etats-Unis m. the United States
● l'été m. summer; ● en — in the
summer
éteindre. to extinguish
étendre (III) to extend
une étendue expanse, size
ethnique ethnic
● une étoile star; dormir à la belle — to
sleep outdoors
étonné, -e surprised
étranger, étrangère foreign; à
l'étranger in a foreign land,
abroad
● être (to be; — à to belong to; —
bien to be comfortable;
● — de bonne (mauvaise) humeur to
be in a good (bad) humor;
● —enrhumé, -e to have a cold;
— reçu, -e to be successful, to pass;
— de retour to be back;
● — en train de + inf. to be engaged
in (doing something)
étroit, -e narrow

496

une **étude** study
● un(e) **étudiant(e)** student
● **étudier** (I) to study
l'**Europe** f. Europe
européen, –ne European
● **eux** m. them; they
évidemment evidently
exact, –e exact, right
exactement exactly
● un **examen** examination; **passer –** to take an examination
excellent, –e excellent
excursion: ● **faire une –** to go on an excursion
s'excuser (I) to apologize, excuse oneself
un **exemple** example; **par –** for example
un **exercice** exercise
exister (I) to exist
une **explication** explanation
extérieur: à l' – outside

F
la **fabrication** manufacture, manufacturing
fabriquer (I) to manufacture
la **façade** front (of building)
fâché, –e angry, annoyed
● **facile** easy
● **facilement** easily
la **façon** way, manner
le **facteur** postman
la **Faculté** School of a university
● **faible** weak
la **faim** hunger; ● **avoir –** to be hungry
● **faire** to do; make; **à –** to do, to be done;
— **attention à** to pay attention to;
● **– un cadeau** to give a gift;
● **– du camping** to go camping;
— **coïncider** to match;
— **la connaissance de** to make the acquaintance of;
● **– une excursion** to go on an excursion;
— **frais** to be cool out;
— **du français** to take French;
— **de son mieux** to do one's best;
— **le nécessaire** to do what's necessary;
● **– un pique-nique** to go on a picnic;
— **les préparatifs** to make preparations;
● **– une promenade** to take a walk (drive);
— **signe de la main** to wave;
— **du ski** to go skiing;
— **du soleil** to be sunny;
— **un tour** to take a short walk;
● **– les valises** to pack the bags;
— **du vent** to be windy;
● **– un voyage** to take a trip;
— **voir** to show

fait: ça – . . . que it's been . . . since; **cela ne – rien** that doesn't matter; **il – beau, chaud,** *etc.* the weather is fine, warm, *etc.*
fait: tout à – entirely; **en –** in fact
falloir to be necessary
familier, familière familiar
● la **famille** family
fatigué, –e tired
● **se fatiguer** (I) to get tired; **– à + *inf.*** to get tired (doing something)
faut: il – it is necessary; **il ne – pas** one mustn't; **il me –** I need; **comme il –** well behaved
la **faute** mistake
faux, fausse false; **le faux numéro** wrong number
● les **félicitations** f. congratulations
féminin, –e feminine
● la **femme** woman; wife
● la **fenêtre** window
le **fer** iron
● la **ferme** farm
fermer (I) to close
fertile fertile
● la **fête** celebration; ● **le jour de –** holiday
● **fêter** (I) to celebrate
● la **feuille** leaf; **– de papier** sheet of paper
● **février** February
les **fiançailles** f. engagement
le(la) **fiancé(e)** fiancé
se fiancer (ç) to become engaged
fidèle faithful
fier, fière (de) proud (of)
la **fièvre** fever
● la **figue** fig
la **figure** face
la **fille** daughter; ● **la jeune –** girl movie; **projeter un –** to show a movie
● le **fils** son
la **fin** end
finalement finally
● **finir** (II) to finish
fixer un rendez-vous to arrange a date
● la **fleur** flower
● le **fleuve** river
la **flûte** flute
● la **fois** time; **encore une –** again
fond: à – thoroughly; **au –** in the background
le **fondateur** founder
la **fonderie** foundry
● le **football** soccer
● la **forêt** forest
la **forme** form: **– affirmative** affirmative; **– négative** negative
formé, –e sur formed from
former (I) to form
● **formidable** terrific
la **formule finale** closing (letter)
● **fort, –e** strong

le **foulard** headdress (Africa); scarf
fouiller (I) to rummage
● la **fourchette** fork
la **fourrure** fur
   ● **frais, fraîche** fresh; **faire frais** to
   be cool out
les **frais** *m.* expenses, costs
franc, franche frank, open
● le **franc** franc (French monetary unit)
   ● **français, -e** French
● le **français** French (language); **en —**
   in French; **le cours de —** French
   course
● le **Français, la Française** Frenchman,
   French woman
● la **France** France
franchement frankly
franchir la barrière to pass through
   the gate
francophone French-speaking
frapper (I) to knock, strike
● le **frère** brother
le **frigidaire** refrigerator
le **frigo** *colloq.* refrigerator
frites: les pommes de terre —
   French-fried potatoes
froid, -e cold; ● **avoir —** to be
   cold; ● **faire —** to be cold out
le **fromage** cheese
le **front** forehead
la **frontière** frontier, border
● le **fruit** fruit
fumer (I) to smoke
la **fusée** rocket
le **futur** future tense; **— antérieur**
   future perfect

G

   ● **gagner** (I) to earn; gain; **— sa vie**
   to earn one's living
la **galerie** gallery
● le **gant** glove
● le **garage** garage
le **garagiste** garage man
● le **garçon** boy; waiter; **— de café**
   waiter; **— de courses** errand boy
garder (I) to keep
● la **gare** station (R. R.)
● le **gâteau** cake
gauche left; ● **à —** to or on the
   left
général, -e general
généralement generally
généreux, généreuse generous
le **genou** (*pl.* genoux) knee
le **genre** type, kind; gender
les **gens** *m.* and *f.* people
   ● **gentil, -le** nice, kind
la **gentillesse** kindness
la **géographie** geography
● la **glace** ice cream; ice
● le **golf** golf
● la **gomme** eraser
gorge: ● **avoir mal à la —** to have
   a sore throat
● le(la) **gosse** *colloq.* kid

le **goût** taste; **à mon —** to my taste
● le **goûter** snack
le **gouvernement** government
grâce à thanks to
le **gramme** gram
   ● **grand, -e** tall, big; ● **les —es vacances** summer vacation
la **Grande-Bretagne** Great Britain
grandir (II) to grow up
● la **grand-mère** grandmother
● le **grand-père** grandfather
les **grands-parents** *m.* grandparents
le **gratte-ciel** skyscraper
gratuit, -e free (without expense)
grave serious
gravé, -e engraved
   ● **gris, -e** grey
gronder (I) to scold
le **groupe** group; **en —** in a group
guère: ne . . . — hardly, scarcely
   ● **guérir** (II) to cure, get well
la **guerre** war
Guillaume le Conquérant William
   the Conqueror
la **Guinée** Guinea
● la **guitare** guitar; **jouer de la —** to
   play the guitar
● la **gymnastique** gymnastics, athletics

H

° = h aspiré
   ● **s'habiller** (I) to get dressed
● un **habitant** inhabitant
   ● **habiter** (I) to live (in)
● une **habitude** habit; ● **avoir l'— de**
   inf. to be in the habit of; **d'—**
   usually, habitually
se °**hâter** (I) **de** to hasten to
   ● °**haut, -e** high; **à —e voix** aloud
°**haut: en —** upstairs
le °**haut-parleur** loudspeaker
la °**hauteur** height
Le Havre Le Havre
hélas alas
● une **heure** hour, time, o'clock; ● **Quelle
   — est-il?** What time is it?; ● **Il
   est une —** It's one o'clock; ● **Il
   est deux —s** It's two o'clock; ● **à
   l'—** on time; ● **à quelle — ?** at
   what time?; ● **à tout à l'—** see
   you soon; ● **de bonne —** early;
   une demi- a half hour; **un
   quart d'—** a quarter of an hour
   ● **heureux, heureuse** happy
   ● °**hier** yesterday
● l'**histoire** *f.* history; story
historique historical
● l'**hiver** *m.* winter; ● **en —** in the
   winter
hommages: mes — my respects,
   I'm honored
● un **homme** man
honnête honest
un **honneur** honor
honoré, -e honored

498

°**honte:** avoir — (de) to be ashamed (of)
un **hôpital** hospital
un **horaire** time table
une **horloge** clock
● les °**hors-d'œuvre** *m.* appetizers
● un **hôtel** hotel
une **hôtesse de l'air** stewardess
le °**houblon** hops
le °**hublot** porthole, airplane window
l'**huile** *f.* oil; — **d'arachide** peanut oil
● °**huit** eight; — **jours** a week
● °**huitième** eighth
humain, –e human
humeur: ● être de bonne (mauvaise) — to be in a good (bad) humor
un **hymne** anthem

I

● **ici** here
● une **idée** idea
un **idiotisme** idiom
● **il** he, it; ● — **est une heure** it's one o'clock
● **il y a** there is, there are; — (+ time expression) + past tense ago; — (+ time expression) **que** + present tense for; ● **Qu'est-ce qu'** — ? What's the matter?
il y avait there was, there were
une **île** sland
illuminé, –e illuminated
● **ils** they *n.*
● une **image** picture
● **immédiatement** immediately
● un **immeuble** building, apartment house
impardonnable inexcusable
l'**imparfait** *m.* imperfect tense
l'**impératif** *m.* the imperative
● un **imperméable** raincoat
important, –e important
impossible impossible
un **impôt** tax
une **impression:** ● **faire une bonne** — to make a good impression
impressionner to impress
impromptu impromptu ("off the cuff")
un **inconvénient** inconvenience
une **indication** cue, word(s) indicated
indien, –ne Indian
indiqué, –e indicated
indiquer (I) to point out
l'**Indochine** *f.* Indo-China
indulgent, –e lenient
une **industrie** industry
un **infinitif** infinitive
l'**informatique** computer information
● un **ingénieur** engineer
inhabité, –e uninhabited
initial, –e first, beginning
innombrable countless

inquiet, inquiète worried, disturbed
s'inquiéter (ète) to worry
inscrit, –e inscribed, written
insister (I) **sur** to insist upon
s'installer (I) to sit down, settle down
instant: à l' — this instant
instructif, instructive educational, instructive
l'**instruction** *f.* instruction
un **instrument** instrument (musical)
● **intelligent, –e** intelligent
intention: ● avoir l' — **de** to intend to
intéressant, –e interesting
intéresser (I) to interest; **s'** — à to be interested in
l'**intérêt** *m.* interest; **avec** — with interest
intérieur: à l' — inside
l'**interprète** *m.* and *f.* interpreter
interrogatif, interrogative interrogative
interviewer (I) to interview
intime intimate, familiar
intitulé, –e entitled
inutile useless
inversion: avec — inversion of verb and subject pronoun
une **invitation** invitation
● **inviter** (I) à + *inf.* to invite (someone) to (do something)
irrégulier, irrégulière irregular
● l'**Italie** *f.* Italy
italien, –ne Italian
● l'**italien** *m.* Italian (language)
italique: en — in italics

J

jaloux, jalouse jealous
jamais: ● **ne . . .** — never
● la **jambe** leg; **se casser** (I) **la** — to break one's leg
le **jambon** ham
● **janvier** January
le **Japon** Japan
la **jaquette** jacket
● le **jardin** garden; ● — **public** public park
● **jaune** yellow
● **je** I; ● **moi,** — I (emphatic)
jeter (ette) to throw
le **jeu** game
● **jeudi** Thursday
● **jeune** young; ● la — **fille** girl
la **joie** joy
● **joli, –e** pretty
● la **joue** cheek
● **jouer** (I) to play; ● — à (+ game) to play a game; ● — de (+ instrument) to play a musical instrument
le **joueur** player
● le **jour** day; **de** — **en** — from day to day; **de nos –s** nowadays; ● **tous les** —s every day; ● **Quel** —

cverung
euerun s

499

sommes-nous aujourd'hui? What day is it today?
- le **journal** newspaper
- la **journée** day; ● **toute la —** all day; **une demi--** a half day
joyeux, joyeuse happy, joyous
- **juillet** July
- **juin** June
- la **jupe** skirt
jusqu'à until, up to
juste just

K

le **kilo(gramme)** kilo (2.2 lbs.)
- le **kilomètre** kilometer (5/8 mile)
le **kiosque** newspaper stand

L

- la *f. art.* the; *f. pro.* her, it
- **là** there; **ce chapeau-là** that hat (as opposed to this hat); **là-bas** over there, down there
- le **lac** lake
la **laine** wool
- **laisser (I)** to leave, let
- le **lait** milk
- la **lampe** lamp
- la **langue** language; **les —s vivantes** modern languages
large wide, broad
les **larmes** *f.* tears
la **lassitude** weariness
- se **laver (I)** to wash oneself
- le *m. art.* the; ● **— lundi** on Mondays; ● **— matin** in the morning; *m. pro.* him, it
- la **leçon** lesson
la **lecture** reading
léger, légère light (in weight)
légèrement lightly
- le **légume** vegetable
le **lendemain** the next day
lequel, laquelle *inter. pro.* which one?; *rel. pro.* which, whom
- les *pl. art.* the; *pl. pro.* them
lesquels, lesquelles *inter. pro.* which ones?; *rel. pro.* which, whom
Lettres: la Faculté des — Liberal Arts School (of a university)
la **lettre** letter
- **leur** *pro.* to them
- **leur, leurs** *poss. adj.* their
le leur, la leur, les leurs *poss. pro.* theirs
- **lever (ève)** to raise; ● **se —** to get up
la **liaison** liaison (carrying over of consonant sound)
- la **liberté** liberty, freedom
la **librairie** bookstore
- **libre** free, unoccupied
la **license** university degree
le **lieu** place; **au lieu de** instead of; **avoir lieu** to take place
la **ligne** line

- la **limonade** lemon soda
- **lire** to read
la **liste** list
- le **lit** bed
la **littérature** literature
le **litre** liter (1.06 qts.)
- le **living(-room)** family room
la **livre** pound
- le **livre** book
- le **livret** booklet
local, -e local
la **locution** idiom
se **loger (ge)** to live, stay
la **loi** law
- **loin de** far from
lointain, -e far-away, distant
Londres London
long: le — de along
- **long, -ue** long; **long-courrier** long distance
- **longtemps** a long time
la **longueur** length
- **louer (I)** to rent
lourd, -e heavy
- **lui** to him, to her; him, he
- la **lumière** light
- **lundi** Monday
- la **lune** moon
les **lunettes** *f.* eyeglasses; **— de soleil** sunglasses
lutter to fight
le **luxe** luxury
- le **lycée** secondary school (France)

M

- **ma** *f. poss. adj.* my
- **madame** madam, Mrs.; *abbr.* **Mme**
- **mademoiselle** miss, Miss; *abbr.* **Mlle**
- le **magasin** store
magnifique wonderful, magnificent
le **mahométan** Mohammedan
- **mai** May
maigrir (II) to get thin
- la **main** hand; **faire signe de la —** to wave; **se serrer la —** to shake hands
- **maintenant** now
maintenir to maintain
- **mais** but; **— oui** why yes; **— si** indeed yes (contradicting a negative)
- la **maison** house, home
le **maître** man teacher (elementary school)
- la **maîtresse** woman teacher (elementary school)
la **majorité** majority
- **mal** *adv.* badly; ● **pas —** not bad; **pas — de** quite a few of; **plus —** worse; **le plus —** the worst
mal *n.* ● **avoir — aux dents** to have a toothache; ● **avoir — au dos** to have a backache; ● **avoir — à l'estomac** to have a stomach ache; ●

500

avoir — à la gorge to have a sore throat; ● avoir — à la tête to have a headache; avoir du — à + *inf.* to have difficulty in (doing something)

● **malade** sick, ill

malgré in spite of

● **malheureux, malheureuse** unhappy

malheureusement unfortunately

● **maman** mother

la **Manche** English Channel

le **mandat** mandate

● **manger (ge)** to eat; ● la **salle à —** dining room

● le **manque** lack

manquer (I) to miss; **tu nous manques** we miss you

● le **manteau** overcoat

manuel, –le manual

● le **marchand** merchant

la **marchandise** merchandise, goods

● le **marché** market; (à) bon — *inv.* cheap, inexpensive; (à) **meilleur** — cheaper

le **Marché Commun** the Common Market

● **marcher (I)** to walk; function

● **mardi** Tuesday

● le **mari** husband

le **mariage** marriage

se **marier (I)** to get married

maritime maritime

le **Maroc** Morocco

● **mars** March

masculin, –e masculine

● le **match** game; ● — de football soccer game

maternelle: l'école — nursery school

● les **mathématiques** (*abbr.* les maths) *f.* mathematics

● la **matière** subject (of study)

● le **matin** morning; in the morning; du — au soir from morning 'til night

la **Mauritanie** Mauritania

● **mauvais, –e** bad; ● il fait — the weather is bad; ● être de —e humeur to be in a bad humor

● **me** me, to me, myself (*reflex.*)

mécanique mechanical

● le **médecin** doctor

● le **médicament** medicine

meilleur, –e, better; le — *m.* best

le **mélange** mixture

le **membre** member

même *adv.* even; — si even though; quand — anyhow

● **même** *adj.* same; ● en — temps at the same time; moi de — I feel the same, the same for me; **moi-** — myself

mémé grandma

le **mensonge** lie, falsehood

mentir to (tell a) lie

● la **mer** sea ● au bord de la — at the seashore

● **merci** thank you; ● — mille fois a thousand thanks; — **de** thanks for

● **mercredi** Wednesday

● la **mère** mother

la **merveille** marvel, wonder; à — wonderfully

● **merveilleux, merveilleuse** marvelous

● **mes** *poss. adj. pl.* my

mesdames *pl.* of **madame** ladies

la **messe** mass (Catholic)

● les **messieurs** *pl.* of **monsieur** gentlemen

la **mesure** measure, measurement

métallurgique metallurgic

● le **métier** trade, occupation

le **mètre** meter (3.28 ft.)

métrique: le système — metric system

● le **métro** subway

● **mettre** to put, put on; ● — la table to set the table; — à la poste mail

● les **meubles** *m.* furniture

le **Mexicain** Mexican

le **Mexique** Mexico

● **midi** noon

le **Midi** the south of France

le **mien, la mienne, les miens, les miennes** *poss. pro.* mine

mieux *adv.* better; ● aimer — to prefer; ● le — best; faire de son — to do one's best

● **mil** thousand (in dates)

● **mille** thousand; deux — two thousand

les **milliers** *m.* thousands

un **million (de)** a million (of)

le **millionnaire** millionaire

● **mince** thin, slender

la **mine** mine (coal, iron, etc.)

le **minerai** ore

● **minuit** midnight

la **missive** letter

● la **mode** style, fashion, à la — in style

moderne modern

● **moi** me, I; ● — aussi so do I; — de même I feel the same; — -même myself; — non plus neither do I; ● —, je I (for emphasis)

● **moins** less, minus; le — least; au — at least

● le **mois** month; ● en quel — in what month

moment: en ce — right now

● **mon** *poss. adj. m. and f. s.* my

le **monde** world; ● tout le — everybody; du — a lot of people; — **entier** the whole world

le **moniteur de ski** ski instructor

● la **monnaie** change (coins)

● **monsieur** sir, Mr. *abbr.* **M.;** ● le — gentleman

501

monstre: ● un petit — a little monster
● la montagne   mountain
● monter (**I**)   to go up; ● — dans   to get in, on (car, bus, etc.)
● la montre   watch
  Montréal   Montreal
● montrer (**I**)   to show
le **monument**   monument, structure of historical importance
  mort, –e   died, dead
la **mosquée**   mosque
● le **mot**   word
le **moteur**   motor, engine
la **mouche**   fly (insect)
● le **mouchoir**   handkerchief
le **mouvement**   movement
  moyen, –ne   average; — -courrier intermediate distance
les **moyens** *m.*   the means
● le **mur**   wall
● le **musée**   museum
le **musicien**   musician
● la **musique**   music
  musulman, –e   Moslem

N

● **nager** (ge)   to swim
  naissance: ● un anniversaire de — birthday
● la **natation**   swimming
  national, –e   national
  naturel, –le   natural
  naturellement   naturally
la **navigation**   navigation
le **navire**   ship
  ne: — . . . guère   hardly, scarcely;
● — . . . jamais   never;
  — . . . ni   neither . . . nor;
  — . . . nulle part   nowhere;
● — . . . pas
  — . . . personne   nobody;
● — . . . plus   no more, no longer;
  — . . . que   only;
  — . . . rien   nothing;
● n'est-ce pas?   isn't it, don't they, *etc.*?
  né, –e   born
  nécessaire   necessary; **faire le** — to do what's necessary
  négatif, négative   negative
  négativement   in the negative
  neige: ● il —   it's snowing
la **neige**   snow
  nettoyer (oie)   to clean
● **neuf**   nine
● **neuf, neuve**   brand-new
le **neveu**   nephew
● **neuvième**   ninth
● le **nez**   nose
  ni: ne . . . — . . .   neither . . . nor
le **nid**   nest
la **nièce**   niece
le **niveau**   level
  Noël   Christmas
● **noir**, –e   black

le **nom**   name; noun; **les** —**s géographiques**   geographical names
  nomade   nomadic, roving
le **nombre**   number; ● **les** —**s cardinaux**   cardinal numbers; ● **les** —**s ordinaux**   ordinal numbers
  nommer (**I**)   to name
● **non**   no; **moi** — **plus**   neither do I
le **nord**   north
● **nos** *poss. adj. pl.*   our
le **notaire**   notary
● la **note**   mark (school)
  Notez bien!   Take notice!
● **notre** *poss. adj. s.*   our
  le nôtre, la nôtre, les nôtres *poss. pro.*   ours
  nourrir (**II**)   to nourish, feed
la **nourriture**   food
● **nous**   we; us; to us; ourselves (*reflex.*)
● **nouveau (nouvel), nouvelle**   new
la **nouvelle**   piece of news; ● **les** —**s**   news
la **Nouvelle-Angleterre**   New England
  La Nouvelle-Orléans   New Orleans
  novembre   November
se **noyer** (oie)   to drown
le **nuage**   cloud
la **nuit**   night
  nulle part: ne . . . —   nowhere
le **numéro**   number; ● — **de téléphone**   telephone number; **le faux** — wrong number

O

l'**O.M.S.**   l'Organisation Mondiale de Santé   World Health Organization
l'**O.N.U.**   l'Organisation des Nations Unies   United Nations
  obéir (**II**) à   to obey
un **objet**   object; — **direct**   direct object
  obtenir   to obtain
  occasion: avoir l' — **de** + *inf.*   to have the opportunity to
  occidental, –e   Western
  occupé, –e   busy
s'**occuper** (**I**) de   to take care of
un **océan**   ocean
● **octobre**   October
une **odeur**   odor
● un **œil** *pl.* yeux   eye
● un **œuf**   egg; — **dur**   hard-boiled egg
● **officiel**, –le   official
  offrir   to offer, give
un **oiseau**   bird
● une **omelette**   omelet
● **on** *indef. pro.*   one, we, they, *etc.*
une **once**   ounce
● un **oncle**   uncle
● **onze**   eleven
● **onzième**   eleventh
  l'**or** *m.*   gold
  l'**orangeade** *f.*   orangeade
un **orchestre**   orchestra

502

un **ordinateur** computer
ordinaux: ● les nombres — ordinal numbers
ordonné, –e well-ordered
● l'**ordre** *m.* order; ● de l' — some order
un **orgue** organ
original, –e original
l'**origine** *f.* origin
l'**orthographe** *f.* spelling
● **ou** or
● **où** where
● **oublier** (I) (de) to forget (to)
l'**ouest** *m.* west
● **oui** yes
outre-mer overseas
ouvert: à livre — with book open
● **ouvrir** to open

P

le **pagne** cloth of silk or lace, draped from shoulder to floor over a person's outer garment (Africa)
● le **pain** bread
paisiblement peacefully
la **paix** peace
le **Pakistan** Pakistan
le **palais** palace
le **panneau de signalisation** road sign
● le **pantalon** pants, trousers (pair)
papa dad
● le **papier** paper; **une feuille de —** a sheet of paper
les **Pâques** *m.* Easter
● le **paquet** package
● **par** per, by; through
paraître to appear
le **parapluie** umbrella
● **parce que** because
le **parcours** trip, run
● le **pardessus** overcoat (man's)
● **pardon** I beg your pardon
le **Pardon** Pardon (religious ceremony in Brittany)
pardonner (I) to pardon
pareil, –le similar, like
parenthèses: entre — in parentheses
les **parents** *m.* parents, relatives
parfait, –e perfect
parfaitement exactly, perfectly
parfois sometimes
le **parfum** perfume
parisien, –ne Parisian
le **parking** parking lot
parler (I) to speak
parmi among
le **parquet** floor
part: de la — de on behalf of; **de ma —** for me
partager (ge) to share
le **participe** participle; **— passé** past participle; **— présent** present participle
la **partie** part; **faire — de** to be a part of

● **partir** to leave; **à — de** beginning with
partout everywhere
pas: à deux — de a short distance from
pas: ● ne . . . — not; ● — encore not yet; ● — de not any; — mal not bad; — du tout not at all; ● — mal de quite a few of
le **passager** passenger
passé, –e past
le **passé composé** past tense
le **passé simple** literary past tense
le **passeport** passport
● **passer** (I) to pass; — un examen to take an examination; ● — des disques to play records; ● — les vacances to spend the vacation; — par to go by, go through; se — to happen
passionnant, –e exciting
le **pâté de foie gras** goose-liver paste
la **patience** patience
la **pâtisserie** pastry
le **patron** employer, boss
● **pauvre** poor
payer (aie) to pay (for)
● le **pays** country (nation)
les **Pays-Bas** *m.* the Netherlands
les **Peaux-Rouges** *m.* Indians, Redskins
● la **pêche** peach; fishing
le **pêcheur** fisherman
le **peigne** comb
peine: à — hardly, scarcely
la **peinture** painting
Pékin Peking
● **pendant** during; **— que** *conj.* while
la **péninsule** peninsula
la **pensée** thinking, thought
● **penser** (I) to think; ● — à to think about; — de to think (have an opinion) of
pépé grandpa
● **perdre** (III) to lose; **se —** to get lost
● le **père** father
permettre to permit; ● **permettez-moi** permit me; ● **Permettez-moi de vous présenter . . .** Allow me to introduce . . .
la **permission** permission
le **Pérou** Peru
le **personnage** character (in a story)
personne: ne . . . — nobody; ● la — person
personnel, –le personal
peser (èse) to weigh
● **petit, –e** small, little; ● le — déjeuner breakfast; **à — —** little by little
le **pétrole** petroleum
● **peu** little, few; ● un — a little; **à — près** nearly, about
le **peuple** people (populace)

peur: avoir − to be afraid
● peut-être maybe, perhaps
● la photo photograph
la phrase sentence
physique physical
la physique physics
le piano piano
● la pièce room; play (theater)
le pied foot; ● à − on foot
le pilote pilot
le pionnier pioneer
● le pique-nique picnic; ● faire un −
to go on a picnic
la piqûre injection, "shot"
pire adj. le − the worst
pis adv. le − the worst
● la piscine swimming pool
● la place job; public square; seat;
space; à la − de in place of
placer (ç) to place
● la plage beach; le garçon de −
beach boy
plaire à (quelqu'un) to be pleasing
to (someone)
plaisanter (I) to joke
le plaisir pleasure; ● avec − with
pleasure
plaît: ● s'il te − fam. please; ●
s'il vous − pol. please
planter (I) to plant
plat, −e flat
le plat dish, plate
plein, −e full; en − air outdoors
● pleurer (I) to cry, weep
● pleut: il − it is raining
la pluie rain
la plupart the most; the greatest or
greater part
le pluriel plural
● plus more; de −, en − in addition; de − en − more and more;
le − adv. the most; ● ne . . . −
no more, no longer; moi non −
neither do I
● plusieurs several
le plus-que-parfait past perfect tense
plutôt rather, more so
● la poche pocket; l'argent de − m.
pocket money
la pochette little pocket
● le poème poem
● le poète poet
le poids weight
● la poire pear
les petits pois m. green peas
le poisson fish
le pôle Nord North Pole
poli, −e polite
la police police
● la politesse courtesy, politeness
la politique politics
la Polynésie Polynesia
polyvalente: une école − comprehensive high school
la pomme apple; − de terre potato;
● les −s (de terre) frites French-

fried potatoes
le pont bridge
populaire: ● la musique − popular or folk music
populeux, populeuse populous
le port port
● la porte door
● porter (I) to carry; wear; se − bien
to be fine (health)
le porteur porter
le Portugal Portugal
poser (I) une question to ask a
question
posséder (ède) to possess
possible possible; aussitôt que −
as soon as possible; tout mon −
all I can; le plus vite − as fast as
possible
postale: la carte − postcard
la poste: mettre à la− to mail
le poste job; − de radio radio receiver; − de télévision TV set
● le potage soup
le poulet chicken
la poupée doll
● pour for, in order to
le pourcentage percentage
● pourquoi why
pourvu que provided that
pousser (I) to grow
● pouvoir to be able; vouloir, c'est −
where there's a will, there's a way
le pouvoir power
pratiquer to practice; prevail
se précipiter (I) to rush
précis, −e precise, exact
précisément exactly
préféré, −e favorite
préférer (ère) to prefer
● premier, première first
le Premier Ministre Prime Minister
● prendre to take; drink; ● − une
photo to take a picture; − les
renseignements to get the information
le prénom first name
préparatifs: faire les − to make
preparations
préparatoire preparatory
préparer (I) to prepare
la préposition preposition
près: ● − de near; à peu −
nearly, about
le présent present tense
● la présentation introduction
● présenter (I) to introduce
le président president
● presque almost
se presser (I) to hurry
le pressing cleaner's (store)
prêt, −e (à) ready (to)
● prêter (I) to lend
prévenir to notify, warn
prie: ● je vous en (t'en) − I beg
you; you're welcome
primaire primary

principal, -e principal; **le —** the main thing

● **le printemps** spring; ● **au —** in the spring

la prison prison

privé, -e private

● **le prix** price; prize

probablement probably

le problème problem

● **prochain, -e** next; ● **l'année -e** next year

le produit product

● **le professeur** teacher

le professorat teaching

profiter (I) **de** to profit by

profondément deeply

le programme program

progrès: faire des — to make progress

le projet plan, project

projeter un film to show a film

● **la promenade** walk or ride; ● **faire une —** to take a walk (or ride)

se promener (ène) to take a walk

la promesse promise

promettre to promise

le pronom pronoun

prononcer (ç) to pronounce

propos: à — by the way

proposer (I) to propose

propre clean; own

le(la) propriétaire owner, proprietor

le protectorat protectorate

la protéine protein

● **le proverbe** proverb

le proviseur headmaster (of a boys' lycée)

public, publique; le jardin public public park

la publicité advertising

le pudding plum pudding

puisque *conj.* since

● **le pull (-over)** sweater, pullover

● **punir** (II) to punish

Q

la qualité quality

● **quand** when; **— même** anyhow, anyway; **depuis —** since when

quant à as for

● **quarante** forty; ● **— et un** forty-one; **— -quatre** forty-four

● **le quart** quarter; ● **il est midi et —** it's quarter after twelve (P.M.); ● **il est six heures moins le —** it's quarter to six; **un — d'heure** a quarter of an hour

le quartier neighborhood, quarter

● **quatorze** fourteen

● **quatre** four; ● **— -vingts** eighty; ● **— -vingt-un** eighty-one; ● **— -vingt-dix** ninety; ● **— -vingt-onze** ninety-one

● **quatrième** fourth

● **que** as, than (in comparisons); *ex-clam.* how; ● *conj.* that; **ne . . . —** only

que? *inter. pro.* what? (*d.o.*)

que *rel. pro.* whom, which, that; **ce — what** (that which)

Québec Quebec

le Québécois inhabitant of Quebec

● **quel, -le** *inter. and exclam. adj* what, which; **what (a)!**

● **quelque chose** something

quelquefois sometimes

quelque part somewhere

quelques *adj.* a few, several

● **quelqu'un** somebody, someone

● **qu'est-ce que?** *inter. pro.* what? (*d.o.*) **— tu as?** what's the matter with you?; ● **qu'est-ce qu'il y a?** what's the matter? ● **— c'est qu'un (une)?** what's a . . . ?

qu'est-ce qui? *inter. pro.* what? (subject); **— se passe?** what's going on?

la question question; **poser une —** to ask a question

● **qui?** *inter. pro.* who? whom?

qui *rel. pro.* who, which, that; whom (*obj. of prep.*); **ce — what** (that which)

qui est-ce que? *inter. pro.* whom?

qui est-ce qui? *inter. pro.* who?

● **quinze** fifteen; **— jours** two weeks

● **quitter** (I) to leave

quoi what

R

raccrocher (I) to hang up (telephone)

raconter (I) to tell

● **la radio** radio

le raisin grapes

● **la raison** reason; ● **avoir raison** to be right

ramasser (I) to collect

ramener (ène) to bring back

● **le rang** row

● **ranger (ge)** to put away, to tidy

rapidement quickly, rapidly

rappeler (elle) to call back; **se —** to remember

rapporter (I) to bring back

● **rarement** rarely

se raser (I) to shave

le rasoir razor

ravi, -e delighted

la réception reception

● **recevoir** to receive

la recherche research

la réclame advertisement

la reconnaissance gratitude

reçu, -e: être — to pass, be successful

redites! restate!

refaites! redo! restate!

réfléchi; le verbe — reflexive verb

la réflexion remark, reflection

le réfrigérateur refrigerator

- **refuser** (I) to refuse
- **regarder** (I) to look at
- la **règle** ruler
le **règlement** regulation, rule
regretter (I) to be sorry; **je le regrette** I'm sorry
régulier, régulière regular
religieux, religieuse religious
la **religion** religion
Relisez! Reread!
remarquable remarkable
la **remarque** remark
remarquer (I) to notice
rembourser (I) to reimburse
le **remerciement** thanks
remercier (I) (**de**) to thank (for)
remettre to put back
remonter (I) to go back up
remplacer (ç) to replace, substitute for
remplir (II) to fill
la **rémunération** remuneration
rencontrer (I) to meet
- le **rendez-vous** appointment, date; **fixer un —** to arrange a date
- **rendre** (III) to return (something)
renfermé, –e uncommunicative
renommé, –e famous
les **renseignements** *m.* information; **prendre les —** to get the information
la **rentrée** opening of school
- **rentrer** (I) to return (home)
- le **repas** meal
repasser (I) to iron
répéter (ète) to repeat
- **répondre** (III) à to answer
la **réponse** answer
reposé, –e rested
se **reposer** (I) to rest, relax
reprendre les bagages to claim the baggage
la **représentation** agency; selling
la **république** republic; • **la République du Sénégal** Republic of Senegal
réserve: en — in reserve
- le **respect** respect
respirer (I) to breathe
responsable responsible
ressembler (I) à to resemble
ressortir to go out again
les **ressources** *f.* resources
- **rester** (I) to stay, remain
le **restaurant** restaurant
le **résultat** result
le **résumé** resumé
retard: • **en —** late
retenir to retain, remember
retirer (I) to take out, pull out
retoucher (I) to alter (clothing)
le **retour** return; **être de —** to be back
retourner (I) to go back; **se —** to turn around
la **réunion** meeting, reunion

- **réunir** (II) to join; **se —** to be reunited
réussir (II) à to succeed in
le **rêve** dream
- se **réveiller** (I) to wake up
- **revenir** to come back
la **révision** review
revoir to see again; **au —** goodbye
la **revue** magazine
le **rez-de-chaussée** ground floor
un **rhume** a cold; **attraper un —** to catch a cold
- **riche** rich
la **richesse** wealth
- le **rideau** curtain
rien: ne ... — nothing; **cela ne fait —** that doesn't matter; • **de —** you're welcome
rire to laugh
- la **rivière** river (which flows into another river)
- la **robe** dress
le **roi** king
- **rose** pink
- **rouge** red
rouler (I) to roll, run (car)
- la **route** road, highway
rude rugged
- la **rue** street
le **russe** Russian (language)
la **Russie** Russia
le **rythme** rhythm

S

- **sa** *poss. adj. f. s.* his, her, one's
- le **sac** bag, handbag; **— de couchage** sleeping bag
Sache! Know!
Sachez! Know!
sage good (referring to behavior)
le **Saint-Laurent** St. Lawrence (river)
- la **saison** season
- la **salade** salad
le **salaire** salary, wages
- le **salon** parlor; formal living-room
- la **salle** room; • **— à manger** dining room; **— de bains** bathroom; • **— de classe** classroom; **— de séjour** family room
salut! *fam.* hi!
- **samedi** Saturday
la **sandale** sandal
- le **sandwich** sandwich
- **sans** without
- la **santé** health
le **satellite** satellite
- **sauf** except
le **savant** scientist
- **savoir** to know, know how
le **savon** soap
la **science** science
scientifique scientific
scolaire *adj.* school
- se *reflex. pro.* himself, herself, oneself, itself, themselves

506

sec, sèche dry
second, –e second (of two)
secondaire secondary
la seconde second
● le(la) secrétaire secretary
● seize sixteen
le séjour sojourn, stay
● le sel salt
selon according to
● la semaine week
sembler (I) to seem
● le Sénégal Senegal
● le Sénégalais, la Sénégalaise Senegalese
le sens meaning
● sensationnel, –le sensational
● le sentiment feeling
sentir to feel, smell
● sept seven
● septembre September
● septième seventh
● sérieux, sérieuse serious
se serrer (I) la main to shake hands
le service favor; ● à votre — at your
service
● la serviette briefcase; napkin
. ● servir to serve; se — de to use,
make use of
● ses poss. adj. pl. his, her, one's
● seul only, alone
● seulement adv. only
sévère strict
● si conj. if, whether; adv. so; yes
(contradicting a negative)
le siècle century
le siège seat; headquarters
le sien, la sienne, les siens, les siennes
poss. pro. his, hers, one's own
signe: faire — de la main to wave
signer (I) to sign
la signification meaning
signifier (I) to mean, signify
le silence silence
sincère sincere
le singulier singular
● la situation position, job; location
situé, –e situated
● six six
● sixième sixth
● le ski skiing; faire du — to go skiing
● sociable sociable
● la sœur sister
la soie silk
soif: avoir —, to be thirsty
soi-même oneself
soin: avec — with care
● le soir evening; in the evening; du
matin au — from morning 'til
night
● la soirée evening
sois! be!
● soixante sixty; ● — et un sixty-
one; ● soixante-dix seventy; ●
— et onze seventy-one
le sol ground, floor; le sous- — basement

le soldat soldier
le soleil sun; les lunettes de — f.
sun glasses; il fait du — it's
sunny
la somme sum
sommeil: avoir — to be sleepy
sommes: ● Quel jour — -nous aujourd'hui? What day is today?
le sommet summit
● son poss. adj. m. and f. s. his, her,
one's, its
sonner (I) to ring
la sorte sort, kind
● sortir to go out
le sou sou, "penny"
souhaiter (I) to wish
souriant, –e smiling
● sous under; le —-sol basement
le souvenir souvenir
● souvent often
soyez! be! — le bienvenu, — la
bienvenue, — les bienvenus
Welcome!
spécial, –e special
le spectacle show, performance
le spectateur spectator
le sport sport(s)
sportif, sportive sports-minded
la station de ski ski resort
le style style (literary)
● le stylo pen
le subjonctif subjunctive mood
substituer (I) to substitute
● le sucre sugar
le sud south
suffit: cela — that's enough
suggérer (ère) to suggest
la Suisse Switzerland
suite: ● tout de — immediately;
à la — de following
suivant, –e following
suivre to follow; suivez l'exemple
follow the example
le sujet subject; au — de about, concerning
supérieur, –e superior
superlatif, superlative superlative
● le supermarché supermarket
supposer (I) to suppose
● sur on, upon
● sûr, –e sure; ● bien — of course
sûrement surely
surpris, –e surprised
● la surprise surprise
● la surprise-partie party
surtout especially
survoler (I) to fly over
le symbole symbol
● sympathique likable
le synonyme synonym
le système métrique metric system

T

● ta poss. adj. f. s. fam. your
● la table table; ● mettre — to set the
table

507

le **tableau** table (chart)
le **tableau noir** blackboard
la **taille**
● **tant (de)** so much, so many
● la **tante** aunt
    taper (I) **à la machine** to type
● **tard** late; **plus —** later
● la **tarte** pie
● la **tartine** slice of bread with butter or
    jelly
la **tasse** cup
le **taxi** taxi
● **te** you, to you, yourself (*reflex.*)
    un tel, une telle such a
le **téléphone** telephone; ● **un coup de**
    — a phone call; ● **donner un**
    coup de — to make a phone call;
    ● **le numéro de —** telephone
    number
    ● **téléphoner** (I) **à** to telephone
    tellement *adv.* so much
● le **téléviseur** television set
● la **télévision** *abbr.* la **télé** television
● le **temps** weather; time; ● **en même**
    — at the same time; **avoir le —**
    de to have the time to; **de — en**
    — from time to time; **entre —**
    meanwhile; ● **Quel — fait-il?**
    What's the weather like?
la **tendresse** tenderness, tender af-
    fection
    tenir à + *inf.* to be anxious to, to
    insist upon (doing something)
● le **tennis** tennis; **jouer au —** to play
    tennis
● la **tente** tent
la **tenue** dignity
la **terminaison** ending
    terminale: la classe — last year of
    lycée
    terminer (I) to finish; **terminé, -e**
    par ending in
la **terre** earth
    Terre-Neuve Newfoundland
● **tes** *poss. adj. fam. pl.* your
la **tête** head; ● **avoir mal à —** to
    have a headache
    textile textile
● le **thé** tea
● le **théâtre** theater
le **ticket** ticket (bus, subway)
    le tien, la tienne, les tiens, les
    tiennes *poss. pro. fam.* yours
    Tiens! Look!
un **tiers** one third
le **timbre** stamp
le **tiret** dash
le **tissu** cloth
le **titre** title
● **toi** *fam.* you, yourself (*reflex.*) ● **Et**
    — ? How about you?
la **toile** canvas
● **tomber** (I) to fall
● **ton** *poss. adj. fam. s.* your
le **topographe** topographer, geogra-
    pher

tort: avoir — to be wrong
tôt early, soon
toucher (I) to touch
● **toujours** always; still
● la **tour** tower
un **tour: faire —** to take a little walk
le(la) **touriste** tourist
● **tourner** (I) to turn
● **tous** *pro.* all
● **tout** *pro.* everything
    tout *adv.* very; **— à coup** sud-
    denly; ● **— droit** straight ahead;
    — à fait entirely; **pas du —** not
    at all; ● **— de suite** immediately;
    ● **à — à l'heure** see you soon
● **tout, toute, tous, toutes** all, every;
    tous (toutes) les deux both; ●
    tous les jours every day; ● **toute**
    la journée all day; ● **tout le**
    monde everybody; **tout mon pos-**
    sible all I can; **tous (toutes) les**
    trois all three
traditionnel, -le traditional
traduire to translate
● le **train** train; **par —** by train; ● **être**
    en — de + *inf.* to be engaged in
le **trait** trait, characteristic
    tranquille quiet
se **tranquilliser** (I) to calm down
    transatlantique transatlantic
    transporter (I) to transport
● le **travail** (*pl.* travaux) work
● **travailler** (I) to work; ● **— dur** to
    work hard
    travers: à — across, through
● **traverser** (I) to cross
● **treize** thirteen
● **trente** thirty; **— et un** thirty-one;
    ● **— -trois** thirty-three
● **très** very
la **tribu** tribe
    triste sad
● **trois** three
● **troisième** third
la **trompette** trumpet
● **trop** too; **— (de)** too much, too
    many (of)
le **trousseau de clefs** bunch of keys
● **trouver** (I) to find; **se —** to be found,
    situated
● **tu** you *fam.*
la **Tunisie** Tunisia
    type: ● **un chic — —** *colloq.* a "great
    guy"
    typique typical

U

● **un, une** a, an; one; ● **un et un font**
    deux one and one make two
l'unification *f.* unification
une **unité** unit
une **université** university
l'uranium *m.* uranium
une **usine** factory
    utiliser (I) to use

V

va: ● Ça — bien? Are things going well? ● Ça — O.K.; ● Comment ça — ? How are things?

● les **vacances** *f.* vacation; ● en — on vacation; ● passer les — to spend the vacation; ● les grandes — summer vacation

la **vaccination** vaccination

vacciner (I) to vaccinate

● la **vache** cow

● la **valise** suitcase; ● faire les —s to pack the bags

varié, –e varied

la **variole** smallpox

vedette: mots en — salutation (letter)

● le **vélo** bike

la **vendeuse** saleslady

● **vendre (III)** to sell

● **vendredi** Friday

● **venir** to come; ● — de+ *inf.* have (had) just . ʻ.

vent: Il fait du — It's windy

le **verbe** verb

vérifier (I) to check

véritable real, true

la **vérité** truth

● le **verre** glass

vers towards; about (**heures**)

● les **vers** *m.* poetry; ● faire des — to write poetry

● **vert, –e** green

● la **veste** jacket, coat

● le **vestibule** vestibule, entrance hall

● le **veston** jacket of business suit

● les **vêtements** *m.* clothes

veuillez + *inf.* Please . . .

la **veuve** widow

● la **viande** meat

vide empty

vider (I) to empty

la **vie** life; ● gagner (I) sa — to earn one's living

vieil (vieux), vieille old

le **Viêt-nam** Vietnam

● **vieux (vieil), vieille** old; **mon vieux** *colloq.* old man

la **vigne** grapevine (s), vineyard

● la **villa** villa, house

le **village** village

● la **ville** city; ● en — in town

● le **vin** wine

le **vinaigre** vinegar

● **vingt** twenty; ● — et un twenty-one; ● — -deux twenty-two

le **violon** violin

visible visible

la **visite** visit; ● la carte de — visiting card

visiter (I) to visit (places)

la **vitamine** vitamin

● **vite** fast, quickly

la **vitesse** speed

vivant, –e living; **les langues — es** modern languages

Vive! Long live!

vivre to live

le **vocabulaire** vocabulary

les **vœux** *m.* good wishes; **la carte de** — greeting card

● **voici** here is, here are

● **voilà** there is, there are

voir to see; **faire** — to show

voisin, –e neighboring

le **voisin, la voisine** neighbor

● la **voiture** car

la **voix** voice; **à** — **basse** in a low voice; **à haute** — aloud

le **vol** flight

voler (I) to fly

le **volet** shutter

● le **volley(-ball)** volleyball

la **volonté** will, will-power

volontiers gladly

● **vos** *poss. adj. pl. and pol.* your

voter (I) to vote

● **votre** *poss. adj. s.* your

le vôtre, la vôtre, les vôtres *poss. pro.* yours

voudrais: je — I'd like

voué, –e dedicated

● **vouloir** to want, wish; — **bien** to be willing; ● — **dire** to mean; —, c'est pouvoir where there's a will, there's a way

● **vous** you, to you; yourself, yourselves (*reflex.*)

le **voyage** trip; ● faire un — to take a trip

● **voyager (ge)** to travel

le **voyageur** traveler

● **vrai, –e** true, real; **à** — **dire** to tell the truth

● **vraiment** really, truly

W

le **week-end** weekend

Y

● **y** there, to it, at it, to them; ● il y a there is, there are; **il y avait** there was, there were; **je n'y comprends rien** I don't understand a thing about it

● les **yeux (un œil)** eyes

Z

zéro zero

zoologique: le jardin — (le zoo) zoo

● **Zut alors!** *colloq.* Darn!

509

A

a, an un, une
able: to be — pouvoir
about au sujet de; **(approximately)** à peu près
above au-dessus (de)
abroad à l'étranger
to **accompany** accompagner (I)
according to selon
acquaintance: delighted to make your — enchanté(e) de faire votre connaissance
acquainted: to be — with connaître
across à travers
act: to be in the — of être en train de + *inf.*
addition: in — en plus
advance: in — en avance
advice le conseil
affection la tendresse, l'affection *f.*
afraid: to be — avoir peur
Africa l'Afrique *f.*
African un Africain
after après; **— having . . .** après avoir (être) + *past part.*
afternoon l'après-midi *m. or f.*
afterwards ensuite
again encore
against contre
age l'âge *m.*
ago il y a + *time expression + past tense*
agreed d'accord
to **aid** aider (I)
air conditioning la climatisation
airplane un avion
airport un aéroport
all tout, toute, tous, toutes; **— day** toute la journée; **— I can** tout mon possible; **not at —** pas du tout; **— three** tous (toutes) les trois; *pro.* tout, tous
Allow me to introduce . . . Permettez-moi de vous présenter . . .
almost presque
already déjà
also aussi
always toujours
American *adj.* américain, -e
American *n.* un Américain, une Américaine
among entre, parmi
and et
angry fâché, -e
animal un animal
announcement une annonce
annoyed fâché, -e
to **answer** répondre (III) à
anxious: to be — to tenir à + *inf.*
any *partitive* du, de la, de l', des; **not —** pas de; *pro.* en
anyhow, anyway quand même
apartment un appartement; **— house** un immeuble

to **apologize** s'excuser (I)
appetizers les °hors-d'œuvre *m.*
appointment le rendez-vous
April avril
are: here — voici; **there —** voilà; il y a
arm le bras
around autour de
arrival une arrivée
to **arrive** arriver (I)
as comme; **— big —** aussi grand que; **— much —** autant que; **— soon —** aussitôt que, dès que
ashamed: to be — (of) avoir °honte (de)
to **ask (for)** demander (I); **— (somebody)** demander à; **— oneself** se demander
at à; **— the home (office,** *etc.*) **of** chez
athletics la gymnastique
attention: to pay — faire attention
August août
aunt la tante
automobile la voiture
autumn l'automne *m. or f.;* **in —** en automne
avenue une avenue
average moyen, moyenne
away: to go — s'en aller; **to put —** ranger (ge)

B

back le dos
back: in — of derrière; **to be —** être de retour; **to come —** revenir; **to give —** rendre (III)
backache: to have a — avoir mal au dos
bad mauvais, -e; **not —** pas mal; **to be in a — humor** être de mauvaise humeur; **That's too —** C'est dommage; **the weather is —** il fait mauvais
badly mal
bag le sac
baggage les bagages *m.*
baker le boulanger
bakery la boulangerie
baseball le base-ball
basketball le basket (–ball)
bathroom la salle de bains
Be! Sois!, Soyez!
to **be** être;
— acquainted (*familiar*) **with** connaître;
— afraid avoir peur;
— anxious to tenir à + *inf.;*
— ashamed (of) avoir °honte (de);
— back être de retour;
— bored s'ennuyer (uie);
— cold avoir froid;
— cold out faire froid;
— comfortable être bien;
— cool out faire frais;
— engaged in être en train de + *inf.*
— fond of aimer bien;

510

— hungry   avoir faim;
— in the habit of   avoir l'habitude de + *inf.*;
— in a good (bad) humor   être de bonne (mauvaise) humeur;
— interested in   s'intéresser (I) à;
— lucky   avoir de la chance;
— pleasing (to)   plaire (à);
— responsible for   se charger de;
— right   avoir raison;
— sleepy   avoir sommeil;
— sunny   faire du soleil;
— thirsty   avoir soif;
— warm   avoir chaud;
— warm out   faire chaud;
— well   aller bien; se porter bien;
— willing   vouloir bien;
— windy   faire du vent;
— wrong   avoir tort;
— . . . years old   avoir . . . ans;
It's been . . . since   Ça fait . . . que
beach   la plage
beard   la barbe
beautiful   beau (bel), belle
beauty   la beauté
because   parce que; — of   à cause de
to become   devenir
bed   le lit; to go to —   se coucher (I)
bedroom   la chambre (à coucher)
before   avant; — . . . -ing   avant de + *inf.*
beg: I — you   je vous en (t'en) prie
to begin   commencer (ç) (à)
beginning   le commencement
behaved: well- —   comme il faut
behind   derrière
beige   beige
Belgium   la Belgique
to believe   croire
to belong to   être à
belongings   les affaires *f.*
below   au-dessous (de)
belt   la ceinture
beside   à côté de
best *adj.*   le meilleur; *adv.* le mieux; one's —   de son mieux
better *adj.*   meilleur, –e; *adv.* mieux; to like —   aimer (I) mieux
between   entre
bicycle   le vélo
big   grand, –e
biology   la biologie
birthday   un anniversaire (de naissance); — party   la fête d'anniversaire
black   noir, –e
blond   blond, –e
blouse   la blouse
blue   bleu, –e
boat   le bateau
book   le livre
booklet   le livret
bored: to be —   s'ennuyer (uie)
both   tous (toutes) les deux
bottle   la bouteille
boulevard   le boulevard
boy   le garçon

brand new   neuf, neuve
bread   le pain; piece of — with butter or jam   la tartine
to break one's leg   se casser (I) la jambe
breakfast   le petit déjeuner
to breathe   respirer (I)
briefcase   la serviette
to bring   apporter (I)
broad   large
broadcast   une émission
brooch   la broche
brother   le frère
brown   brun, –e
brunette   brun, –e
to brush one's teeth   se brosser (I) les dents
buddy   le camarade
building   un édifice; un immeuble
bus   un autobus (city); un autocar *abbr.* un car (interurban)
busy   occupé, –e
but   mais
butcher   le boucher; — shop   la boucherie
buttered   beurré, –e
to buy   acheter (ète)
by   par; — plane   en avion; — bus   en autobus; — car   en voiture; — subway   en métro; — train   par le train

C
café   le café
cake   le gâteau
calendar   le calendrier
call: a phone —   un coup de téléphone; to make a phone —   donner (I) un coup de téléphone
to call   appeler (elle); to be —ed   s'appeler
camera   un appareil (photographique)
camping   le camping; to go —   faire du camping
can (to be able)   pouvoir; all I —   tout mon possible
Canadian   canadien, canadienne
candy (piece)   le bonbon
car   la voiture
card   la carte; visiting —   la carte de visite
care: to take — of   s'occuper (I) de
to carry   porter (I)
cat   le chat
to catch   attraper (I); — a cold   attraper un rhume
cathedral   le cathédrale
to celebrate   fêter (I)
celebration   le fête
center   le centre
chair   la chaise
chalk   la craie
champagne   le champagne
change (money)   la monnaie
to change   changer (ge)
charming   charmant, –e
to chat   bavarder (I); causer (I)
cheap   bon marché *inv.*
cheek   la joue
cheese   le fromage

511

cherry la cerise
chief le directeur
child un(e) enfant
chocolate (hot) le chocolat
to choose choisir (II)
church une église
city la ville
class la classe; — room la salle de classe
classical music la musique classique
to clean nettoyer (oie)
climate le climat
to climb grimper (I)
to close fermer (I)
cloth le tissu
clothing les vêtements m.
cloud le nuage
coat (of suit) le veston; ladies' — le manteau; over — le pardessus; sports — la veste
cocoa le chocolat
coffee le café; — with hot milk le café au lait
cold froid, –e; to be cold avoir froid; to be — out faire froid
cold un rhume; to catch a — attraper un rhume; to have a — être enrhumé, –e
colony la colonie
color la couleur; What — is . . .? De quelle couleur est . . .?
comb le peigne
to come venir; — back revenir; — in entrer (I) (dans)
comfortable: to be — être bien
to compose poetry faire des vers
comrade le (la) camarade
concierge le (la) concierge
congratulations les félicitations f.
constantly constamment
content content, –e
to continue continuer (I) (à)
convenient commode
cool: to be — out faire frais
corner le coin
to cost coûter (I)
costume un ensemble
cotton le coton
to count compter (I)
country (as opposed to city) la campagne; (nation) le pays
course le cours; French — le cours de français
course: of — bien sûr
courtesy la politesse
cousin le cousin, la cousine
to cover couvrir
cow la vache
cream la crème
to cross traverser (I)
to cry pleurer (I)
to cure guérir (II)
currently couramment
curtain le rideau
customs la douane; — officer le douanier

D
to dance danser (I)
dark (complexion) brun, –e
darling (le) chéri, (la) chérie
Darn! Zut alors! *colloq.*
date la date; What's today's date? Quelle est la date d'aujourd'hui?' (appointment) le rendez-vous
daughter la fille
day le jour; la journée; all — toute la journée; every — tous les jours; from — to — de jour en jour; What — is it today? Quel jour sommes-nous aujourd'hui?
dead mort, –e
dear cher, chère; chéri, –e
December décembre
delighted ravi, –e; — to make your acquaintance enchanté(e) de faire votre connaissance
to depart partir
departure le départ
to descend descendre (III)
to desire désirer (I)
dessert le dessert
dictionary le dictionnaire
died mort, –e
difficult difficile
difficulty: to have — in avoir du mal à + *inf.*
dining room la salle à manger
dinner le dîner; to have — dîner (I)
director le directeur
disappointed déçu, –e
to discover découvrir
dish une assiette
disposition le caractère
to disturb déranger (ge)
disturbed inquiet, inquiète
to do faire; — one's best faire de son mieux; — what's necessary faire le nécessaire
doctor le docteur, le médecin
dog le chien
door la porte
doubt: without — sans doute
downstairs en bas
downtown le centre (de la ville)
drawing le dessin
dress la robe
dressed: to get — s'habiller (I)
drink before meals un apéritif
to drink boire; prendre
drive la promenade; to take a — faire une promenade (en voiture)
during pendant
to dwell demeurer (I)
dynamic dynamique

E
each chaque; — one chacun, –e
early de bonne heure; tôt
to earn gagner (I); — one's living gagner sa vie
earth la terre
easily facilement

512

easy   facile
to eat   manger (ge)
egg   un œuf
eight   °huit
eighteen   dix-huit
eighth   °huitième
eighty   quatre-vingts; — -one   quatre-vingt-un
eleven   onze
eleventh   onzième
to embrace   embrasser (I)
end   la fin
engaged: to be — in   être en train de + inf.
engine   le moteur
engineer   un ingénieur
England   l'Angleterre f.
English (language or course)   l'anglais m.
to enjoy   s'amuser (I) (à + infin.)
enough   assez (de); That's —   Cela suffit
to enter   entrer (I) dans
entirely   tout à fait
eraser   la gomme
especially   surtout
even though   même si
evening   le soir; la soirée; in the —   le soir
every day   tous les jours
everybody   tout le monde
everything   tout
everywhere   partout
examination   un examen; to take an —   passer (I) un examen
except   sauf
to excuse oneself   s'excuser (I)
expensive   cher, chère
eye   un œil (pl. les yeux)

F
face   la figure
factory   une usine
to fail (in)   échouer (I) (à)
to fall   tomber (I)
falsehood   le mensonge
familiar: to be — with   connaître
family   la famille; — room   le living (-room)
far from   loin de
farm   la ferme
fashion   la mode
to fasten   attacher (I)
father   le père; papa
favorite   préféré, -e; favori, favorite
February   février
to feel   sentir; — like (doing something)   avoir envie de + inf.
feeling   le sentiment
to fetch   chercher (I)
fever   la fièvre
few   peu de; a — adj. quelques; quite a —   pas mal de
field   le champ
fifteen   quinze
fifth   cinquième
fifty   cinquante; — -one   cinquante et un

fig   la figue
finally   enfin
to find   trouver (I)
fine   beau (bel), belle; the weather is —   il fait beau
to finish   finir (II) (de)
first   premier, première; adv. in the — place   d'abord
to fit (someone)   aller à (quelqu'un)
five   cinq
flight   le vol
floor (story)   un étage; ground —   le rez-de-chaussée
flower   la fleur
fluently   couramment
to fly   voler (I); — over   survoler (I)
folk music   la musique populaire
to follow   suivre
fond: to be — of   aimer (I) bien
foot   le pied; on —   à pied
for   pour; (with time expressions)   depuis; il y a . . . que
forehead   le front
foreign   étranger, étrangère; in a — land   à l'étranger
forest   la forêt
to forget   oublier (I) (de)
fork   la fourchette
former   ancien, ancienne
formerly   autrefois
forty   quarante; — -one   quarante et un
four   quatre
fourteen   quatorze
fourth   quatrième
franc (French monetary unit)   le franc
France   la France
frank   franc, franche; —ly   franchement
free   libre
freedom   la liberté
French   adj. français, -e; (language or course)   le français; — course   le cours de français; — -fried potatoes   les frites f.
Frenchman, Frenchwoman   le Français, la Française
fresh   frais, fraîche
Friday   vendredi
friend   un ami, une amie
from   de
front: in — of   devant
fruit   le fruit
full   plein, -e
to function (machines)   marcher (I)
funny   drôle
furniture   les meubles m.

G
to gain   gagner (I)
game   le match; soccer —   le match de football
garage   le garage
garden   le jardin
gentleman   le monsieur; pl. les messieurs
German (language)   l'allemand m.
Germany   l'Allemagne

513

to get: — dressed s'habiller (I);
— lost se perdre (III);
— off descendre (III) de;
— on monter (I) dans;
— thin maigrir (II);
— tired se fatiguer (I) (à);
— up se lever (ève);
— well guérir (II)
gift le cadeau, le don; to give a — faire
un cadeau
girl la jeune fille
to give donner (I); offrir; — back rendre
(III)
glass le verre
glasses (eye) les lunettes f.
glove le gant
to go aller; — away s'en aller;
— to bed se coucher (I);
— camping faire du camping;
— down descendre (III);
— on an excursion faire une excursion;
— home rentrer (I);
— out sortir;
— on a picnic faire un pique-nique;
Are things —ing well? Ça va bien?
gold l'or m.
golf le golf
good bon, bonne; — bye au revoir; —
morning, — afternoon bonjour; —
evening bonsoir; to be in a — humor
être de bonne humeur; to have a —
time s'amuser (I)
grandfather le grand-père
grandmother la grand-mère
grandparents les grands-parents m.
gratitude la reconnaissance
gray gris, –e
great formidable colloq.; a — guy un
chic type colloq.
green vert, –e
grocer un épicier
grocery une épicerie
ground floor le rez-de-chaussée

H
habit une habitude; to be in the — of
avoir l'habitude de + inf.
habitually d'habitude
hair les cheveux m.
hairdresser le coiffeur; la coiffeuse
half hour une demi-heure
hand la main
handbag le sac
handkerchief le mouchoir
handsome beau (bel), belle
to happen arriver (I); se passer (I); to
happen to (someone) arriver à
happiness le bonheur
happy content, –e; heureux, heureuse
hard difficile; to work — travailler (I)
dur
hardly ne . . . guère; à peine
to hasten to se °hâter (I) de + inf.
hat le chapeau
Have! Aie!; Ayez!

514

to have avoir; — to avoir à + inf.; devoir + inf.;
— a cold être enrhumé, –e;
— difficulty in avoir du mal à + inf.;
— a good time s'amuser (I);
— a headache avoir mal à la tête;
— just venir de + inf.;
— lunch dejeuner (I);
— a sore throat avoir mal à la gorge;
— a stomach ache avoir mal à l'estomac;
— a toothache avoir mal aux dents
he il; lui
headache: to have a — avoir mal à la
tête
health la santé
to hear entendre (III)
heart le cœur
heavy lourd, –e
hello bonjour
help: with the — of à l'aide de
to help aider (I) (à)
her adj. son, sa, ses; pro. elle, la; to —
lui
here ici; — is, — are voici
hers pro. le sien, la sienne, les siens,
les siennes
herself elle-même
high °haut, –e
him le, lui; to — lui
himself lui-même
his adj. son, sa, ses; pro. le sien, la
sienne, les siens, les siennes
history l'histoire f.
holiday le jour de fête; le congé
home la maison; at the — of chez; to
return — rentrer (I)
homework les devoirs m.
homest honnête
to hope espérer (ère); I — so j'espère
que oui; I — not j'espère que non
horse le cheval
hospital un hôpital
hotel un hôtel
hour une heure; a half — une demi-
heure; a quarter of an — un quart
d'heure
house la maison; at the — of chez
how comment; (in exclamations) comme; — are you? Comment allez-voux?;
— are things? Comment ça va?;
— long? depuis quand, combien de
temps; — many, — much? combien
de; — old are you? Quel âge avez-
vous?
humor: to be in good (bad) — être de
bonne (mauvaise) humeur
hundred cent; a — and one cent un;
two — deux cents
hungry: to be — avoir faim
to hurry se dépêcher (I); se °hâter (I) de;
se presser (I)
husband le mari

I
I je; (emphatic) moi, je

ice cream la glace
idea une idée
if si
ill malade
immediately tout de suite, immédiatement
in dans, à, en
inexpensive bon marché *inv.*
information les renseignements *m.*
inhabitant un habitant
injection une piqûre
to **insist upon** tenir à
instead of au lieu de
intelligent intelligent, –e
to **intend to** avoir l'intention de + *inf.*
interest l'intérêt *m.*
to **interest** intéresser (I); **to be –ed in**
s'intéresser à
interesting intéressant, –e
into dans
to **introduce** présenter (I)
introduction la présentation
to **invite** inviter (I) (à)
island une île
isn't it? n'est-ce pas?
it ce, il, elle; le, la; **of –** en; **in –** y
Italian (language) l'italien *m.*
Italian *adj.* italien, italienne
Italy l'Italie *f.*
its *adj.* son, sa, ses

J
jacket la veste
January janvier
jewel le bijou *pl.* bijoux
job la situation, la place, le poste
July juillet
June juin
just: have (had) – venir de + *inf.*

K
to **keep** garder (I)
key la clef
kid le (la) gosse *colloq.*
kilogram un kilo(gramme)
kilometer le kilomètre
kind *adj.* aimable
kind *n.* la sorte
kindness la bonté
to **kiss** embrasser (I)
kitchen la cuisine
knee le genou *pl.* genoux
knife le couteau
to **knock** frapper (I)
Know! Sache!; Sachez!
to **know** savoir; connaître; **I or you –** je
(tu) connais; **– how** savoir

L
lack le manque
lady la dame
lake le lac
lamp la lampe
land: in a foreign – à l'étranger
language la langue; **modern –s** les
langues vivantes

large grand, –e
last dernier, dernière
to **last** durer (I)
late tard; **(people)** en retard
law la loi
lawyer un avocat, une avocate
leaf la feuille
to **learn** apprendre
least le moins; **at –** au moins
leave (time off) le congé
to **leave** partir; **— behind** laisser (I);
— (someone or something) quitter (I)
left gauche; **at or on the –** à gauche
leg la jambe; **to break one's –** se casser
(I) la jambe
lemon soda la limonade
to **lend** prêter (I)
less moins
lesson la leçon
to **let** laisser (I)
letter la lettre
liberty la liberté
library la bibliothèque
lie le mensonge; **to tell a –** mentir
life la vie
to **lift** lever (ève)
light la lumière
light (in weight) léger, légère
lightly légèrement
likable sympathique
like (similar) pareil, pareille; *prep.*
comme
to **like** aimer (I); **— better** aimer mieux;
I'd — je voudrais
to **listen (to)** écouter (I)
little petit, –e; **– by –** petit à petit;
adv. peu
to **live** habiter (I); demeurer (I); vivre
living vivant, –e
living: to earn one's – gagner (I) sa vie
long long, longue; **a – time** longtemps; **no –er** ne . . . plus
to **look** avoir l'air + *adj.*
to **look at** regarder (I)
to **look for** chercher (I)
to **lose** perdre (III)
lost: to get – se perdre (III)
lot: a – beaucoup; **– of people** du
monde
to **love** aimer (I)
lucky: to be – avoir de la chance
lunch le déjeuner; **to have –** déjeuner
(I)
lying down couché, –e

M
madam madame
maid la bonne
to **mail** mettre à a poste
to **make** faire; **— the acquaintance of**
faire la connaissance de; **— a phone
call** donner un coup de téléphone;
— preparations faire les préparatifs
man un homme
to **manufacture** fabriquer (I)

many beaucoup (de); as — as autant que; how — combien (de); so — tant (de); too — trop (de)

March mars

mark (school) la note

market le marché

to **marry** épouser (I)

marvel la merveille

marvelous merveilleux, merveilleuse

mathematics les mathématiques f. pl.; *abbr.* les maths

matter: What's the — ? Qu'est-ce qu'il y a? **What's the — with you?** Qu'est-ce que tu as?

May mai

maybe peut-être

me me; moi

meal le repas

to **mean** vouloir dire

means les moyens m.

meat la viande

mechanical mécanique

medicine le médicament

to **meet** rencontrer (I); faire la connaissance de

meeting la réunion

merchant le marchand

midnight minuit

milk le lait

million un million (de)

mine *pro.* le mien, la mienne, les miens, les miennes; **a friend of —** un(e) de mes ami(e)s

mineral water l'eau minérale f.

minus moins

miss, Miss mademoiselle (*abbr.* Mlle)

to **miss (someone)** s'ennuyer (uie) de (quelqu'un)

modern languages les langues vivantes f.

Monday lundi

money l'argent m.; **pocket —** l'argent de poche

month le mois

moon la lune

more plus (de); **no —** ne . . . plus; **— and —** de plus en plus; **— so** plutôt

morning le matin; **from — 'til night** du matin au soir

most le plus

mother la mère; maman

motor le moteur

mountain la montagne

mouth la bouche

movies le cinéma

Mr. Monsieur (*abbr.* M.)

Mrs. Madame (*abbr.* Mme)

much: very — beaucoup; **as — as** autant que; **how —** combien (de); **so — tant (de); too —** trop (de)

museum le musée

music la musique

must devoir; falloir; **one —** il faut; **I must** il me faut, il faut que je . . . je dois

my mon, ma, mes

myself moi-même

N

name le nom; **My — is . . .** Je m'appelle . . . **What is your —?** Comment vous appelez-vous?

to **name** nommer (I); **to be —d** s'appeler (elle)

napkin la serviette

narrow étroit, –e

naturally naturellement

near près de

nearly à peu près

necessary nécessaire; **to do what's —** faire le nécessaire; **it is —** il faut

necktie la cravate

to **need** avoir besoin de

neighbor la voisine (**woman**)

neither: — . . . nor ne . . . ni . . . ni; **— do I** moi non plus

nephew le neveu

never ne . . . jamais

new nouveau (nouvel), nouvelle; neuf, neuve

news les nouvelles f.; **piece of —** la nouvelle

newspaper le journal

next prochain, –e; **— year** l'année prochaine; *adv.* ensuite; **— to** *prep.* à côté de

nice gentil, gentille

niece la nièce

night la nuit; **from morning 'til —** du matin au soir

nine neuf

nineteen dix-neuf

ninety quatre-vingt-dix

ninth neuvième

no non

no (not any) ne . . . aucun, –e; pas de; **— longer, — more** ne . . . plus

nobody, no one ne . . . personne

noise le bruit

noon midi

nor: neither . . . — ne . . . ni . . . ni

nose le nez

not ne . . . pas; **— any** pas de; **— at all** pas du tout; **— bad** pas mal; **— yet** pas encore

notebook le cahier

nothing ne . . . rien

to **notify** prévenir

November novembre

now maintenant

nowhere ne . . . nulle part

number le nombre; le numéro; **telephone —** le numéro de téléphone

O

to **obey** obéir (II) à

occupation le métier

o'clock heure; **it's one —** il est une heure

October octobre

of de; **— it, — them** en

to **offer** offrir

official officiel, officielle

often souvent

oil l'huile f.
O.K. Ça va; d'accord
old vieux (vieil), vieille; **How — are
you?** Quel âge avez-vous?; **I am 14
years —** J'ai quatorze ans
omelet une omelette
on sur; **— foot** à pied; **to put —** mettre
one un, une; *indef. pro.* on; **the one**
celui, celle; **the —s** ceux, celles
oneself soi-même
only *adj.* seul, –e; *adv.* seulement, ne
. . . que
open (characteristic) franc, franche
to open ouvrir
opinion: **to have an — of** penser (I) de
opportunity: **to have the — to** avoir
l'occasion de + *inf.*
or ou
order l'ordre *m.*
order: **in — to** pour, afin de
other autre
outherwise autrement
our *adj.* notre, nos
ours *pro.* le nôtre, la nôtre, les nôtres
ourselves nous-mêmes
out: **to go —** sortir; **to throw —** jeter
(ette)
outdoors dehors; **to sleep —** dormir à
la belle étoile
outfit un ensemble
outside dehors
overcoat le pardessus
to owe devoir

P
to pack faire les valises
package le paquet; le colis
pal le copain *colloq.*
pants (pair) le pantalon
paper le papier
parcel le colis
pardon: **I beg your —** Pardon!
parents les parents *m.*
Parisian *adj.* parisien, parisienne
park le jardin public
parlor le salon
party la surprise-partie
to pass passer (I); **— through, by** passer
par
passport le passeport
path le chemin
to pay (for) payer (aie); **— attention** faire
attention
peace la paix
peach la pêche
pear la poire
pen le stylo
pencil le crayon
people les gens *m.* or *f.;* **a lot of —** du
monde
per par; (speed) **— hour** à l'heure
perfume le parfum
perhaps peut-être
person la personne
personal personnel, personnelle
petroleum le pétrole

phone call un coup de téléphone; **to
make a —** donner (I) un coup de
téléphone
phonograph un électrophone
physician le médecin
picnic le pique-nique; **to go on a —**
faire un pique-nique
picture une image; (photograph) la
photo
pie la tarte
piece of candy le bonbon
pill le cachet
pity: **What a —** Quel dommage!
place un endroit, le lieu; **to take —**
avoir lieu
plan le projet
plane un avion
plate une assiette
to play jouer (I); **— a game** jouer à; **— a
musical instrument** jouer de; **— records** passer (I) des disques
pleasant aimable, agréable
please s'il vous (te) plaît
pleasing: **to be — (to)** plaire (à)
pleasure le plaisir; **with —** avec plaisir
pocket la poche; **— money** l'argent *m.*
de poche
poem le poème
poet le poète
to point out indiquer (I)
polite poli, –e
politeness la politesse
pool: **swimming —** la piscine
poor pauvre
popular or folk music la musique
populaire
porter le porteur
position la situation; le poste; la place
postman le facteur
potatoes: **French-fried —** les pommes
(de terre) frites *f.*
to prefer aimer (I) mieux, préférer (ère)
preparations les préparatifs *m.;* **to make
—** faire les préparatifs
to prepare préparer (I)
present *n.* le cadeau
pretty joli, –e
to prevent empêcher (I) de + *inf.*
price, prize le prix
probably probablement
profession le métier
to profit by profiter (I) de
project le projet
proper convenable; comme il faut
properly convenablement
proverb le proverbe
public: **— park** le jardin public; **—
square** la place
to punish punir (II)
pupil un(e) élève
purchase un achat
to put mettre; **— away** ranger (ge); **—
on** mettre

Q
quarter le quart; **It's — after twelve**

517

(P.M.) Il est midi et quart; **It's — of six** Il est six heures moins le quart; **a — of an hour** un quart d'heure
question: to ask a — poser (I) une question
quickly vite
quiet *adj.* tranquille, calme
quite a few pas mal (de)

R
radio la radio; **— receiver** le poste de radio
rain la pluie; **it is —ing** il pleut
raincoat un imperméable
to **raise** lever (ève)
rarely rarement
rather plutôt
razor le rasoir
to **read** lire
ready (to) prêt, –e (à)
real vrai, –e
really vraiment
reason la raison
to **recall** se rappeler (elle)
to **receive** recevoir
receiver: radio — le poste de radio; **television —** le poste de télévision
record (phonograph) le disque; **— player** un électrophone; **to play —s** passer des disques
red rouge
to **refuse** refuser (I)
regulation le règlement
to **relax** se reposer (I)
to **remain** rester (I)
to **remember** se rappeler (elle)
to **rent** louer (I)
to **repeat** répéter (ète)
to **replace** remplacer (ç)
Republic of Senegal la République du Sénégal
respect le respect
responsible: to be — for se charger (ge) de
to **rest** se reposer (I)
restaurant le restaurant
result le résultat
to **return (home)** rentrer (I); **—— (something)** rendre (III)
reunion la réunion
rhythm le rythme
rich riche
right droit, –e; **to or at the —** à droite; **to be —** avoir raison
ring la bague
river le fleuve; **— (which flows into another —)** la rivière
road la route, le chemin
room la salle, la chambre, la pièce; **bath —** la salle de bains; **bed —** la chambre (à coucher); **class —** la salle de classe; **dining —** la salle à manger; **family —** le living (-room)
row le rang
rule le règlement
ruler la règle

to **run** courir; **— (of machines)** marcher (I)

S
sad triste
salad la salade
saleslady la vendeuse
salt le sel
same même; **at the — time** en même temps
sandwich le sandwich
Saturday samedi
to **say** dire
scarcely ne . . . guère; à peine
scarf une écharpe
school une école; **secondary — (France)** le lycée
sea la mer; **at the — shore** au bord de la mer
season la saison
seat la place
seated assis, –e
second (of several) deuxième
secondary school (France) le lycée
secretary le (la) secrétaire
to **see** voir; **— you soon** à bientôt, à tout à l'heure
to **seem** sembler (I); **avoir l'air** + *adj.*
to **sell** vendre (III)
to **send** envoyer (oie)
Senegal: Republic of — la République du Sénégal
Senegalese le Sénégalais, la Sénégalaise
sensational sensationnel, sensationnelle
sentence la phrase
September septembre
serious sérieux, sérieuse
to **serve** servir
service: at your — à votre service
to **set the table** mettre la table
seven sept
seventeen dix-sept
seventh septième
seventy soixante-dix; **— -one** soixante et (-) onze
several plusieurs
to **share** partager (ge)
to **shave** se raser (I)
she elle
shirt la chemise
shoe la chaussure
shop un atelier; une boutique; **butcher —** la boucherie
shore: at the sea — au bord de la mer
short court, –e
"shot" la piqûre
shoulder une épaule
to **shout** crier (I)
to **show** montrer (I); faire voir
sick malade
to **sign** signer (I)
silk la soie
silver l'argent *m.*
similar pareil, pareille
since depuis; **— when** depuis quand; **It's been . . . —** Ça fait . . . que
to **sing** chanter (I)

518

sir monsieur
sister la sœur
Sit down! Asseyez-vous!
six six
sixteen seize
sixth sixième
sixty soixante; — -one soixante et un
size la taille
skiing le ski
skinny maigre
skirt la jupe
sky le ciel (pl. cieux)
to sleep dormir; — outdoors dormir à la belle étoile
sleeping bag le sac de couchage
sleepy: to be — avoir sommeil
slender mince
small petit, –e
to smell sentir
to smoke fumer (I)
snack le goûter
snowing: it is — il neige
so si; — many, — much tant (de)
soap le savon
soccer le football; — game le match de football
sociable sociable
sock la chaussette
sojourn le séjour
some adj. du, de la, de l', des; quelques; pro. en
somebody, someone quelqu'un
something quelque chose; — interesting to do quelque chose d'intéressant à faire
sometimes parfois, quelquefois
somewhere quelque part
son le fils
soon bientôt, tôt; as — as aussitôt que, dès que; see you — à bientôt, à tout à l'heure
sore throat: to have a — avoir mal à la gorge
sorry: I'm — Je le regrette; very — désolé, –e
sort la sorte
so-so comme ci, comme ça
soup le potage
Spain l'Espagne f.
Spanish (language) l'espagnol m.
to speak parler (I)
speed la vitesse
to spend (time) passer (I); —— the vacation passer les vacances
spite: in — of malgré
spoon la cuiller
sports le(s) sports(s) m.
spring le printemps; in the — au printemps
square (public) la place
staircase, stairs un escalier
stamp le timbre
to stand up se lever (ève)
standing debout
star une étoile
stay le séjour

to stay rester (I)
steak le bifteck
still adv. encore
stocking le bas
stomach ache: to have a — avoir mal à l'estomac
to stop arrêter (I); to come to a — s'arrêter
store le magasin
story (of a building) un étage
story une histoire
straight ahead tout droit
strange drôle
street la rue
to strike frapper (I)
strong fort, –e
student un étudiant, une étudiante
study une étude
to study étudier (I)
style la mode
stylish chic, à la mode
to substitute for remplacer (ç)
suburbs la banlieue
subway le métro; by — en métro
to succeed (in) réussir (II) (à)
such a... un tel, une telle...
suddenly tout à coup
sugar le sucre
suit (man's) complet
to suit (somebody) aller à (quelqu'un)
suitable convenable
suitably convenablement
suitcase la valise; to pack the —s faire les valises
summer l'été m. in — en été; — vacation les grandes vacances
Sunday dimanche; on —s le dimanche
sunny: it's — out il fait du soleil
suntanned bronzé, –e
superintendent (building) le (la) concierge
supermarket le supermarché
sure sûr, –e
surprise la surprise
surprised étonné, –e
surroundings les environs m.
sweater (pullover) le pull (-over)
sweet doux, douce
to swim nager (ge)
swimming la natation; — pool la piscine

T
table la table; to set the — mettre la table
tablet (pill) le cachet
to take prendre; — (along) emmener (ène); — care of s'occuper (I) de; — take an examination passer (I) un examen; — a picture prendre une photo; — place avoir lieu; — a trip faire un voyage; — a walk (drive) faire une promenade; se promener (ène); — a tour (walk, drive) faire une promenade, un tour
talent le don
tall grand, –e

tea le thé
teacher le professeur; **woman** — (elementary school) la maîtresse
teeth: **to brush one's** — se brosser (I) les dents
telephone: — **call** un coup de téléphone; — **number** le numéro de téléphone
to telephone (to) téléphoner (I) (à)
television la télévision (*abbr.* la télé); — **receiver** le téléviseur
to tell dire; —— **a lie** mentir
ten dix
tender affection la tendresse
tenderness la tendresse
tennis la tennis
tent la tente
tenth dixième
terrific formidable *colloq.*
to thank (for) remercier (I) (de)
thank you merci
thanks le remerciement; **a thousand** — merci mille fois
that *adj.* ce (cet), cette; — **hat** ce chapeau-là; *pro.* ce, cela, ça; —'s **enough** cela suffit; — **one** celui-là, celle-là; *conj.* que; *rel. pro. subj.* qui; *rel. pro. d.o.* que
the le, la, l', les
theater le théâtre
their *adj.* leur, leurs
theirs *pro.* le leur, la leur, les leurs
them les; *stress pro.* eux, elles; **to them** leur; **of** — en; —**-selves** eux-mêmes; *reflex. pro.* se
then alors; ensuite
there là; — **is**, — **are** voilà, il y a; — **was**, — **were** il y avait
these *adj.* ces; *pro.* ce, ceux-ci, celles-ci
they ils, elles; ce; *indef. pro.* on; *emphatic* eux, elles
thin maigre; mince; **to get** — maigrir (II)
thing la chose
things (belongings) les affaires *f.*
to think penser (I); —— **about** penser à; —— (**have an opinion**) **of** penser de
third troisième; **one - -** un tiers
thirsty: **to be** — avoir soif
thirteen treize
thirty trente; —**-one** trente et un; **it's three - -** il est trois heures et demie
this *adj.* ce (cet, cette); — **hat** ce chapeau-ci; *pro.* ce, ceci; — **one** celui-ci, celle-ci
those *adj.* ces; *pro.* ceux, celles, ceux-là, celles-là
though: **even** — même si
thousand mille (mil in dates); **two** — deux mille
three trois; **all** — tous (toutes) les trois
throat: **to have a sore** — avoir mal à la gorge
through à travers; par
to throw jeter (ette)
Thursday jeudi

tidiness l'ordre *m.*
to tidy ranger (ge)
time le temps; la fois; l'heure *f.* **from** — **to** — de temps en temps; **What** — **is it?** Quelle heure est-il?; **on** — à l'heure; **ahead of** — en avance; **at the same** — en même temps; **a long** — longtemps; **to have a good** — s'amuser (I)
tired fatigué, -e; **to get** — se fatiguer (I); **to get** — (**doing something**) se fatiguer à + *inf.*
to à, pour, en; — (**people**) envers; **in order** — pour
today aujourd'hui; **What day is it** —? Quel jour sommes-nous aujourd'hui?; **Today is Monday** C'est aujourd'hui lundi
together ensemble
tomorrow demain
too trop; (**also**) aussi; — **much**, — **many** trop (de); **That's** — **bad** C'est dommage; **me** — moi aussi
tooth la dent; **to have a** — **ache** avoir mal aux dents
toothbrush la brosse à dents
tour: **to take a tour** faire un tour
toward (people) envers
tower la tour
town la ville; **in** — en ville
trade (occupation) la métier
traffic la circulation
train le train
to travel voyager (ge)
tree un arbre
trousers (pair) le pantalon
truck le camion
true vrai, -e
truly vraiment
truth la vérité
to try (to) essayer (aie) de + *inf.*; —— **an examination** passer (I) un examen
Tuesday mardi
to turn tourner (I)
twelfth douzième
twelve douze; **it's** — **o'clock (noon)** il est midi; **it's** — **o'clock (midnight)** il est minuit
twenty vingt; —**-one** vingt et un
two deux

U
uncle un oncle
uncommunicative renfermé, -e
under sous
to understand comprendre
unfortunately malheureusement
unhappy malheureux, malheureuse
United States les Etats-Unis *m.*
university une université
unoccupied libre
until jusqu'à
up: — **to** jusqu'à; **to get** — se lever (ève); **to go** — monter (I); **to stand up** se lever (ève); **to wake** — se réveiller (I)
upstairs en °haut

us nous; **to —** nous
usually d'habitude
to **use** employer (oie); se servir de

V

vacation les´ vacances *f.*; **on —** en vacances; **summer —** les grandes vacances; **to spend the —** passer (I) les vacances
vegetable le légume
very très; **— much, — many** beaucoup (de); **not — well** pas très bien; **You are — kind** Vous êtes bien aimable
vestibule le vestibule
villa la villa
visiting card la carte de visite
voice la voix
volleyball le volley-ball

W

to **wait (for)** attendre (III)
to **wake up** se réveiller (I)
walk la promenade; **to take a —** faire une promenade; se promener (ène)
to **walk** marcher (I)
wall le mur
to **want** désirer (I); vouloir
warm chaud, –e; **to be —** avoir chaud; **to be — out** faire chaud
to **warn** prévenir
was: there — il y avait
to **wash oneself** se laver (I)
watch la montre
water l'eau *f.*
to **wave** faire signe de la main
we nous; *indef. pro.* on
weak faible
to **wear** porter; mettre
weather le temps; **What's the — like?** Quel temps fait-il? **The — is nice** Il fait beau
Wednesday mercredi
week la semaine; huit jours; **two —s** quinze jours
to **weep** pleurer (I)
to **weigh** peser (èse)
weight le poids
welcome un accueil; **you're —** de rien, je vous en (t'en) prie; **Welcome!** Soyez le bienvenu, (la bienvenue, les bienvenus)!
well bien; **Are things going —?** Ça va bien?; **to be —** aller bien, se porter (I) bien; **to get —** guérir (II)
well-behaved comme il faut
were: there — il y avait
what *inter. and exclam. adj.* quel, quelle, quels, quelles; **— color is . . . ?** De quelle couleur est . . . ? **— day is today?** Quel jour sommes-hous aujourd'hui? **— time is it?** Quelle heure est-il?
what *inter. pro.* qu'est-ce qui?; qu'est-ce que?; que?; quoi?; **— 's the matter?** Qu'est-ce qu'il y a?; **— 's a . . . ?** Qu'est-ce que c'est qu'un(e) . . . ?

what *rel. pro.* ce qui; ce que; quoi
when quand
where où
whether si
which *adj.* quel, quelle, quels, quelles
which *rel. pro.* qui, que, lequel, *etc.*; **of which** dont, duquel, *etc.*; **that —** ce qui; ce que
which one (ones) *inter. pro.* lequel, laquelle, lesquels, lesquelles
while . . . -ing en + *pres. part.*
white blanc, blanche
who *inter. pro.* qui, qui est-ce qui; *rel. pro.* qui
whom *inter. pro.* qui, qui est-ce que; lequel, *etc.*; *rel. pro.* que, qui; **of —** dont, duquel, *etc.*
why pourquoi
wide large
wife la femme
will, will-power la volonté
Will you . . . ? Voulez-vous + *inf.*
willing: to be — vouloir bien
window la fenêtre
windy: to be — faire du vent
wine le vin
winter l'hiver *m.*; **in —** en hiver
to **wish** vouloir
with avec; **— pleasure** avec plaisir
without sans
woman la femme
to **wonder** se demander (I)
wonderfully à merveille
wood; woods le bois
wool la laine
word le mot
to **work** travailler; **— hard** travailler dur; **— (machines)** marcher (I)
world le monde
worried inquiet, inquiète
worse *adj.* plus mauvais, pire; *adv.* plus mal
worst *adj.* le pire; le plus mauvais; *adv.* le plus mal
to **write** écrire
wrong: to be — avoir tort

Y

year un an; une année; **next —** l'année prochaine; **He is 14 —s old** Il a quatorze ans
yellow jaune
yes oui; **(contradicting a negative)** si
yesterday °hier
yet: not — pas encore
you tu, vous; te; toi; **to —** te, vous
young jeune
your *adj.* ton, ta, tes; votre, vos
yours *pro.* le tien, la tienne, les tiens, les tiennes; le vôtre, la vôtre, les vôtres
yourself (selves) toi-même, vous-même(s)

Z

zero zéro
zoo le jardin zoologique (le zoo)

Grammatical Index

The abbreviations used in the Index are as follows:

adj.	adjective	*poss.*	possessive
fn.	footnote	*pro.*	pronoun
infin.	infinitive	*vs.*	versus, contrasted with
pl.	plural	(356)	formation exercise (on page 356)

envie: avoir envie de + *infin.* 362
envoyer 234, (356), 380, 477
espérer 208, 472
essayer 186, (356), 473; essayer de + *infin.* 184
être 6, 49, 64, 137, 204, 233, 285, 355, 380, 427, 478; imperative 204; subjunctive 427; idioms 79, 121, 209

faire 19, 49, 64, 137, 232, 285, 355, 380, 427, 478
faire de son mieux 261
faire voir 211
falloir 137, (356), 380, 478
faut: il faut + indirect object pronoun 139–140
fractions 292
future 52, 117, 137; after quand, dès que, aussitôt que 139; use in "if" sentences 121
futur antérieur 432, 469, 470

geographical names: article with 274–277; prepositions with 275–277
-ger: verbs ending in -ger 23, 233, 284, (356), 426, 473
Group I verbs 2, 48, 52, 62, 117, 230, 354, 379, 423, 451, 468
Group II verbs 28, 48, 52, 76, 117, 230, 354, 379, 423, 468
Group III verbs 31, 48, 52, 91, 117, 230, 354, 379, 423, 468

heure: per hour, 329; hours *vs.* o'clock with depuis and il y a 329
honte: avoir honte de 288

il est vs. c'est 429–430
il y a: with time expressions "for" 328; "ago" 329, 330
imparfait 230; use 229–230; imparfait *vs.* passé composé 229–230
imperative 24; avoir, être, savoir, 204; with object pronouns 36, 43, 179, 202, (+ en) 283, 485; of reflexive verbs 43; of s'en aller 235
indirect object pronouns: *see* pronouns.
infinitive: after prepositions 140; past infinitive after après 403; double object pronouns before infinitive 178; reflexive infinitive 260; negative infinitive 428; *infin.* vs. subjunctive 449: *see also* verbs.
interrogative: *see* questions
interrogative pronouns: *see* pronouns.
introductions 1, 2

jeter 450, 472
jouer: jouer à 80; jouer de 5, 80, 84 (Amusons-nous!)

languages: article with 37; preposition en with 37
le, la, les (pronouns) 36, 177, 198–9, 484–5
lequel? etc., lequel, etc.: interrogative pronoun 304, 378, 485; relative pronoun 333, 486; contractions with 334, 378, 485
letter writing: salutations, closings 311

lever 23, 42, 162, 471; se lever 42, 162, 256
liaison 105 (passé composé)
lire 35, 49, 53, 93, 120, (356), 380, 478

mal adverb, comparison 203
materials 180–1
meilleur 181; le meilleur 181; meilleur *vs.* mieux 205
mentir 450, 478
mettre 49, 53, 77, 120, 381, 479
le mien, etc. 401
mieux 203, 205; de son mieux 261
mille 362–3
million (de) 362
mine: "of mine" 402
moi 40; moi non plus, etc. 404
mort, -e 409
mourir 479

naître 479
nationalities or professions 430
negation: ne . . . aucun(e) 385; ne . . . pas 48; ne . . . guère, 404–5; ne . . . jamais 48; ne . . . ni . . . ni 404; ne . . . nulle part 403; ne . . . personne 384; ne . . . plus 78; ne . . . que 255; ne . . . rien 253; moi non plus etc. 404; partitive 15; before infinitive 428
nettoyer 405, (426), 473
ni: ne . . . ni . . . ni 404
nous: *see* pronouns, direct and indirect object
nulle part: ne . . . nulle part 403
numbers: cardinal 4; telephone 4

obéir à 158, 160
offrir 256 *fn.*, 380 *fn.*, 479
ouvrir 46, 53, 119, 256, 380, (426), 479

par with time expressions 161
participle: present 284–5; past; formation 62, 76–7, 91, 93; used as adjective 207; agreement of past participle; with verbs conjugated with être 51; agreement: with preceding direct object 157, 199; in compound tenses of reflexive verbs 325–6; in passive voice 452
partir 32, 53, 105, 119, 380, 480
partitive 14, 15
passé composé: verbs conjugated with avoir 48–9, 62, 76, 91, 469; verbs conjugated with être 50, 104–5, 325–6, 470; reflexive verbs 325–6; 471; passé composé *vs.* imparfait 229–230
passé simple 378–9
passive voice 452–3
past infinitive 403
past participle: formation 62, 76–7, 91, 93; agreement 51, 157, 199, 325–6, 452; used as *adj.* 207
payer 185–6, 425, 473
penser: penser à 453; penser de 453
personne: ne . . . personne 384
peu: comparison of 203
plaire (à) 331, 480
plurals 11, 46
plus: ne . . . plus 78

Invitation au français deux

NOTRE MONDE

Remunda Cadoux

The Macmillan Company New York, New York
Collier-Macmillan Limited, London

Contents

The Macmillan Company, New York, New York
Collier-Macmillan Canada, Ltd., Toronto, Ontario

PRINTED IN THE UNITED STATES OF AMERICA

DESIGN AND ORGANIZATION

You can readily see that *Notre Monde* (Level II) and *Vous et Moi* (Level I) of the *Invitation au français* series follow the same format. The same *general* procedures, therefore, as outlined in the Teacher's Annotated Edition of *Vous et Moi*, can be used with both volumes. Specific recommendations for the use of *Notre Monde*, however, are given below. (See the Introduction to the *Leçons* and the Suggested Procedures for each *Leçon*, pp. 00–00.)

The following are the significant features in the organization of *Notre Monde:*

1. Leçons 22–26 Just in case you weren't able to complete all of *Vous et Moi* the previous year or semester, Leçons 22–26 of *Vous et Moi* are reproduced in their entirety in *Notre Monde*.

For your convenience all the *Leçons*, beginning with *Leçon 22*, are numbered consecutively, from *Leçon 22* to *Leçon 40*.

2. The Leçons de Révision At the outset, there is a complete review of the structural content and of much of the active vocabulary of *Vous et Moi*, to make up for the "forgetting" that takes place after long vacations. Here is the breakdown of the *Leçons de Révision:*

Leçons de Révision	Vous et Moi Leçons
I–XII reviews →	1–21
XIII (Transition) reviews →	22–25 (le passé composé)
XIV (Transition) reviews →	26 (le futur)

This arrangement permits you to complete your review and start the new work after *Leçon de Révision* XII, *or* XIII, *or* XIV, as follows:

Complete	Start
Leçons de Révision I–XII	Leçon 22
Leçon de Révision XIII	Leçon 26
Leçon de Révision XIV	Leçon 27

In addition to the review in the book, there are 5 twenty-minute tapes you can use to help clinch learnings, as follows: Tape #1 reviews I, II, III; Tape #2 reviews IV–VII; Tape #3 reviews VIII and IX; Tape #4 reviews X, XI, and XII; Tape #5 reviews XIII and XIV. In the Test Booklet, you'll find five twenty-minute tests which correspond to the lessons covered in each of the tapes. The *Leçons de Révision* are new in approach, and will serve as "get acquainted" and "self-expression" lessons as well as French lessons. Details for the presentation of these lessons are given below, on pages 4 to 16.

3. The Centers of Interest *Notre Monde* contains, within the instructional materials themselves, information which will highlight the use of French as a *global* language, as well as many of the cultural patterns of the French-speaking nations treated. French West Africa and French Canada are emphasized. (You'll notice that many of the photographs of Africa contain signs in French!) In the *Scènes de la vie française* and in the *Notes sur la civilisation française*, students will be chal-

lenged to read material which will "correlate" with social studies, African studies, and even science (Le système métrique!) See pages 188, 313, 338, and 411, for example! The *Scènes* and the *Notes* have intrinsic general interest, so that students can grow *conceptually* as well as linguistically.

4. Scènes de la vie française   The *Scènes* increase in length as the book progresses, so that pupils can increase their reading power gradually and at the same time have some "plateau" reading.

5. Amusons-Nous!   In addition to the usual type of game, song or poem, *Notre Monde* contains *exercises in vocabulary expansion through inference,* in the form of "fun" games. Several chapters emphasizes practical activities or problems that travelers abroad must often face.

6. Vocabulary   With very few exceptions, *all* the active vocabulary of *Vous et Moi* is re-entered in *Notre Monde!*

SUGGESTED TECHNIQUES

Les Leçons de Révision

Introduction

The *Leçons de Révision* are intended for a thorough and rapid review of the contents of *Vous et Moi.* The following will help in conducting the lessons.

1.   Prononciation-Orthographe

For each lesson, the more important sounds and sound-spelling correspondences have been isolated and charted for pupil practice. Many other pronunciation drills for class practice will be found at the end of the TEST BOOKLET.

To expedite practice, you may wish to (1) place the exercises on acetates for use with the overhead projector, or (2) place them on flash cards, or have a student write them on the blackboard before the lesson begins. Use choral and, if needed, individual repetition. This practice will prevent many errors in the lesson to follow.

2.   Questions, Section A.

Beginning with Leçon de Révision II, Section A is generally a review of the main structure of the *previous* Leçon de Révision. As a rule, only the vocabulary is *new* review.

3.   The Structures

a. The forms   Because the difficulties pupils might have in pronouncing the forms have been anticipated by practice with the drills in the *Prononciation-Orthographe* section, choral reading, by the class with the teacher leading, will often save time. The reading should be rhythmic and fairly rapid.

b. The mini-dialogues   After the forms, you will find the mini-dialogues labeled variously *Lisez, Lisez à haute voix, Lisez et étudiez,* or *Etudiez.* These

4

dialogues illustrate the structure in conversational use. A pair of students can act them out.

c. Generalizations   Unless the class is very weak, elicit or give a capsulized version of the generalization. (The text is primarily for pupil reference and study.)

d. À faire!   Here, too, are mini-dialogues in the form of completion exercises, intended to be acted out as pupils test their knowledge of the forms. They are labeled sequentially throughout each lesson in alphabetical order.

4. Questions, Section B, C, D, etc.

These questions work the structures again with more review vocabulary. Use Chain Drills when you can.

5. The Exercises

These are intended for writing at home. You can add any other part of the Leçon for homework, too, such as *Questions*, *À faire*, etc.

6. Books

Books should normally be open on initial presentation. You might wish to have audio-lingual work without books, of course. You will probably find that it's better to close books *after* the initial presentation, though.

7. Tests

Give quizzes as you see fit. Tests included in the Test Booklet correspond with the Tapes and will supplement the Tapes, as follows:

Tape 1 and Test A:	Leçon de Révision I, II, III
Tape 2 and Test B:	Leçon de Révision IV, V, VI and VII
Tape 3 and Test C:	Leçon de Révision VIII and IX
Tape 4 and Test D:	Leçon de Révision X, XI and XII
Tape 5 and Test E:	Leçon de Révision XIII and XIV

8. Pacing

The review lessons should be rapidly paced, as a rule. They can be used as a *diagnostic* device, too. Slacken your pace when you find the weaknesses.

9. Time

The *time allotments* indicated in the outlines to follow are, of course, only approximate. *They are generally intended for Track II, as are the lesson outlines themselves*, rather than Track I. Track I students will want to go more quickly. The following are the recommended time spans:

Track	Leçon de Révision	Lesson per day	Total days
I	I–XIV	1; occasionally, 2	15–20
II	I–XII	1/2; some, 1	18–22
III	I–XII	1/2	24

5

Suggested Lesson outlines

I

Prononciation-Orthographe: *Pas encore! Voyez ci-dessous!*

A. Introduce yourself. Ask each student his name and give him the French pronunciation or an equivalent French name if he doesn't already have one. Ask Q.2 at least twice, once of a boy (using *un ami*) and once of a girl (using *une amie*). Ask Q.3 of a few students. Review the familiar form *Comment t'appelles-tu?* and conduct directed dialogue with Q.4, 5, and 6. Change pace with Q.7. (15-20 minutes)

B. Introduce formal *Présentations.* Model and Repeat. Act the second one out with a student (the first one, too, if you like!) Introduce informal *Présentations.* Model, and repeat, only if necessary. Do c. Ask for volunteers to make introductions. Try to make them real introductions! (5-8 minutes)

C. Rapid choral reading (or repetition) of verbs of First Group. Point out silent *e, es, ent* endings. Apply the principle to a few other verbs. Do a person-number substitution exercise with one or two verbs. (10 minutes)
Review the *Exercice* orally. Assign for writing at home.
The next day, begin with *Prononciation-Orthographe:* nasal vowels

a vs. *an/en*	*é* vs. *in*	*o* vs. *on*	*œ* vs. *œ̃*
la / lent	les / lin	beau / bon	neuf / un
sa / sans	vais / vingt	veau / vont	bœuf / brun
da / dans	mes / main	sot / sont	
ta / tant	ses / cinq		
ta / temps	parler		
ça / cent	parlez		
trente			
quarante			

Send several pupils to the blackboard to write the homework. Review the *Questions* by asking pupils to read Q.1-4 and call on others to answer.

Exercice: (*Réponses:* 1. arrive. 2. travaille. 3. Étudiez. 4. cherchons. 5. passez. 6. dansent. 7. joue. 8. habite. 9. retrouvons. 10. Téléphones. 11. écoutent. 12. donne-t)

Check blackboard. Introduce *Quel est votre numéro de téléphone?* Choral repetition of numbers 1-20. Count around the class beginning with 21, all numbers.
Have two students enact the mini-dialogue (telephone call). Ask them to prepare three telephone numbers, their own and that of two of their friends. Ask Q.1, 2, 3, of a few pupils. Ask Q.4. Dictate a telephone number in answer to Q.5 (not necessarily your own!) Before you do so, send a pupil to the side board or back board. After the dictation, check accuracy by means of pupil's work at the board. Assign some telephone numbers, addresses, and verbs for written homework.

II

Prononciation-Orthographe

é	*é* vs. *mute e*	*ou* vs. *u*
parler	les / le	où / une
parlez	ses / ce	vous / vu
étudier	tes / te	d'où / du
	j'ai / je	sous / su
		Lou / lu

A. While pupils are writing the homework at the blackboard, ask Q.1, 2. Have pupils ask them of each other. Ask remaining questions, either yourself or have pupils ask them. Check the homework at the blackboard.

B. Have students ask each other questions.

C. Ask these questions yourself. Call two students to enact *À faire!* (*Réponses:* Ça ne va pas bien. J'oublie toujours les verbes. Je passe des disques et je joue au volley.

D. Rapid choral reading (or repetition of verbs for Tracks II and III.) Rapid choral reading (All Tracks) of possessive adjectives.
À faire! Enact in parts all you have time for. Assign the remainder. (*Réponses:* *a.* mon, mes, ma. *b.* tes, ton, ta, ton. *c.* son, sa, ses. *d.* son, ses, sa. *e.* notre, nos. *f.* votre, vos. *g.* leurs, leur. *h.* son, son)
Assign *Exercice* for written homework. (*Réponses:* 1. –. 2. *a.* j'ai des, je suis très; *b.* mes professeurs, mes cours; *c.* mon professeur; *d.* nous avons; *e.* nous sommes. 3. *a.* As-tu; *b.* Es-tu; *c.* Tes parents aiment-ils bien)

III

Prononciation-Orthographe

word ends in

silent letters	*vowel sound*	*consonant sound*
facil~~es~~	peti~~t~~	petit~~e~~
jeun~~es~~	peti~~ts~~	petit~~es~~
aimabl~~es~~	gran~~d~~	grand~~e~~
son~~t~~	gran~~ds~~	grand~~es~~
mauvai~~s~~	charman~~t~~	charmant~~e~~
bleu~~s~~	intelligen~~t~~	intelligent~~e~~
bleu~~e~~	bon, bon~~s~~	bonn~~e~~, bonn~~es~~
vieu~~x~~	ancien	ancienn~~e~~
viei~~l~~	nouveau	nouvell~~e~~
viei~~lle~~	nouveau~~x~~	nouvell~~es~~
beau~~x~~		(5-7 minutes.)

A. Have homework placed on the blackboard by a few students as you are asking Questions in A. (5-8 minutes) Check homework at board. (5 minutes)

B. Ask some questions; have students ask others (2, 3, 4). Ask Q.5. (10 minutes)

C. Ask Q.1. Allow students time to read the descriptive adjectives in italics before responding. Do the same for Q.2. Have students ask each other these questions. Ask Q.3, 4, 5. Do *À faire* either orally or in writing. (If you do it orally, have a student at the board write the *adjective only* in sentences 1 and 2.) (*Réponses: a.* sommes, contents. *b.* avons, aimables, excellente. *c.* nos, intelligents, notre. *d.* travaillent, leurs) (10 minutes)

D. 1–4. Review adjectives, reading from singular to plural, masculine to feminine. Generalize. Intersperse with *À faire!* Enact orally. (*Réponses: e.* aimable. *f.* sociable. *g.* grande. *h.* intelligentes. *i.* bonne. *j.* beau. *k.* français. *l.* gris. *m.* beaux) Assign all of *À faire* for writing, whether or not you had time to complete it.

The next day, check homework and begin #5, Comparisons and superlatives, by choral repetition. (10 minutes) Have pupils ask each other questions under *Répondez*, page 12 (bottom). Follow with *Exercice* (Free responses), Tape #1 and Test A.

IV

Prononciation-Orthographe

i vs. *in*	*o* vs. *ou*	*ou* vs. *u*	(again!)
mie / mince	tôt / tout	doux / du	
vie / vin	sot / sous	sous / su	
pis / pain	beau / coup	tout / tu	
		Lou / lu	

wa vs. *win*
moi / moins

(5 minutes)

A. Ask Questions 1–7. Point out general use of *le* vs. "part" use of *du*, etc., before going to Q.8. Ask Q.8 of two or three students. (5-7 minutes) Have students ask each other Q.9, 10, 11, using the captions under the illustrations. (10-12 minutes)

B. 1–3. Choral reading or repetition, *prendre* and *contractions*. Oral enactment (in parts) of mini-dialogues, pp. 14–15. Sample *Complétez*.
4. Choral repetition, *La quantité*. Sample *À faire!* orally. (Free responses *a–f*). Assign *Complétez* (top, p. 15) and *Complétez*, (bottom p. 15 to top, p. 16).
   The next day, have several pupils put some of the homework on the black-

board. Meantime, sample other pupils' homework orally. Check blackboard work. (10 minutes)

C. 1. Choral repetition of dialogue. Oral review *À faire!* (enact in parts). (*Réponses: g.* nous en mangeons. *h.* n'en prend pas. *i.* Prenez-en. *j.* n'en prenez pas) (5 minutes)
2. Enact in parts mini-dialogues and *À faire!* (*Réponses: k.* en avez-vous; J'en ai. *l.* Nous en mangeons) (5 minutes)

The *Menu chez Georgette:* Help students to read aloud and clarify meanings of some new words. First pretend you are the waiter, and use the *Exercice* as the framework for the conversation. Then ask for volunteers to be both waiter and client. Assign Exercice for writing at home. (Free responses)

V

Prononciation-Orthographe

/wa/	liaison	o vs. on
moi	en été	oh / on
toi	en hiver	beau / bon
froid	en automne	veau / vont
soif	quand il	faux / font
boire	aux amis	au / on
		aux / ont

(5 minutes)

A. Have pupils ask and answer Q.1–4; ask Q.5–12. (8-10 minutes)

B. 1. Review contractions; have mini-dialogues enacted. (5 minutes)
2. Choral reading or repetition of *aller* and *faire*; have mini-dialogue enacted in parts. Do *À faire!* (*Réponses: a.* j'ai faim. *b.* a toujours soif. *c.* j'ai froid. *d.* n'avons pas froid) (5-7 minutes)
Enact second mini-dialogue (*faire*); follow with *À faire!* (*Réponses: e.* faisons. *f.* fait. *g.* Fait-elle? fait. *h.* Font; font) (10 minutes)

D. Enact mini-dialogues. Do *À faire!* (*Réponses: i.* il y va. *j.* ils n'y sont pas. *k.* restez-y. *l.* N'y va pas)

3. Choral repetition of dialogue (*aller* plus infinitive) and vocabulary captions under illustrations. (5-8 minutes)
Assign for written homework the *Exercice*, page 22. (*Réponses:* 1. *a.* Vas-tu, Je fais . . . mes. *b.* (no change). 2. *a.* Est-ce que tu fais, or Fais-tu. Est-ce que tu vas, or Vas-tu. *b.* Nous n'allons pas; Nous n'allons pas faire. Nous n'allons pas nager)
The next day, have the homework placed on the board by several pupils, each writing a small section. Meantime, review answers to C by asking questions 1–10, (10 minutes). Check homework at the blackboard. (5 minutes)

VI

Prononciation-Orthographe

Rythme 1–2

mute e vs. *è*	*è*	*"fleeting" e*
me / mais	achètes	/ achętez
te / très	achètent	/ achętons
le / lait	emmènes	/ emmęnez
ce / c'est	emmènent / emmęnons	
le / lève		
levez / lèves	lève	/ lęvez (rapidly)
levons / lèvent	lèvent	/ lęvons (rapidly)

(5 minutes)

A. Ask Q.1 and 2 of a few students. Choral repetition of captions under illustrations (*en autobus*, etc.) Chain drill with Q.3 and 4. Students ask each other remaining questions, and answer. (10 minutes)

B. 1. Track III, choral repetition; Tracks I and II, individual reading of first three verbs. Generalization. Choral reading *manger, commencer*. Elicit generalization. *À faire!* Written exercice, one pupil at side or back blackboard. Check answers. (5–10 minutes) (*Réponses: a.* achète. *b.* emmène. *c.* commençons. *d.* voyageons)

2. Individuals read imperative forms aloud. Generalization. *À faire!* Written exercise, as above (forms only). Check. (5 minutes) (*Réponses: e.* Levez. *f.* Emmenons. *g.* Va. *h.* Écoute)

3. Enact mini-dialogues. *À faire!* (*Réponses: i.* elle. *j.* lui. *k.* eux. *l.* elle)

C. Ask or have individual pupils ask Q.1–10, (5–10 minutes). Assign *Exercice* as written homework.

Exercice. (*Réponses:* 1. J'aime faire un long voyage. 2. On voyage en avion, en bateau, en autocar, en voiture. 3. Dans les grandes villes, nous voyageons en métro et en autobus. 4. Mes parents achètent beaucoup de souvenirs. 5. Ils emmènent tous les enfants. 6. Nous allons voyager avec eux l'été prochain.)

VII

Prononciation-Orthographe

ère	*é* vs. *ø* (closed *eu*)		*o = au, eau*	*el*
père	blé	/ bleu	faut	bel, belle
mère	des	/ deux	chaud	nouvel
vert	ces	/ ceux	chaussettes	nouvelle
verte	paie	/ peu	beau	
	vieil	/ vieux	manteau	
	vieille / vieux		nouveau	

(5 minutes)

10

A. Using the captions under the drawings in the textbook, or flash cards, overhead acetates, real objects, have choral repetition of the articles of clothing. (Track I will probably not need this.) Ask questions of boys; have pupils ask them also. (5-8 minutes)

B. Begin asking questions of girls. Have other pupils continue to ask them.

C. Ask some of the questions yourself; have pupils ask the rest of them.

D. 1. Rapid choral reading (*Across,* not down. Example: *beau, bel, belle, beaux*) Check pronunciation again.
Enact mini-dialogue orally. *À faire!* Enact orally. (*Réponses:* a. bel, beau. b. vieux, vieille. c. nouvel, nouvel, nouveaux. d. bon, bonnes)
2. Rapid choral reading of verb forms. Enact mini-dialogue. *À faire!* Enact orally. (*Réponses:* e. choisis. f. Finissez. g. punissons. h. choisit)
3. Rapid choral reading of model forms of demonstrative adjectives. Enact mini-dialogue and *À faire!* (*Réponses:* i. ces gants-là. j. cette veste-ci. k. cet ensemble-ci. l. ce complet-là)

Ask questions under *"Parlons des achats!"* if you have time. Otherwise you can ask these the next day or assign them for homework.

Assign for written homework *Exercice,* p. 30, and one other exercise (such as answering a group of questions, writing *À faire!* by Tracks II and III.)
Exercice: Free responses.
Tape 2 and Test B.

VIII

Prononciation-Orthographe

nasal an, en vs. *end*	*ar, or* vs. *art, ort*	*nasal yin* vs. *yen*
rend, rends / rendent	pars / partent	ancien / ancienne
attend, attends / attendent	part / partent	italien / italienne
entend, entends / entendent	sors / sortent	parisien / parisienne
descend(s) / descendent	sort / sortent	canadien / canadienne

nasal ain vs. *aine*
train / traîne
vain / vaine
américain / americaine   (5 minutes)

A. Ask Q.1–2. When you ask Q.3, 4, 5, allow time for students to read the adjectives in italics. (In Track III, you might have the adjectives repeated chorally.) (10 minutes)

B. 1. Rapid choral reading of verb forms. (Pupils have already repeated most of them for pronunciation purposes in the *Prononciation-Orthographe.*) Enact orally mini-dialogues in pairs. Generalize. Enact *À faire!* (*Réponses:* a. descendez. b. réponds. c. rend. d. attendent) (5-8 minutes)
2. Rapid choral reading of forms of *partir* and *sortir.* Point out the singular and plural stems. Enact *À faire!* (*Réponses:* e. partons. f. sortons. g. sors. h. partent)   (5 minutes)

3. Individuals read adjective forms: each pupil reads the masculine and feminine of an adjective. Generalize. Enact À *faire!* (*Réponses:* *i.* malheureuse. *j.* merveilleuse. *k.* quelles. *l.* italienne. *m.* Chère. *n.* ancienne)

Choral reading of examples of preceding adjectives *vrai, seul, ancien.*

C. Ask as many questions as you have time for. Assign the rest of them, as well as the *Exercice* for homework.

Exercice. (*Réponses:* 1. free response. 2. attendons. 3. descendons; faisons. 4. sortons. 5. dernier, rentrons. 6. téléphone. 7. répond. 8. part. 9. heureux or heureuses, depending on the speaker. 10. perds. 11. vrais)

IX

Prononciation-Orthographe

mute e vs. *è* (open *e*)		*nasal en* vs. *enne*	
me	/ mette	prend(s)	/ prennent
se	/ cette	apprend(s)	/ apprennent
te	/ tête	comprend(s)	/ comprennent
prenons	/ prennent		
apprenez	/ apprennent		
comprenez	/ comprennent	(3 minutes)	

A. Ask questions 1–7. Chain drill, Q.8 and 9. Ask Q.10–12. (10 minutes)

B. 1. Rapid choral reading of verb forms. Point out "vous *dites*", and the appearance of the consonant sound in the plural stem. Enact À *faire!* (*Réponses:* *a.* apprends. *b.* comprenons. *c.* disons. *d.* lis. *e.* dis. *f.* écris) (5 minutes)
2. Enact mini-dialogues in pairs. Generalize. Enact orally À *faire!* (*Réponses:* *g.* le. *h.* l'. *i.* l'. *j.* les) (5 minutes)
3. Enact mini-dialogue. Generalize. Have a good pupil read *Notez bien.* Conduct choral repetition of examples of affirmative imperative. Do the same with the negative imperative. Enact orally À *faire!* (*Réponses:* *k.* je lui prête. *l.* on leur rend. *m.* je leur écris. *n.* ne lui lis pas)
4. Rapid choral reading: la France, en France, etc. Two pupils read (one sentence each) the illustrative sentences (labeled *Lisez,* p. 37, under the mini-maps). Elicit or read generalization. Enact À *faire!* (*Réponses:* *o.* en, la. *p.* les, aux. *q.* en, l'. *r.* Le, au)
5. Enact mini-dialogues. Elicit generalization. Enact À *faire!* (*Réponses:* *s.* le; –. *t.* –, l')

Assign for written homework *Exercice,* and any other group of questions. Sections C and D are patterned responses designed for student interest and for their practice with more advanced vocabulary. They may be assigned for writing and reviewed orally the following day, if you wish.

Exercice. (*Réponses:* 1. comprends. 2. apprend. 3. lisons; écrivons; anglais. 4. apprends. 5. dit. 6. les, les. 7. (free responses). 8. l' 9. lui. 10. les) Tape 3 and Test B.

X

Prononciation-Orthographe

mute e vs. *oi (wa)*	*closed eu* (φ) vs. *ou*	*closed eu* (φ) vs. *open eu* (œ)
me / moi	peu / pour	ceux / sœur
te / toi	peux / pouvons	bleu / leur, fleur
le / voilà	peut / pouvez	veux, veut / veulent
vois	veux / voulons	peux, peut / peuvent
voit, voient	veut / voulez	

add { voyons
       voyez   (5 minutes)

A. (8-10 minutes)

B. 1. (5-8 minutes) *À faire!* (*Réponses: a.* vois. *b.* voulons. *c.* veut. *d.* peux)
2. Enact mini-dialogue. Choral repetition of object pronouns and sentences illustrating affirmative commands (under *Lisez.*) Pupils ask and answer questions under *Répondez.* (5-8 minutes)

C. Questions asked and answered by pupils. (5 minutes)

D. Ask these questions if you have time. If not, you can ask them the next day as the homework is being placed on the blackboard.
Assign for written homework, *Exercice.* (*Réponses:*   Free response.   Il me téléphone.   il m'écrit.   Il m'aime.   il me dit.   il me parle.   Est-ce qu'il vous aime.   il vous téléphone.   il vous téléphone.   vous parle-t-il.   Free response.   me.   Two free responses)

XI

Prononciation-Orthographe

ille = iy	*eille = éy*	*mute e*
famille	merveille	me
fille	merveilleux	te
habille	réveille	se
habillent	réveillent	
habillons	réveillons	
habillez	réveillez	(5 minutes)

Complete questions in *Leçon de Révision X,* section D (if you have not already done so) as the homework is being put on the blackboard. Check the board work. (10 minutes)

A. (5-8 minutes)

B. 1. Rapid choral reading or repetition of verb forms. Elicit or read generalization. Enact mini-dialogues. Enact *À faire!* (*Réponses: a.* me, se. *b.* Vous, nous. *c.* se, se. *d.* s', s')   (5-8 minutes)

13

2. Enact mini-dialogues. Generalization, very brief. Enact À *faire!* (*Réponses: e.* Lève-toi et amuse-toi. *f.* Réveillez-vous et habillez-vous. *g.* Lavons-nous et couchons-nous) (5-8 minutes)

3. Choral repetition, first masculine singular and plural, then feminine singular and plural. Point out silent endings in masculine, and pronunciation of *t* in feminine singular and plural. Enact À *faire!* (*Réponses: h.* tout, tous. *i.* toute, toutes) (5-8 minutes)

4. Choral repetition and generalization, if you have time. If not, assign Exercice and Questions C 1–5 for homework.

The next day, while students are putting the homework on the blackboard, complete questions in C and D (10 minutes). When students have returned to their seats, review B.4, and enact À *faire!* at the bottom of page 43. (*Réponses: i.* facilement. *k.* merveilleusement. *l.* sensationnellement) (5 minutes)

Exercices. (*Réponses:* 1. nous nous levons. 2. je ne me réveille pas. 3. Je me couche. 4. Lève-toi. 5. mon père se lave. 6. je ne m'habille pas. 7. nous nous habillons. 8. nous nous amusons. 9. tous. 10. se couche)

XII

Prononciation-Orthographe

silent h	*u* vs. /ɥ/		*nasal in* vs. *nasal yin*
Ⱶomme	u	/ huit	bain / bien
Ⱶabille	lune	/ lui	vin / viens
Ⱶabite	qu'une	/ cuisine	vingt / vient
Ⱶaut	sur	/ suis	*extra*
Ⱶuit			vient vs. viennent
			revient vs. reviennent

A. (5-10 minutes)

B. Choral repetition of vocabulary illustrated on pages 45 and 46 by means of sketches in book, flash cards, acetates, real objects, etc. Chain drill with free choice of vocabulary by students in answer to Q.2, 3. Ask Q.4.

C. 1. Choral reading or repetition of verb forms. (3 minutes) Enact À *faire!* (*Réponses: a.* Savez, sais. *b.* Ouvrez, ouvre. *c.* venez, viens. *d.* reviennent, revenons). Choral repetition of mini-dialogue of *venir de* plus infinitive. Generalize briefly (one sentence).

2. Choral repetition, singular to plural. Generalization. Enact À *faire!* (*Réponses: e.* chevaux. *f.* repas. *g.* châteaux, beaux. *h.* prix)

Assign for written homework *Exercice.* (*Réponses:* 1. viennent. 2. savent. 3. reviennent. 4. ouvrons. 5. savons. 6. beaux, –. 7. sait, –. 8. Savez. 9. viens. 10. Revenez)

Tape 4 and Test D review Leçon de Révision X, XI, and XII.

XIII

Prononciation-Orthographe

closed *e (é)*

passer	parler	travailler	je vais
passez	parlez	travaillez	je sais
passé	parlé	travaillé	tu sais
j'ai passé	j'ai parlé	j'ai travaillé	il sait

A. Ask questions, elaborating where needed. Example: Q.9, add *au base-ball; au tennis; de la guitare; du piano.* (8-10 minutes)

B. 1. Rapid choral reading or repetition of verb forms. Generalize. Enact mini-dialogues, also *À faire! (Réponses: a.* Avez, avons. *b.* A, a. *c.* As, ai. *d.* Ont, ont. *e.* dansé, dansé. *f.* puni, puni. *g.* entendu, entendu. *h.* écouté, écouté) (5-8 minutes)

C. Ask Q.1. Pupils ask and answer remaining questions (Chain).

D. Before beginning this section, conduct a *Prononciation-Orthographe* drill. Choral repetition: *i* vs. *u* (again!)

i / eu pris / pu
dit / du lit / lu, voulu
vie / vu

Past Participles: Read infinitive; have pupils read chorally past participles. Enact mini-dialogues, top of page 50.

E. Ask questions of individuals. Have class repeat correct response (Track III) Assign written answers to Section **E.** for homework.

F. Before doing F. the next day, review *liaison*, as follows:

Prononciation-Orthographe

liaison obligatoire		*liaison facultative*
est allé	sont allés	suis allé (arrivé, entré)
est arrivé	sont arrivés	es allé (arrivé, entré)
est entré	sont entrés	sommes allés (arrivés, entrés)
		êtes allés (arrivés, entrés)

Generalization first. Choral reading of forms, with time for students to read the English meanings. Answer questions at the bottom of page 50. Then have individual pupils read, in pairs, the verb forms at the top of page 51 (one boy for masculine forms, one girl for feminine forms). Ask the question below the forms to derive the generalization.

Enact orally (in parts, as usual) *À faire! (Réponses: i.* suis; es. *j.* Êtes; suis. *k.* Êtes; sommes. *l.* Est; est. *m.* Sont; sont. *n.* Sont; sont)

G. Ask Q.1, 2. Chain drill Q.2, 3, 4, 5. Ask 6. Chain drill Q.7–10. Assign for written homework *Exercice. (Réponses:* 1. je suis arrivé(e). 2. j'ai parlé. 3. J'ai fait. 4. J'ai perdu. 5. J'ai mangé et j'ai pris. 6. J'ai quitté. 7. J'ai joué. 8. Je suis parti(e). 9. Je suis allé(e). 10. Je suis entré(e)

15

Prononciation-Orthographe

/é/	/a/	/on/
été	la	ont
avez	a	sont
j'ai	as	vont
parlerai	parleras	font
parlerez	parlera	parlons
		parlerons
		parleront

A. Questions (5-10 minutes)

B. 1. Rapid choral reading or repetition of verb forms. Generalization. Enact mini-dialogues; follow by *À faire!* (*Réponses:* a. passerai. b. regardera. c. finira. d. répondront)

2. Generalization, as in the text. Pairs of students read question and answer for each verb (bottom of page 53 to top of page 54), in an enactment. Follow by *À faire!* (*Réponses:* e. sortirai. f. partirons. g. prendra. h. apprendront. i. compendras. j. liras. k. mettra l. ouvrira)

Exercice. If time, go over it before assigning it. (*Réponses:* 1. téléphonerai. 2. aiderai; rangerai 3. embrasserai. 4. passerons. 5. arriverai. 6. louera. 7. partira. 8. arrêtera. 9. nagerons. 10. jouera. 11. écrirai. 12. lira. 13. prendra. 14. donneront. 15. oublierons)

Tape 5 and Test E review *Leçons de Révision* XIII and XIV.

SUGGESTED TECHNIQUES

Les Leçons: Introduction

Note: Pronunciation drills for each *Leçon* are printed on master dittoes at the end of the TEST BOOKLET. They may be reproduced at will for class practice with visual support.

I. Conversation

The Conversation sections of *Notre Monde,* are, with few exceptions, to be done *à livre ouvert.* Those Conversations not marked *à livre ouvert* may first be done audio-lingually section by section by Track I classes. But even Track I will need choral reading after the audio-lingual work, to insure the accuracy of the sound-spelling correspondences!

The techniques used will depend in large part on the contents of each conversation. Suggestions for conducting the *Conversation* are given in each of the lesson outlines below for that reason. You may often wish to turn to section A of the *Structures* during the first run-through.

REMINDER: The Conversation is a *preview* of the structure. It is not intended for active mastery until the corresponding structural point has been thoroughly drilled by means of the *Exercices*. It's an effective technique, therefore, to *return* to the *Conversation* after completing all the *Exercices* in the corresponding *Structure* section.

II. Scènes de la vie française

As in *Vous et Moi*, the parts of each *Scène* are separated by a blue ball. Each part should be read intensively. We suggest that the standard technique for the Intensive Reading Lesson be used, as follows:

AN INTENSIVE READING LESSON

Aim

1. To read with comprehension and enjoyment, without recourse to translation
2. To learn for either passive recognition or active production certain linguistic units of vocabulary and structure
3. To become acquainted with the cultural patterns contained in the passage

Motivation

It is advisable that the teacher make one or two statements or questions (before the reading) which will connect the pupil's interests and experiences with the content of the passage. Arouse their curiosity! For example: Leçon 28, *Les enfants veulent travailler.* Questions by the teacher: *Travaillez-vous pendant les vacances? Est-ce que les élèves français travaillent pendant les vacances? Nous allons voir!*

Development

1. Clear away difficulties in vocabulary. As all new words in our series are glossed in the margin, have choral repetition of the words italicized in French, allowing time for pupils to consult the marginal glosses. (If the English meaning is not on exactly the same line as the French word, it may be wise to elicit the English meaning from an individual student, especially when you suspect that inferences may be faulty.)
2. Divide the passage into thought units of several paragraphs or several lines each, preferably to correspond to two, three, or four of the *Questions* at the end of the *Scène*. (Students need not know this.)
3. Read or have each unit read in one of the following ways (Students generally like variety in reading):
    (a) orally by the teacher or the tape
    (b) choral (spaced) reading after the teacher's model
    (c) silently by pupils
    (d) individually, in parts, by pupils

Note: As a general rule, pupils should *hear* the passage read correctly before they read it aloud themselves. Individual reading should therefore be reserved for the second or third run-through. All pupils will enjoy hearing the *Scènes* on the tapes!

Comprehension check

1. After reading each thought unit, ask simple questions eliciting the active vocabulary as well as the important points of the story.
2. Use the *Questions* provided in the textbook, or your own questions.
3. Pupils who answer correctly might write their answer at the blackboard.

Summary (if desired)

1. Check the correctness of the blackboard work, *or*

2. Prepare, in advance, a few completion sentences which summarize the passage, the blanks of which comprise some of the active vocabulary of the reading passage done. Have a student aide write these on the blackboard *before* you have finished the reading. Elicit the needed completions from the class and write them in the blanks.

3. *Or,* ask three or four simple questions which will summarize the reading.

III. Questions

Track I: Assign for written homework the *Questions* corresponding to the reading done in class. Have students place them on the blackboard the next day for checking.

Track II: If pupils find difficulties in writing the answers, take class time to train them in person-number changes, and in how to find the answers in the reading passage. If they still find difficulty, assign the writing of the answers to the *Discussion* questions which contain the active vocabulary covered in the reading that day.

Track III: Use the *Discussion* for written homework, as described above for Track II.

IV. Discussion

All the *Vocabulaire actif* (with the possible exception of one or two words) is included here. The questions may be used at any time during the lesson unit. You will find these questions very useful to use as part of your daily warm-up.

V. Dialogue Original

Many dialogues in *Notre Monde* contain relatively "free" choices in which students are challenged to supply their own substitutions. All students should do the dialogues. Recommendations as to the best point in which to utilize them are made in each of the lesson outlines.

VI. Structures

Use all model sentences and verb paradigms as repetition drills, with books open. As a rule, it is best to *elicit* the generalization but be sure to train pupils to read the contents of the blue box. Research has proved that *if pupils first understand the principle of a structure, drill becomes really effective.*

Suggestions for the use of the Exercices with different tracks are given in the following *lesson outlines*. Pronunciation drills are also suggested in that section.

As many of the Exercices are "communication drills," you might wish to "enact" the *Exemple* of each with a student (or have two students enact it), and continue, if you can, the enactment throughout the drill.

18

VII. Notes sur la civilisation française

Present the sections by means of the technique you feel most suitable for your class. Suggestions are given in the lesson outlines.

C. General Plan: Leçons 27–40

The lessons after Leçon 26 in *Notre Monde* are *longer* than those of *Vous et Moi,* and may take a week and a half to two weeks to complete. The following breakdown is therefore suggested for an *average* class (Track II):

First Day:	*Conversation* and *Structure A,* 1
Second Day:	*Scène,* part I; complete *Structure A*
Third Day:	*Scène,* part II; start *Structure B*
Fourth Day:	Complete *Structure B;* start *C,* if time.
Fifth Day:	(Generally) *Dialogue Original*; continue *Structures*
Sixth Day:	Complete *Discussion;* continue *Structures*
Seventh Day:	Complete *Structure* and *Idioms*
Eighth Day:	*Notes sur la civilisation française* and *Amusons-Nous!*
Ninth Day:	*Test*

D. Modifications for Tracks II and III

Before each of the Exercices, suggestions are made for Tracks II and III. In addition to these, we suggest that you require more *passive recognition* than *active production* for these pupils of various elements throughout the book.

E. Tapes and Tests

1. There is a 20-24 minute tape for each lesson, plus a Testing Tape which comprises the auditory component of a Test in the Test Booklet based on each *Révision Générale.* In addition, *Notre Monde* has a tape for the *Révision des Locutions* of every five lessons, to provide a review of idioms and difficult constructions.
2. There is a full-period test for each *Leçon* in the Test Booklet, as well as one which comprises the written component of each *Révision Générale.*

Suggested Procedures for each Leçon

Leçon 22

I. Conversation (15-20 minutes)

1. Some suggestions: Track II and III students might benefit by a brief preliminary explanation of the compound nature of the past tense in French.
2. Choral repetition (books open) after the teacher's model of *all* the printed forms in the answer column of each section, section by section, (with time for students to look at the English translations) should precede the asking of any of the questions.
3. Start the same section again (after the choral repetition) *asking* the questions and having individual students answer, completing each answer. With Track

I students, you may allow individual students to *ask* as well as *answer* the questions.

4. Go to *Structure A.* Do all, up to and including *Exercices 1 and 2.* Assign some of *Exercice 2* for homework. (See The *Structures,* page 18.)

II. Scène de la vie française

1. Introduce new vocabulary, active and passive, through choral repetition.
2. Do first part (up to the blue ball) as an intensive reading lesson. (See The Intensive Reading Lesson, page 17.) Then do second part. If Track I students wish to complete the *Scène,* by all means let them!

III. Vocabulaire actif

You might bring in some objects to illustrate, if you like! Be sure to check the vocabulary knowledge of your pupils before you complete the lesson.

IV. Dialogue Original

All pupils should do this after they have completed *Structure A.*

V. Les Structures

1. During the same period as you have completed the first part of *Scène de la vie française,* continue and complete *Structure A.* Start *Structure B* as soon as you can after completing the second half of the *Scène.*
2. Continue doing the *Structures,* having pupils participate as much as possible by (a) enacting the mini-dialogues illustrative of the point to be drilled, (b) asking pupils to *read* the sentences of each exercise as well as make the necessary changes, etc.

Exercices

1. Send a few pupils to the blackboard to write 6–12. While they are there, have remaining pupils write 1–5. Check the work. All tracks

   1. demandé. 2. habité. 3. travaillé. 4. continué. 5. étudié. 6. passé. 7. nagé. 8. mangé. 9. donné. 10. apporté. 11. acheté. 12. regardé

2. For all students, do only one sentence (one verb) at a time in all forms. For Tracks II and III, you might wish to limit the number of forms to be done. Just be sure all forms of the *auxiliary* are used at least once before you complete the entire exercise.

   1. a demandé; ont demandé; avons demandé; ai demandé; avez demandé. 2. a travaillé; avons travaillé; ai travaillé; as travaillé; avez travaillé; a travaillé. 3. as mangé; a mangé; ont mangé; a mangé. 4. avons étudié; as étudié; avez étudié; a étudié; a étudié; ont étudié. 5. ai passé; avez passé; a passé; a passé; as passé

20

3. All tracks.

   A. 1. Tu n'as pas. 2. Je n'ai pas. 3. Nous n'avons pas. 4. Vous n'avez pas. **B.** 5. Il n'a jamais. 6. Ils n'ont jamais. 7. Victor n'a jamais. 8. Anne n'a jamais

4. All tracks.

   1. As-tu. 2. Est-ce que j'ai. 3. Avons-nous. 4. Avez-vous. 5. A-t-il. 6. Ont-ils. 7. Victor a-t-il. 8. Anne a-t-elle

5. Optional exercise for Tracks II and III.

   1. a épousé. 2. a invité. 3. ont mangé. 4. a regardé. 5. ai joué. 6. avez nagé. 7. avons dansé. 8. as passé

6. All tracks.

   1. n'as pas. 2. n'ont pas. 3. n'avons pas. 4. n'a pas. 5. n'avez pas. 6. n'ai pas. 7. n'as pas. 8. n'a pas. 9. n'avez pas. 10. n'ont pas

7. Optional exercise for Tracks II and III, but a few forms should be worked out so that these pupils will later recognize them.

   1–4: As-tu fait. Ont-ils fait. Avons-nous fait. A-t-il fait
   5–8: Avez-vous fait. Est-ce que j'ai été. As-tu été. A-t-il été
   9, 10: Avez-vous été. Ont-elles été

8. Optional oral exercise for Tracks II and III, but good for a homework assignment.

   1. as fait. 2. a fait. 3. avons fait. 4. avez fait. 5. ont fait. 6. ai été. 7. as été. 8. a été. 9. avons été. 10. ont été

Section C.
Choral repetition of first two examples in the boxes. Individual reading of remaining examples by pupils. Elicit generalization (in blue box).

9. Orally, all tracks; For Tracks II and III, teacher asks questions.
   1. J'ai (or Nous avons) mangé de belles cerises fraîches. 2. Claire a visité de beaux lacs. 3. Il y a de jolis arbres... 4. Ma tante (or Elle) a apporté de nouveaux disques ... 5. Mon oncle (or Il) a acheté de vieux livres.

Exercice général. Orally in class and/or assigned for writing at home.

A. 1. Nous avons fait une belle promenade. (Nous n'avons pas fait de . . .)
   2. Nous avons été (Nous n'avons pas été) au bord de la mer.
   3. Nous avons trouvé des amis. (Nous n'avons pas trouvé d'amis.)
   4. Nous avons passé des disques. (Nous n'avons pas passé de disques.)
   5. Nous avons mangé des bonbons . . . (Nous n'avons pas mangé de bonbons . . .)

B. 6. J'ai parlé de l'école (Je n'ai pas parlé de l'école . . .)

21

7. Mon papa a cherché des journaux . . . (Mon papa n'a pas cherché de jour‐
naux . . .)
8. Ma maman a donné des tartines (Ma maman n'a pas donné de tartines . .
9. Mes cousins ont visité les jardins publics, ont nagé dans le lac.
10. Vous avez passé de belles vacances (Vous n'avez pas passé de belles . . .)

VI. Notes sur la civilisation française

Track I: Read to class, or read parts and have them read some silently. Follow
by Questions, orally or assigned.

Track II: Introduce in English. Point out all important new words (to be found
in the Questions), and give meanings of the words as well as importance
of the product. Do *Questions*.

Track III: Summarize in English. Study with the class the illustrations in the
textbook. Write new words (found in *Les Questions*) at the board. Re‐
peat chorally. Read first half of matching sentence; ask for letter for
completion. Choral repetition of completion.

Questions: 1. e. 2. f. 3. g. 4. b. 5. a. 6. i. 7. h. 8. d. 9. j. 10. c

VII. Amusons-nous! A very good one for Tracks II and III! Fun, in fact for
everybody!

Leçon 23

I. Conversation (15-20 minutes)

1. Use the same techniques as were recommended for Leçon 22.
2. If pupils in Tracks II or III seem to have difficulty with the last four or five
verbs, leave them for the present until you have drilled *Structure A, Exercice
1*, especially sentences 1 and 2, in all forms. Then return to the *Conversation*
and complete it.
3. All tracks to *Structure A, Exercice 1*, before reading *Scène*.

II. Scène de la vie française

1. Motivate students regarding their future careers, doing what they want to do
instead of what they have to do, etc.
2. Introduce new active and passive vocabulary through choral repetition, Part I.
3. Follow the directions included in the Intensive Reading Lessson, page 17.
4. After studying the *Scène* and hearing it on tape, pupils may wish to act one
or both parts out, taking roles. Offer a premium to a student who will read the
poem with expression, or recite it by heart!

III. Dialogue Original

This can be done, *Modèle et Substitutions*, as soon as you have completed
Structure C (indirect object pronouns).

IV. Vocabulaire actif

Assign the past participles as well as the words and expressions for memorization.

V. Structures

A. 1. Complete the generalization and *Exercice 1* before doing the *Scène*. Do either even numbers or odd numbers orally; assign the others for homework the first day of the lesson. (See below, *Exercice 1*.)

2. Try to complete *Exercice 2* and *3* after you've finished the first half of the *Scène*. (Exercice 3 is optional for tracks II and III)

B. Start this one right after you've finished the second part of the *Scène*. Choral repetition of infinitive and participle. Call on a pupil to read the examples.

C. In the presentation, have one pupil read the sentence under *Au présent*, another the one under *Au passé composé*. Have all sentences thus read in pairs. Allow pupils to read the contents of the blue box under the sentences silently, and elicit the generalization briefly.

D. In presenting the indirect object in the *passé composé*, enact the sentences with a pupil, or have two pupils enact them, one reading the question part, the other the answer. Generalize as in C.

E. Choral repetition of each idiom in turn. Enact the Exemple with a student before tackling the exercice. Have students enact the *exercice* in pairs. You read only the "cue."

Exercices

1. Track II, sentences 1, 3, 5, 7, orally; for written homework 2, 4, 6.
   Track III, sentences 2, 4, 6, orally in class. Write 1, 3, 5.

   1. Vous avez fini; Tu as fini; Elle a fini; Ils ont fini; J'ai fini; On a fini.   2. Alice a choisi; Nous avons choisi; Vous avez choisi; Les garçons ont choisi; J'ai choisi.   3. Tu n'as pas fini; Roger n'a pas fini; Nous n'avons pas fini; Vous n'avez pas fini; Elles n'ont pas fini; On n'a pas fini.   4. Tu n'as pas choisi; Vous n'avez pas choisi; Jacques n'a pas choisi; Marc et Jean n'ont pas choisi.   5. Avons-nous fini; Ont-ils fini; As-tu fini; A-t-il fini; A-t-on fini; Ai-je fini (Est-ce que j'ai fini.)   6. Marc a-t-il; Mimi a-t-elle; Les enfants ont-ils; Les jeunes filles ont-elles.   7. Papa a-t-il guéri; Maman a-t-elle guéri; Les grands-parents ont-ils guéri.

2. Track I, first affirmative, then negative answers of same sentence.
   Tracks II and III, first all affirmative; the negative the second time around.
   For all tracks, enact *Exemple* with a pupil, or have it enacted in pairs.

   1. Oui, j'ai fini; Non, je n'ai pas fini.   2. Oui, Paul a choisi; Non, Paul n'a pas choisi.   3. Oui, Alice a choisi; Non, Alice n'a pas choisi.   4. Oui, nous avons puni; Non, nous n'avons pas puni.   5. Oui, nous avons fini; Non, nous n'avons pas fini.   6. Oui, ils ont guéri; Non, ils n'ont pas guéri.

3. Optional for Tracks II and III. Enact *Exemple*, or have it enacted.

   1. Avez-vous fini.   2. As-tu fini.   3. Alice a-t-elle choisi.   4. Avez-vous choisi.
   5. Les docteurs ont-ils guéri.   6. Marc a-t-il puni

4. For Tracks II and III limit oral forms to affirmative and negative declarative, using intonation and *Est-ce que* for producing questions, and inversion for recognition only. Cover all forms of auxiliary in assignment.

   1. Nous avons dit; Tu as dit; On a dit; Vous avez dit; Paul a dit; Ils ont dit.
   2. Vous n'avez pas écrit; Je n'ai pas écrit; Nous n'avons pas écrit; Elles n'ont pas écrit.   3. Elles ont mis; J'ai mis; Nous avons mis; Tu as mis; Vous avez mis.   4. As-tu pris; A-t-il pris; Ont-elles pris; Avons-nous pris; Est-ce que j'ai pris.   5. Vous avez appris; On a appris; J'ai appris; Tu as appris.   6. Paul a-t-il compris; Avez-vous compris; Les élèves ont-ils compris

5. Track I, all. Tracks II and III, Nos. 1–5 and 9, 10.

   1. J'ai choisi.   2. Tu as fini.   3. Il a appris.   4. Nous avons mis.   5. Le médecin a guéri.   6. A-t-elle compris.   7. Ont-ils pris.   8. Avez-vous écrit.
   9. Vous n'avez pas dit.   10. Je n'ai pas pris

6. To save time, you might do (A) *ne . . . pas*, with numbers 1–5; (B) *ne . . . plus*, with numbers 6–10. All tracks.

   1. Je ne dis pas; je ne dis plus.   2. Tu ne comprends pas; Tu ne comprends plus.   3. Elle ne parle pas; Elle ne parle plus.   4. Nous ne demeurons pas; Nous ne demeurons plus.   5. Vous ne mettez pas; Vous ne mettez plus.   6. Tu n'as pas dit; Tu n'as plus dit.   7. Elle n'a pas; Elle n'a plus.   8. Je n'ai pas; Je n'ai plus.   9. Nous n'avons pas; Nous n'avons plus.   10. Vous n'avez pas; Vous n'avez plus

7. All tracks, all sentences, orally. Assign selected ones for writing, such as 1, 3, 5, 7.

   1. lui a dit.   2. lui a téléphoné.   3. leur a parlé.   4. ne leur a pas dit.   5. ne lui a jamais téléphoné.   6. Lui avez-vous parlé.   7. Leur avez-vous téléphoné

8. Enact model sentences with a pupil, or have two pupils enact them. Orally, all tracks. For written homework, either odd or even numbers. All tracks.

   1. Oui, Paul m'a écrit.   2. Oui, Marc m'a dit.   3. Oui, Alice et Janine nous ont dit.   4. Oui, elles nous ont écrit.   5. Oui, elles vous ont parlé.   6. Oui, elles vous ont donné.   7. Oui, il vous a téléphoné.   8. Oui, elle t'a téléphoné

9. Orally, all tracks. Assign even or odd numbers, especially to Tracks II and III.

   1. Non, je suis en train d'apprendre une leçon.   2. Non, Paul est en train de finir ses devoirs.   3. Non, Marie est en train de jouer de la guitare.   4. Non, vous êtes en train de parler français.   5. Non, vous êtes en train de boire de l'orangeade.   6. Non, mes (nos) amis sont en train de passer des disques

10. Pupils ask and answer questions, all tracks. Free responses.

11. Enact *Exemple* before the Exercice. All tracks, orally, 1–5, in pairs of students (one asks the question, the other answers it). Assign, if necessary, for writing. (Writing is optional for all tracks.)

1. Non, je viens d'écrire des vers. 2. Non, il vient de prendre des photos.
3. Non, elle vient d'apprendre un poème. 4. Non, je viens de finir la lettre.
5. Non, ils viennent de demander des sous

Exercice général Go over the *Exercice général* first with Tracks II and III, to sample the form changes necessary. Assign for writing.

1.   jour, mois, année

                                                      . . .   .

2. Cher (Chère) . . . ,

3. a. j'ai fini . . . et j'ai le temps . . . b. j'ai choisi mes cours . . . c. Je comprends bien . . . d. Je veux devenir . . . e. Je veux passer . . .
4. a. Veux-tu passer les vacances avec moi? b. Veux-tu aller . . . c. As-tu fini . . .
5. Ecris-moi.

                                                      6. Ton ami (e),

                                                          . . . . .

VI. Notes sur la civilisation française

1. Read aloud to Track I, and follow with questions. (Give students time to consult the marginal glosses.)

2. Work with the illustration for Track II for such things as American newspaper and magazines, the large number of periodicals, number of *lecteurs* (explain *lecteurs*); then read to students whatever paragraphs they are apt to be able to understand. Do the *Questions* with them, explaining the new French words.

3. With Track III, summarize the passage in English; study the illustration; work with the list of French literary words on page 83. Do the *Questions*, helping students with the new French words.

4. Questions

   1. d. 2. e. 3. b. 4. c. 5. f. 6. a.

Amusons-Nous!

VII. Fun for everybody here. (And optional, of course.) With Tracks II and III, start with the feminines (instruments) and give them a model for their answer, such as **Qui** *joue de la clarinette?* **Qui** *joue de la trompette?* **Qui** *joue du piano?* **Qui** *joue du violon?*

25

Leçon 24

I. Conversation

1. Have choral repetition of all the printed answers (books open) of each section before you ask the questions to elicit them. If Tracks II and III require some help, give them a preview of *Structures A and B*, by turning to pages 91 and 93. Read the *Formation*, and conduct a repetition drill of the verb paradigm.

2. As you ask the questions, give pupils time to read the English meanings below each one.

3. Hold pupils responsible only for the *answers*. Track I may begin to read the questions in section C. Track II should give answers only, as should Track III.

4. If Tracks II and III have difficulty with the answers involving *pouvoir* and *vouloir* (followed by the infinitive), have them repeat the *complete* answer chorally, before they give the answer individually.

5. Go to *Structure A*. Explanation and practice through *Exercice 1*.

II. Scène de la vie française

1. Do the first part as an intensive reading lesson. (See page 17.)
2. Do the second part also as an intensive reading lesson.
3. Intersperse both parts with appropriate questions in the *Discussion*, personalizing the active vocabulary of the lesson, as well as the *Questions*.

III. Dialogue original

All tracks should do this, *Modèle et Substitutions*, after *Exercice 7*. Track I can add original substitutions of their own.

IV. Vocabulaire actif

Remind students that they must learn the past participles by heart, as well as the rest of the vocabulary.

V. Structures

A. *Exercice 1*, as previously stated, should be covered before doing the *Scène*. The remainder of A should be done after you have completed the first half of the *Scène*. *Exercice 2* is optional for Tracks II and III.

B. This structure section should be done as you have completed the second half of the *Scène*. *Exercice 6* is optional for Tracks II and III.

C. All tracks should have oral and written practice with this structural point.

Exercices

1. Tracks II and III, do numbers 1–3; Track I, numbers 1–5, right after the Conversation.

1. Nous avons entendu; Tu as entendu; Vous avez entendu; Elle a entendu; On a entendu; Elles ont entendu.   2. Nous n'avons pas rendu; Tu n'as pas rendu; Vous n'avez pas rendu; Ils n'ont pas rendu; Il n'a pas rendu; On n'a pas rendu. 3. Elle n'a pas vendu; Vous n'avez pas vendu; Tu n'as pas vendu; Nous n'avons pas vendu.   4. As-tu attendu; Ont-ils attendu; A-t-il attendu; A-t-on attendu; Avons-nous attendu; Ai-je attendu.   5. Avez-vous répondu; A-t-elle répondu; Ont-elles répondu; Avons-nous répondu; Ai-je répondu

2. Optional for Tracks II and III.

1. A-t-elle attendu.   2. Avons-nous vendu.   3. Ai-je répondu (Est-ce que j'ai.) 4. Avons-nous perdu.   5. Ont-ils rendu.   6. As-tu entendu

3. Tracks II and III, numbers 1, 3, 4, 6; Track I, all.

1. Elle a entendu.   2. Avez-vous répondu.   3. Tu as perdu.   4. Je n'ai pas rendu. 5. Ont-ils attendu.   6. Nous avons vendu

4. Track II, odd numbers orally, even numbers for written homework. Track III, orally, numbers 1 and 3; numbers 2 and 4 for written homework. Track I, all orally; 4, 5, 6 for written homework.

1. J'ai vu; Tu as vu; Nous avons vu; Vous avez vu; Ils ont vu;   2. Ils ont voulu; Nous avons voulu; J'ai voulu; Vous avez voulu; Tu as voulu; On a voulu; 3. Nous n'avons pas lu; Tu nas pas lu; Vous n'avez pas lu; Ils n'ont pas lu; Il n'a pas lu; On n'a pas lu.   4. Ils n'ont pas pu; Nous n'avons pas pu; Je n'ai pas pu; Vous n'avez pas pu; Tu n'as pas pu; On n'a pas pu.   5. Ont-ils lu; Avons-nous lu; Avez-vous lu; As-tu lu; Ai-je lu; A-t-on lu.   6. A-t-il eu; Avez-vous eu; As-tu eu; Avons-nous eu; Ai-je eu

5. All tracks, oral and/or written. Introduce inversion to track III for recognition.

1. Il a vu les arbres hier.   2. Nous avons voulu venir hier.   3. Pierre a pu partir hier.   4. Je n'ai pas lu toute la leçon hier.   5. Vous n'avez pas vu la mer hier?   6. Avez-vous eu mal à la gorge hier?

6. Optional for Tracks II and III.

1. A-t-elle perdu.   2. Ont-ils vu.   3. Avons-nous répondu.   4. As-tu pu. 5. Avons-nous voulu.   6. Ont-ils lu

7. All tracks. Orally, numbers 1–5; the rest for written homework.
1. Nous avons déjà dansé.   2. Vous avez bien chanté.   3. Avez-vous beaucoup lu.   4. A-t-il enfin vu.   5. Il a souvent vu.   6. J'ai encore perdu.   7. Avez-vous mal répondu.   8. Non, j'ai bien répondu.   9. Ils ont vite lu.   10. Claire a trop parlé

Exercice général   Track I, assign for writing. Tracks II and III, review orally before assigning for writing.

Nous avons vu nos amis . . . Nous avons entendu chaque personne . . . J'ai lu le programme avec intérêt et j'ai été très content. . . . a joué de la clarinette et . . . a joué de l'orgue. Ils ont bien joué. 7,8,9, and 10, no change

VI. Notes sur la civilisation française

Read to class, pupils following the text. Track I, all. Track II, material on pages 94 and 95. Track III, whatever they can absorb without difficulty. Answer Questions, page 97: Track I, all; Track II and III, all with teacher's help in vocabulary comprehension.

Questions

1. d. 2. g. 3. h. 4. j. 5. e. 6. i. 7. c. 8. b. 9. f. 10. a.

VII. Amusons-Nous!

Fun for all, especially for Tracks II and III. As much time as you can.

Leçon 25

I. Conversation (15-20 minutes)

1. This Conversation is like those of Lessons 22, 23, and 24: choral repetition of *all* the printed forms in the answer column should be done section by section before pupils are asked to answer the questions.
2. Tracks II and III may need further elucidation of the formation of the *passé composé* with these verbs. If they have difficulty in manipulating Section A, review the *Formation* in Structure A, pp. 104–105, before asking the questions. (Have pupils participate in the presentation by reading or repeating chorally the paradigms on page 104 and the examples on page 105.)
3. At the end of the *Conversation,* turn to Structure A and present all, including drills in *Exercice 1.* See below for suggestions regarding the sentences to use for the different tracks, page 29, of this lesson.

II. Scène de la vie française

1. First half, as an intensive reading lesson. (See the outline of the Intensive Reading Lesson, page 17.) Then complete *Exercices* 1 and 2.
2. Second half, as an intensive reading lesson.
3. Give pupils practice in choral repetition of sentences containing important active vocabulary, such as *crème, sucre, œuf, boucher, boucherie,* etc. Then do as much as you can of the Structure exercises.
4. Intersperse wherever possible with questions from the *Discussion* which personalize the vocabulary just covered.

III. Dialogues originaux

All tracks should do the *Modèle et Substitutions* any time after *Exercice 2.* Track I should add other substitutions of their own.

IV. Vocabulaire actif

Pictures of French streets with the names of stores (*Boucherie, Boulanger*, etc.) would be an interesting touch. You can practice using the words in this vocabulary in a number of contexts. Use the questions in the *Discussion* freely.

V. Structures

A. It may be wise to present both the obligatory and optional liaisons, as some pupils may find it easier to pronounce the forms *with* the optional liaisons than without them. Include a paradigm of your own in the negative, with *pas allé* (*arrivé, entré*) and *plus allé* (*arrivé, entré*) with and without the liaison between *pas* and *plus*, so that students will be prepared to understand both in auditory comprehension.

Exercices

1. Tracks II and III, orally, only the first four. Track I, as much as you have time for. Assign others for written homework.

   1. Nous sommes allés; Vous êtes allé; Tu es allé; Elle est allée; On est allé; Elles sont allées.   2. Tu es arrivé; Nous sommes arrivés; Vous êtes arrivés; Il est arrivé.   3. Ils sont rentrés; je suis rentré; Nous sommes rentrés; Vous êtes rentré; tu es rentré; On est rentré.   4. Elles sont venues; Il est venu; Je suis venu; Vous êtes venu; Nous sommes venus.   5. Je suis parti; Vous êtes parties; Tu es parti; Il est parti; Ils sont partis.   6. Tu es sorti; Nous sommes sortis; Je suis sorti; Il est sorti; On est sorti; Ils sont sortis.   7. Paul est revenu; Tu es revenu; Vous êtes revenu; Je suis revenu; Paul et moi sommes revenus.   8. Marie est descendue; Vous êtes descendu; Je suis descendu; Paul et Jacques sont descendus

2. All Tracks, orally. Assign most of it for written homework.

   1. Je ne suis plus allé.   2. Tu n'es plus venu.   3. Il n'est plus resté.   4. Elle n'est plus sortie.   5. Nous ne sommes plus partis.   6. Vous n'êtes plus arrivé.   7. Ils ne sont plus revenus.   8. Elles ne sont plus montées

3. Change to the interrogative first with *Est-ce que* and by intonation with the first three or four forms. Tracks II and III may do half of this, but be sure to include #11 or #12 when inverting, for recognition and understanding.

   1. Êtes-vous restés.   2. Es-tu entré.   3. Est-il sorti.   4. Est-elle partie.   5. Pierre est-il sorti.   6. Sommes-nous venus.   7. Êtes-vous rentrés.   8. Sont-ils revenus.   9. Sont-elles arrivées.   10. Louise est-elle partie.   11. Les enfants sont-ils allés.   12. Les garçons sont-ils devenus

4. All tracks, orally first. Assign at least half for writing.

   1. Je (ne) suis (pas) allé(e).   2. Je (ne) suis (pas) parti(e).   3. Je suis sorti(e) avec.   4. Je suis arrivé(e) à.   5. Mes amis sont venus.   6. Je (ne) suis (pas) resté(e).   7. Je suis rentré(e) avec.   8. Je suis revenu(e) tard (de bonne heure)

Exercice général Assign for homework after explaining. Enact in class the following day. Collect papers for checking. (Allow use of Est-ce-que in questions.)

1. Êtes-vous allé(e). 2. Je suis allé(e). 3. Êtes-vous arrivé(e) 4. Nous sommes arrivés. 5. sont venus. 6. Avez-vous vu 7. Ils sont partis. 8. Ils ont attendu . . . ils ont dit. 9. Ont-ils nagé. 10. Nous avons nagé

VI. Notes sur la civilisation française

Track I may read the entire passage, as usual, following the text as the teacher reads it, and then do all the Questions. For Tracks II and III, the teacher may read selected passages after introducing the subject in English. Try to do as many questions as you can, after clarifying the English meanings of new vocabulary. (There are just a few new words here.)

Questions

1. d. 2. h. 3. i. 4. a. 5. e. 6. j. 7. b. 8. g. 9. c. 10. f.

VI. Amusons-nous!

This popular folk song (often called "Lundi Matin") is quickly learned and is a good change of pace. It will be an unforgettable reminder of the fact that verbs can be conjugated with either *être* (venus) or *avoir* (dire). It's quickly learned, and is just great for Fridays.

Leçon 26

I. Conversation

Again, books must be open. Again, the printed forms in the right-hand (answer) column should be chorally repeated before any questions are asked. Remember to repeat *all the forms* in a Section before asking the questions. If Tracks II and III need additional explanation, give it to them by using the verb paradigms on page 117, again with a choral repetition; then have pupils read the generalization in the blue box. After the *Conversation*, go to *Structure A*. Complete *Exercice 1* and as much as you can of *Exercice 2*.

II. Scène de la vie française

1. As usual, do the first part as an intensive reading lesson (page 17). Complete *Exercice 2* after completing the first part; do as much as you can of *Structure A*.
2. During the reading of the second half, have choral repetition of lines 44–52. Volunteers may wish to prepare to enact this scene. If you have time at the end of part II, continue with the Structures.

III. Dialogue original

You can do this after you have read the *Scène* and have completed *Exercice 2*.

IV. Vocabulaire actif

You can use the *Discussion* to reinforce this, or compose simpler sentences of your own, such as *Avez-vous une villa? Avez-vous une bonne note en anglais?* etc.

V. Structures

Follow the usual procedures. Modifications for Tracks II and III are indicated at the head of each Exercice to follow.

Exercices

1. For all tracks, orally.

   1. donnerai, donnerez; trouverai, trouverez; chercherai, chercherez; jouerai, jouerez; finirai, finirez; entendrai, entrendrez; perdrai, perdrez
   2. mangeras, mangera; laisseras, laissera; rentreras, rentrera; choisiras, choisira; rendras, rendra; puniras, punira
   3. tournerons, tourneront; travaillerons, travailleront; visiterons, visiteront; guérirons, guériront; vendrons, vendront

2. Track I, all oral; C, written. Tracks II and III, one or two oral, one written.

   A. 1. gagnerai. 2. gagnerez. 3. gagneras. 4–6. gagnera. 7. gagnerons. 8–9. gagneront. B. 1. passerai. 2. passerez. 3. passeras. 4–6. passera. 7. passerons. 8–9. passeront. C. 1. penserai. 2. penserez. 3. penseras. 4–6. pensera. 7. penserons. 8–9. penseront. D. 1. rendrai. 2. rendrez. 3. rendras. 4–6. rendra. 7. rendrons. 8–9. rendront

3. Sample use of *Est-ce que* and *intonation* for questions, especially for Tracks II and III, before doing this exercise. Show these pupils the use of the interrogative signal "t" for the third singular. Do only a few sentences with inversion so that they will recognize the structure when they see or hear it.

   1. Gagnera-t-il. 2. Me prêterez-vous. 3. Étudieront-ils. 4. Guérira-t-elle. 5. Entendrons-nous. 6. Voyageras-tu. 7. Est-ce que je refuserai. 8. Loueront-elles. 9. Est-ce que je penserai. 10. Attendront-ils

4. Required for all tracks. Do orally; assign at least half.

   1. Il ne gagnera jamais. 2. Vous ne me prêterez jamais. 3. Ils n'étudieront jamais. 4. Elle ne guérira jamais. 5. Nous n'entendrons jamais. 6. Tu ne voyageras jamais en. 7. Je ne refuserai jamais. 8. Elles ne loueront jamais de. 9. Je ne penserai jamais à. 10. Ils n'attendront jamais

5. This exercise is optional for all tracks. Work a few of them with the class so that they will recognize the construction when they meet it aurally or in writing. Allow pupils to do as much more as they wish to.
   Réponses. All sentences start with *Pourquoi*, and continue as follows:

   1. ne montrera-t-il pas. 2. n'oubliera-t-il pas. 3. n'épousera-t-elle pas. 4. ne planteras-tu pas. 5. n'accepteront-ils pas. 6. ne mangeront-ils pas. 7. n'at-

31

tendront-ils pas.   8. ne rendrai-je pas.   9. ne finirons-nous pas.   10. est-ce que je ne choisirai pas

6. Optional for Tracks II and III. The latter might write 1–5 before reciting orally. Track I, orally and in writing.

1. arriverez-vous.   2. arriverai.   3. Passerez-vous.   4. Nous passerons; danserons.   5. Qui choisira.   6. les choisiront.   7. attendrez-vous.   8. attendront; rentreront

7. Required for all tracks, orally.

1. prendrai, prendrez; apprendrai, apprendrez; lirai, lirez; écrirai, écrirez; mettrai, mettrez; dirai, direz.   2. comprendras, comprendra; ouvriras, ouvrira; mettras, mettra; diras, dira; écriras, écrira.   3. apprendrons, apprendront; lirons, liront; mettrons; mettront; dirons, diront; écrirons, écriront.   4. sortirez, sortirai; ouvrirez, ouvrirai; partirez, partirai; comprendrez, comprendrai.   5. prendras, prendra; liras, lira; sortiras, sortira; partiras, partira; apprendras, apprendra; prendras, prendra.   6. comprendrons, comprendront; dirons, diront; sortirons, sortiront; partirons, partiront; ouvrirons, ouvriront

8. All tracks. You might tell pupils to answer 1–5 in the affirmative and 6–10 in the negative, to insure practice forming both.

1. je (ne) prendrai (pas).   2. je (ne) lirai (pas).   3. j'écrirai (je n'écrirai pas).   4. Paul (ne) dira (pas).   5. Il (ne) comprendra (pas).   6. nous (ne) mettrons (pas).   7. nous (n')ouvrirons (pas).   8. les copains (ne) sortiront (pas).   9. ils (ne) partiront (pas).   10. ils (ne) rentreront (pas).   11. il (ne) lira (pas).   12. j'apprendrai (je n'apprendrai pas)

9. Optional for Tracks II and III.

1. prendra.   2. apprendra.   3. comprendrez.   4. liras.   5. écriras.   6. dira.   7. sortira.   8. partiront

10.   All Tracks. Sample #1 and #2 in class, orally. Assign the rest for homework.

1. trouve.   2. arrivent.   3. visitez.   4. travaillons.   5. guérissent.

11.   Free responses. Encourage pupils to make it "real."

12.   The problem here is the contractions with *de* and gender of the noun! For Tracks II and III, you may list the nouns on the blackboard before doing the drill.

1. Est-ce à cause de l'examen?   2. . . . des vacances?   3. C'est à cause de la surprise-partie.   4. . . . du match.   5. . . . de mes parents

13.   Tracks II and III may have trouble starting this one! But they need it! All replies begin "Qu'est-ce . . ." and continue as follows: 1. qu'il a.   2. que tu as.   3. qu'ils ont.   4. que nous avons.   5. que j'ai

Exercice général   Assign for written homework. With Tracks II and III, go over it first in class.

1. donnera. 2. invitera. 3. choisira. 4. choisiras, passeras. 5. apprendrez. 6. apprendrai, apprendra. 7. a déjà appris. 8. entendez. 9. a dit

VI. Notes sur la civilisation française

1. Read aloud to all tracks. Do questions with all tracks. (They are easy!)

2. Questions: 1. d. 2. e. 3. f. 4. g. 5. c. 6. a. 7. b.

VII. Amusons-nous!

Fun in the future for all classes! Optional.

Révision générale V.

General Directions for the *Révisions générales:*

As each *Révision Générale* is somewhat different, only general suggestions for treatment can be given. The balance between homework assignments and class work is important. Assign for homework those exercises which require time to think out, such as the writing of original sentences, and the preparation of *Le Petit Théâtre Impromptu.* (The latter is best assigned, we feel, in teams, or groups, so that several or all the little sketches can take place on the same day.)

The *Etude de vocabulaire* may either be assigned and then checked in class, or done entirely in class, as the teacher sees fit. The *Notes sur la civilisation française* can be assigned to Track II and III students as well as to Track I students, as the page references will be adequate for them to find the answers.

As a "rule-of-thumb" (which is by no means infallible), the exercises marked *Etudiez* might be done at home, while matching and completion exercises can be done readily in class. You, as the teacher, will know best what your class will need!

Réponses:

D.

1. c. 2. a. 3. e. 4. b. 5. d

E.

1. i. 2. h. 3. j. 4. e. 5. c. 6. a. 7. d. 8. f. 9. b. 10. g

IV Vrai ou Faux?

1. F. 2. F. 3. V. 4. F. 5. F. 6. F. 7. V. 8. V. 9. V. 10. V. 11. F. 12. F. 13. V. 14. F. 15. V.

1. On cultive assez. 2. le blé. 4. les fromages. 5. ont beaucoup. 6. beaucoup de librairies. Les Français aiment beaucoup lire. 11. pas beaucoup. 12. On ne trouve pas de. 14. parce que c'est un centre politique, administratif et culturel, et aussi un grand port.

Leçon 27

I. Conversation (15 to 20 minutes)

With books open, have choral repetition of *all* of the printed forms of Section A before you ask the questions. Then put the questions to the class. Do the same with each section, making sure pupils understand the meanings of the forms as they repeat them. Pupils might be encouraged to use a ruler or a card to keep the place as they *listen* to your question and as they prepare their answer. As usual, if you find that Tracks II and III have difficulty answering, first present the forms in *Structure A*, on page 137; *then* do the *Conversation*.

II. Scène de la vie française

1. Intensive reading, first part I, then part II. (See The Intensive Reading Lesson, page 17.) During the first part of the reading, show pupils the illustration of the vaccination certificate on page 146.
2. After they have heard the *Scène* a few times, and especially after all the Structures have been drilled, pupils may enjoy enacting part or all of it!

III. Vocabulaire actif

1. Be sure to point out the Roman numbers in parentheses after regular verbs. The notation will be made in all future *Vocabulaires actifs*.
2. Test pupils on the vocabulary after most of the structures have been drilled.

IV. Dialogue Original

All pupils should do this one after completing the exercises in *Structure A*.

V. Structures

A. Conduct appropriate pronunciation drills before choral repetition of the forms. In paragraph 2, bottom of page 137, enact the forms with a student, the student reading the *Est-ce que* forms, while you read the formal inverted forms. Choral repetition of your reading by the class. Throughout the structures, where mini-dialogues illustrate usage, enact these, too, with a student. Or have two students enact them if there are no pronunciation problems!

B. Read the model sentences in the boxes, giving pupils time to consult the English below. Elicit the principle by questioning. Have a pupil read the generalization as a summary.

C. Choral repetition of the forms, with time for pupils to read the English.

D. Same procedure as in B, above.

E. Same procedure as in C, above, but ask for the English, especially with Tracks II and III.

F. Same procedure as in B, above.

G. Enact dialogue. Do *Notez bien* as you proceed through *Exercice 15*.

Exercices

1. Orally, all tracks.

   1. serai, serez.   2. ferai, ferez.   3. (tu) auras; (il, elle, on) aura.   4. (tu) sauras,

(il, elle, on) saura. 5. (ils, elles) iront, (nous) irons. 6. (ils, elles) pourront, (nous) pourrons

2. All tracks will need practice with these, but they may be scattered during the entire length of the unit instead of being done in one day. Do half first orally; the other half first written, then orally checked.

A. irai, irez, iras, ira, ira, ira, iront, irons
B. serai, serez, seras, sera, sera, sera, seront, serons
C. ferai, ferez, feras, fera, fera, fera, feront, ferons
D. aurai, aurez, auras, aura, aura, aura, auront, aurons
E. saurai, saurez, sauras, saura, saura, saura, sauront, saurons
F. pourrai, pourrez, pourras, pourra, pourra, pourra, pourront, pourrons

3. All tracks, orally; some for writing.

A. 1. n'irons pas à. 2. ne sera pas la. 3. n'aura pas lieu. 4. ne faudra pas. B. 5. ne pourront jamais. 6. ne saurai jamais jouer. 7. ne sera jamais. 8. ne feront jamais

4. All tracks, orally; some for writing.

1. Irez-vous. 2. Serons-nous. 3. Feront-ils. 4. Faudra-t-il. 5. Auras-tu. 6. Saura-t-elle. 7. Pourront-ils. 8. Ira-t-on

5. Optional for Tracks II and III.

1. Nous irons. 2. Ce sera. 3. On fera. 4. Vous aurez. 5. Je pourrai. 6. Tu sauras. 7. Il faudra. 8. Elles seront

6. Tracks II and III, half orally, half for writing. Track I, all orally; some for writing.

1. serez. 2. irons. 3. saurez. 4. sera. 5. entendrons. 6. sortira. 7. ferez. 8. arriverez. 9. serons. 10. ira

7. All tracks, orally.

Answer: faudra (for all six sentences)

8. All tracks, orally. Assign for writing.

1. Il te faut. 2. Il lui faut. 3. Il lui faut. 4. Il me faut. 5. Il nous faut. 6. Il vous faut. 7. Il leur faut

9. All tracks. Tracks II and III may be allowed time to work them out silently before reciting.

A. avant de manger; avant de jouer; avant de refuser; avant d'écrire; avant de faire; B. sans écouter; sans refuser; sans comprendre; sans étudier; sans lire

10. All tracks, orally. Show Tracks II and III where the answers are!

1–5: toi-même; moi-même; lui-même; elle-même; soi-même. 6–10: nous-mêmes; vous-même(s); eux-mêmes; elles-mêmes; soi-même

11. Optional for Track III. Homework assignment for Tracks I and II.

vous-même. moi-même. lui-même. nous-mêmes. elle-même.

12. Tracks II and III should do at least 1, 2, 3.

Free responses, but one must add *de* to the fragment in column A before adding the infinitive phrase in column B.

13. This exercise is optional. Track I will be challenged by it.

1. Paul sera-t-il; Paul (ne) sera (pas). 2. Serez-vous; Je (ne) serai (pas). 3. Serons-nous; Nous (ne) serons (pas). 4. Sera-t-il; Il (ne) sera (pas). 5. Sera-t-il; Il (ne) sera (pas). 6. Seront-ils; Ils (ne) seront (pas)

14. All tracks. Give Tracks II and III a few seconds to work each out. Be sure you have done the *liaison* exercise before you embark on it. (See Test Booklet.)

1. Elle en est. 2. Nous en sommes. 3. Vous en êtes. 4. J'en serai. 5. Tu en seras

15. Track I should do all. Tracks II and III, sample, or do as much as pupils find interesting. *Don't belabor the agreement of the adjective.*

1. avez l'air heureux *or* heureuse. 2. Elle a l'air intelligent *or* intelligente. 3. a l'air deçu. 4. avons l'air content *or* contents. 5. as l'air malheureux *or* malheureuse. 6. ont l'air triste *or* tristes. 7. a l'air intéressant. 8. ont l'air très jeune *or* jeunes. 9. J'ai l'air stupide. 10. ont l'air sympathique(s)

16. All tracks.

1. aura. 2. auront. 3. aura. 4. auront

17. All tracks. Free response.

Exercice général   Free responses. Assign for written homework.

VI. Notes sur la civilisation française

1. The usual procedures for each of the tracks. (See the suggestions for the *Notes*, Leçon 22, page 22; Leçon 23, page 25.)

2. Questions: 1. c. 2. b. 3. c. 4. c. 5. b. 6. c. 7. c. 8. c. 9. b. 10. a

VII. Amusons-nous!

Important for all students as an exercise in inference. Play as much of the game as you have time for! Required!

Leçon 28

I. Conversation

1. Enact the sentences for which the answers are printed. Have choral repetition of these. Then act them out with individual students, one by one, making the

two statements in the left-hand column and having the student make the statement in the right-hand column (volunteers, of course!)

2. If pupils in Tracks II and III have difficulty in pronunciation, have them repeat the two statements in the left-hand column first, before they attempt to make the change.

3. After Sections A–D, turn to *Structure A, 1*, page 156 and generalize.

4. After doing Section D, turn to *Structure A, 2* on page 156; generalize. Assign for homework *Exercice 1* and sentences in the Sections of the *Conversation* which do not have printed answers.

II. Scène de la vie française

1. Before starting the *Scène*, have pupils consult the maps on page 164 and the pictures on pages 163 and 166. Discuss the province of Brittany briefly.

2. Motivate the reading of the story through the interest factor of "working during the summer vacation." See The Intensive Reading Lesson, page 17.

III. Vocabulaire actif

Expect students to know these words actively, *only after* you have covered the *Scène*, the *Questions*, the *Discussion* and most of the exercises. Test their knowledge of these words and expressions.

IV. Dialogue original

All pupils should do this; but it's best to wait until after Structure C.

V. Structures

A. These are best done after you have read the first part of the *Scène*.

B. These should be done after you have read the second part of the *Scène*.

C. Do the rhythm and pronunciation drills for these, before or after choral reading of the forms. Directions for individual exercises are given below.

D. The same as B., above.

E. Choral reading. You'll have no problem with these, but they will eventually have to be tested in *written form*.

Exercices

1. All tracks. Orally and in writing. (Only review vocabulary is used.)

    1. les élèves qui ont. 2. le professeur qui dit. 3. les paquets qui sont. 4. le paquet que nous. 5. des fruits que nous. 6. l'argent que papa. 7. la dame à qui. 8. le docteur chez qui. 9. les marchands de qui. 10. le médecin qui vient.

2. All tracks. Orally; writing, if you wish. (New vocabulary is included here.)

    1. qui. 2. qui. 3. que. 4. que. 5. que. 6. qui. 7. qui. 8. qu'

3. A written exercise. All tracks. (Don't belabor it, however, in Track III.) Only review vocabulary is included in this exercise.

1. acheté. 2. perdus. 3. remplacée. 4. cherchées. 5. vu. 6. vue. 7. entendue. 8. passés. 9. trouvés. 10. invitée

4. A written exercise. All tracks. New vocabulary is included here.

1. remplacée. 2. trouvée. 3. passés. 4. écrites. 5. lue. 6. choisis. 7. laissés. 8. visité. 9. gagné. 10. eue

5. Be sure you have done the rhythm drills. (They are also on the tape for this lesson.) Allow pupils in Tracks II and III to write the forms for the *passé composé* and *futur* before reciting in class.

A. 1. réussit, réussis, réussit, réussissent, réussissons, réussissez. 2. as réussi, a réussi, ont réussi, avons réussi. 3. réussirez, réussirons, réussiront, réussiras, réussira. B. 1. obéis, obéit obéissent, obéissons, obéissez. 2. as obéi, a obéi, ont obéi, avons obéi, avez obéi. 3. obéirez, obéirons, obéiront, obéiras, obéira

6. Required for all tracks.

1. ne réussit jamais. 2. ne réussira jamais. 3. n'avez jamais réussi. 4. n'obéiras jamais. 5. n'avons jamais obéi

7. Required for all tracks.

1. Obéis. 2. Obéissez. 3. Obéissons. 4. Réussis. 5. Réussissez. 6. Réussissons

8. Designed for practice, using the preposition *à*, this exercise is optional in the passé composé and futur. It should be done, however, by all pupils, in the present tense.

1. réussis (as réussi, réussiras) à. 2. réussit (a réussi, réussira) à. 3. réussissent (ont réussi, réussiront) à. 4. réussissons (avons réussi, réussirons) à. 5. réussissez (avez réussi, réussirez) à. 6. obéis (ai obéi, obéirai) à. 7. obéis (as obéi, obéiras) aux. 8. obéit (a obéi, obéira) à. 9. obéissons (avons obéi, obéirons) à. 10. obéissez (avez obéi, obéirez) au

9. For all tracks.

1. Lui obéis-tu. 2. Lui avez-vous obéi. 3. ne leur obéit. 4. lui obéis. 5. y obéissons. 6. y obéissent

10. An optional exercise, designed primarily for good Track I classes.

1. elle m'obéira, ne m'obéira pas. 2. Paul nous a obéi, ne nous a pas obéi. 3. lui a obéi; ne lui a pas obéi. 4. Roger vous obéira, ne vous obéira pas. 5. Anne t'a obéi; ne t'a pas obéi. 6. leur a obéi; ne leur a pas obéi

11. For all tracks. Sentences 3 and 4, being repetitions, are optional.

1. par jour, par mois, par an, l'heure (or de l'heure). 2. par semaine, par jour, par mois, l'heure (or de l'heure). 3. par semaine, par an. 4. par semaine, par an. 5. soixante, soixante-dix, quatre vingts

38

12. For all tracks.

　　1–5. lèverai; lèverez; lèverons; achètera; achèterons
　　6–10. achèterez, emmèneras, emmènerons, emmènerez, emmèneront.

13. Once over lightly, orally, for all tracks.

　　1. Cela　2. Ceci　3. Cela　4. ceci　5. cela

Exercice général　(Written assignment)

1. Oui, je suis allé(e) à . . . 2. J'y ai fait la connaissance . . . 3. Oui, c'est (Non, ce n'est pas) un (une) . . . 4. Oui, c'est (Non, ce n'est pas) un garçon (une jeune fille que je veux revoir. 5. Oui, (Non) il (elle) (n'a pas) des qualités que j'admire. 6. Il (Elle) a l'air . . . 7. Oui, il (elle) m'a (Non, il (elle) ne m'a pas) parlé . . . 8. Oui, (Non) il (elle) (n') ira pas à la Faculté . . . 9. Il (Elle) veut devenir . . . 10. Oui, (Non) je (ne) vais (pas) sortir avec lui (elle). 11. Oui, nous ferons des promenades . . . or Non, nous ne ferons pas de promenades . . . 12. Oui (Non), il (elle) (ne) saura (pas) choisir . . . 13. Oui, dès qu'il (elle) arrivera, je saurai . . . 14. Oui, il (elle) a des copains . . . or Non, il (elle) n'a pas de copains . . . 15. Oui (Non) il (elle) (ne) m'emmènera (pas) . . . 16. Oui, j'irai (Non, je n'irai pas) . . .

VI.　Notes sur la civilisation française

1. Use the usual procedures for the different tracks.

2. Questions:　1. f.　2. g.　3. d.　4. b.　5. a.　6. c.　7. h.　8. e.　9. j.　10. i.

VII.　Amusons-nous!

　　Go over the ad of the correspondence school with pupils. Then do all they will be interested in! Give them meanings where necessary. Act out a telephone conversation with a good pupil. Then tell the class to prepare to have such a conversation the following day.

1. The ad is intended not only to show similarity of cultural patterns between the two nations, but to give pupils additional practice in *inferential reading*. Perusal of the ad will also show pupils how advanced France is, technologically and educationally.

2. Point out such words as *enseignement, lycées techniques, électronique, informatique, ordinateurs, carrières féminines, script-girl,* etc.

Leçon 29

I.　Conversation

　　Conversation 1: You may use this conversation with Track I classes, books closed. Tracks II and III will find it easier to have their books open. After *Conversation 1*, do *Structure A,* 1, present tense only; follow it by *Exercice 1,* No. 1, a, b and c.

　　Conversation 2: You may try this conversation with all Tracks with books closed. Read the same material after you have done one section. (The *rhythm* of the double object pronouns before the monosyllabic verbs may help memorization.) If students have difficulty, open the books. Follow Conversation 2 by enacting Structure B. 1 with a student, and generalizing.

II. Scène de la vie française

1. Do each part as an intensive reading lesson. (See page 17.)
2. After the first part, complete Structure A, 1 and 2.
3. During the second part, call student's attention to the map of the *Marché Commun*, page 188 (when "papa" mentions the Italian leather). Work with the illustrations in the *Notes sur la civilisation française*.
4. After the second part, do as much as you can of Structure B.

III. Vocabulaire actif

Require knowledge of these words after you have used them a goodly number of times in various sections of the unit. Test them only after pupils are familiar with their use in context. (Many are very easy!)

IV. Dialogue original

This will have to wait until you have finished Structure E and/or F, because of the verbs payer and essayer. All tracks should have it.

V. Structures

A. At this point, pupils should only be required to produce the forms needed in *Exercice 1*. The suppositional use of the *passé composé* of *devoir* is introduced so that, later, pupils will have a base on which to learn other "suppositions." At present the suppositional use will remain recognitional.
B. Do the rhythm drills with the double object pronouns. After, or while you are presenting the model sentences in B. 1, have pupils repeat the question and answer chorally. Further directions for conducting each drill are given below. In B. 6, (*Devant l'infinitif*) have individual pupils read one sentence each aloud.
C. Enact the mini-dialogues.
D. Pronunciation Exercise should precede this.
E. Enact the mini-dialogues, and have two pupils enact a mini-dialogue apiece with each one of the questions and answers in *Exercices 12, 13, 18, 20,* and *21*.
G. Choral repetition of forms. Elicit generalization of spelling changes.

Exercices

1. All tracks, rapid oral drill. Assign some for homework.

1. a. dois, doit, doivent devons, devenez. b. reçois, reçoit, reçoivent, recevons, recevez. c. bois, boit, boivent, buvons, buvez
2. a. as dû, a dû, ai dû, avons dû, avez dû, ont dû. b. as reçu, a reçu, ai reçu, avons reçu, avez reçu, ont reçu. c. as bu, a bu, ai bu, avons bu, avez bu, ont bu
3. a. devrai, devras, devra, devra, devrons, devront. b. recevrai, recevras, recevra, recevra, recevrons, recevront. c. boirai, boiras, boira, boira, boirons, boiront

2. All tracks, oral and written.

1–3: le lui prêtes, la lui prêtes, les lui prêtes.   4–7: le lui rends, la lui rends, les lui rends, les lui rends.   8–10: le leur montre, la leur montre, les leur montre.   11–14: le leur donne, la leur donne, les leur donne, les leur donne.

3. Tracks II and III, odd numbers to #13, minimum.

1–4: la lui a rendue, la lui ai rendue, la lui a prêtée, la lui a prêtée
5–8: le lui a dit, le lui a dit, les lui a lues, les lui a lues
9–10: les lui a apportés, les lui a apportés
11–12: la leur avons prêtée, la leur avons prêtée.
13–16: les leur avez donnés, les leur avons donnés, la leur ont montrée, la leur ont montrée.

4. Tracks II and III, #1–7.

1–5: Je ne lui montre pas, jamais; Paul ne la lui montrera pas, jamais; Nicole ne la lui prête pas, jamais; Elle ne les lui donnera pas, jamais; On ne les leur rendra pas, jamais
6–10: Vous ne le leur avez pas, jamais; ne la leur avez pas, jamais; ne les leur avons pas, jamais; ne les leur avons pas, jamais; ne les leur ont pas, jamais

5. Tracks II and III, for recognition of structure (not oral production).

1–2: Je ne la lui ai pas écrite; Je ne la lui ai pas dite
3–4: Elle ne les leur a pas écrites; Je ne les lui ai pas écrites.

6. (Omit sentences 5–8 for all but Track I classes.)

1–4: Le lui donneras-tu; Les leur rendrez-vous; La lui prêtera-t-il? Janine les leur écrit-elle toujours?
5–8: Le lui as-tu donné? Les leur avez-vous rendus? La lui a-t-il prêtée? Janine les leur a-t-elle écrits?

7. For all tracks. (5–10 minutes)

1–3: Donnez-le-lui; Écrivons-la-lui; Montre-les-leur
4–6: Ne la leur écris pas; Ne les leur écrivez pas; Ne les lui rendons pas.

8. All tracks, orally or written.

1. le lui donner.   2. la lui prêter.   3. la leur rendre.   4. les leur donner.   5. la lui offrir.

9. All tracks. (5-7 minutes)

1–5: robe de soie; écharpe de laine; bas de nylon; bague en or; bijou en argent

10. Sample for Track III. Assign some for writing to all.

1–3: donnez-moi un meilleur parfum, une meilleure caméra, une meilleure réponse.   4–6. donnez-moi de meilleurs livres, de meilleurs bijoux, de meilleures ceintures.

11. Sample for Tracks II and III.

1. le meilleur journal de la ville.   2. la meilleure idée de toute la famille.   3. le meilleur bijou de la boutique.   4. les meilleures poires du jardin.   5. la meilleure caméra du magasin.   6. les meilleurs tissus de tous.

12. All tracks orally. Assign for writing.

1. (Il, Elle) a tant à faire.   2. assez à faire.   3. peu à faire.   4. ont peu, beaucoup, assez à dépenser.   5. ai trop à étudier

13. For "fun" conversation: all tracks. (5 minutes)

1. avons à regarder la télé.   2. a à préparer le déjeuner.   3. ont à aider leurs parents.   4. ai à réussir à un examen.

14. All tracks.

1–5: dois, dois, doivent, devons, devez

15. Optional exercise.

1–5: à déjeuner; à ranger ses affaires; à faire une promenade; à faire le nécessaire; à apprendre la langue.

16. Free response. This exercice is designed for transferral and self-expression. All tracks should try it.

17. This exercise is optional.

18. All tracks. Assign for writing.

1–2: essaie de travailler; essaient d'avoir de bonnes notes
3–5: essaie de payer; essaie d'offrir; essayez de faire le nécessaire.

19. Free response: practice using *essayer de* plus infinitive. Be sure to review the forms of the present tense of *essayer* on page 184. For all tracks.

20. Sample orally (1–5); assign selected sentences for writing.

1–5: Papa paie; Maman paie; Je paie; Nous payons; Les dames paient
6–9: Mes parents paient; Vous payez; Tu paies; Les clients paient

21. All tracks orally. (5-8 minutes)

1–3: s'occupe de ses élèves; s'occupe de ses clients; s'occupe de ses amis
4–6: Nous nous occupons de nos leçons; Je m'occupe de mon travail; Vous vous occupez de vos affaires.

22. All tracks, orally. Optionally in writing.

A. 1–4: de moi; de lui; d'elle; de vous   B. de nous; d'eux; d'elles; de vous

23. Orally, #1–6; written homework #7–12. (Optional Track III. See Exercise 20)

1–6: Nous payons; Vous payez; Ils paient; Tu paies; Je paie; Elle paie

7–12: Vous essayez; Nous essayons; Ils essaient; J'essaie; Tu essaies; Elle essaie

24. All tracks, orally.

A. 1. je paierai. 2. tu paieras. 3. il paiera. 4. vous paierez. 5. nous paierons. 6. elles paieront. 7. tu essaieras. 8. j'essaierai. 9. il essaiera. 10. nous essaierons. 11. vous essaierez. 12. elles essaieront

B. 1. j'ai payé. 2. tu as payé. 3. il a payé. 4. vous avez payé. 5. nous avons payé. 6. elles ont payé. 7. tu as essayé. 8. j'ai essayé. 9. il a essayé. 10. nous avons essayé. 11. vous avez essayé. 12. elles ont essayé

Exercice général (written assignment)

Cher (Chère) . . . ,

A. 1–6. Je suis heureux (-euse) de vous (te) dire que je pourrai aller en France. J'ai reçu mon certificat de revaccination. Je ferai le voyage en avion. J'irai d'abord à Paris où j'ai un cousin qui me donnera des renseignements. Je serai en France pour deux mois au moins. Je veux passer deux semaines avec lui (vous, toi).

B. 7–8. Pourrez-vous (Pourras-tu) passer huit ou quinze jours avec moi? Aimez-vous (Aimes-tu) faire du camping et dormir à la belle étoile?

C. 9–12. Je pourrai emporter des sacs de couchage. Si je vais chez vous (toi) je veux offrir des cadeaux à votre (ta) mère et à votre (ton) père. Je veux les leur offrir pour leur montrer ma reconnaissance. J'attends votre (ta) réponse avec impatience.

VI. Notes sur la civilisation française

1. Tracks II and III should follow the text as the teacher reads it aloud, leaving time for them to consult the marginal notes. Track I may be able to read this at home, but will need help with the population figures on page 190. All tracks should do the questions.

2. Questions: 1. Le Marché Commun. 2. "les Six". 3. le commerce. 4. expansion. 5. Etats-Unis. 6. Marché Commun. 7. France

VII. Amusons-nous!

Exercise in inference, vocabulary expansion, and a lot of fun! All tracks.

Leçon 30

I. Conversation

1. Books are best open this time. Have a choral repetition of *all* the printed answers in the right-hand column of each section before you begin to ask the first question of that section.

43

2. Try having pupils use a card or a ruler to keep the place as they follow your questions and read the answer.

3. Conduct choral repetition of the *last* responses once again in each section except section B, (the kernal forms: *il vous le donne; il vous le prête, il vous vous le montre,* etc.)

4. Go to Structure A to clinch the concept. (See below in this lesson outline, Structure A, for suggestions to treat the teaching of the forms on pp. 198–199.)

II. Scène de la vie française

1. The usual intensive reading lesson, in two parts. Call attention to the sketch on page 420 of the textbook. Motivate by asking simple personal questions in French on the topic, such as *"Voulez-vous maigrir?* (explain *maigrir) Vous mangez trop, n'est-ce pas? Est-ce que les Américains mangent trop? Tous les Américains veulent maigrir, n'est-ce pas? Nous avons* "Weight-watchers" . . . etc., etc.

2. After completing part I of the reading, do all you can of Structure A, 1.

3. After completing part II of the reading, complete Structure A, 1 and start Structure A, 2. (Details for conducting each exercise are given below in this outline.)

4. Consult the outline for an Intensive Reading Lesson, page 17.

III. Vocabulaire actif

You can add to pupils' practice with these words by using them during the warm-up: *"Aimez-vous la beauté?" "Madeleine a une jolie voix, n'est-ce pas?" "Est-ce que ce cahier est à vous?"* Again, please don't test active vocabulary until pupils have met each word a few times.

IV. Dialogue original

All pupils can do this dialogue, *Modèle et Substitutions,* after *Exercice 7.*

VI. Structures

A. 1. Choral repetition first down *(temps simples)*, then across, from *temps simples* to *temps composé.* Call pupils' attention to meanings. Elicit by questioning the reasons for the different spelling of the past participles. Have students read one sentence each, in the blue box (the generalization). When the *Exemple* of the *Exercice* is a mini-dialogue, enact it with a student.

A. 2. Do some rhythm drills before you tackle the negative. For Tracks II and III, go lightly with the negative, especially in the *passé composé.* Active production of these forms is difficult. See below for definitive suggestions regarding each *Exercice.* Tracks II and III students should produce only enough of these so that they can readily recognize them when they hear and read them.

Exercices

1. All tracks.

1. me le donne. 2. me la prêtera. 3. me les donnera. 4. te le rend. 5. te

la donnons. 6. te les prêterai. 7. nous le montre. 8. nous les écrira. 9. vous la prête. 10. vous les montrerai

2. Tracks II and III, sample only for later recognition.

1. me l'a montrée. 2. me les a lues. 3. te l'a loué. 4. te les a prêtées. 5. vous l'ai donnée. 6. vous les ai prêtés. 7. nous l'ont lu. 8. nous les ont données

3. All tracks.

1. me le donne. 2. me la prête. 3. me les lit. 4. nous le vend. 5. nous la montre. 6. nous les a données

4. Tracks II and III, odd numbers only or answers only.

1. On ne me le donne pas? on ne te le donne pas. 2. On ne me la dit pas? on ne te la dit pas. 3. On ne me les rend pas? on ne te les rend pas 4. Vous ne nous le donnerez pas? je ne vous le donnerai pas. 5. Vous ne nous la louerez pas? je ne ne vous la louerai pas. 6. Vous ne nous les vendrez pas? je ne vous les vendrai pas

5. Tracks II and III, limit to a few sentences. Track I, as far as possible.

1. On ne te l'a pas donné? On ne me l'a pas donné. 2. On ne te l'a pas dite? On ne me l'a pas dite. 3. On ne te les a pas écrites? On ne me les a pas écrites. 4. Il ne me l'a pas louée? Il ne te l'a pas louée. 5. Il ne nous les a pas rendus? Il ne vous les a pas rendus. 6. Il ne vous les a pas rendues? Il ne nous les a pas rendues

6. Optional for Tracks II and III. (After choral repetition of the example, you might try one or two sentences of each column, so that pupils will later recognize the structure.) Track I: Sample several sentences, then assign the remainder for written homework.

A. 1. nous le donne-t-il. 2. vous le montre-t-il. 3. te le donne-t-elle. 4. me la donnera-t-elle. 5. me les rendra-t-elle. 6. me les diras-tu. 7. nous les diras-tu. 8. vous les dira-t-on
B. 1. nous l'a-t-il donné. 2. vous les a-t-il montrés. 3. te l'a-t-elle donné. 4. me l'a-t-elle donné. 5. te les a-t-elle rendus. 6. Nous les avez-vous apportés. 7. Vous les ont-ils apportés. 8. nous les ont-ils donnés

7. All tracks, oral and written.

A. 1. Donnez-le moi. 2. Rendez-les-moi. 3. Lis-la-moi. 4. Rends-les-moi. 5. Dites-le-nous. 6. Lisez-le-nous. 7. Rends-les-nous. 8. Rends-la-nous
B. 9. Ne me le donnez pas. 10. Ne me la montrez pas. 11. Ne nous le dis pas. 12. Ne nous les écris pas.

8. With Tracks II or III, use either *moi* or *Georges*; Track I, choice of either, or whatever name or stress pronoun the student wishes.

45

1-6: plus vite que (moi); plus souvent que (moi); plus rarement que (moi); plus rapidement que (moi); plus haut que (moi); plus légèrement que (moi)
7-10: plus mal que (moi) or pis que(moi); mieux que (moi); plus que(moi); moins que (moi)

9. *Half* for Tracks II and III (include irregulars); all for Track I.

1-5: le dos le plus vite possible; le genou le plus haut possible; sa volonté le plus souvent possible; l'épaule le plus rarement possible; les pieds le plus facilement possible.
6-9: vole le plus rapidement possible; ferons le mieux possible; à la porte le plus légèrement possible; danse le «slow» le plus mal possible (*or* le pis possible)
10-12: Chantons le mieux possible; boirons le plus possible; mangerons le moins possible.

10. All tracks. (5 minutes) Assign for writing.

1. a. Aie   b. Sois   c. Sache   2. a. Soyez   b. Ayez   c. Sachez   3. a. Soyons   b. Ayons   c. Sachons

11. All tracks. (4-5 minutes) (Review)

1. est enfin parti.   2. sera bientôt ici.   3. est peut-être sortie.   4. avons presque fini.   5. a toujours invité Robert.   6. mangeons beaucoup à midi.   7. vient souvent ici.   8. est toujours arrivé

12. Optional for Track III; Recognitional for Track II. (5 minutes)

1. comprend facilement *or* le français facilement;   2. a facilement compris *or* a compris facilement.   3. faisons rarement *or* des voyages rarement.   4. a rarement fait *or* excursions rarement.   5. serez probablement *or* ensemble probablement.   6. êtes probablement descendu *or* descendus probablement

13. Tracks II and III, sentences 1, 2, 3. Track I, all. (10 minutes)

1. Cette jeune fille travaille mieux; C'est une meilleure élève.   2. Ce garçon joue mieux; c'est un meilleur joueur.   3. Cet homme danse mieux; c'est un meilleur danseur.   4. Cette dame chante mieux; c'est une meilleure chanteuse.   5. M. Guérin parle mieux; c'est un meilleur avocat.

14. Track I, all oral. Track II, a. and b. Track III, a. only (in three tenses.)

1. a. Maintenant il devient; elle devient; vous devenez; nous devenons; les enfants deviennent. b. ne devient pas; ne devient pas; ne devenez pas; ne devenons pas; ne deviennent pas. c. devient-il; devient-elle; devenez-vous; devenons-nous; deviennent-ils
2. a. L'autre jour tu es devenu; vous êtes devenu; je suis devenu; nous sommes devenus; elle est devenue; elles sont devenues. b. L'autre jour tu n'es pas devenu; vous n'êtes pas devenu; je ne suis pas devenu; nous ne sommes pas devenus; elle n'est pas devenue; elles ne sont pas devenues. c. es-tu devenu;

46

êtes-vous devenu; est-ce que je suis devenu; sommes-nous devenus; est-elle devenue; sont-elles devenues

3. a. je deviendrai, tu deviendras, il deviendra, ils deviendront, nous deviendrons. b. je ne deviendrai pas, tu ne deviendras pas, il ne deviendra pas, ils ne deviendront pas, nous ne deviendrons pas. c. est-ce que je deviendrai, deviendras-tu, deviendra-t-il, deviendront-ils, deviendrons-nous

15. Oral, then written as *dictée* or homework. (5 minutes oral)

   1–6: couchés; occupés; payés; payée; préférés; préférées

16. Sample orally, all tracks. Assign for HW or *dictée* some remaining forms.

   1–7: préférons; répétons; espérons; espérez, préférez; préfèrent; répètent
   8–14: espère; préfère; répète; répètes; espères; préfère; espère

17. All tracks orally.

   A. 1. préférerai. 2. répéterai. 3. espérerai. 4. espéreras. 5. préféreras. 6. préférera. 7. répétera. 8. espérerons. 9. préférerons. 10. répéterons. 11. répéterez. 12. espérerez. 13. préféreront. 14. Elles espéreront. B. 1. ai préféré. 2. ai répété. 3. ai espéré. 4. as espéré. 5. as préféré. 6. a préféré. 7. a répété. 8. avons espéré. 9. avons préféré. 10. avons répété. 11. l'avez répété. 12. avez espéré. 13. ont préféré. 14. ont espéré

18. All tracks, orally. (5-8 minutes)

   1–5: est à ma sœur; est à Georges; sont à eux; est à moi; sont à mes camarades

19. All tracks, orally. (5 minutes)

   1. je demanderai à ma tante. 2. il demandera à son professeur. 3. nous demanderons à nos grands-parents. 4. j'ai demandé a mes cousins.

20. All tracks, #1, 2, 3. Remainder for fun, interest, or homework.

   1. Je demanderai une bonne note au professeur; l'heure au professeur.
   2. J'ai demandé la voiture à mon père; de l'argent à mon père.
   3. Je demande un pull-over neuf à ma mère; une veste à ma mère.
   4. Je demande son adresse à une jolie fille; son numéro de téléphone . . .
   5. Je demanderai un appareil à un jeune homme; une caméra . . .

21. Track III, odd numbers; II, #1, 2, 3, 5. Track I, all.

   1. Je lui demanderai l'adresse. 2. Vous lui demanderez le nom. 3. Je lui ai demandé le nom. 4. Leur avez-vous demandé la caméra. 5. Paul leur demandera un appareil.

22. All tracks. Sample orally. Assign for writing. (5-8 minutes oral)

   1–3: oublié d'acheter; oublié de frapper; oublier de garder
   4–5: N'oubliez pas d'accompagner; N'oublions pas de faire

47

23. Orally, Track I. Optional for Tracks II and III. (5 minutes)

   1–5: Il montre; Elle ne montre pas; Elles montrent; Montres-tu; Montrez-moi

24. Orally, then assign for writing. Tracks II and III, 1 to 3. (5-8 minutes oral)

   1–3: Elle fait voir; Suzanne lui fait voir; vous faites voir
   4–5: Paul ne fait pas voir; Faites-moi voir

Exercice général   (Written assignment)

1. Je sais que tu veux (vous voulez) devenir plus mince.   2. Je suis en train d'essayer de maigrir aussi.   3. Je veux maigrir (être plus mince) pour sortir avec une personne très spéciale.

4. Je fais des exercices physiques depuis huit jours (quinze jours, deux mois). 5. Je les fais quand je me lève (avant de manger).   6. Je passe dix (vingt) minutes par jour (par semaine) à faire mes exercices.   7. Je préfère les faire debout (couché (e), sur le dos, etc.)   8. Je touche (tourne, lève) . . .

9. J'ai trouvé les renseignements dans . . .   10. Je ferai le nécessaire jusqu'au . . .   11. J'ai (Je n'ai pas) à prendre . . .   12. Je dois manger du pain . . . (Je ne dois pas manger de pain).   13. Je bois du lait (de l'eau). (Je ne bois pas de lait, d'eau). 14. Je (ne) compte (pas) les calories . . .   15. J'obéis (Je n'obéis pas) . . .   16. J'ai perdu . . . kilo(s).   17. J'espère perdre . . . kilo (s) . . .

18. J'ai (Je n'ai pas) payé cher . . .   19. Il faut avoir beaucoup de volonté (pour maigrir).   20. Si tu as (Si vous avez) besoins d'autres renseignements, je te (vous) les donnerai . . .

VI.   Notes sur la civilisation française

1.   Even students of Tracks II and III will be able to understand the passage, and will be interested in it. Introduce it and talk about the provinces. Ask all students to work out the answers for homework.

2.   Questions: *L'Alsace:* 1. est.   2. l'Allemagne.   3. le Rhin.   4. les Vosges.   5. Strasbourg.   6. les vins.   7. la bière.   8. usines.   9. Strasbourg.   10. l'allemand *La Lorraine:* 1. b.   2. d.   3. b.   4. c.   5. c.   6. a.

VII.   Amusons-nous!

Fun for everybody while important vocabulary is reviewed.

Révision générale VI.

See the General Directions for the *Révisions Générales*, page 33.

Réponses

A.   Les verbes

1. a. J'irai; Tu iras; Nous irons; Ils iront. b. Je ferai; Le médecin fera; On fera. c. Vous

serez; Nous serons; Les enfants seront.   **d.** Nous aurons; Vous aurez; J'aurai; Jacques aura.   **e.** Les professeurs sauront; Je saurai; Marie saura.   **f.** Elles pourront; Tu pourras; Janine pourra; Vous pourrez

2. a. Tu dois; Elles doivent; Nous devons; Vous devez.   **b.** Il boit; Ils boivent; Vous buvez; Nous buvons.   **c.** Je reçois; Mes parents reçoivent; Vous recevez.   **d.** Tu deviens; Les matchs deviennent; Vous devenez.   **e.** Vous essayez; On essaie; Victor essaie; Les élèves essaient.   **f.** Nous achetons; Vos amis achètent; On achète; Tu achètes.   **g.** Hélène préfère; Je préfère; Mes amis préfèrent

4. a. Tu le feras toi-même; Il le fera lui-même; On le fera soi-même (*or* nous-mêmes); Elles le feront elles-mêmes.   **b.** Vous obéissez; Ils obéissent; On obéit; J'obéis.   **c.** Il te faut; Il lui faut; Il nous faut; Il leur faut.   **d.** Jacques lui fait voir; Nous lui faisons voir; Je lui fais voir; Elle lui fait voir.

B. Les pronoms

1. a. je (ne) les lui ai (pas) prêtés.   **b.** je (ne) le lui ai (pas) donné.   **c.** nous (ne) la lui avons (pas) écrite.   **d.** on (ne) le leur a (pas) montré.   **e.** on (ne) la leur a (pas) dite.   **f.** ils (ne) les leur ont (pas) donnés

2. a. il (ne) me l'a (pas) lue.   **b.** elle (ne) vous l'a (pas) rendu.   **c.** elle (ne) nous les a (pas) vendus.   **d.** Grand-père (ne) te les a (pas) donnés

C. Les prépositions

1. à.   2. à.   3. à.   4. par.   5. à.   6. à.   7. par.   8. À.   9. à.   10. de.   11. de.   12. à.   13. à.   14. de.   15. de.   16. de.   17. à.   18. à

D. Les idiotismes

1. b.   2. a.   3. h.   4. c.   5. i.   6. f.   7. g.   8. j.   9. d.   10. e

IV Vrai ou Faux

1. F.   2. V.   3. V.   4. F.   5. F.   6. F.   7. V.   8. V.   9. F.   10. V.   11. F.   12. F.   13. V.   14. F.   15. V.   16. F.

1. font des exercices.   4. anglais et français seulement.   5. font très attention.   6. de la Bretagne.   9. pas la Grande-Bretagne.   11. faciliter le commerce entre les pays membres.   12. des Etats-Unis.   14. en Lorraine.   16. près de l'Allemagne

Leçon 31

I. Conversation

1. Choral repetition, with books open, of all the printed forms of each section in the answer (right-hand) column before asking the questions.
2. With this new tense, you might wish to say a few words about the nature of this *additional* past tense. You might do so by eliciting the three different English translations in the answer column of Section A, and then go on from there, or you might wish to use the explanation on page 229.

49

3. After the first run-through (teacher asking, pupils answering) of Section A, you might wish to have repetition of the questions, too, for the pronunciation of the *tu* form.
4. At the end of the *Conversation*, go to Structure A.

II. Scènes de la vie française

1. For each part, the usual intensive reading lesson. (See page 17.)
2. Before you begin part II (after the blue ball), or while reading it, have pupils consult the maps and illustrations in the *Notes sur la civilisation française*, pp. 239–241. Familiarize them a little with Normandie as a vacation resort and as a province. You may wish to refer to the photographs on pages 150–151. Emphasize the Cathedral at Rouen. (Jeanne d'Arc was burned at Rouen in 1431.)
3. After you have completed the reading of part I, do as many of the *Exercices* as you can to complete Structure A, 1 and 2. Do the same after you have completed part II of the reading with the next exercises.

III. Vocabulaire actif

These words can be studied and tested easily in groups, such as those which refer to mail, to physical comfort indoors and out, to clothes, etc. Use the Discussion questions (or your own questions) in your daily warm-up.

IV. Dialogue Original

This *Dialogue Original* requires some creativity! It can be done, however, after you have completed Structure A with Track I students. Do it a little later in the lesson with Tracks II and III. The latter might want to write it first, as a sort of composition.

V. Structures

A. Choral repetition will be necessary for all the forms. (See the pronunciation and rhythm drills. They will help.)

B. Point out *envoyer* as a spelling-changing verb that is also irregular in the future. Point out its similarity to the verb *voir* in the *present* and *imparfait*.

C. Pupils should memorize the affirmative commands of *s'en aller*.

D. The usual work-out with the idioms should insure their being learned!

Exercices

1. For all tracks, orally.

1. (je, tu) cherchais; dansais; jouais; attendais; finissais; obéissais
2. (il, elle, on) criait; frappait; gardait; répondait; choisissait
3. (ils, elles) chantaient; accompagnaient; passaient; rendaient; réussissaient
4. nous portions, vous portiez; nous comptions, vous comptiez; nous entendions, vous entendiez; nous descendions, vous descendiez; nous maigrissions, vous maigrissiez

2. For Tracks II and III, #D (obéir) is optional.

    A. 1–2. parlais. 3, 4, 5. parlait. 6, 7. parlaient. 8. parlions. 9. parliez

    B. 1–2. répondais. 3, 4, 5. répondait. 6, 7. répondaient. 8. répondions. 9. répondiez

    C. 1–2. choisissais. 3, 4, 5. choisissait. 6, 7. choisissaient. 8. choisissions. 9. choisissiez

    D. 1–2. obéissais. 3, 4, 5. obéissait. 6, 7. obéissaient. 8. obéissions. 9. obéissiez

3. All tracks. orally and/or in writing.

    1. Je ne pleurais pas. 2. Je ne réussissais pas. 3. Je ne perdais pas. 4. Nous ne dansions pas. 5. Nous n'attendions pas

4. For all tracks. Tracks II and III may write the forms first. They may be asked to do only the first and last form of each verb if time presses.

    1. avait, avaient, avions. 2. allait, allais, allions. 3. faisait, faisaient, faisait, faisiez. 4. partais, partait, partaient, partions. 5. était, étais, étions. 6. savait, savaient, saviez. 7. ne venais pas, ne venait pas, ne venaient pas. 8. Mettais-tu, Mettait-on; Mettiez-vous, Mettions-nous

5. Optional for Track III.

    1. autrefois j'avais. 2. autrefois ils étaient. 3. autrefois nous allions. 4. autrefois vous appreniez. 5. autrefois il disait

6. These may be assigned for writing only, in Tracks II and III, to be read aloud on checking.

    1. autrefois je nageais. 2. autrefois il voyageait. 3. autrefois nous rangions. 4. autrefois je commençais. 5. autrefois ils prononçaient. 6. autrefois vous remplaciez

7. Written exercise for all tracks.

8. Oral exercise for all tracks. First do all forms in the *futur,* then all in the *passé composé,* or vice-versa. (Mix the tenses only with Track I, if you must!)

    A. 1. m'en irai. 2. t'en iras. 3. s'en ira. 4. ne s'en ira pas. 5. ne s'en iront pas. 6. ne s'en ira pas. 7. nous nous en irons. 8. vous vous en irez.

    B. 1. m'en allais. 2. t'en allais. 3. s'en allait. 4. ne s'en allait pas. 5. ne s'en allaient pas. 6. ne s'en allait pas. 7. ne nous en allions pas. 8. ne vous en alliez pas

9. You might want to act these out in front of the room after setting the stage!

    1. Va-t'en. 2. Allez-vous-en. 3. Ne t'en va pas. 4. Ne vous en allez pas. 5. Allons-nous-en. 6. Ne nous en allons pas. 7. Ne t'en va pas

10. Try these with all tracks.

Free responses. Exercise under the illustrative sketch: All tracks.

1. me va mal, ne me va pas bien, me va très bien.   2. vous va mal, ne vous va pas bien, vous va très bien.   3. nous vont mal, ne nous vont pas bien, nous vont très bien.   4. leur vont bien, ne leur vont pas mal, leur vont très mal.   5. me va bien, ne me va pas mal, me va très mal
a. La veste lui va mal.   b. Elles sont trop larges et trop grandes.   c. La robe lui va à merveille

11. All tracks.

1. Veux-tu bien accompagner.   2. Voulez-vous bien faire.   3. Voulez-vous bien faire.

12. All tracks try this in the present tense. Other tenses optional.

Exercice général   Free responses. Written assignment.

VI. Notes sur la civilisation française.

1. The usual procedure with Track I, teacher reading aloud first.

2. You may use the usual procedures for Tracks II and III (See *Vous et Moi*, Teacher's Annotated Edition) or you may wish to try reading the passage and having students answer the questions.

3. Questions: 1. d.   2. g.   3. f.   4. h.   5. a.   6. e.   7. j.   8. l.   9. k.   10. i.   11. c. 12. b.

VII. Amusons-nous!

You might wish to introduce this old folksong via the accordion, or by phonograph record. If students do not wish to sing it, they should all hear it once or twice, and follow the words as they listen. You might mention that most of the provinces of France have a provincial "song," rather like an "anthem of the region."

Leçon 32

I. Conversation

1. Track I may try to do each section audio-lingually alone before choral reading. Tracks II and III should follow the words as they are being said.
2. Choral repetition of the answer first; then the question.
3. Be sure pupils keep their place; suggest a card or a ruler.
4. Throughout, concentrate on the answers and the questions in the right-hand column. At the end of the *Conversation*, go to *Structure A*.

II. Scène de la vie française

1. The usual Intensive Reading Lesson for each part. (See page 17.)
2. During part I, mention that TV programs do not take place all day and all night long (or close to it!). See lines 59–65, page 265.

3. Before part II, remind students where *Sénégal* is, its climate, population, industries, etc. You can do this in simple French. Consult the maps on page 313 and page 364.

4. After completing part I, complete *Exercices* in *Structure A;* after part II, those in *Structure B,* if possible.

III. Vocabulaire actif

Use some words each day in the Warm-up, if you can. You may use the questions in the Discussion to good advantage, or compose simpler ones of your own.

IV. Dialogue original

All pupils should do this. It can be done with most profit after you have completed Structure F, 2.

V. Structures

A. Have pupils read Question and Answer in the boxes. Generalize.

B-C. Follow the usual procedure when English and French are contrasted in this way.

D. Enact the illustrative mini-dialogues, also the *Exemples* of the *Exercices* for *ne . . . rien* and *ne . . . que,* in pairs, the teacher taking the second rôle (where the new word occurs) and asking for choral repetition by the class.

E. Choral repetition of all forms. Turn to the Appendix after Structure E is completed, and show students that the verb *offrir* follows the model of *ouvrir.* Use *offrir* in a person-number substitution drill of your own.

G. After choral repetition of aller plus the reflexive infinitive, do the paradigm of another auxiliary (*aimer, vouloir*) plus another reflexive infinitive (*se reposer*) Have individual pupils read the sentences, one apiece, in the black box.

Exercices

1. All tracks, orally. Enact *Exemple* with a student.

1. Qu'est-ce que Robert. 2. Qu'est-ce que Claire. 3. Qu'est ce que papa. 4. Qu'est-ce que maman. 5. Qu'est-ce que le facteur. 6. Qu'est-ce qui va. 7. Qu'est-ce qui est. 8. Qu'est-ce qui était. 9. Qu'est-ce qui lui va. 10. Qu'est-ce qui tombe

2. All tracks, as far as possible orally. Assign at least half for writing.

1. Qu'est-ce qui; La télévision intéressait. 3. Qu'est-ce qu'on; On découvre le pétrole en Afrique. 3. Qu'est-ce qui; Les détails comptent. 4. Qu'est-ce que; Les enfants voulaient regarder les émissions. 5. Qu'est-ce que; Papa a arrêté le poste de télévision

3. All tracks.

Je (ne) sais (pas): 1. ce qui. 2. ce qui. 3. ce que. 4. ce qu'. 5. ce qui. 6. ce que

4. All tracks; as much as pupils need to firm up the structure. Good for writing.

   1. ce qui.   2. ce qui.   3. ce que.   4. ce qui.   5. ce qui.   6. ce que.   7. ce que.
   8. ce que.   9. ce que.   10. ce qui.

5. At least half for all tracks; all for Track I in rapid drill. (Be sure to do the *Exercice de Prononciation on the* "fleeting" *e.*)
   Answer: Place the word *tout* before *ce* in each case.

6. All tracks. If Tracks II and III do this orally, give them time to think!

   1. tout ce que.   2. tout ce que.   3. tout ce qui.   4. tout ce qui.   5. tout ce qu'.
   6. tout ce que

7. All tracks.

   1. ne regardes rien.   2. ne voulait rien.   3. ne demandera rien.   4. ne désirez rien.   5. n'ai rien gardé.   6. n'as rien oublié.   7. n'a rien dit.   8. n'avez rien lu.   9. n'ont rien aimé

8. All tracks. Tracks II and III, some oral, some written. Track I, all oral and some written.

   1. ne cherche rien;   2. ne trouvera rien ici.   3. ne disait rien.   4. ne faisais rien.
   5. n'apprendrai rien.   6. n'a rien cherché.   7. n'a rien demandé.   8. n'a rien vu.   9. n'ai rien fait.   10. n'ai (n'avons) rien appris

9. Present tense, all tracks. Tracks II and III, enough of *passé composé* for understanding and future recognition.

   1. Rien n'est.   2. Rien n'arrêtera.   3. Rien ne compte.   4. Rien ne couvre.
   5. Rien n'amuse.   6. Rien n'a intéressé.   7. Rien n'a arrêté.   8. Rien n'est devenu

10. Track I can answer (A) and (B). Tracks II, (A) only and as far as you can in (B).

    (A). All answers: Rien. (B). 1. Il ne lui montrera rien.   2. On ne leur enverra rien.   3. Mes copains ne faisaient rien.   4. Je ne lui disais rien.   5. Je ne faisais rien.   6. Il n'y a rien.   7. Il n'y avait rien.   8. Rien n'est tombé.   9. Elle n'a rien dit.   10. Elles n'ont rien fait

11. All tracks.

    1. Elle ne regarde que les.   2. On ne lui donnera que la.   3. Paul ne comptait que les.   4. Il n'y avait que des.   5. n'aimaient que le.   6. n'avons acheté que de.   7. n'ont arrêté que les

12. All for Track I; as much as you have time for for Tracks II and III.

    1. Il n'a vu que les émissions.   2. Elle n'a couvert que les livres.   3. Ils n'ont découvert que le pétrole.   4. Elle n'a couvert que la table.   5. Il n'a compté que les brosses.   6. Ils n'ont arrêté que les voitures

13. With all tracks, do *one verb* with *all persons* (*J'ouvre, On ouvre, Paul ouvre,* etc.) to prevent boredom, assign or do one tense a day or all tenses of one verb a day.

1.	(je)	(on)	(Paul)	(Paul et Marie)	(nous)	(vous)
a.	j'ouvre	ouvre	ouvre	ouvrent	ouvrons	ouvrez
b.	couvre	couvre	couvre	couvrent	couvrons	couvrez
c.	découvre	découvre	découvre	découvrent	découvrons	découvrez

2.	(tu)	(il)	(ils)	(nous)	(vous)
a.	ouvrais	ouvrait	ouvraient	ouvrions	ouvriez
b.	découvrais	découvrait	découvraient	découvrions	découvriez
c.	couvrais	couvrait	couvraient	couvrions	couvriez

3.	(vous)	(tu)	(Marc)	(ils)	(Marc et moi)
a.	ouvrirez	ouvriras	ouvrira	ouvriront	ouvrirons
b.	découvrirez	découvriras	découvrira	découvriront	découvrirons
c.	couvrirez	couvriras	couvrira	couvriront	couvrirons

4.	(tu)	(vous)	(papa)	(mes parents)	(nous)
a.	as ouvert	avez ouvert	a ouvert	ont ouvert	avons ouvert
b.	as découvert	avez découvert	a découvert	ont découvert	avons découvert

14. All tracks.

1. de bon. 2. de délicieux. 3. de dangereux. 4. de mauvais. 5. d'intéressant. 6. de formidable

15. All tracks.

1. Elle ne trouve rien de. 2. On ne découvrira rien de. 3. Il n'y avait rien d'important. 4. On n'a rien acheté de. 5. Nous n'avons rien découvert de. 6. Je n'ai rien donné de

16. All tracks.

1–4: à boire; à manger; à payer; à essayer
5–7: à dire; à couvrir; à répéter

17. All tracks should do the present tense. *Passé composé* recognitional for Tracks II and III. Have students work them out for practice.

1. Je n'ai rien à faire. 2. Je ne vois rien à lire. 3. Je ne trouverai rien à manger. 4. Il n'y avait rien à boire. 5. Je n'ai rien choisi à mettre. 6. Ils n'ont rien cherché à apprendre

18. All tracks.

1. quelque chose d'intéressant à découvrir. 2. quelque chose de joli à porter. 3. quelque chose de formidable à offrir. 4. quelque chose de meilleur à offrir. 5. quelque chose d'important à raconter. 6. quelque chose de gentil à dire.

19. All tracks in the present tense. Optional for Tracks II and III in the *passé composé.*

1. Il n'y avait rien d'intéressant à découvrir. 2. ne cherchait rien de joli à porter. 3. ne choisirons rien de formidable à offrir. 4. n'achètera rien de

meilleur à offrir.   5. Il n'a rien trouvé d'important à raconter.   6. Je n'ai rien trouvé de gentil à dire.

20.   Primarily for Track I. Tracks II and III may answer (A). (B) optional.

(A) Oui, 1. il y a.   2. elle trouvera.   3. elle découvrira.   4. je cherchais.   5. il y avait.   6. ils ont trouvé
(B) Non, 1. il n'y a rien de beau.   2. elle ne trouvera rien de facile.   3. elle ne découvrira rien de.   4. je ne cherchais rien d'original.   5. il n'y avait rien de.   6. ils n'ont rien trouvé de

21.   All tracks.

1. Je ne veux pas me.   2. Tu ne veux pas te.   3. Il ne peut pas se.   4. Elle n'aime pas s'.   5. On ne doit pas s'.   6. Nous n'aimions pas nous.   7. Vous ne vouliez pas vous.   8. Vous ne saurez pas vous.   9. Ils ne pourront pas se.   10. Ils n'allaient pas s'

22.   All tracks should do (A). Track II, also (B); Track I, all.

(A) 1. Je *veux* me lever.   2. Tu *veux* te coucher.   3. Il *veut* se laver.   4. Elle *veut* se réveiller.   5. On *veut* s'amuser.   6. Nous *voulons* nous dépêcher.   7. Vous *voulez* vous habiller.   8. Ils *veulent* se charger.   9. Elle *veulent* s'occuper.   10. Elles *veulent* s'occuper.
(B) Substitute the following for the italicized word in the above sentences:
1. dois.   2. dois.   3. doit.   4. doit.   5. doit.   6. devons.   7. devez.   8. doivent.   9. doivent.   10. doivent
(C) Substitute the following for the italicized word in the sentences in (A).
1. pourrai.   2. pourras.   3. pourra.   4. pourra.   5. pourra.   6. pourrons.   7. pourrez.   8. pourront.   9. pourront.   10. pourront

23.   All tracks.

(A) 1. mon.   2. ton.   3. son.   4. son.   5. son.   6. notre.   7. votre.   8. leur. 9. leur
(B) Free responses

24.   All tracks.

1. J'en profite (Je n'en profite pas).   2. (same).   3. Il en profite (Il n'en profite pas).   4. Nous en profitons (Nous n'en profitons pas)

25.   Free responses.

Exercice général   (Written assignment)

1. Je ne sais pas grand'chose.   2. Je fais de mon mieux.   3. Je préfère faire.   4–11. (Free responses).   12. Je (ne) vais (pas) profiter de mon.   13. Je (ne) vais (pas) découvrir.   14. Je (ne) dois (pas) demander.   15. (Free response)

* VI.   Notes sur la civilisation française

1.   Track I can read the passages at home, and be ready to answer the questions

in class. Tracks II and III can work with the time indications and the television schedule, and supplement their knowledge either with the teacher's help, or by studying the passage itself.

2. All students should be able to answer the Questions!

3. Questions: 1. b.   2. b.   3. c.   4. b.   5. c.   6. b.

VII.   Amusons-nous!

An important game for vocabulary expansion: a *must*! For all tracks!

Leçon 33

I.   Conversation

1. Books are best open beginning with Section B, but keep them closed if pupils are responding well.
2. Visual aids of different kinds, maps, etc., can help.
3. Beforehand, you might remind students about masculine and feminine countries, especially Tracks II and III.
4. This *Conversation* was made to be fun!

II.   Scène de la vie française

1. An intensive reading lesson of each part. There is a good deal of new pronunciation here, so students should *hear* the reading before they read or answer questions. Read to them or use the tape.
2. Before completing part I, use a world map to trace the air route (as outlined in the *Scène* page 271, lines 50–55) so that students can follow the story more intelligently.
3. Bring out whatever you can of current events: plane manufacturing: importing and exporting; flights by long distance jets (what you see through the porthole at 35,000 feet, etc.) See the *Discussion*, page 274.
4. After each part, go to the *Structures*.

III.   Vocabulaire actif

Some not-so-easy items here. Test after students have met the word many times, preferably towards the end of the unit. Use some Discussion questions.

IV.   Dialogue original

Another "original" one! In Tracks II or III, have one of the better students and a team-mate work one out to encourage others. Make assignments in advance.

V.   Structures

A. Choral and individual repetition or reading (oral) of names of countries, etc., when listed. Have students enact the conversations "*Au téléphone transatlantique.*" For additional techniques, see the following *Exercices*.

B. 2. Do one tense at a time of both verbs, and drill it with the appropriate exercises that follow.

57

1. All tracks. Enact the model sentences above. Elicit generalization. Enact the *Exemple* also, as well as the *Exercice*.
   Statement: *l'* before the name of each continent in sentence 1.
   Question: *en* before the name of each continent in sentence 2.

2. All tracks. Same procedure as *Exercice 1* (acting out).

   The Question: *la, l'; la, la, la, la, l'*
   The Answer: *en* before all countries

3. All tracks. Same procedure.

   The Statement: *Le* for all countries.
   The Question: *au* for all countries.

4. All tracks.

   The Statement: *à* for New York, Londres, Madrid, Miami; *au* Havre; *à La Nouvelle-Orléans*.
   The Question: Same as the Statement.

5. All tracks. Orally and in writing for Track I. Orally or in writing for Tracks II and III (part oral, part written).

   1. *Questions:*   **a.** aux Etats-Unis.   **b.** en Suisse.   **c.** en Amérique.   **d.** au Portugal

   Réponses: **a.** au Pérou.   **b.** en Afrique.   **c.** en Angleterre.   **d.** au Japon

   2. *Questions:*   **a.** à Moscou.   **b.** à Rome.   **c.** à Québec.   **d.** à la Nouvelle-Orléans

   Réponses: **a.** à Dakar.   **b.** à Washington.   **c.** à Montréal.   **d.** au Havre

6. All tracks, orally and/or written.

   1. verront; verrez; verrai; verra; verras; verra.   2. ne verrai pas; verrons; verra; verra; verras; verra.   3. Verras-tu; Verront-elles; Verront-ils; Verrons-nous; Verrez-vous; Verrai-je (Est-ce que je verrai)

7. All tracks. Combine with Exercice 8 by doing both verbs in one tense each day. For example, Exercice 7, 1 and Exercice 8, 1 (*le présent*); then Exercice 7, 2 and Exercice 8, 2 (*l'imparfait*), etc.

   1. sers; sers; sert; servent, servons, servez
   2. ne servais pas; ne servait pas; ne servaient pas; ne servions pas; ne serviez pas
   3. Serviras-tu; Servira-t-elle; Servirez-vous; Servirons-nous; Serviront-elles; Servirai-je (Est-ce que je servirai)
   4. a servi; as servi; avez servi; avons servi; j'ai servi

8. All tracks. See directions for *Exercice* 7.

   1. Suit-on; Suis-tu; Est-ce que je suis; Suivent-ils; Suivons-nous; Suivez-vous
   2. suivais; suivais; suivait; suivaient; suivions; suiviez
   3. ne suivras pas; ne suivra pas; ne suivrez pas; ne suivrai pas; ne suivrons pas; ne suivront pas
   4. Avons-nous suivi; Ont-ils suivi; A-t-elle suivi; As-tu suivi; A-t-on suivi; Est-ce que j'ai suivi

9. All tracks.

   1. Suis. 2. Sers. 3. Suivez. 4. Servez. 5. Servons. 6. Suivons. 7. Ne suis pas. 8. Ne servez pas

10. All tracks.

   1. Nous en avons. 2. Vous en avez. 3. Ils n'en ont pas. 4. Je n'en avais pas. 5. Vous n'en aurez pas besoin. 6. Il n'en a pas honte. 7. On n'en a pas honte. 8. Elle en a honte. 9. Je n'en ai pas honte. 10. Vous en aviez honte

11. All tracks.

   1. lui en prête. 2. lui en prêtais. 3. leur en faisait. 4. leur en fera. 5. lui en sert. 6. nous en a servi. 7. vous en a rendu. 8. vous en a montré. 9. t'en a montré. 10. m'en a envoyé

12. All tracks in *Temps simples*. Recognitional in *Temps composé* for Tracks II and III. (Have them work some out slowly, first in writing, so that they will later recognize the structure.)

   1. ne lui en servirai pas. 2. ne leur en donneras pas. 3. ne m'en servait pas. 4. ne t'en parlait pas. 5. ne lui en ai pas servi. 6. ne leur en as pas montré. 7. ne m'en a pas prêté; ne t'en a pas parlé

13. Optional for Tracks II and III.

   1. Est-ce que je lui en servirai. 2. Leur en donneras-tu. 3. M'en servait-il. 4. t'en parlait-il. 5. Est-ce que je lui en ai servi. 6. Leur en as-tu montré. 7. m'en a-t-elle prêté. 8. t'en a-t-il parlé

14. All tracks.

   1. Servez-m'en. 2. Servez-nous-en. 3. Sers-m'en. 4. Sers-nous-en. 5. Parlons-lui-en. 6. Ne m'en donnez pas. 7. Ne nous en donne pas. 8. Ne leur en donnons pas

15. Before the Exercise, enact the scene *A l'Agence de Voyages,* or do it as a Repetition Drill (right column). This exercise is for all Tracks.

   1. s'en occupe. 2. s'en charge. 3. s'en charge. 4. nous en occupons. 5. vous en occupez. 6. t'en charges. 7. m'en charge

16. Do the sentences above the Exercice as a Repetition Drill. For all tracks.

   1. Je lui achèterai. 2. Je lui louerai. 3. Je leur paierai. 4. Paul m'achètera.
   5. Il te paiera. 6. Il nous louera. 7. Il vous paiera

17. All tracks. Nos. 16–20 must also be written. Rapid drill.

   1–5: chantant, habitant, attachant, indiquant, arrêtant
   6–10: choisissant, punissant, réussissant, obéissant, guérissant
   11–15: vendant, rendant, perdant, répondant, attendant
   16–20: rangeant, arrangeant, corrigeant, annonçant, prononçant

18. All tracks. Oral and/or written drill.

   1–5: prenant, comprenant, apprenant, partant, sortant
   6–10: devant, écrivant, lisant, mettant, buvant
   11–15: ouvrant, pouvant, voulant, venant, revenant
   16–20: recevant, servant, ayant, étant, sachant

19. All tracks. For the use of the present participle. Refer Tracks II and III to the *nous* form of the verbs given in Exercice 18. Do some or all. All answers begin with *En —* and end with *j'oublie les examens.*

   1–5: regardant, cherchant, choisissant, attendant, mangeant
   6–10: faisant, écrivant, voyant, buvant, ouvrant
   11–14: servant, suivant, mettant, commençant

20. Good for written homework, all tracks.

   1–3: En indiquant les routes. En volant au-dessus. en déjeunant, en écoutant. 4–5: En arrêtant. En visitant

21. Use the illustrations. All tracks. Choral repetition of *tasse* and *parapluie*.

   1. je me sers d'un stylo. 2. se sert d'un parapluie. 3. se sert d'une tasse. 4. se sert d'un vélo. 5. te sers d'un verre. 6. se sert d'une assiette. 7. vous vous servez d'une fourchette et d'un couteau. 8. nous nous servons d'une cuiller

22. Optional. Just for fun and for some practice with the negatives.

   1. ne me sers pas d'un. 2. ne se sert pas d'un. 3. ne se sert pas d'une. 4. ne se sert pas d'un. 5. ne te sers pas d'un. 6. ne se sert pas d'une. 7. vous ne vous servez pas d'une. 8. nous ne nous servons pas d'une

23. All tracks in the affirmative. Optional in the negative for Tracks II and III.

   1. (ne) s'en sert (pas). 2. same as #1. 3. (ne) s'en servent (pas). 4. same as #3. 5. (ne) nous en servons (pas). 6. (ne) vous en servez (pas). 7. (ne) m'en sers (pas). 8. (ne) t'en sers (pas)

24. Good for everybody. (B) and (C) are optional for Tracks II and III. Free responses.

25. C .position. Optional but good practice.

Exercice général. Assign all, or part, for writing at home.

VI. Notes sur la civilisation française

1. Track I, the usual procedure. With Tracks II and III, summarize briefly in English or in simple French, and use the illustrations and the *Applications* on pages 290–291.

2. The Questions may be answered by Track I. For other pupils, you may wish to convey the information contained therein by your own *"causerie" en français*, illustrating it by examples at the blackboard.

3. Questions: 1. i. 2. g. 3. e. 4. f. 5. a. 6. b. 7. c. 8. j. 9. d. 10. h.

Le Supplément: les fractions. Choral repetition will do this.

VII. Amusons-nous!

Fun for good mathematicians. Good practice for others. Pick and choose.

Leçon 34

I. Conversation 1

I suggest books open here for everybody. Use the techniques outlined in the Teacher's Annotated Edition of *Vous et Moi*. (Repeat printed answer first, then ask questions, etc.)

Conversation 2

I suggest books closed here, the first time around; have pupils repeat in chorus *celui-ci, celui-là*, then ask the questions. Do the same for each new form. Then open books. (Use the chart in *Structure C*, page 305.)

II. Scène de la vie française

1. Before the reading, you might wish to go over the color plates (and their captions) on pages 298 and 299. Concentrate on pictures #2 and #3.
2. An intensive reading lesson of each part. (See page 17.)
3. On page 297, explain that the word *baise* is used *only* for kissing someone's hand, a special expression. Otherwise *embrasser* is always used for "to kiss."
4. Complete as many as you can of Structures A, B, and C at the end of each part of the reading.

III. Vocabulaire actif

As usual.

IV. Dialogue original

For all tracks, after Structure D has been completed.

302–305

V. Structures

A. Explain how the chart for *connaître* shows the derivation of the forms. The usual procedures for the remaining structures.

Exercices

1. All tracks. Do *all* of A, then *all* of B, then *all* of C.

   A. 1. Tu connais. 2–4. On, il, elle connaît. 5–6. Elles, Ils connaissent. 7. Nous connaissons. 8. Vous connaissez
   B. 1. Tu ne connais pas. 2–4. On, Il, Elle ne connaît pas. 5–6. Elles, Ils ne connaissent pas. 7. Nous ne connaissons pas. 8. Vous ne connaissez pas
   C. 1. Connais-tu. 2. Connaît-on. 3. Connaît-il. 4. Connaît-elle. 5. Connaissent-elles. 6. Connaissent-ils. 7. Connaissons-nous. 8. Connaissez-vous

2. Use these judiciously in class, or they will be too time-consuming. All tracks in rapid drill. Assign the remainder.

   A. 1. Tu ne connaissais pas. 2–4. On, Il, Elle ne connaissait pas. 5–6. Elles, Ils ne connaissaient pas. 7. Nous ne connaissions pas. 8. Vous ne connaissiez pas
   B. 1. Connaîtras-tu. 2. Connaîtra-t-on. 3. Connaîtra-t-il. 4. Connaîtra-t-elle. 5. Connaîtront-elles. 6. Connaîtront-ils. 7. Connaîtrons-nous. 8. Connaîtrez-vous
   C. 1. Tu as connu. 2–4. On, Il, Elle a connu. 5–6. Elles, Ils ont connu. 7. Nous avons connu. 8. Vous avez connu
   D. 1. Tu n'as jamais connu. 2–4. On, Il, Elle n'a jamais connu. 5–6. Elles, Ils, n'ont jamais connu. 7. Nous n'avons jamais connu. 8. Vous n'avez jamais connu

3. All tracks.

   1. Savez. 2. Connaissez. 3. Savez. 4. Connaît. 5. Sait. 6. connaissons. 7. savons

4. All tracks. Rapid substitution drill.

   1–4: Lequel; Laquelle; Lesquels; Lesquelles. 5–8: Lesquelles; Lequel; Lesquelles; Laquelle

5. All tracks. Warn students about singulars and plurals and advise them to look at the *verb* in the sentence to discover which is required.

   1. Lequel. 2. Laquelle or Lesquelles. 3. Lesquels. 4. Lesquelles. 5. Lequel. 6. Lesquelles. 7. Lesquels

6. Enact the *Scène* in *Structure C*. All tracks for this exercise.

   1–4: celui-ci; celui-là; celle-là; celle-ci. 5–8: ceux-ci; ceux-là; celles-là; celles-ci

7. All tracks. Good for a homework assignment.

   1–3: Je connais celui-ci; Je suivrai celle-là; Je servirai ceux-ci
   4–6: Je verrai celles-là; J'ai honte de celles-là; Il me faut ceux-ci;
   7–8: J'ai besoin de ceux-là; Il vous faut celles-ci

8. All tracks. Allow time for Tracks II and III to determine *which* regular verb is used (*parler, manger,* etc.) before they tackle each translation. Do in pairs, *Question,* then *Answer.*

   A. Depuis quand: parlez-vous, mangez-vous, écoutez-vous, étudiez-vous, fumez-vous
   B. Je: parle, mange, écoute, étudie depuis midi. Je ne fume pas!

9. All tracks. Good for a homework assignment for Tracks II and III.

   1. êtes; suis. 2. avez; ai. 3. a; a. 4. écrivez-vous; écris. 5. fait; fait. 6. portent; portent. 7. allons; allons

10. Pupils must be able to recognize and understand this construction. Track I will have no problem. Help Tracks II and III with the first few.

    1. s'amuse. 2. s'habille. 3. vous dépêchez. 4. vous lavez. 5. s'occupent.

11. Free responses. Just be sure pupils use the present tense plus *depuis.* Spend as much or as little time on it as you think best.

12. All tracks. An easy exercise to practice verb forms.

    1. tient à. 2. tient à. 3. tiens à. 4. tiens à. 5. tenez à. 6. tenons à

13. An optional exercise, but pupils may enjoy it.

    1. ne tient pas à. 2. ne tient pas à. 3. ne tiens pas à. 4. ne tiens pas à. 5. ne tenez pas à. 6. ne tenons pas à

14. All tracks. Good practice for contractions with *de,* also. Allow some free responses. The following may help:

    1. de la broche. 2. du foulard. 3. de la caméra. 4. de l'appareil. 5. de la chéchia *or* du boubou. 6. du foulard *or* du pagne. 7. de la caméra. 8. des boubous *or* des chéchias. 9. des sacs the couchage.

15. All tracks should try this. Use the blackboard to clarify the directions. (Place a few subjects on the board, a direct object pronoun, the verb *remercier,* the preposition *de* and an article, or the word *cadeau.* Arrange them in sequence, horizontally.) Free responses, within the limits outlined.

16. All tracks should do this.

    1. Je vous en remercie. 2. vous en remercions. 3. nous en remerciait. 4. vous en ai remercié. 5. t'en a remercié. 6. m'en a remercié

63

311-320

17.   Good for all tracks.

1. Sois le bienvenu.   2. Sois la bienvenue.   3. Soyez le (la) bienvenu (e).   4.
Soyez la bienvenue.   5. Soyez les bienvenus (es).   6. Soyez les bienvenus (es).
7. Soyez les bienvenus.   8. Soyez les bienvenues.

18.   Assign some to individuals or pairs of students to prepare at home; then
enact some in class. Free responses.

Exercice général.   Assign for writing at home after reviewing salutations and
closings.

Ma chère Colette:

Je tiens à vous (te) remercier des lunettes de soleil. Je m'en servirai souvent
(beaucoup) pendant mes voyages. Mon vol était excellent (beau); le Boeing était
une merveille mécanique. Il y a toujours beaucoup de monde qui voyage en été. Je
ferai de mon mieux pour apprendre tout ce qui est important en lisant et en voyant
beaucoup de choses.

Depuis quand êtes-vous (es-tu) à la plage? Attendez-vous (Attends-tu) ma lettre
depuis longtemps?

Je suis en Afrique (Europe) depuis dix jours et je m'amuse beaucoup. Je serai
heureux (heureuse) de recevoir une lettre de vous (toi). Ecrivez-moi (Ecris-moi)
parce que je pense souvent à vous (toi).

Votre (ton) ami(e)

VI.   Notes sur la civilisation française

1.   It will be worth while to read this orally to all classes, and work out the answers
to the questions with them.

2.   Help students with the captions of the photographs, and with the French
printed on each during the lessons on Africa. (The flower pot covers the word *Travail* on the sign on page 314!)

3.   Questions: 1. d.   2. a.   3. c.   4. b.   5. g.   6. f.   7. e.

VII.   Amusons-nous!

Have pupils read the advertisements for a few minutes. They will notice the
English of much of the text. (This is from a *real* brochure!) They will see many
familiar words, and ask you the meaning of others. Propose the real-life situation
described in the exercise on page 317. Then do as much as the students will be
interested in. Remind them that they will no doubt be faced with such a situation!

Leçon 35

I.   Conversation

1. Choral repetition of the printed answers first, before asking the questions.
2. If Tracks II and III need help, have choral repetition of Structure A, 1, and a
little explanation before continuing.
3. After the *Conversation*, do some of the *Exercices* in *Structure A*.

II. Scène de la vie française

1. Intensive reading for parts I and II. (See page 17.)
2. After each part, continue with Structures.

III. Vocabulaire actif

Test only the words pupils have met in the Structures, as well as in the reading. Hold them responsible for all the vocabulary only toward the end of the *Leçon*.

IV. Dialogue original

All students should try this after Structure B.

V. Structures

A. Do the *Exercices de rythme* for the "fleeting" *e*, especially before you do the negative, and interrogative with *Est-ce que*.

B. Don't require the active construction of questions with *Depuis combien de temps y a-t-il que* . . .

Exercices

1. Do some orally in class; assign others. Start by doing one verb at a time.

A.	B.	C.	D.	E.
1. me suis levé(e)	. . . couché(e)	. . . amusé(e)	. . . arrêté(e)	. . promené(e)
2. t'es levé(e)	. . . couché(e)	. . . amusé(e)	. . . arrêté(e)	. . promené(e)
3. s'est levé	. . . couché	. . . amusé	. . . arrêté	. . . promené
4. s'est levé(e)	. . . couchée	. . . amusée	. . . arrêtée	. . . promenée
5. s'est levé	. . . couché	. . . amusé	. . . arrêté	. . . promené
6. nous sommes levé(e)s;	couché(e)s	. . . amusé(e)s	. . . arrêté(e)s.	. promené(e)s
7. vous êtes levé(e)(s);	couché(e)(s)	. . . amusé(e)(s)	. . . arrêté(e)(s);	promené(e)(s)
8. se sont levés	. . . couchés	. . . amusés	. . . arrêtés	. . . promenés
9. se sont levées	. . . couchées	. . . amusées	. . . arrêtées	. . . promenées

2. All tracks.

1. me suis excusé(e). 2. t'es occupé(e). 3. s'est perdu. 4. s'est servie. 5. s'est depêché. 6. nous sommes arrêtés (ées). 7. vous êtes promené (s, ée, ées). 8. se sont habillées

3. All tracks, but only (A) for Tracks II and III.

1. Je ne me suis (A) pas, (B) jamais amusé (e). 2. Tu ne t'es (A) pas, (B) jamais reveillé (e). 3. Il ne s'est (A) pas, (B) jamais promené. 4. Elle ne s'est (A) pas, (B) jamais servie. 5. On ne s'est (A) pas, (B) jamais occupé. 6. Nous ne nous sommes (A) pas, (B) jamais arrêtés (ées). 7. Vous ne vous êtes (A) pas, (B) jamais perdus (es). 8. Ils ne se sont (A) pas, (B) jamais dépêchés. 9. Elles ne se sont (A) pas, (B) jamais chargées. 10. Je ne me suis (A) pas (B) jamais reposé (e)

65

4. All tracks. Do only (A) and (B) with Tracks II and III.

A. 1. Je me suis amusé au match? 2. Tu t'es réveillé tard? 3. Il s'est promené en ville? 4. Elle s'est servie d'un livret? 5. On s'est occupé de toi? 6. Nous nous sommes arrêtés? 7. Vous vous êtes perdus? 8. Ils se sont dépêchés pour nous? 9. Elles se sont chargées de tout? 10. Je me suis reposé là-bas?

B. 1. Est-ce que je me suis. 2. Est-ce que tu t'es. 3. Est-ce qu'il s'est. 4. Est-ce qu'elle s'est. 5. Est-ce qu'on s'est. 6. Est-ce que nous nous sommes 7. Est-ce que vous vous êtes. 8. Est-ce qu'ils se sont. 9. Est-ce qu'elles se sont. 10. Est-ce que je me suis

C. 1. Me suis-je. 2. T'es-tu. 3. S'est-il. 4. S'est-elle. 5. S'est-on. 6. Nous sommes-nous. 7. Vous êtes-vous. 8. Se sont-ils. 9. Se sont-elles. 10. Me suis-je

5. A homework assignment, especially for Tracks II and III.

1. Oui (Non), je (ne) me suis (pas) dépêché(e) ce matin. 2. Je me suis réveillé (e). 3. Je me suis habillé (e). 4. Je me suis couché (e). 5. Oui (Non), ils (ne) se sont (pas) amusés. 6. Oui (Non), ils (ne) se sont (pas) promenés. 7. Oui (Non), ils (ne) se sont (pas) arrêtés. 8. Oui (Non), je (ne) me suis (pas) amusé (e). 9. Oui (Non), on (ne) s'est (pas) levé. 10. Oui (Non), ma mère (ne) s'est (pas) reposée

6. All tracks.

1. Il y a une demi-heure que nous. 2. Il y a un an que. 3. Il y a un quart d'heure que. 4. Il y a longtemps qu'on. 5. Il y a huit jours que

7. A good homework assignment. Free responses. If you wish, assign *either* (A) or (B) to Track II or III. But watch out for the time expressions including "heures" in the answer.

A. 1. Je parle français depuis (time). 2. Je bavarde ici depuis. 3. Je danse le "jerk" depuis. 4. Il joue de la guitare depuis. 5. Je joue du piano depuis. 6. Je joue au tennis depuis. 7. J'étudie ces verbes depuis

B. 1. Il y a (time) que je parle. 2. Il y a (time) que je bavarde. 3. Il y a (time) que je danse. 4. Il y a (time) qu'il joue. 5. Il y a (time) minutes que je joue de la. 6. Il y a (time) que je joue au. 7. Il y a minutes (time) que j'étudie.

8. All tracks. You may be satisfied that the slower students understand the structure before you reach the end of the exercise.

1. livre il y a quinze jours. 2. photo il y a deux mois. 3. écrit il y a trois semaines. 4. allé en France il y a trois ans. 5. me suis réveillé (e) il y a une demi-heure. 6. téléphoné il y a un quart d'heure. 7. me suis lavé(e) il y a dix minutes. 8. habillée il y a longtemps. 9. arrêté il y a deux heures. 10. excusés il y a quelques minutes

9. Good practice for all tracks to illustrate use of *Il y a . . . que*

1. Il y a quinze jours que j'ai.   2. Il y a deux mois qu'il.   3. Il y a trois semaines que Jean lui a.   4. Il y a trois ans qu'on.   5. Il y a une demi-heure que je.   6. Il y a un quart d'heure qu'il.   7. Il y a dix minutes que je.   8. Il y a longtemps qu'elle.   9. Il y a deux heures qu'il.   10. Il y a quelques minutes qu'ils se sont.

10. All tracks. First do (A) with all examples; then do (B).

(A) Add the words *il y a* to the sentence in column I before you add the time expression in column II.
(B) Place the expression Il y a *before* the time expression in column II, add *que*, THEN add the sentence in column I. (Example: 1. *Il y a* huit jours *que j'ai vu cette émission.*)

11. A good homework assignment on the construction. If you do it orally, first use *. . . il y a* (time), then *Il y a* (time) *. . . que*, alternating.

1. J'ai visité la banlieue il y a quinze jours, *or* Il y a quinze jours que j'ai visité . . .   2. Je suis allé(e) au centre de la ville il y a une demi-heure, *or* Il y a une demi-heure que je suis allé(e).   3. Je suis arrivé(e) ici il y a trois heures *or* Il y a trois heures que je suis arrivé(e).   4. J'ai vu les camions il y a quelques heures *or* Il y a quelques heures que j'ai vu

12. Required for all tracks (after choral repetition of all sentences above example.)

1. lui plaît.   2. ne lui plaît pas.   3. leur plaît.   4. leur plaisent.   5. ne leur plaît pas.   6. ne leur plaisent pas.   7. lui plaisent.   8. ne lui plaisent pas

13. A good homework assignment for all Tracks.

1. Oui (Non), le livre (ne) me plaît (pas).   2. Oui (Non), le professeur (ne) nous plaît (pas).   3. Oui (Non), les examens (ne) nous plaisent (pas).   4. Oui (Non), la bonté (ne) te plaît (pas).   5. Oui (Non), la politesse (ne) me plaît (pas)

14. All tracks. Do all of A before all of B. A possible homework assignment.

A. Qu'est-ce qui: t'arrive, lui arrive, lui arrive, nous arrive, vous arrive
B. Quelque chose: m'est arrivé, lui est arrivé, lui est arrivé, nous est arrivé, vous est arrivé

15. Orally, all tracks.

1. la clef avec laquelle.   2. le magasin devant lequel.   3. une réunion pendant laquelle.   4. les belles routes sur lesquelles.   5. les livres dans lesquels

16. All tracks. Assign for homework to Track II and/or Track III.

1. le professeur chez qui.   2. les amis avec qui.   3. les jeunes filles pour qui.   4. la dame à qui.   5. les élèves avec qui

67

17. All tracks.

1. le professeur dont je. 2. le passeport dont elle. 3. le voyage dont il. 4. la cravate dont vous. 5. les bagages dont il. 6. les cadeaux dont elle. 7. les Africaines dont il. 8. mes lunettes dont j'ai

18. All tracks.

1. de quoi. 2. à quoi. 3. de quoi. 4. de quoi. 5. de quoi

19. A review exercise. All tracks should try it, although slower students may make a few mistakes!

1. qui. 2. qui, qui. 3. qui. 4. que, qui. 5. dont (de laquelle), dont. 6. qui. 7. laquelle. 8. que. 9. lesquels. 10. ce qui, que. 11. lequel. 12. qui

20. Optional for Track III. Do about half for Track II.

1. tous les deux. 2. toutes les trois. 3. tous les quatre. 4. tous les six. 5. toutes les cinq. 6. toutes les sept. 7. tous les huit. 8. toutes les deux

21. Free responses. With slower pupils, you might start a question with *Qui* (Example: *Qui se demande si la guerre va bientôt finir?*) to be sure of their using the correct *tense* in the answer and to give them time to think of a subject. It's just for a little practice with *se demander*.

Exercice général   To be written at home. You may assign only parts (paragraphs) of it to slower pupils.

Premier paragraphe

1. a. J'attends une lettre depuis . . .   b. Je vous ai (je t'ai) écrit il y a . . .   2. Qu'est-ce qui vous est (t'est) arrivé? or Est-ce qu'il vous est (t'est) arrivé quelque chose? 3. J'espère que vous allez (que tu vas) bien et que vous m'écrirez (tu m'écriras) bientôt.

Deuxième Paragraphe

4. a. Je (ne) me suis (pas) amusé(e) . . .   b. En arrivant, je me suis lavé(e), reposé(e), etc.   5. a. Il y avait un Canadien, un professeur, etc.   b. J'ai (Je n'ai pas) réussi . . .   6. a. Je (ne) me suis (pas) promené(e) . . .   b. Je suis resté(e) . . .   7. Je préfère . . .   8. Je me suis arrêté(e) . . .

Troisième paragraphe

9. a. Je me suis couché(e) à . . .   b. J'ai (Je n'ai pas) pensé   10. Ecrivez-moi (Ecris-moi bientôt.

VI. Notes sur la civilisation française

1. Most students will be interested in the timely topic. Try reading it aloud to Tracks II and III; with Track I, give them the pronunciation of the italicized words, and let them read it at home and write the questions. Most pupils will be able to answer the questions.

2. Questions: 1. c. 2. d. 3. b. 4. a. 5. e. 6. f.

VII. Amusons-nous!

Optional for weak students, unless their interest in the subject is high.
The illustration: The fellow with the big hat on is the doctor!

Révision générale VII

See the General Directions for the *Révision Générales*, page 33.

Réponses

D. Les noms géographiques

1. l'Europe; la Belgique; le Japon; Paris; la Nouvelle-Orléans
2. en Europe; en Belgique; au Japon; à Paris; La Nouvelle-Orléans

F. Les idiotismes

1. c. 2. b. 3. g. 4. d. 5. f. 6. a. 7. h. 8. e

G. Les prépositions

1. à. 2. à. 3. de. 4. d'; à. 5. à; d'. 6. d'; à. 7. de. 8. de. 9. de. 10. à. 11. de. 12. d'. 13. à. 14. à. 15. à. 16. de. 17. à. 18. à; à. 19. de

IV Vrai ou Faux?

1. F. 2. F. 3. V. 4. F. 5. F. 6. F. 7. F. 8. V. 9. V. 10. V. 11. V. 12. V. 13. V. 14. V. 15. F.

1. la partie nord-ouest. 2. le camembert. 4. dix-huit heures. 5. seulement à certaines heures de la journée et jusqu' à 23.20 h. le soir. 6. deux. 7. française. 15. La Maison des Esclaves se trouve à l'île de Gorée

Leçon 36

I. Conversation (15-20 minutes)

Choral repetition of all forms in the answer column of the section before asking the questions. With Tracks II and III, have a choral repetition drill (books open) of the forms in Structure A, 1, if pupils find difficulty in responding.

II. Scène de la vie française

The usual Intensive Reading Lessons, one for each part. (See page 17.) Use whatever time is left each day to continue the Structures A and B. After they have heard several readings by the teacher or the tape, students will probably wish to dramatize parts of the *Scène*, especially lines 36 to 74.

III. Vocabulaire actif

Use some words daily in the warm-up. See the questions in the *Discussion*.

IV. Dialogue Original

All students should do this. It can be done after Structure A.

V. Structures

A. Emphasize the fact that all forms sound the same in the singular and the third person plural. After repetition of A. 2., ask the Questions.

B. Show the similarity of the English and the French use of the conditional.

Exercices

1. All tracks, orally.

1. (je) (tu) donnerais, punirais, attendrais, serais, aurais, irais;
(il) donnerait, punirait, attendrait, serait, aurait, irait
2. (on) volerait, réussirait, rendrait, serait, aurait, irait
(ils) voleraient, réussiraient, rendraient, seraient, auraient, iraient
3. (nous) attacherions, obéirions, perdrions, serions, aurions, irions
(vous) attacheriez, obéiriez, perdriez, seriez, auriez, iriez

2. All tracks, orally. Assign some of A, of B, and of C.

A. 1–5:   lirais; écrirais; apprendrait; comprendrait; partirait
A. 6–10: sortirions; feriez; diraient; pourrais; saurais
A. 11–14: faudrait; connaîtrions; suivriez; serviraient
A. 15–18: verrais; enverrait; devriez; recevraient
B. 1–3:   m'amuserais; te lèverais; s'en servirait
B. 4–6:   s'en irait; nous nous laverions; s'arrêterait
C. 1–6:   placerais; voyagerais; paierait; essaierait; achèterions; emmèneriez

3. All tracks. Begin orally; assign the remainder for homework.

1. fera, ferait. 2. sera, serait. 3. ira, irait. 4. prendra, prendrait. 5. pourra, pourrait. 6. faudra, faudrait. 7. saurez, sauriez. 8. verrons, verrions

4. All tracks orally, a and c. Do them orally in the future (A) and conditional (B). Assign c.

A.a.1,2. viendrai, viendras. 3-5. viendra. 6,7. viendront. 8,9. viendrons, viendrez
b.1,2. reviendrai, reviendras. 3-5. reviendra. 6,7. reviendront. 8,9. reviendrons, reviendrez
c.1,2. voudrai, voudras. 3-5. voudra. 6,7. voudront. 8,9. voudrons, voudrez
B.a.1,2. viendrais. 3-5. viendrait. 6,7. viendraient. 8,9. viendrions, viendriez
b.1,2. reviendrais. 3-5. reviendrait. 6,7. reviendraient. 8,9. reviendrions, reviendriez

c.1,2. voudrais.   3-5. voudrait.   6,7. voudraient.   8,9. voudrions, voudriez

5. All tracks, either orally or written.

    1. viendraient.   2. voudriez.   3. reviendrait.   4. voudrait

6. All for Track I: some oral, some written; Track II: 1, 2, 3, 4; Track III: 1, 2, 4. One of the latter should be written homework.

    1. ferions; irions; aurions envie de; serions; jouerions.   2. viendrait; causerait; enverrait.   3. dérangerais; empêcherais; j'irais à; demeurerais à; viendrais. 4. avais, avais envie de; étais.   5. auraient; reviendraient; verraient; diraient; écriraient; réussiraient

7. Optional exercise. The trick here is to construct a contrary to fact sentence that's different from the one given in the model! Free responses.

8. All tracks. Some orally, some for homework.

    1. voudrait.   2. Voudrais.   3. pourrait.   4. saurait.   5. Sauriez.   6. saurais.   7. pourrions.   8. Voudriez

9. All tracks.

    1. m'y.   2. t'y.   3. s'y.   4. nous y.   5. vous y.   6. l'y.   7. l'y.   8. les y.   9. ne les y.   10. ne les y

10. All tracks. Tracks II and III may write them after you have gone over a few in each column in class.

    A. J'y en; Tu y en; Il leur en; On lui en
    B. J'y en; Tu y en; Il y en; Nous y en

    G. 1. *Réponses:*   1. Mon professeur (ne) devient (pas).   2. Il (ne) devient (pas). 3. Je (ne) deviens (pas).   4. Je (ne) suis (pas).   5. J'apprends (or Je n'apprends pas) les verbes petit à petit.   6. Free response.   7. (See footnotes).   8. Je (ne) travaille (pas).   9. Where there's a will there's a way.

    G. 2. *Réponses:*   1. J'ai (Je n'ai pas) envie de.   2. J'ai (Je n'ai pas) le temps de. 3. J'ai (Je n'ai pas) envie de.   4. Je (ne) veux (pas)

    G. 3. *Réponses:*   1. Oui (Non), le bébé (ne) m'empêche (pas) de travailler.   2. Quelqu'un (name) m'empêche (or personne ne m'empêche) de travailler, dormir, danser.   3. Oui (non), le professeur (n') empêche (pas) les élèves de. 4. Oui, j'empêche quelqu'un de (Non, je n'empêche personne de)

    G. 4. *Réponses:*   1. Voici mille dollars.   2. Avez-vous cinq mille dollars?   3. Ils ont quatre millions de francs.   4. Il y a six millions de voitures sur la route.

Exercice général.   Written assignment. Free responses.

VI. Notes sur la civilisation française

1. For all students. They can all do this at home and answer the Questions.

2. Questions: 1. g.   2. e.   3. a.   4. h.   5. j.   6. i.   7. f.   8. d.   9. c.   10. b.

VII. Amusons-nous!

For all students. If there is not time (or interest) for the game, be sure they understand the principle. Objective: expansion of recognitional vocabulary.

Leçon 37

I. Conversation

Books may be open or closed. Help students with the pronunciation of the names where necessary. Feel free to explain, as you are going along (1) the interchangeable nature of *Qui?* and *Qui est-ce qui?*, (2) that *Qui?* always refers to a person. Use the boxed interrogative pronouns on page 376 to anticipate problems or to meet them if they arise.

II. Scène de la vie française

1. The usual Intensive Reading Lesson for each part. (See page 17.)
2. Before beginning the second part of the *Scène*, elaborate on the French discoveries and explorations in North America. Turn to the illustrations on pages 388–392. Point out the Canadian flag (red and white, with red maple leaf on white background) and the flag of the province of *Québec* (which contains the fleur-de-lis of the Bourbons). On page 390, point out the blue dotted line which shows the route of the pioneers. Point out also the following: *Gaspésie* (p. 392); *le fleuve Saint-Laurent, Québec* (ville), and *Montréal*, as well as the three Great Lakes that are named on the map (p. 390).

III. Vocabulaire Actif

Use many of the words in the warm-up after pupils have met them in the *Scène* or in the *Exercices*. See the *Discussion* for appropriate questions.

IV. Dialogue original

All students should do this one! You can do it after completing the *Exercices* in *Structure A*.

V. Structures

A. The interrogative pronouns may be confusing when both short forms and long forms are taught. That is why we have been using many interrogative pronouns all along, without grammatical analysis. At this point, *Qui est-ce qui* is new; please require it for *recognition only*. (Students will *hear* French people use this form.) Use the information in the blue box, page 377, to clarify the differences.

B. The *passé simple* is here taught only for recognition. A minimum of practice is given with it. All practice centers on the third person, singular and plural.

72

Exercices

1. For all tracks. Do all orally. Assign all for writing (complete sentences).

    A. 1. qui. 2. Qui or Qui est-ce qui. 3. Qui. 4. Qui or Qui est-ce qui. 5. Qui. 6. Qui or Qui est-ce qui. 7. Qui or Qui est-ce qui. 8. qui

    B. 1. Qu'est-ce qu'. 2. Que. 3. Qu'est-ce qu'. 4. Qu'est-ce qui. 5,6. Qu'est-ce qui. 7. quoi. 8. quoi

    C. 1. Qui or Qui est-ce qui. 2. Qu'est-ce qui. 3. Qu'est-ce qu'. 4. Que. 5. qui. 6. quoi. 7. quoi. 8. qui. 9. Qui or Qui est-ce qui. 10. Qu'est-ce qui

2. All tracks. Help pupils of Tracks II and III with 4, 5 and 6.

    1. Lequel. 2. Lesquelles. 3. Lesquels. 4. Auquel. 5. Desquels. 6. Auxquelles

3. All tracks.

    1. parla; demeura; nomma; finit; punit; rendit
    1. touchèrent; arrivèrent; nommèrent; choisirent; réussirent; vendirent

4. All tracks, as a written assignment. Go over it first in class.

    1. arrivèrent. 2. quitta. 3. apportèrent. 4. vendirent. 5. donna. 6. nomma. 7. aidèrent

5. All tracks, orally.

    1. was. 2. went. 3. sent. 4. wrote. 5. were. 6. took (made). 7. saw. 8. came

6. All tracks, orally.

    1. had. 2. knew. 3. learned. 4. wanted. 5. departed (left). 6. followed. 7. learned. 8. were able

7. All tracks.

    1. celui de. 2. celui de. 3. ceux de. 4. celles de. 5. celui de. 6. celle de

8. All tracks. Give pupils in Tracks II and III time to work out the relative pronoun as well as the agreement of the demonstrative pronoun. You may wish to do half of these in class with them, and assign the rest for homework.

    1. celui qui. 2. celles que. 3. ceux que. 4. celle qui. 5. Celui qui. 6. Ceux qui. 7. Celle que. 8. Ceux que

9. All tracks. Do no more than two tenses a day for each of the verbs *vivre* and *croire*. Or you may wish to do the present of *both* one day, the imparfait of *both* the next day, the future of both the *third* day, etc. In doing the exercises orally, however, please do only *one tense at a time* with *all* the persons.

A. 1. Je vis . . . mes. 2. Tu vis . . . tes. 3. Il vit . . . ses. 4. Elle vit . . . ses. 5. Ils vivent . . . leurs. 6. Elles vivent . . . leurs. 7. Nous vivons . . . nos. 8. Vous vivez . . . vos

B. 1. Je vivrai. 2. Tu vivras. 3. Il vivra. 4. Elle vivra. 5. Ils vivront. 6. Elles vivront. 7. Nous vivrons. 8. Vous vivrez

C. 1. Je vivais. 2. Tu vivais. 3. Il vivait. 4. Elle vivait. 5. Ils vivaient. 6. Elles vivaient. 7. Nous vivions. 8. Vous viviez

D. 1. J'ai vécu. 2. Tu as vécu. 3. Il a vécu. 4. Elle a vécu. 5. Ils ont vécu. 6. Elles ont vécu. 7. Nous avons vécu. 8. Vous avez vécu

E. 1. J'ai dit que je vivrais. 2. Tu as dit que tu vivrais. 3. Il a dit qu'il vivrait. 4. Elle a dit qu'elle vivrait. 5. Ils ont dit qu'ils vivraient. 6. Elles ont dit qu'elles vivraient. 7. Nous avons dit que nous vivrions. 8. Vous avez dit que vous vivriez

10. All tracks. See the note for *Exercice 9,* above.

A. 1.–2. Je, Tu crois. 3.–5. Il, Elle, On croit. 6–7. Ils, Elles croient. 8. Nous croyons. 9. Vous croyez

B. 1. Je ne croirai pas. 2. Tu ne croiras pas. 3.–5. Il, Elle, On ne croira pas. 6.–7. Ils, Elles ne croiront pas. 8. Nous ne croirons pas. 9. Vous ne croirez pas

C. 1. J'ai cru. 2. Tu as cru. 3.–5. Il, Elle, On a cru. 6–7. Ils, Elles, ont cru. 8. Nous avons cru. 9. Vous avez cru

D. 1.–2. Je, Tu ne croyais pas. 3.–5. Il, Elle, On ne croyait pas. 6.–7. Ils, Elles ne croyaient pas. 8. Nous ne croyions pas. 9. Vous ne croyiez pas

E. 1. Le croirais-je (Est-ce que je le croirais). 2. Le croirais-tu. 3. Le croirait-il. 4. Le croirait-elle. 5. Le croirait-on. 6. Le croiraient-ils. 7. Le croiraient-elles. 8. Le croirions-nous. 9. Le croiriez-vous

11. For all tracks. Preferably orally, in class.

1. Tu ne vois personne? 2. Tu n'as vu personne? 3. Elle n'aime personne. 4. Elle n'a aimé personne. 5. Vous ne connaissez personne? 6. Est-ce que personne ne reviendra? 7. Est-ce que personne n'est arrivé? 8. Est-ce que personne n'est parti?

12. For all tracks, as a homework assignment.

1. Il n'y a personne au café. 2. Il n'y avait personne à la gare. 3. Je ne crois personne. 4. Il ne croyait personne. 5. Nous ne dérangeons personne. 6. Il n'empêchait personne de travailler. 7. Personne n'était inquiet. 8. Il n'y avait personne au match.

13. For all tracks, although Tracks II and III main retain it only recognitionally.

1. ne trouve aucun disque. 2. ne veut aucun sandwich. 3. n'a aucune chance. 4. n'entendez aucune voix. 5. n'a cherché aucun rasoir. 6. n'ont eu aucun examen

14. Please do only one tense at a time with all forms required. For all tracks.

1. J'appelle . . . mes; Tu appelles . . . tes; Ils appellent . . . leurs; Vous appelez . . . vos

2. Tu rappelleras; Il rapellera; On rappellera; Nous rappellerons

3. Elle a dit qu'elle nous appellerait; Tu as dit que tu nous appellerais; Vous avez dit que vous nous appelleriez

4. Il a appelé; Nous avons appelé; On a appelé; Vous avez appelé

5. Tu t'appelles; Il s'appelle; Elles s'appellent; Nous nous appelons; Vous vous appelez

15. All tracks. For slower students, do some first in class before assigning.

1. Oui, je me rappelle.　2. Non, je ne me rappelle pas.　3. Oui, il se rappellera. 4. Oui, il se rappelle.　5. Oui, nous nous rappelons.　6. Oui, vous vous rappelez

16. All tracks. Rapid drill.

1. tout à fait vraie.　2. tout à fait nécessaires.　3. tout à fait sympathiques.　4. me va tout à fait.

17. All tracks. The first time *add* tout à coup to all the sentences. The second time around, place *Tout à coup before* the sentence. No other changes.

18. Answer in class orally, all tracks. Free responses.

Exercice général.　Written assignment. The only changes are as follows:

Left column:　1. Qui pourrait me dire où je pourrais faire du ski?
2. Est-ce que vous vous rappelez le nom . . .
3. A qui est-ce que je dois parler . . .
4. Qui pourrait me vendre . . .
5. Qu'est-ce qu'il faudra, or Que faudra-t-il . . .
6. Voudriez-vous (or Est-ce que vous voudriez) m'accompagner.
Right column:　6. Je n'ai pas le temps de faire du ski parce que je travaille tous les jours.

VI.　Notes sur la civilisation française

1.　Because of the presence of a large number of cognates in the reading all students including those of Tracks II and II, might benefit by hearing you read the passage. Track I students would need only the pronunciation of the new (glossed) vocabulary.

2.　All students should try the Questions. Only Track I students should be required to correct the statements in French.

3.　Questions: 1. difficulté. 2. Ils devaient. 3. perdirent. 4. gardèrent. 5. ne se trouvent pas. 6. ont le droit de; ont des. Ils ont tout. 7. grande. 8. deuxième. 9. beaucoup. 10. est belle; a des industries

VII.　Amusons-nous!

Another *must* for increasing vocabulary recognition. If you can't play the game, be sure that all pupils in all tracks know how to derive the meanings of the words.

Leçon 38

I. Conversation

1. Be sure to repeat chorally, pupils following the words, all the printed forms in the answer column of each section before asking the questions.
2. Pupils in Tracks II and III may require repetition of the forms in Structure A, before you start the *Conversation*.

II. Scène de la vie française

1. It is time, now, that pupils had some reading that is continuous text, rather than dialogue.
2. Before you begin to read, you might wish to show some pictures of scenes of French Canada. You can use the illustration on page 393 to start with, and continue with other pictures. Pupils may be asked to bring them in. Have pictures of cities and of the countryside.
3. Use the maps on pages 390 and 410 to show the relationship of Canada to the United States.
4. Do the usual Intensive Reading Lesson (See page 17) for each part of the *Scène*. Use the remainder of the period each day to complete *Structure A*.

III. Vocabulaire actif

As you are proceeding through the lesson, use some of the questions in the *Discussion* . . . or your own questions, if you prefer, . . . to reinforce the vocabulary pupils will be responsible for.

IV. Dialogue original

All pupils should do the *dialogue original*. It is a good homework assignment for Track II and Track III pupils. The dialogue can be tackled after you have completed *Structure B*.

V. Structures

Use the usual procedures for introducing new structures.

Exercices

1. All tracks. Reinforce by writing.

   1. le mien; le sien.   2. les miens; les siens.   3. les miens; les leurs; les vôtres.
   4. la mienne; les siennes.   5. les nôtres; la sienne

2. This exercise requires contractions, and may not be easy for slower pupils to do without some time to work them out. Help them with the first few, and allow them a few moments to write out the forms before reciting, if they need the time.

   1. a. du mien; b. du sien.   2. a. au nôtre; b. au leur.   3. a. des vôtres; b. des siennes

3. This exercise may also take a little time for Tracks II and III. However, they should work out the sentences in order to be able to recognize the construction later. For Track I, the sentences will be automatic.

   A. 1. un de tes cousins. 2. un de ses cousins. 3. un de nos cousins
   B. 1. une de vos amies. 2. une de ses amies. 3. une de leurs amies

4. All tracks. Watch out for the second sentence!

   1. avoir frappé à la porte. 2. être descendues. 3. avoir remercié. 4. avoir réussi. 5. être arrivés. 6. être allée

5. Help all students work out the answers orally. Assign for writing.

   1. Non, ils n'iront nulle part. 2. Non, il ne voulait aller nulle part. 3. Non, je ne suis allé(e) nulle part. 4. Non, ils ne se sont promenés nulle part

6. For all tracks. For slower students, write on the blackboard the *subject* of the answer plus *ne* plus the *verb*, and have them complete the answer.

   1. Je ne cherche ni les bagages ni les passeports. 2. Je n'ai vu ni les gens ni les belles routes. 3. Nous ne dansons ni le "jerk" ni le "fox" en classe. 4. Elle n'est ni honnête ni douce

7. All tracks, orally. Assign about half for homework.

   1. n'avons guère le temps. 2. ne nous servons guère d'un. 3. ne se couche guère avant. 4. n'avons guère eu le temps. 5. ne s'est guère réveillé. 6. n'est guère honnête. 7. n'est guère douce. 8. n'est guère commode. 9. ne sont guère pareils. 10. ne peut guère faire

D. Presentation of verbs ending in *–oyer* and *–uyer*

Elicit the forms where the blanks are. They are:
Le verbe *nettoyer*:
Au *futur*: nous nettoierons; vous nettoierez; ils nettoieront
Au *conditionnel*: nous nettoierions; vous nettoieriez; ils nettoieraient

Le verbe *s'ennuyer*:
Au *futur*: nous nous ennuierons; vous vous ennuierez; ils s'ennuieront
Au *conditionnel*: nous nous ennuierions; vous vous ennuieriez; ils s'ennuieraient

8. All tracks should do the present orally. Tracks II and III may be assigned the future and conditional as written homework.

   1. Toi, tu nettoies; Nous nettoyons; Vous nettoyez; Mes sœurs nettoient
   2. Mon père nettoiera; Mes frères nettoieront; Nous nettoierons
   3. Moi, je m'ennuie; Mes parents s'ennuient; Vous vous ennuyez
   4. Ma mère s'ennuierait; Le prof s'ennuierait; Personne ne s'ennuierait

9. All tracks, but be sure to have choral repetition of the adverbs above (**E.** *Les adverbes*) before asking for the completions.

   1. intelligemment. 2. évidemment. 3. couramment. 4. constamment

F. *sentir, dormir,* et *courir.* Elicit the forms for the blanks. They are:

à *l'imparfait*: il dormait, nous dormions, vous dormiez, ils dormaient
il sentait, nous sentions, vous sentiez, ils sentaient

au *passé composé*: tu as dormi, il a dormi, nous avons dormi, vous avez dormi, ils ont dormi
tu as senti, il a senti, nous avons senti, vous avez senti, ils ont senti

10. Do one verb in two tenses, or two verbs in one tense per day, during the lesson.

1. tu dors; je dors; vous dormez; nous dormons; ils dorment. 2. tu sens; Jacques sent; nous sentons; vous sentez; les enfants sentent. 3. Mon père ne dormait; Mes amis ne dormaient; Nous ne dormions. 4. Tu ne sentais; Vous ne sentiez; Les professeurs ne sentaient. 5. Il n'a; Ils n'ont; Nous n'avons; Vous n'avez. 6. Elle n'a; Tu n'as; Vous n'avez

11. All tracks. You can do all three tenses in one day if you find it feasible.

1. Tu cours; Les garçons courent; Nous courons. 2. Je courrai; Il courra; Vous courrez; Ils courront. 3. Vous avez couru; J'ai couru; Jacques a couru

12. All tracks, orally and in writing.

1. s'est lavé la figure; nous sommes lavé les mains. 3. se sont rasé la barbe. 4. se sont brossé les cheveux. 5. vous êtes brossé les dents

13. All for Track I. Limit the number for Tracks II and III.

1. J'avais obéi. 2. avais bien choisi. 3. avait attaché. 4. avions gardé. 5. aviez bien dormi. 6. avaient couru. 7. j'étais partie. 8. étais entré. 9. était venue. 10. étions allés. 11. étiez sorti. 12. étaient restées

14. All tracks.

1. est mort. 2. est morte. 3. n'est pas morte. 4. sont morts. 5. est mort. 6. sont mortes

15. All tracks. Do first in class, then assign for homework.

1. Je m'ennuie de toi. 2. Il s'ennuiera de sa famille. 3. Je m'ennuie de mes anciens amis. 4. Ils s'ennuient de leurs parents. 5. Nous nous ennuyons de vous.

Exercice général. Written exercise, for homework.

1. Je leur ferai voir . . . 2. Ils iront . . . 3. Non, je ne leur montrerai ni la voiture ni le poste de télévision. 4. a, b. Je leur dirai qu'il dormiront bien . . . et qu'ils sentiront les fleurs . . . (no changes in c. and d.) e–g. Je ne leur dirai pas que la maison est moins jolie que la vôtre, que la cuisine est plutôt petite, qu'on ne peut guère ouvrir les fenêtres. h. Je leur dirai qu'il n'y a nulle part . . . 5. Non, je n'irai nulle part avec les clients après leur avoir montré la maison.

VI.   Notes sur la civilisation française

1.   Track I can read the passage at home and prepare the questions.

2.   Tracks II and III should hear the teacher read at least the *Loi concernant les langues,* as they will understand it because of its many cognates and its timeliness.

3.   With weaker pupils, do whatever will interest them on the weight and volume in *Le système métrique.* Pupils good in science or mechanics will enjoy it.

4.   Select the questions for answering which you believe students are prepared for.

5.   Questions: 1. une.   2. deux et demi.   3. environ 19.   4. environ 15.   5. l'anglais et le français.   6. Loi sur les Langues Officielles.   7. le hockey sur glace et le ski.   8. C'est le plus grand pays de l'Amérique du Nord.   9. en recherches naturelles, industries et culture.   10. 33 pour cent

VII.   Amusons-nous!

This old song should be primarily for auditory comprehension. Use a phonograph record. Teach it to those students who like to sing.

Leçon 39

I.   Conversation

1. Because the structure presents new concepts, it is recommended that, for *all* students, you start with the *General view of the subjunctive* in the Structures section on page 422. Go as far as the end of *Exercice 1.*
2. Allow pupils to *read* the answers in answer to your questions.
3. Call on individuals to give answers that are not printed in the text.
4. Start again, allowing pupils to ask and answer the questions.
5. Assign *Exercice 1* as written homework.

II.   Scène de la vie française

1. An Intensive Reading Lesson for each part of the *Scène,* as usual. (See page 17.)
2. Before doing the second part, obtain a large map of the United States which clearly shows the states of the Northeast, bordering Canada. Emphasize the fact that many French Canadians, or their descendants, live in the states of Vermont, Maine, Massachusetts and New Hampshire.

III.   Vocabulaire actif

1. Use the questions in the *Discussion,* or your own, in your daily warm-up to give pupils practice with the active vocabulary.
2. Do not test pupils on the entire vocabulary until you have almost *finished the lesson.*

IV.   Dialogue original

All pupils should do the *Dialogue* after finishing *Exercice 7.*

V. Structures

A. Because the idea of the subjunctive is so new to pupils, and because they find difficulty with the forms, the *base* of the verb is given to facilitate manipulation. By the end of *Structure A*, pupils should do the exercises easily.

B. Students will do this one easily too!

C. Do the best you can with this tricky structure.

Exercices

1. For all tracks. First orally, then in writing.

A. 1. déjeune. 2. déjeunes. 3. déjeune. 4. déjeunent. 5. déjeunions. 6. déjeuniez

B. 1. finisse. 2. finisses. 3. finisse. 4. finissent. 5. finissions. 6. finissiez

C. 1. descende. 2. descendes. 3. descende. 4. descendent. 5. descendions. 6. descendiez

2. For all tracks. First orally, then in writing.

1. choisisse une voiture. 2. réussisse l'examen. 3. obéisses au professeur. 4. vende la maison. 5. attende des amis. 6. jouions de la guitare. 7. passiez l'examen. 8. gardions ce passeport. 9. entendiez cette musique. 10. maigrisse bien vite

3. All for Track I. A, B, C for Track II. A and B for Track III.

A. 1. Il voudrait . . . arrêtiez. 2. arrêtes. 3. arrête. 4. arrête. 5. arrêtent

B. 1. choisisse. 2. choisissions. 3. choisisse. 4. choisissent. 5. choisissiez

C. 1. ne veux pas . . . entendes. 2. ne veut pas. 3. same. 4. Il ne faut pas

D. 1. Préfère-t-il . . . étudies. 2. étudie. 3. étudiions 4. étudiiez. 5. étudient

4. By means of the verb paradigms on page 425, show how some verbs have *two* bases instead of one. Pupils must remember *which* verbs have a different base for *nous* and *vous* than for the remaining forms. These are shown clearly in Exercise 4. Train pupils to recognize the base (in boldface type) and then add the proper endings.

Answers: All answers should begin with *"Le professeur veut que . . ."*

1–5: je sorte; je parte; tu lises; il mette; on dorme

6–11: elle serve; on ouvre; on connaisse; ils écrivent; elles courent; on dise

12–16: nous apprenions; elle apprenne; nous recevions; on reçoive; buviez

17–23: il boive; vous veniez; tu viennes; nous comprenions; on comprenne; vous voyiez; on voie

5. For all tracks, first orally, then in writing.

1–6. Papa ne veut pas: que j'achète . . . que tu emmènes . . . qu'il essaie . . . qu'elle nettoie . . . qu'on répète . . . qu'ils remplacent . . .

7–12. Papa ne veut pas: que nous achetions . . . que vous emmeniez . . . que nous eassyions . . . que vous nettoyiez . . . que nous rangions . . . que vous répétiez

6. Optional, but good for all tracks. Take the time to show how it works. Free responses.

7. Before repeating the forms above the exercise chorally, do the pronunciation exercise for the verb *avoir*.

    A. 1–4: j'aie; tu aies; nous n'ayons pas; vous ayez;   5–8: ils aient; Armand ait; vous ayez; on ait.

    B. 1–5: j'y sois; vous y soyez; ils y soient; nous y soyons; vous y soyez

    C. 1–5: tu le fasses; je le fasse; ils le fassent; nous le fassions; vous le fassiez

8. Some practical use for the subjunctive. Give pupils some time to prepare their statements (in writing, perhaps) in class. Allow them to select the one or ones they would like to do. Free responses. (It is not necessary to do all of these!)

9. All tracks.

    1. pour ne pas avoir. 2. pour ne pas avoir. 3. afin de ne pas avoir. 4. de ne pas (ne plus, jamais) oublier. 5. à ne plus (ne pas, ne jamais) perdre. 6. à ne plus avoir. 7. de ne pas faire

10. For all tracks, but don't be discouraged!

    1. C'est. 2. Elle est. 3. C'était. 4. Il était. 5. Ce sont. 6. Ils sont

11. For all tracks. Again, keep up your courage!

    1. Il est. 2. C'est. 3. Elle était. 4. Ce n'est pas. 5. C'est. 6. Il est. 7. C'était. 8. Elle est

12. For all tracks.

    1. C'est. 2. Il est. 3. Il est. 4. C'est. 5. Il est. 6. C'est. 7. Ils. 8. Ce sont

13. Optional for Tracks II and III. They may do this exercise to sharpen their recognition of the tense in auditory and reading comprehension.

    1. qu'elle avait déjà étudié. 2. que leurs amis lui avaient parlé. 3. qu'il avait fait. 4. que tu avais eu. 5. que vous n'aviez jamais vu

14. For all tracks. In Tracks II and III, point out the "other past action" in sentences 2 and 4.

    1. vient. 2. venaient. 3. vient. 4. venaient. 5. viens

15. See the directions for *Exercice 13*, above.

    1. aurons fini. 2. aura réussi. 3. auras trouvé. 4. seront descendus. 5. aurai déjeuné. 6. serez partis. 7. aura grandi. 8. aurez gagné

16. All tracks. Allow slower pupils time to refer to the lists. (You might give them a specific amount of time, say, 3 minutes, to prepare 5 sentences.)

1. –. 2. –. 3. d'. 4. à. 5. –. 6. à. 7. –. 8. de. 9. à. 10. de. 11. à. 12. de. 13. d'. 14. à. 15. –. 16. –. 17. d'. 18. de. 19. de. 20. à. 21. à.

Exercice général   Assign for writing as homework.

Accept any expression of will or necessity, followed by:

1. qu'on fasse des . . .   2. que tout le monde soit prêt . . .   3. que chacun ait son.   4. que chaque élève obéisse aux.   5. qu'ils demandent au.   6. qu'ils s'arrêtent à.   7. que tout le monde se serve d'un.   8. qu'ils sachent les noms. 9. qu'ils puissent écrire.   10. (Il ne faut pas, or le prof ne veut pas) qu'on dérange les.   11. qu'on fume.   12. qu'on cause avec

VI.   Notes sur la civilisation française

1.   With all tracks, study the chart first on page 437. Work from the bottom to the top, so that pupils can be introduced to the terms in a practical and simple context. Follow this by a study of lines 30–34 of the passage.

2.   Track I can read the passage at home and answer the *Questions*.

3.   With Track II, you might read selected paragraphs, such as the first, second, and fifth paragraphs, and lines 45–48. Track III may read the first and fifth paragraphs and lines 45–48, the teacher supplementing by giving the facts in paragraph 2.

4.   All students should work out the *Questions*. Tracks II and III need not correct the false statements in French!

5.   Questions: 1. F.   2. F.   3. F.   4. V.   5. F.   6. F.   7. V.   8. V.   9. V.   10. F.

1. Les Français attribuent une très grande valeur à l'instruction.   2. Les écoles de France sont parmi les meilleures.   3. La scolarité est obligatoire jusqu 'à l'âge de seize ans.   5. L 'École Maternelle n'est pas obligatoire.   6. Il y a les deux.   10. Il y a le Conservatoire national de musique et le Conservatoire national d'art dramatique.

VII.   Amusons-nous!

All pupils should become acquainted with this classic in differing degrees. Track I students may wish to recite it or read it aloud after hearing the teacher read it; Tracks II and III will enjoy listening to the reading and following the words in the text, in an exercise in appreciation and challenge to their sense of discovery.

Leçon 40

I.   Conversation

1. Before doing the *Conversation*, you may wish to call pupils' attention to the use of the subjunctive after verbs and expressions of emotion. You may turn their attention to paragraph 4 of *Structure A*, on page 448.

2. Choral repetition of all the printed answers (in the right column) of each

section, section by section, before you ask the questions.

3. When you ask the questions, allow pupils to read the answers.
4. Have pupils follow the text of the *Questions* as you ask them, as well as the statements you make. Have them use cards or rulers to keep the place.
5. When you have completed the *Conversation*, go to *Structure A.*

II. Scène de la vie française

1. Conduct the usual Intensive Reading Lesson (see page 17) for each part.
2. Before you do part I, show a large map of the Caribbean area (borrow one of these from the Spanish Department!) and point out the site of the islands of Martinique and Guadeloupe. Ask students what they know about them, etc. Also refer to French Guiana, on the northern coast of South America. Mention that Robert traveled from Canada to the islands, and tell the relationship (political) of these islands to France.
3. After you have completed each part of the *Scène*, continue the *Structure* exercises in A and B.

III. Vocabulaire actif

Work the new words into your warm-up, daily, after pupils have met them in the *Scène*. Use the *Discussion* questions if you wish, which elicit all the active vocabulary.

IV. Dialogues originaux

These two-line dialogues should be done by all pupils. They may be done at any time after you have completed the *Scène*.

V. Structures

A. If pupils have difficulty producing the subjunctive forms, review *Structure A* in *Leçon 39* so that they will re-learn how to derive the base or bases.
B. This difficult concept may need additional clarification. The model sentences, combined with the *Exercice*, will normally get it over even with a slow group. Return to it later in the lesson, just to be sure.
C. The passive voice, not usually stressed in most grammars, is here presented for recognition. The concept of "passive voice" *must* be established to prepare students for the important use of *on* to replace passive constructions, as well as for the passive itself which will occur in the reading on Level III.

Exercices

1. All tracks.

   1. Il est important que tu.   2. Il est essentiel qu'il.   3. Il est nécessaire que nous.   4. Il est temps que vous.   5. Il est convenable que nous

2. All tracks. If pupils are shy about filling in a subject, write a few subjects (elicited from them) on the board for them to choose from. Free responses.

3. All tracks, oral and written.

1. que j'aille; qu'on aille; que nous allions; qu'ils aillent.
2. que tu saches; qu'elle sache; que vous sachiez; qu'ils sachent
3. que je puisse; qu'on puisse; que nous puissions; qu'elles puissent
4. que tu veuilles; qu'il veuille; que vous vouliez; qu'ils veuillent

4. All tracks, orally and in writing.

1. sortiez. 2. viennes. 3. aille. 4. soyons. 5. sachent. 6. boive. 7. partiez. 8. aillent

5. Optional exercise. Assign some sentences to students who have difficulty absorbing the concept, or to those who need additional practice.

6. All tracks. Do half orally in class and assign the rest for homework.

1. Ma sœur est heureuse que je parte. 2. est désolée que tu saches. 3. a honte que ses amis portent. 4. avons peur que Jacques (ne) suive cette route. 5. est contente qu'on puisse rentrer. 6. regrette que vous alliez. 7. important que les enfants boivent. 8. faut que vous écriviez. 9. essentiel que nous comprenions. 10. temps que vous connaissiez. 11. ravis qu'elle soit

7. For all tracks, but #6 is optional for Tracks II and III. First give pupils practice in deriving the remaining forms of each of these verbs in the various tenses. Tracks II and III might turn to the Appendix, page 478, verb #21 for the additional forms of *mentir*, and to page 472 section #2 for help with the verb *jeter* (like the verb *appeler*). Compare *mentir* with *sentir*.

Réponses: **A.** 1. ne mens pas. 2. n'avez pas menti. 3. ne mentaient pas. 4. ne mentira pas. 5. ne mentirait pas. 6. n'avait pas menti. 7. ne mente pas **B.** 1. jette. 2. avez jeté. 3. jetaient. 4. jettera. 5. jetterait. 6. avait jeté. 7. jette

8. The *conditionnel antérieur* should be primarily recognitional at this level. It is presented with minimal active use to insure later recognition. For all tracks. Have students read in class, then write the *whole sentence* as a homework assignment. You might wish to limit the number of sentences in Tracks II and III.

1. aurais gardé. 2. aurais demandé. 3. aurait accompagné. 4. seraient allés. 5. serions restés. 6. seriez partis

9. Before the exercise, have students read aloud the model sentences in pairs, first active voice, then passive voice, of the same tense. Remind them to read the English of the verb form silently. Generalize briefly. Although all tracks should try this, you'll have to work them out slowly with Tracks II and III.

1. Ce village est traversé par la route. 2. Les voyageurs sont arrêtés par la police. 3. Tout le monde est invité par mes amis. 4. Les enfants sont appelés par le père. 5. La France sera visitée par le touriste. 6. Le dîner sera servi par la dame. 7. Le monsieur était guéri par le médecin. 8. La viande était vendue par le boucher.

10. All tracks. Réponses: All answers are *à*.

11. All tracks.

1. de.   2. du.   3. de.   4. de

12. All tracks.

1. à.   2. de.   3. à.   4. de.   5. d'

13. All tracks.

1. Avez-vous pas mal de; J'en ai pas mal.   2. a-t-il pas mal de; Il en a pas mal.
3. Avons-nous pas mal de; Nous en avons pas mal.   4. Y a-t-il pas mal de; Il
y en a pas mal.

Exercice général.   Assign for homework. Free responses.

VI.   Notes sur la civilisation française

1.   All tracks should read the passage and answer the questions.

2.   Questions: 1. j.   2. i.   3. e.   4. d.   5. c.   6. f.   7. g.   8. b.   9. a.   10. h.

VII.   Amusons-nous!

All tracks should hear, understand, and sing as much as they can of the national
anthem.

Révision générale VIII

See the General Directions for the *Révisions Générales*, page 33.

Réponses:

3. a.
1. c.   2. d.   3. a.   4. b

3. b.
1. d.   2. c.   3. e.   4. f.   5. b.   6. a

8.
1. f.   2. d.   3. e.   4. a.   5. b.   6. c

9.
1. est arrivé.   2. est allé.   3. sont venus.   4. a fait.   5. a choisi.   6. ont été.   7. a
écrit.   8. a vu.   9. est revenu

B. 4.
1. a. C'; b. Il.   2. Il.   3. a. Il; b. Ce.   4. C'.   5. C'.   6. a. Il; b. C'

D.

1. f.   2. g.   3. a.   4. c.   5. d.   6. e.   7. b

IV   Vrai ou Faux?

1. F.   2. V.   3. V.   4. F.   5. V.   6. V.   7. V.   8. V.   9. F.   10. V.   11. V.   12. F.   13. F.   14. F.   15. V.   16. F.   17. F.

1. pas en Australie.   4. perdit.   9. 1.000 grammes.   12. des sommes minimes.   13. Liberté, Égalité, Fraternité.   14. un système d'élections.   16. Il y a un Préfet et un Conseil Général dans chaque département.   17. ont tous les droits

THE DAILY VERB DRILL

An On-going Review

Because students need constant review of forms and grammatical structures, the Verb Drill Form outlined below has proved of great value.

You might provide each student with a dittoed form of the drill which he can keep conveniently in his notebook, and assign only such sentences and verbs as have already been covered in the *Leçons*. An example of an assignment and student answers is given below. (Student answers are in parentheses.) Show students how to use the irregular verb charts in the Appendix (page 475–482) or the outline of the spelling-changing verbs which precedes the charts. It is wise to require only the *completions*. For Tracks II and III, you might also wish to supply the names of the tenses until students become accustomed to using the Drill.

Samples Assignments

(After Leçon 31) (*vous*) *faire une promenade* #1-7
(After Leçon 36) (*vous*) *faire une promenade* #1-11

After Leçon:	VERB DRILL FORM	
	1. Aujourd'hui (vous faites une promenade .	(présent)
22–25	2. Hier (vous avez fait une promenade) .	(passé composé)
26 or 27	3. Demain (vous ferez une promenade) .	(futur)
	4. S'il fait beau, (vous ferez une promenade .	(futur)
27	5. Serons-nous contents quand (vous ferez . . .) .	(futur)
27	6. Avant de (faire une . . .), il faut manger.	(infinitif)
31	7. Autrefois (vous faisiez . . .) le soir.	(imparfait)
33	8. En (faisant une . . .), on (n') est (pas) content.	(part. présent)
34	9. Depuis quand (faites-vous . . .) ?	(présent)
35	10. (Vous avez fait . . .) il y a huit jours.	(passé composé)
36	11. S'il faisait beau, (vous feriez . . .) .	(conditionnel)
38	12. Après (avoir fait . . .), il était heureux.	(infin. passé)
39	13. Il faut que (vous fassiez . . .) .	(prés. du subj.)

NOTE: *Add* a sentence after you have completed the *Leçon* in which the tense or form has been taught. The Drill gets longer and longer!

KEY TO THE TAPES

Exercices écrits et Tests

Note to teachers: These pages contain all of the material dictated on the tapes in the EXERCICES ÉCRITS, and the complete texts of the TESTING TAPES. This will enable you to correct the work written by the students in the Manual and Workbook in response to material dictated on tape.

If your school has not yet been able to purchase the tapes, the tests can be administered by the teacher. All the necessary instructions are contained in these pages.

Leçons de Révision I, II, III

Exercice Écrit

You will hear a complete sentence, with a plural adjective in it. Then you will hear the adjective repeated. Write in your Manual only the adjective which you hear repeated.

Un Ses amis sont jeunes. . . . jeunes (PAUSE)
Deux Ses sœurs sont petites. . . . petites (PAUSE)
Trois Mes cousins sont Français. . . . Français (PAUSE)
Quatre Mes professeurs sont vieux. . . . vieux (PAUSE)
Cinq Mes gants sont beaux. . . . beaux (PAUSE)

Révision 5: Testing Tape 5 (Leçons 22–26)

I. Spot Dictation

Your dictation today is a little different. You are not going to write the whole passage — only the words that are missing. Listen carefully the first time the passage is read. Then, as it is read a second time, follow the passage in your Workbook and write in the missing words. After you have finished writing, you will hear the passage a third time for you to make corrections.

Listen carefully to the passage. (Teacher reads at normal speed.)

Ce matin, Marie est <u>partie</u> de son appartement pour <u>aller</u> à l'école. Elle a pris <u>tous</u> <u>ses</u> <u>livres</u>, et elle est <u>montée</u> dans l'autobus avec <u>une</u> de ses <u>amies</u>, qui s'appelle Jacqueline. Les deux jeunes filles <u>ont</u> <u>parlé</u> pendant dix minutes. Après dix minutes, elles sont <u>arrivées</u> devant l'école. Elles sont <u>descendues</u> de l'autobus, et elles sont <u>entrées</u> dans l'école. Elles sont très <u>heureuses</u> d'aller à <u>leur(s)</u> cours, parce qu'elles sont <u>de</u> <u>bonnes</u> élèves!

Now listen to the passage again, and write the missing words during the pauses. (Teacher reads passage, pausing after the underlined words.)

Now you will hear the passage again, for you to make corrections. (Teacher reads passage at normal speed.)

87

II. Comprehension

You will hear a short passage. The passage will be read twice. After the passage you will hear five questions. In your Workbook you will find three choices—*a*, *b*, and *c*—as suggested answers to each question. Underline the one which you think answers the question correctly. After you have underlined your choices, you will hear the passage a third time. Listen carefully to the passage! (Teacher reads at normal speed.)

Madame Mercier est allée au supermarché ce matin. Elle a voulu acheter de la viande et des légumes pour le dîner de ce soir. Quand elle a vu les beaux fruits, elle a acheté des poires et des pêches. Ensuite, elle a vu des gâteaux délicieux, et elle a acheté un grand gâteau au chocolat. Et, elle a acheté aussi de la limonade et de l'orangeade. Mais la viande et les légumes? Elle les a oubliés!

Now, listen to the passage again. (Teacher reads at normal speed.)
Now, underline in your workbook the correct answer to each question.

Un   Où Madame Mercier est-elle allée?   (PAUSE)   (b.)
Deux   Quels fruits a-t-elle achetés?   (PAUSE)   (c.)
Trois   Qu'est-ce qu'elle a vu et acheté aussi?   (PAUSE)   (a.)
Quatre   Et qu'est-ce qu'elle a acheté aussi?   (PAUSE)   (c.)
Cinq   Qu'est-ce qu'elle a oublié?   (PAUSE)   (b.)

Now, listen to the passage again, and make your corrections. (Teacher reads at normal speed.)

III. Comprehension

You will hear two passages. Each passage will be read twice. After each passage, you will hear four questions, which you will answer, giving the information contained in the passage. You may answer with as few words as possible; there is no need to write a complete sentence. After you have written your answers, you will hear the passage a third time for you to make corrections. Listen to the first passage.

Monsieur et Madame Dupont sont allés en Afrique avec leurs deux enfants l'été dernier. Monsieur Dupont est directeur d'un lycée français, et il veut voir l'Afrique. Il y a des élèves dans son lycée qui sont Africains. Parce que Monsieur Dupont est un bon directeur, il veut savoir quelque chose des pays africains et il veut comprendre leurs habitants.

Now, listen to the passage a second time. (Teacher reads at normal speed.)
Now, write in your Workbook a short answer to each of the following questions. There is no need to write a complete sentence.

Un   Qui est allé en Afrique?   (PAUSE)   (Les Dupont/ M. et Mme Dupont et leurs enfants)
Deux   Quand sont-ils allés en Afrique?   (PAUSE)   (L'été dernier)
Trois   Quelle est la profession du monsieur?   (PAUSE)   (directeur d'un lycée)
Quatre   Pourquoi veut-il savoir quelque chose des pays africains?   (PAUSE)   (C'est un bon directeur/ Il y a des Africains dans son lycée.)

Now, listen to the passage a third time and make your corrections. (Teacher reads passage, allowing time at end for students to make corrections.)

Now, listen to the second passage. You will hear it twice.

Mes copains et moi allons en ville cet après-midi pour voir un nouveau film. Nous prendrons le train et nous arriverons en ville avant midi. On prendra le déjeuner dans un petit restaurant français, ou peut-être dans un restaurant italien. Après un bon déjeuner, nous partirons pour aller au cinéma. Après, on rentrera par le train. Je suis déjà de bonne humeur, parce que j'aime aller en ville avec mes camarades.

Now, listen to the passage a second time. (Teacher reads at normal speed.)
Now, write in your Workbook a short answer to each of the following questions. Remember, there is no need to write a complete sentence.

Un Qu'est-ce qu'on va voir en ville? (PAUSE) (Un nouveau film)
Deux Quand est-ce qu'on arrivera en ville? (PAUSE) (Avant midi)
Trois Où mangera-t-on? (PAUSE) (Dans un restaurant/français/italien)
Quatre Comment rentrera-t-on? (PAUSE) (Par le train)

Now, listen to the passage a third time, and make your corrections. (Teacher reads passage, allowing time at end for students to make corrections.)

IV. Rejoinders

You will have a minute to read silently the list of expressions in your Workbook under Roman numeral four, entitled *Rejoinders*. A rejoinder is a retort, a remark or a reply to a statement. A rejoinder can even be a question. Look over the list of rejoinders now. (PAUSE 1 MINUTE) Now that you have looked over these expressions, you will hear eight statements or questions. You will hear each one twice. After you have heard each one, choose one of the rejoinders from the list, and write it in your Workbook as an appropriate reply. Do not use the same expression twice. Here's an example. You hear: *J'ai eu une mauvaise note aujourd'hui . . . J'ai eu une mauvaise note aujourd'hui.* And you would choose from the list as an appropriate rejoinder: *Quel dommage!*
Don't forget to write your rejoinder in your Workbook. Listen to the first one!

Un Alors, tu ne voyageras pas cet été? Alors, tu ne voyageras pas cet été? (PAUSE) (Mais si!)
Deux Papa me prêtera la voiture pour demain! Papa me prêtera la voiture pour demain! (PAUSE) (Chic alors!)
Trois Je suis tombé de mon vélo ce matin! Je suis tombé de mon vélo ce matin! (PAUSE) (Oh, là là!)
Quatre J'ai compris seulement la première question! J'ai compris seulement la première question! (PAUSE) (Impossible!)
Cinq Tu ouvriras la fenêtre, s'il te plaît? Tu ouvriras la fenêtre, s'il te plaît? (PAUSE) (Avec plaisir!)
Six Je n'écrirai jamais cette composition. Je n'écrirai jamais cette composition. (PAUSE) (Pourquoi pas?)
Sept Mon copain a été très malade la semaine dernière. Mon copain a été très malade la semaine dernière. (PAUSE) (Il va bien maintenant?)
Huit Nous avons vu un bon programme hier. Nous avons vu un bon programme hier. (PAUSE) (Nous aussi!)
Now, listen to the eight sentences again. (Teacher repeats sentences.)

V. Written Answers

You will hear five questions. Each question will be read twice. After listening to the question, write an answer in a complete French sentence. After you have written all your answers, you will hear the questions for a third time.

Un Savez-vous jouer de la guitare? Savez-vous jouer de la guitare? (PAUSE) (Oui, je sais/ Non, je ne sais pas/ jouer de la guitare.)

Deux Avez-vous compris cette leçon? Avez-vous compris cette leçon? (PAUSE) (Oui, j'ai compris/Non, je n'ai pas compris/ cette leçon.)

Trois Mettrez-vous un imperméable ce soir? Mettrez-vous un imperméable ce soir? (PAUSE) (Oui, je mettrai un imperméable/ Non, je ne mettrai pas d'imperméable/ ce soir.)

Quatre Etes-vous toujours de bonne humeur? Etes-vous toujours de bonne humeur? (PAUSE) (Oui, je suis/ Non, je ne suis pas/ toujours de bonne humeur.)

Cinq Avez-vous lu de bons livres pendant la semaine dernière? Avez-vous lu de bons livres pendant la semaine dernière? (PAUSE) (Oui, j'ai lu/ Non, je n'ai pas lu/ de bons livres pendant la semaine dernière.)

Now, listen to the five questions again. (Teacher reads the questions.)

Leçon 28

Exercice Écrit

You will hear five sentences. Each one will be read twice. Then the past participle will be repeated. Write in your Workbook only the past participle.

Un Quelle dame avez-vous vue? Quelle dame avez-vous vue? . . . *vue* (PAUSE)

Deux Où sont les lettres que j'ai lues? Où sont les lettres que j'ai lues? . . . *lues* (PAUSE)

Trois Où sont les lettres que j'ai écrites? Où sont les lettres que j'ai écrites? . . . *écrites* (PAUSE)

Quatre Où sont les livres que vous avez écrits? Où sont les livres que vous avez écrits? . . . *écrits* (PAUSE)

Cinq Où est la phrase que j'ai apprise? Où est la phrase que j'ai apprise? . . . *apprise* (PAUSE)

Leçon 29

Exercice Écrit

You will hear five sentences. Each one will be read twice. Then only the verb will be repeated, each one a form of either the verb *payer* or the verb *essayer*. Write in your Workbook only the verb which you hear repeated.

Un Je paie le champagne. Je paie le champagne. . . . *paie* (PAUSE)

Deux Georges paiera les souvenirs. Georges paiera les souvenirs. . . . *paiera* (PAUSE)

Trois Paul essaie de lire. Paul essaie de lire. . . . *essaie* (PAUSE)
Quatre Vous essayez de danser? Vous essayez de danser? . . . *essayez* (PAUSE)
Cinq Nous essaierons de chanter. Nous essaierons de chanter. . . . *essaierons*
(PAUSE)

Révision 6: Testing Tape 6 (Leçons 27–30)

I. Spot Dictation

You will see in your Manual a paragraph with several blanks. Just listen while the complete paragraph is read to you. Later, you will hear the paragraph a second time, with pauses for you to write in the missing words. After you have finished writing, you will hear the paragraph a third time for you to make corrections. Now, listen to the paragraph.

Demain je me lèverai de bonne heure. Je vais faire un voyage. Il faudra faire les valises et faire tous les autres préparatifs avant de partir. J'achèterai plusieurs choses nécessaires. J'ai oublié d'acheter un souvenir pour Tante Marthe, chez qui je passerai quinze jours. J'aime bien Tante Marthe et je voudrais lui offrir un petit bijou — peut-être une broche en argent. Tante Marthe adore la nouvelle mode, et il ne sera pas difficile de choisir quelque chose pour elle. Maman m'aidera à trouver un beau bijou, j'en suis sûr.

Now, listen to the paragraph again, and write in the missing words. (Teacher reads paragraph with pauses after underlined words.)
Now, listen to the paragraph again, and make your corrections. (Teacher reads paragraph at normal speed.)

II. Comprehension — Completion

This is a completion exercise. First, listen to the passage as it is read to you. Then look at what is in your Manual. You will see four incomplete statements. Each incomplete statement is followed by a choice of three completions. After you have listened to the paragraph a second time, underline your choice of the best completion, based on the content of the passage. Don't try to make your choice until you have heard the passage twice. Now, listen to the passage.

Je me réveillerai de bonne heure demain matin. Je vais commencer à faire des exercices physiques chaque matin avant de prendre mon petit déjeuner.
Pour faire mes exercices, je serai debout. Je toucherai dix fois mes pieds. Après, je lèverai cinq fois le genou droit, en ensuite, je lèverai cinq fois le genou gauche. Je placerai les mains sur les épaules; ensuite je lèverai dix fois les mains en l'air. (PAUSE for students to look at Manual.)

Now, listen to the passage a second time. (Teacher reads at normal speed.)
Now, underline your choices to complete the sentences in your Manual. (PAUSE) (1. C 2. A 3. C 4. B)

91

III. Comprehension—Completion

This is exactly the same kind of exercise. Listen to the passage twice, and then underline in your Manual your choice of the best completions, based on the content of the passage. Listen to the passage.

Ce soir je dois m'occuper de mes affaires personnelles. D'abord, je dois me laver la tête, et parce que j'ai les cheveux longs, ce n'est pas facile. Après, j'ai à écrire des lettres à mes cousines, qui m'ont fait des cadeaux d'anniversaire. J'ai maintenant seize ans, et c'est un anniversaire très important. Si j'ai assez de temps, je donnerai un coup de téléphone à mon amie, Ginette. Je passerai toute la soirée sans étudier!

Now, look in your Manual, but don't make your choices yet. (PAUSE) Listen to the passage again. (Teacher reads at normal speed.)

Now, underline your choices to complete the sentences in your Manual. (PAUSE) (1. <u>B</u>   2. <u>A</u>   3. <u>C</u>   4. <u>B</u>)

IV. Comprehension—Written Answers

Again, you will listen to a passage. For this exercise, you will find in your Manual three questions based on the passage. Read them now. (PAUSE) After you have heard the passage twice, you'll write an answer to each of the questions. Then you will hear the passage a third time for you to make corrections. Just listen to the passage.

Je n'ai pas réussi à mes examens parce que je n'ai pas obéi à ma mère. Maman me dit toujours qu'il faut d'abord étudier avant de s'occuper d'autre chose. Après le travail, on peut téléphoner ou regarder la télé ou écouter des disques. Mais—et ceci est le plus important—il faut d'abord finir le travail!

Now, take a few seconds to look again at the questions in your Manual, but don't write anything yet. (PAUSE) Now, listen to the passage a second time. (Teacher reads at normal speed.)

Now, write in your Manual the answers to the questions you see there. Complete sentences are not necessary. Just give the information asked for. (PAUSE)

Now, listen to the passage a third time. Listen before making any corrections. (Teacher reads at normal speed.) (PAUSE)

(1. Je n'ai pas obéi à ma mère.   2. Téléphoner, regarder la télé, écouter des disques 3. Finir d'abord le travail)

V. Completion

In this exercise, you will complete the sentence you hear by choosing one of the four prepositions listed in your Manual. Look at the example there. You see: A. *de* B. *à* C. *sans* D. *par*. You would hear: Je suis content (RAP) de mes notes.

You would underline <u>de</u>, because the correct sentence is: Je suis content <u>de</u> mes notes.
(Simply rap on the desk to indicate where the missing preposition is in the sentence.)

Listen to each sentence twice before you underline the preposition.

Un Nous essayons RAP faire le nécessaire. Nous essayons RAP faire le nécessaire. (PAUSE) (de)

Deux Les livres sont RAP moi. Les livres sont RAP moi. (PAUSE) (à)

Trois Elle gagne deux dollars RAP semaine. Elle gagne deux dollars RAP semaine. (PAUSE) (par)

Quatre Ma voiture marche bien à quatre-vingts kilomètres RAP l'heure. Ma voiture marche bien à quatre-vingts kilomètres RAP l'heure. (PAUSE) (à)

Cinq Elle est partie RAP dire au revoir. Elle est partie RAP dire au revoir. (PAUSE) (sans)

VI. Le Futur

In this exercise, you will hear a verb in the future tense, with the subject *je*. Then you will hear a new subject as a cue. Write the same verb in the future tense with the new subject. You will hear everything twice.

Un je saurai . . . je saurai. vous . . . vous (PAUSE) (vous saurez)

Deux je serai . . . je serai. nous . . . nous (PAUSE) (nous serons)

Trois j'essaierai . . . j'essaierai. *pluriel*, ils . . . *pluriel*, ils (PAUSE) (ils essaieront)

Quatre je répéterai . . . je répéterai. nous . . . nous (PAUSE) (nous répéterons)

Cinq je deviendrai . . . je deviendrai. tu . . . tu (PAUSE) (tu deviendras)

VII. Position de l'Adverbe

You will hear five short sentences in the *passé composé*. Then you will hear an adverb as a cue. Write the whole sentence with the adverb in the proper place. Look at the example in your Manual. You would hear: *J'ai travaillé. . . . J'ai travaillé. bien . . . bien* You would write: *J'ai bien travaillé.*

Listen to the sentence and the cue twice before writing your sentence.

Un Elle a mangé. . . . Elle a mangé. bien . . . bien (PAUSE) (Elle a bien mangé.)

Deux Nous avons dansé. . . . Nous avons dansé. peu . . . peu (PAUSE) (Nous avons peu dansé.)

Trois Il a payé le livret. . . . Il a payé le livret. vite . . . vite (PAUSE) (Il a vite payé le livret.)

Quatre Avez-vous étudié? . . . Avez-vous étudié? beaucoup . . . beaucoup (PAUSE) (Avez-vous beaucoup étudié?)

Cinq Il n'est pas arrivé. . . . Il n'est pas arrivé. encore . . . encore (PAUSE) (Il n'est pas encore arrivé.)

Révision 7: Testing Tape 7 (Leçons 31–35)

I. Spot Dictation

You will see in your Manual a paragraph with several blanks. Just listen while the complete paragraph is read to you. Later, you will hear the paragraph a second time, with pauses for you to write in the missing words. After you have finished writing, you will hear the paragraph a third time for you to make corrections. Now, listen to the paragraph.

Pendant les grandes vacances, on voyageait en Europe. Quand nous sommes arrivés à la frontière entre la France et l'Italie, le train s'est arrêté. Le douanier est monté dans le train. Il est entré dans notre compartiment, et il nous a dit: —Vos passeports, s'il vous plaît, mesdames et messieurs. Nous les lui avons montrés. Tout était en ordre. Ensuite, il nous a demandé: —Avez-vous quelque chose à déclarer? Des cigarettes, des cigares, du parfum? Papa a répondu: —Nous ne fumons pas, monsieur, mais ma femme a du parfum français. —Faites-moi voir ce parfum, s'il vous plaît, madame, a-t-il dit. Maman a ouvert sa petite valise, et lui a montré le parfum. Alors il a demandé: —Vous êtes touristes, n'est-ce pas? Nous lui avons dit que nout étions Américains, et que le parfum n'était qu'un souvenir pour une amie aux États-Unis. Il a répondu: —Fermez votre valise, s'il vous plaît, madame. En quittant le compartiment, il nous a dit: —Soyez les bienvenus en Italie!

Now, listen to the paragraph again, and write in the missing words. (Teacher reads paragraph with pauses after underlined words.)

Now, listen to the paragraph again, and make your corrections. (Teacher reads paragraph at normal speed.)

II. Comprehension

In this exercise, you will hear four short passages. In your Manual you will see a question based on the passage, with four choices of answers. You will hear each passage twice, and then you will make your choice. Listen to the first passage.

Mon frère Maurice aime beaucoup les choses mécaniques. Les moteurs l'intéressent énormément. Il a une vieille voiture qui ne marchait pas autrefois. Mais, après quelques semaines de travail, Maurice a réussi à réparer le moteur. Maintenant, la voiture marche à merveille.

Now, look at the question and choices in your Manual. Read them, but don't make your choices yet. (PAUSE) Now, listen to the passage again. (Teacher reads passage at normal speed.)

Now, look in your Manual and underline your choice as the best answer to the question. (PAUSE) (les moteurs)

Now, listen to the second passage.

Il y a une demi-heure que j'ai fait mes valises. Dans ma grande valise, j'ai mis mes pantalons, mes chaussettes, mes chemises et un complet. Dans ma petite valise, j'ai mis mon peigne, ma brosse à dents, mes lunettes de soleil, et des livres que j'ai l'intention de lire pendant mes vacances.

Now look in your Manual at the question and choices of answers, but don't make your choice yet. (PAUSE) Here's the passage again. (Teacher reads passage at normal speed.)

Now, look in your Manual and underline your choice of the best answer to the question. (PAUSE) (des vêtements)

Now, listen to the third passage.

94

Mon frère, Robert, est de retour après sa première année d'études à l'université. Aujourd'hui nous avons bavardé toute la journée. Il avait beaucoup à me dire au sujet de ses cours, et il a bien réussi à ses examens. Je vous assure que je n'aurai jamais honte de mon frère Robert!

Now, look at the question and choice of answers, but don't make your choice yet. (PAUSE) Here's the passage again. (Teacher reads at normal speed.)

Now, look in your Manual, and underline your choice of answer to the question. (PAUSE) (depuis un an)

Here's the fourth passage. Just listen!

La politesse est vraiment composée de bonté et de gentillesse. Ma mère montre toujours de la gentillesse envers tout le monde. Si je fais quelque chose pour elle, elle m'en remercie toujours. Quand mes amis arrivent chez nous, elle leur dit: —Soyez les bienvenus! Quand je rentre après un match de football, elle me demande: —Est-ce que tu t'es amusé aujourd'hui? Veux-tu une tasse de chocolat?

Look at the question and choices in your Manual. Don't make your choice yet. (PAUSE) Here's the passage again. (Teacher reads at normal speed.) Now, underline your choice of answer. (PAUSE) (Elle est bonne et gentille.)

III. Response

For exercise three, you are to choose one of the expressions listed in your Manual as a suitable response to each of the questions you hear. In your Manual you see six expressions marked A, B, C, D, E, and F. Take time to look at these expressions now. (PAUSE)

Let's do the first one together. You hear: *Est-ce que cette robe lui va bien?* After looking over your choices, you would choose E —Oui, à merveille! and write the letter E after number one in your Manual.

Now, we'll start with number two. Listen to the question, and write the letter of your choice of responses. After hearing all the questions once, you will hear the whole series again for you to make corrections.

Deux Quand avez-vous fini de travailler? (PAUSE) (B)
Trois On n'a pas besoin de climatisation? (PAUSE) (C)
Quatre Qu'est-ce que tu fais, maman? (PAUSE) (D)
Cinq Je vais choisir un sac. Lequel aimez-vous le mieux? (PAUSE) (A)
Six Avez-vous trouvé quelque chose d'intéressant? (PAUSE) (F)

Now, listen to the whole series again, and make your corrections. (Teacher reads questions two through six, with a pause after each one for students to make corrections.)

IV. L'Imparfait

In this exercise, you are to write a verb form in the *imparfait*. You will hear the nous form of the present tense, and then a new subject. Write the same verb in the imparfait, using the new subject. Let's do the examples in your Manual. In the first one, you would hear: nous faisons . . . je; nous faisons . . . je. You would write: je faisais.

In the second example, you would hear: nous ouvrons . . . vous; nous ouvrons . . . vous. You would write: vous ouvriez.

95

Un nous connaissons . . . *singulier,* il; nous connaissons . . . *singulier,* il (PAUSE) (il connaissait)

Deux nous envoyons . . . nous; nous envoyons . . . nous (PAUSE) (nous envoyions)

Trois nous prenons . . . *pluriel,* ils; nous prenons . . . *pluriel,* ils (PAUSE) (ils prenaient)

Quatre nous commençons . . . *singulier,* elle; nous commençons . . . *singulier,* elle (PAUSE) (elle commençait)

Cinq nous suivons . . . tu; nous suivons . . . tu (PAUSE) (tu suivais)

V. Dialogue

In this exercise, you can use your imagination. You are to write a suitable response to the statement or question you hear, as if you were having a conversation with another person. Let's look at the example in your Manual. You would hear: Maman est couchée. You might write as your response: Oh, elle est malade? *or* Oh, elle se repose?

Just write a natural response, which need not be a complete sentence, but a simple *Oui* or *Non* is not sufficient.

Un C'est le facteur qui arrive. . . . C'est le facteur qui arrive. (PAUSE) (Sample response: A-t-il des lettres?)

Deux Je n'ai pas de timbres. . . . Je n'ai pas de timbres. (PAUSE) (Sample response: J'en ai.)

Trois À quelle heure est votre rendez-vous? . . . À quelle heure est votre rendez-vous? (PAUSE) (Sample response: À trois heures)

Quatre Il n'y a rien à faire ici! . . . Il n'y a rien à faire ici! (PAUSE) (Sample response: Mais si, il y a beaucoup à faire ici!)

Révision 8: Testing Tape 8 (Leçons 36–40)

I. Spot Dictation

You will see in your Manual a paragraph with several blanks. Just listen while the complete paragraph is read to you. Later, you will hear the paragraph a second time, with pauses for you to write in the missing words. After you have finished writing, you will hear the paragraph a third time for you to make corrections. Now, listen to the paragraph.

Vous me demandez ce que je ferais si j'avais des millions de dollars? Eh bien, je pense qu'il faut partager son argent avec des gens qui sont pauvres. Il est essentiel qu'on fasse quelque chose pour ceux qui n'ont pas eu de chance dans la vie. Si l'on garde tout son argent pour soi-même, on devient de plus en plus égoïste, et on commence à avoir peur de tout et de tout le monde. Il y a tant de personnes sur cette terre qui ont besoin d'un peu de bonheur, et surtout d'un peu de tendresse. Mais, quand on aide les gens d'une façon impersonnelle, au lieu de recevoir leur reconnaissance, on ne reçoit qu'une sorte de ressentiment. Quand on partage son argent avec tendresse et bonté, ceux qui le reçoivent apprendront peut-être aussi à être tendres et bons.

Now, listen to the passage again, and write in the missing words. (Teacher reads passage with pauses after underlined words.)

Now, listen to the paragraph a third time, and make your corrections. (Teacher reads paragraph at normal speed.)

II. Comprehension

In this exercise, you will hear a series of five passages. Just listen to each passage first. Then you will be given time to look over the statements which are in your Manual. In the space in front of each statement, you will write *Vrai* for *True* or *Faux* for *False*. Don't write anything until you have heard the passage twice.

Here's the first passage.

Vous rappelez-vous les gens qui habitaient autrefois à côté de chez nous? Ce sont les Dupré. Aujourd'hui, pendant que je faisais un petit tour en ville, j'ai rencontré Paul Dupré. Il est maintenant ingénieur et il s'intéresse beaucoup à la construction des avions. Je crois qu'il va réussir dans sa profession.

Now, look at the three statements in your Manual, but don't write anything yet. (PAUSE) Now, listen to the passage again. (Teacher reads passage at normal speed.)

Now, write in your Manual the word *Vrai* in front of each statement which is true, and *Faux* in front of each statement which is false. Your choice must be based on the contents of the passage. (PAUSE) (1. Vrai 2. Faux 3. Vrai)

Now, listen to the second passage.

Quelquefois, j'ai du mal à faire tout mon possible. Il y a des jours où je suis si fatigué que je n'ai ni le courage ni le désir de faire tout ce que je dois faire. Alors, je me couche. Après avoir bien dormi, je me porte bien et je trouve que ce n'est plus si difficile!

Now, look at the three statements in your Manual which are based on the second passage, but don't write anything yet! (PAUSE) Listen to the passage again. (Teacher reads passage again at normal speed.)

Now write in front of each statement in your Manual the word *Vrai* if the statement is true, and the word *Faux* if the statement is false. (PAUSE) (1. Vrai 2. Faux 3. Vrai)

Now, listen to the third passage.

Si j'avais les moyens, je ne voyagerais pas à l'étranger. J'achèterais une petite voiture et je ferais un voyage à travers les États-Unis. J'inviterais mon ami, Guy, à m'accompagner, et nous nous arrêterions dans tous les endroits qui nous plairaient. On ne se dépêcherait pas de rentrer, et on s'amuserait à visiter tous les états.

Now, look over the statements based on the third passage. (PAUSE)
Here's the passage again. Listen! (Teacher reads passage again at normal speed.)
Now, write in your Manual the word *Vrai* or *Faux* in front of each statement. (PAUSE) (1. Faux 2. Faux 3. Faux)

Now, listen to the fourth passage.

Généralement, je n'ai peur de rien. Mais il y a une chose dont j'ai peur! L'année prochaine, il faudra que je fasse mes études à l'université, qui est loin de chez moi, et, je vous le dis franchement, j'ai peur de m'ennuyer de ma famille, de mon quartier et de mes camarades!

Now, look at the statements based on the fourth passage. (PAUSE) And, listen to the passage again! (Teacher re-reads passage at normal speed.)

Now, write either the word *Vrai* or the word *Faux* in front of each statement based on the fourth passage. (PAUSE) (1. Vrai 2. Faux 3. Vrai)

Now, listen to the fifth passage.

J'ai deux neveux et trois nièces. Ils vivent près de chez nous, et ils sont impossibles! Ils m'empêchent de travailler. Les deux garçons, âgés de huit et dix ans, me dérangent constamment. Ils demandent toujours que je leur prête mon vélo. Les trois petites filles me demandent constamment: —Raconte-nous une histoire!

Now, look at the statements based on the fifth passage. (PAUSE)
Now, listen to the passage again. (Teacher re-reads passage at normal speed.)
Now, write *Vrai* or *Faux* in front of each statement in your Manual. (PAUSE)
(1. Faux 2. Vrai 3. Faux)

III. Verbs

In this exercise, you are to write only one word for each of the sentences you hear. You will hear a complete sentence, and then one of the verbs will be repeated. After hearing them twice, write in your Manual only the verb you hear repeated. Here's the first sentence and the verb.

Un Il est important que vous sachiez tous ces verbes . . . sachiez
  Il est important que vous sachiez tous ces verbes . . . sachiez (PAUSE)
Deux Il est temps qu'il aille chez lui. . . . aille
  Il est temps qu'il aille chez lui. . . . aille (PAUSE)
Trois Il est nécessaire qu'on écrive une phrase complète. . . . écrive
  Il est nécessaire qu'on écrive une phrase complète. . . . écrive (PAUSE)
Quatre Il est essentiel que cette personne ait le don d'écrire. . . . ait
  Il est essentiel que cette personne ait le don d'écrire. . . . ait (PAUSE)
Cinq Je suis très heureux que tu ne mentes jamais. . . . mentes
  Je suis très heureux que tu ne mentes jamais. . . . mentes (PAUSE)
Six Il faut qu'on pèse ces valises. . . . pèse
  Il faut qu'on pèse ces valises. . . . pèse (PAUSE)
Sept Je regrette que nous soyons de mauvaise humeur. . . . soyons
  Je regrette que nous soyons de mauvaise humeur. . . . soyons (PAUSE)
Huit Il faut que vous appeliez le proviseur. . . . appeliez
  Il faut que vous appeliez le proviseur. . . . appeliez (PAUSE)
Neuf Je suis désolé que vous vous fatiguiez à faire tant d'excursions. . . . fatiguiez
  Je suis désolé que vous vous fatiguiez à faire tant d'excursions. . . . fatiguiez
  (PAUSE)
Dix Je suis ravi que Paul ne s'ennuie pas pendant son séjour à Paris. . . . ennuie
  Je suis ravi que Paul ne s'ennuie pas pendant son séjour à Paris. . . . ennuie
  (PAUSE)

IV. Dialogue

This exercise allows you to use your imagination. You will hear the setting for a dialogue. Then you will hear the first line of the dialogue twice. You are to write in your Manual an appropriate response as the second line of the dialogue. Your response need not be a complete sentence, but a simple *Oui* or *Non* is not sufficient. Look at the example in your Manual.

Setting: Vous rentrez après une longue journée de travail.
Votre mère vous dit: Tu as l'air fatigué!
You might write as your response: Oh, j'ai travaillé dur aujourd'hui!

Dialogue un Setting: Un ami vous a prêté un livre. Vous parlez avec lui.
 Il demande:—Que penses-tu de ce livre?
 Setting: Un ami vous a prêté un livre. Vous parlez avec lui.
 Il demande:—Que penses-tu de ce livre?
 Now, write your response to his question.   (PAUSE)

Dialogue deux Setting: Vous venez de finir une composition difficile.
 Votre mère frappe et entre dans votre chambre. Elle demande:—Qu'est-ce que tu étais en train de faire?
 Setting: Vous venez de finir une composition difficile. Votre mère frappe et entre dans votre chambre. Elle demande:—Qu'est-ce que tu étais en train de faire?
 Now, write your response to her question.   (PAUSE)

Dialogue trois Setting: Vous êtes de retour après un séjour dans une station de ski. Vous rencontrez un ami. Il demande:—Qu'est-ce qui vous est arrivé?
 Setting: Vous êtes de retour après un séjour dans une station de ski. Vous rencontrez un ami. Il demande:—Qu'est-ce qui vous est arrivé?
 Now, write your response to his question.   (PAUSE)

Dialogue quatre Setting: Vous essayez des robes dans un magasin. La vendeuse vous aide. Elle demande:—Celle-ci ou celle-là, mademoiselle?
 Setting: Vous essayez des robes dans un magasin. La vendeuse vous aide. Elle demande:—Celle-ci ou celle-là, mademoiselle?
  Now, write your response to her. You may have to pretend that you are a girl! (PAUSE)

NOTES

NOTES

NOTES

NOTES

NOTES